OKRUCH

OKRUCH

ANNA
FICNER-OGONOWSKA

Wydawnictwo Znak
KRAKÓW 2018

Projekt okładki
Paweł Panczakiewicz / PANCZAKIEWICZ ART.DESIGN
www.panczakiewicz.pl

Ilustracja na pierwszej stronie okładki
© Lilia Alvarado / Trevillion Images

Ilustracja na czwartej stronie okładki
© Trevor Payne / Arcangel Images

Fragmenty tekstu piosenki pt. *Pejzaż bez ciebie* autorstwa Jeremiego Przybory na s. 684 pochodzą z tomu: Jeremi Przybora, *Dzieła (niemal) wszystkie*, t. 2, Kraków 2016

Opieka redakcyjna
Dorota Gruszka

Redakcja
Alicja Gałandzij

Adiustacja
Monika Skowron

Korekta
Małgorzata Biernacka
Barbara Gąsiorowska

Łamanie
Piotr Poniedziałek

ISBN 978-83-240-5355-1 (broszura)
ISBN 978-83-240-5403-9 (oprawa twarda)

znak

Książki z dobrej strony: www.znak.com.pl
Więcej o naszych autorach i książkach: www.wydawnictwoznak.pl
Społeczny Instytut Wydawniczy Znak, 30-105 Kraków, ul. Kościuszki 37
Dział sprzedaży: tel. (12) 61 99 569, e-mail: czytelnicy@znak.com.pl
Wydanie I, Kraków 2018. Printed in EU

Martwię się... Zawsze się o niego martwię...

Dzisiaj na cmentarzu wpatrywałam się w jego plecy. Nieruchome. Kark sztywny do granic możliwości. Włosy gdzieniegdzie przyprószone siwizną, chociaż jest przecież jeszcze taki młody. Bardzo przypomina mi Włodka. Im jest starszy, tym robi się coraz bardziej do niego podobny. Włodek na pewno byłby z niego dumny. Maks to wymarzony syn. Nigdy nie sprawiał kłopotów. Ani wychowawczych, ani żadnych innych. Był przeciwieństwem, bardzo miłym przeciwieństwem swojej siostry, która, chociaż uczyła się doskonale, potrafiła równie doskonale komplikować życie rodzinne i szarpać nerwy nawet bardzo odpornego na stres Włodka. Włodek pracował w policji. To znaczy najpierw w milicji, później w policji. Maks też jest policjantem. Poszedł w ślady ojca. To dlatego się o niego martwię. O Włodka też się całe życie martwiłam. Ale chyba trochę inaczej niż o Maksa. Za czasów Włodka było inaczej. Inne czasy, inny świat. Teraz świat przyspieszył i do tego zwariował. A jak jest zwariowany, to trudno utrzymać w nim porządek. Maks jest stróżem tego porządku. Pewnie byłabym dużo spokojniejsza, gdyby mój syn odpowiadał za porządek na ulicach i próbował zapanować nad wariatami drogowymi i pijakami za kierownicą, ale akurat ci Maksa nie interesują. Maks szuka morderców, więc jak tu się nie martwić? Nigdy nie podobała mi się ta jego, jak on to określa, dochodzeniówka. Ale co ja mogę? Nic. Mogę się tylko modlić, i to żarliwie, żeby mu się nic nie stało. Kiedy mnie odwiedza, od razu widzę, choćby po kolorze jego twarzy, kiedy mija dzień, w którym mogło mu się coś stać, a kiedy ma za sobą dzień dość spokojny. Czasami ma nawet na sobie kamizelkę, która ma go przed kulami ochronić. Wtedy to dopiero jest mi słabo. Czasami też jego ulubiona czarna zamszowa kurtka dziwnie odstaje na plecach. Inni na pewno tego nie zauważają. Ja niestety tak. Nosi pod nią czarne takie jakby szelki, w których z boku ma schowany pistolet. Kiedy widzę, jak zdejmuje te szelki, siadając do obiadu, a pistolet uderza głucho w parapet kuchenny, wtedy czuję zawsze nieprzyjemną słodycz w ustach. Nie znoszę jej. Jestem na nią uczulona. Jednak nic nie mówię. Nie komentuję, ponieważ chcę, żeby mój syn w tym swoim niespokojnym życiu przynajmniej obiad zjadł w spokoju. Maks nie mieszka ze mną, ale na obiad przychodzi często. Robi to chyba bardziej dla mnie niż dla siebie.

Doskonale wie, że lubię gotować. Dla niego. Dla Beatki i jej rodziny oczywiście też, ale oni nie odwiedzają mnie zbyt często. Są zapracowani. Rozumiem to doskonale. W tygodniu kierat, a w weekend chcą pobyć z Zosią, odpocząć. Zosia ma trzy latka. Opiekuje się nią niania. Niestety, to znaczy szkoda, że nie ja, ale tak postanowiła Beatka. Z nią się nie dyskutuje, szkoda czasu. Beatka pracuje w dużej firmie. Zarządza produktami. Dokładnie nie wiem jakimi, może i dobrze, bo akurat ta wiedza do niczego mi w życiu nie jest potrzebna. Mój zięć też jest bardzo zapracowany. Ludzi rozwodzi i cóż poradzić… Teraz są takie czasy, że ma ręce pełne roboty. A moja wnuczka, zamiast z babcią spędzać dzieciństwo, wychowuje się pod okiem niani. Co prawda to dobra i bardzo miła kobieta. Mała ją uwielbia, ale ze mną przecież też byłoby jej dobrze. Ale co ja mogę? Beatka ma swoje zdanie na ten temat, zresztą na każdy inny również. Żeby żyć w spokoju, od lat zgadzam się z jej poglądami albo po prostu nic nie mówię. Nie komentuję. A za wnuczką tęsknię. To taka cudowna istota.

Strasznie dziś wyglądał Maks na tym pogrzebie. Nie dziwię mu się wcale. To makabryczna sprawa chować taką młodą kobietę. Młodą i piękną. Gdy przydzielili ją Maksowi do pracy, był bardzo niezadowolony. Pamiętam to dobrze. Jednak przekonała go do siebie. Od niezadowolenia z faktu, że jego partnerem jest kobieta, przeszedł, i to dość szybko, do powtarzania: „Patrycja to...", „Patrycja tamto...". A w końcu „Pati doskonale nadaje się do tej roboty...".

I dramat. Patrycji już nie ma. To dlatego twarz mojego syna miała dziś barwę popiołu. Nawet nie wiem, czy między nimi coś było. Maks jest bardzo skryty. Jego ojciec też taki był. Identyczny. A ja, jak nie muszę, to nie pytam. Nie jestem ciekawska. Nauczyła mnie tego siostra Józefa. Może inaczej... Ciekawi mnie wiele rzeczy, ale wstydzę się o nie zapytać. Dobre sobie... W tym wieku. Po prostu wstyd...

Maks obiecał jeszcze przed pogrzebem, że przyjdzie na obiad. Nie przyszedł. Dlatego dziś martwię się o niego bardziej niż kiedy indziej. Ale wiem też, że skoro nic na jego temat nie wiem, to dobrze. Zawsze mi powtarza to samo: „Mamo, pamiętaj, jak nic o mnie nie wiesz, to dobrze. To znaczy, że nic się nie dzieje. Jeśli coś mi się stanie, dowiesz się natychmiast. W dodatku pierwsza". Tak do mnie mówi ten mój syn, a uśmiecha się przy tym tak, jakby chwalił moją botwinkę. Maks uwielbia botwinkę. Na razie jeszcze przez jakiś czas jej nie dostanie, bo zima w pełni. Chociaż kończy się luty, to mróz trzyma styczniowy. Dzisiaj na cmentarzu współczułam wszystkim mundurowym, ponieważ w taki ziąb w samych mundurach stali. Maks też. I jak go znam, to nie splamił męskiej godności podkoszulkiem. Aż mi się wierzyć nie chce, że Patrycji już nie ma. Bardzo boję się tego, co teraz będzie. Maks z całą pewnością nie odpuści tym, przez których taka młoda dziewczyna ze światem musiała się pożegnać. Zawzięty jest. Po ojcu. I nie ma na to rady. Pozostaje mi tylko wznosić oczy ku niebu i modlić się do wszystkich świętych, żeby chronili mojego synka. Dla mnie, niezależnie od tego, ile ma lat, Maks zawsze będzie małym chłopcem, który jak mu się coś stanie, to przytula się do mnie bez płaczu i bez ani jednego słowa. W ciszy. Tak przytulał się kiedyś i tak robi to teraz. Lubię, kiedy mnie delikatnie poklepuje po plecach podczas powitań i pożegnań. Z Beatką jest oczywiście całkiem inaczej. Kiedy wychodzi ode mnie, to rzuci jakieś nowoczesne „pa", powietrze w pobliżu mojego ucha cmoknie albo i nie, a gdy pytam, kiedy znów mnie odwiedzi, zawsze odpowiada tak samo: „Nie wiem, mamuś, sama nie wiem...". Myślę wtedy, nie powiem, trochę uszczypliwie: „Taka mądra, a takiej prostej rzeczy nie wie. Przecież odwiedziny matki to nie lot w kosmos". Ale jeśli się ma w życiu taki „odlot" jak moja Beatka, to chyba nic nie powinno nikogo dziwić. Ani odlot, ani kosmos. „Mamo, w robocie odlot, w domu odlot, wszędzie odlot". Właśnie tak moja córka do mnie mówi, i to najczęściej przez telefon. Zupełnie jakby stewardesą była.

I rzecz jasna, nadawałaby się do tego podniebnego zawodu, bo urodziwa jest bardzo, a nogi ma, jak to się mówi, do nieba. Kiedyś i ja piękne nogi miałam, co prawda nie takie długie jak Beatka. Teraz zostały mi dwa patyki wysuszone, ale nie śmiałabym narzekać, bo niosą mnie posłusznie tam, gdzie chcę się znaleźć. Co prawda nie nanoszą się teraz jak kiedyś, bo jakiś czas temu weszłam w taki wiek, że mnie państwo emeryturą zasłużoną uhonorowało. Szkoda. Lubiłam pracować. Lubiłam swoją pracę. Krzątałam się po kuchni. Rządziłam w niej. Między małymi dziećmi się kręciłam. Dawało mi to siłę i energię. Podkarmiałam rozmarudzone towarzystwo, kiedy było trzeba. Ze stołów, przy których małe krzesełka ustawiałam, zbierałam okruchy. Kluski na parze kładłam, pierogi leniwe bez krzty lenistwa zagniatałam. A każdy uśmiech na małej buzi przekonywał mnie o tym, że moja praca ma wielki sens. Lubiłam słuchać słów płynących z małych ust: „Dzień dobry, pani Marysiu!”.

Teraz moje życie się zmieniło. Z pewnością dlatego piszę więcej niż kiedyś. Notuję, odkąd pamiętam. Robię to dlatego, że siostra Józefa też pisała. To ona mnie tego nauczyła. Albo inaczej, przekonała mnie, że jak będę zapisywała, to życie wyda mi się prostsze i samotność mi nigdy doskwierać nie będzie. Miała rację. Choć nie ukrywam, że czasami zastanawiam się, czy moje życie było prostsze dlatego, że je wiernie opisywałam, czy dlatego, że trwała przy mnie siostra Józefa. Tego nie wiem... Siostry Józefy już przy mnie nie ma. Odeszła jakiś czas temu, starowinka. Odeszła tak, jak żyła. Powoli i dostojnie. Po cichu. Co to był za człowiek... Staram się Ją naśladować. Różnie mi to w różne dni wychodzi. Raz dobrze, innym razem wcale. Ale staram się mimo wszystko. To siostra Józefa mnie tego nauczyła. Tak jak tego, że trzeba robić wiele rzeczy i większość z nich dla innych. Usiłuję więc wprowadzać w swe życie Jej słowa i staram się być dobrym człowiekiem, żeby za czas jakiś pozostać tylko dobrym wspomnieniem. Mam nadzieję, że tak się stanie...

A teraz przyjemnie mi się zrobiło, chociaż kończący się dzień do przyjemnych niestety nie należał. Moja Nutka trąca mnie swym chłodnym noskiem. Chce wyjść na krótki, ostatni już dzisiaj spacer. Jest trochę markotna, bo Maksa dziś w domu nie było. Ja też taka jestem, bo wiem, co teraz mój syn przeżywa. Albo przynajmniej tak mi się wydaje. Jednak bez względu na to co się dzieje, psa wyprowadzić trzeba. Niech pobiega chwilę. Zmrożone śniegi obwącha. A ja wtedy w gwiazdy popatrzę. Na pewno są na niebie, bo noc szykuje się mroźna. Nutka patrzy na mnie i merda swoim prościutkim jamnikowym ogonem. Lubię ten widok. Lubię jej oczy pełne wyczekiwania. Lubię czuć się potrzebna. Idę zatem...

– Cześć, mamo.

Na powitanie pocałował ją w policzek. Dostrzegał troskę w jej oczach, ale wiedział, że nie musi się niczego obawiać. Mama jak zwykle się martwiła, ale nie jojczyła. Bardzo lubił tę jej cechę. Podobnie jak takt i dyskrecję.

Zdjął kurtkę i niedbale rzucił na krzesło. Broń położył na parapecie. Zrobił to odruchowo. Tyle lat spędził w tym domu, że odruchów z nim związanych miał mnóstwo.

– Umyj ręce. – Usłyszał to co zwykle, gdy wszedł do łazienki. – Jadłeś coś dzisiaj?

– Jakieś suche ciastka u komendanta – podniósł głos, by był bardziej słyszalny niż szum wody.

Gdy wrócił do kuchni, na stole stał już talerz z zupą. Ogórkowa mamy jak zwykle pachniała obłędnie. Pierwszy raz od śmierci Patrycji poczuł głód. Usiadł i zaczął jeść. Zupa parzyła usta, ale rozgrzewała od środka. Potrzebował czegoś takiego. Czuł na sobie wzrok mamy. Nie chciało mu się rozmawiać. Nie chciało mu się nawet myśleć. Ale mama na pewno źle znosiła dzisiejszą ciszę, dlatego postanowił ją przerwać, choćby na chwilę.

– Dlaczego nic nie mówisz? – zapytał, podnosząc wzrok do poziomu zmartwionych oczu mamy.

– Bo nie wiem, co mam ci, synku, powiedzieć – odparła niespiesznie głosem przepełnionym smutkiem. – Chciałabym cię jakoś pocieszyć, ale niestety nie wiem, jak mogłabym to zrobić...

– Nie musisz mnie pocieszać – powiedział szybko.

– To akurat wiem. Przy tobie nic nie muszę. – Mama w końcu się uśmiechnęła, tyle że dość niewyraźnie.

Lubił każdy jej uśmiech. Nawet taki jak teraz, choć był to raczej niezbyt wesoły grymas niż okazanie radości.

– To może opowiedz, jak teraz jest w pracy. Po tym wszystkim...

– Ciężko jest – przyznał od razu, nie siląc się na udawanie. – Znowu sami faceci. Z Pati na początku było dziwnie, później całkiem fajnie, a teraz bez niej znów jest inaczej. Strasznie. Pusto. Nikt na nas nie krzyczy, żebyśmy posprzątali na biurkach i umyli kubki. Nikt nie robi jaśminowej herbaty. Zielonej też nikt nie parzy, ale to akurat dobrze... – Zamyślił się na chwilę i przestał jeść.

– Jedz – poprosiła od razu mama. – Jedz, bo mizernie wyglądasz. Źle śpisz?

– Bywało lepiej – odparł zgodnie z prawdą i wrócił do jedzenia.

– Co teraz będzie? Dostaniesz kogoś nowego? – zapytała mama i nie czekając na odpowiedź, wstała od stołu.

– Zagrzeję wodę na pierogi.

Uśmiechnął się, bo mama doskonale wiedziała, że wolał takie z wody, a nie przysmażone na patelni.

– Pewnie szybko – powiedział, nie czując póki co potrzeby, by ktoś zajął miejsce Patrycji.

– Może nie powinnam o to pytać, nie teraz, ale czy ty... Czy...

– Nie, mamo, nie byliśmy ze sobą – pospieszył z odpowiedzią, zanim zdążyła zadać pytanie.

– Akurat nie o to chciałam zapytać...

Spojrzał na nią i w jej wzroku jak zwykle dostrzegł prawdę. Rzeczywiście chciała zapytać o co innego.

– A o co? – zainteresował się natychmiast, używając przy tym policyjnego tonu, dlatego chrząknął, by choć trochę złagodzić opryskliwość głosu i pytania.

– Pomyślałam, synku, że może dobrze byłoby, gdybyś pomyślał teraz o jakimś urlopie. Chociaż krótkim. Zima w pełni. W górach pewnie śniegu po kolana. Tak uwielbiasz narty. Oderwij się od tego co tutaj. Dobrze ci to zrobi.

– Nie, mamo! – Znów przesadził z kategorycznością tonu, który spłoszył wzrok mamy.

Od razu odwróciła się do niego tyłem. Poczuł się jak palant i rzeczywiście nim był, ponieważ zamiast ratować sytuację, przesadzał ze swoją prawdomównością.

– Nie pójdę na żaden urlop, dopóki ich nie dorwę.

– Synku...

Mama była bliska łez. Był tego pewien.

– Nie martw się. – Chciał się poprawić, ale jego starania na nic się zdały, choć mówił bardzo spokojnie. – Mamo, ty nawet nie wyobrażasz sobie, co to są za ludzie. Zdajesz sobie sprawę, że oni teraz bezkarnie chodzą po ulicach? Tak nie może być. Muszę, to znaczy musimy... ich wyłapać co do jednego, bo oni dla pieniędzy są gotowi zabijać nawet dzieci.

Nie powinien był tego mówić. Wiedział o tym doskonale, jednak to, co zobaczył tydzień temu w jednym z mokotowskich mieszkań, było powodem przydarzającej mu się od tamtego dnia bezsenności. Śmierć Pati tylko spotęgowała jego złość i póki co niemoc, ale i tak był już bliski zakończenia sprawy. Bardzo bliski. Zwłaszcza że jednego z tej morderczej szajki już miał. I na szczęście okazało się, że trafił na materiał dość prosty w obsłudze, szybko go złamał. Facet przez dwa dni nie mówił nic, ale zmotywowany przez Grubego zaczął sypać i teraz należało tylko wybrać dobry moment, by przyskrzynić tę łysą pałę, przez którą od tygodnia musiał sam jeździć po mieście i przez którą dwójce małych dzieci nigdy nie dane będzie dorosnąć.

W samochodzie po Pati zostały tylko błyszczyk do ust i obrazek świętego Krzysztofa przyklejony do drzwi po stronie pasażera. Brakowało mu tej dziewczyny, chociaż nie miał w zwyczaju przywiązywać się do kobiet. Raz nawet myślał, że połączyło go coś poważniejszego z Zimną, to znaczy z policyjną patolożką. Jednak pomylił się co do niej. Zimna doceniała w nim tylko męskie fragmenty, za to dogadywać się umiała najlepiej tylko z tymi, którzy akurat leżeli na jej zimnym i metalowym stole, a to tylko dlatego, że zawsze milczeli. W dodatku paliła jak smok, mówiąc, że woli śmierdzieć petami niż trupami.

Mama spoglądała na niego, z jej oczu spadały krople smutku i niemocy, a przede wszystkim strachu. Wiedział o tym.

Nigdy nie bał się swojej pracy, choć zdawał sobie sprawę, a nawet był świadkiem tego, że za ten brak obaw może kiedyś słono zapłacić. Starał się o tym nie myśleć. W życiu nigdy nie zastanawiał się zbyt wiele nad kosztami. Musiał być bezwzględny. Patrycji zabrakło tej bezwzględności w najważniejszym momencie. Nie pociągnęła za spust w odpowiedniej chwili. Zupełnie jakby zapomniała o słowach, które słyszała od niego niejednokrotnie. Powtarzał jej do znudzenia: „Pamiętaj, przyjdzie taki moment, że jak nie ty jego, to on ciebie".

– Nie płacz, mamo… – poprosił cicho i łagodnie.

– Tyle mego… – szepnęła żałośnie mama i uśmiechnęła się do niego, chociaż strach wciąż skraplał się na końcach jej rzęs otaczających czarne jak węgiel oczy.

Dzieci zasypiały powoli. Rozglądała się po sali. Starała się poruszać bezszelestnie pomiędzy małymi leżaczkami. Tu poprawiła kocyk, tam odgarnęła włosy z ciepłego policzka. Nuciła spokojną melodię płynącą z magnetofonu. Z niecierpliwością oczekiwała Karoliny, która wyszła na moment, by skorzystać z toalety. Też o tym marzyła i to od dłuższego czasu.

Lubiła swoją pracę. Bardzo. Traktowała ją wyjątkowo poważnie i odpowiedzialnie. Miała świadomość, że dzieci, których teraz doglądała, były największymi skarbami swoich rodziców. Przynajmniej tak zakładała. Dlatego do każdej swojej czynności podchodziła z wielkim oddaniem. Nawet podczas najśmieszniejszych zabaw z tyłu jej głowy czaiła się ostrożność.

Drzwi sali otworzyły się cichutko. Zobaczyła w nich uśmiechniętą twarz Karoliny. Znały się już drugi rok. To tyle pracowała w tym przedszkolu. Przypadły sobie do gustu już pierwszego dnia wspólnej pracy i to wbrew powiedzeniu, że przeciwieństwa się przyciągają, ponieważ były do siebie dość podobne. Wspierały się w pracy i pomagały sobie. Konsekwentnie nie pozwalały się zgnębić dyrektorce przedszkola, która miła bywała tylko w towarzystwie rodziców dzieci. Chociaż same pociechy nie interesowały jej ani trochę. Natomiast pracowników przedszkola, niezależnie od zajmowanego stanowiska, traktowała z wyższością i pogardą. Lubiła występować z pozycji siły. Lubiła się szarogęsić i rządzić nawet w takich sprawach, o których nie miała bladego pojęcia.

– Teraz ty – szepnęła do niej Karolina.

Obie wiedziały, że załatwienie swych potrzeb fizjologicznych w tym zakładzie pracy niechronionej, jak wyrażała się o przedszkolu Karolina, należało do rzadkości.

Uśmiechnęła się do koleżanki po fachu i nie odzywając się ni słowem, wyszła z sali wypełnionej już słodko posapującymi trzylatkami. Skierowała swe kroki do toalety dla personelu, znajdującej się na parterze budynku. Kiedy z niej wyszła, gdy była już na półpiętrze prowadzącym do sali leżakowania, stało się coś przerażającego. Usłyszała strzały. Zastygła w bezruchu. Na moment. Co prawda nigdy nie słyszała takiego odgłosu, ale rozwiercał jej głowę od środka. Ten huk nie zostawiał wątpliwości. Ktoś strzelał. W dodatku w niewielkiej odległości od przedszkola. Z góry dobiegał już płacz dziecka. Za chwilę kolejny. Nie wiedziała, co robić. Powinna ruszyć przed siebie i pobiec na pomoc Karolinie. Jednak wiedziona jakimś trudnym do wytłumaczenia impulsem nie zrobiła tego. Zbiegła na parter i przykleiwszy się do okna w ogromnej sali zabaw, obserwowała, co się dzieje. Widziała łysego, postawnego mężczyznę. Po chwili nie była już sama. Przy oknie jak spod ziemi wyrosły dyrektorka i dwie kucharki.

– Pani Saro! Proszę natychmiast wracać do dzieci! – Głos dyrektorki był kategoryczny.

Usłyszała go dokładnie w chwili, gdy za oknem czarny samochód, o numerach rejestracyjnych, które udało jej się spostrzec, z piskiem opon odjechał z ogromną prędkością, odsłaniając makabryczny widok na chodniku po drugiej stronie ulicy.

– Chryste Panie! – zapiszczała panicznie leciwa już pani Lucyna i chwyciła się za serce.

– Dzwonię po policję! – podniosła głos dyrektorka.

– Potrzebne jest pogotowie, nie policja! – Rozkazała dyrektorce tak zdecydowanym głosem, że ta wbiła w nią nienawistne spojrzenie.

– Proszę wracać do dzieci, a nie dyktować mi, co mam robić!

Nie mogła nie zareagować na to, co widziała. Do końca nie wiedziała, co się z nią dzieje i co robi. Miała gdzieś słowa dyrektorki i jej sypiące gromy spojrzenia. Teraz najważniejszy był tylko człowiek leżący po drugiej stronie ulicy. Leżał na tyle blisko, że dostrzegała kałużę krwi obok niego. Miała wrażenie, że poruszał się nieznacznie. Krew swym ciepłem na pewno roztapiała śnieg.

Dobrze znała ten widok. Ukrywała go w swych wspomnieniach. Obraz czerwonej krwi na białym śniegu. To pewnie dlatego za nic miała słowa dyrektorki. Wyminęła ją, ignorując dyscyplinujące spojrzenie, i w pośpiechu wyszła z budynku. Szybko pokonała kilka schodków. Nie czuła mrozu na ciele ani śniegu wpadającego do cienkich tenisówek. Szła przed siebie coraz szybciej. Ominęła przewrócony na drodze motocykl i zatrzymała się nad krwawiącym człowiekiem.

– Udo i bark – szepnęła z przestrachem.

Usiłując zapanować nad paniką, ukucnęła przy rannym. Spod skórzanego kombinezonu krew lała się strumieniem. Jednak z rany na udzie chyba dużo szybciej niż z tej wyżej. Bała się. Paradoksalnie widok czerwieni pochłaniającej w szybkim tempie biel na chodniku dodał jej odwagi. Wzięła dwa głębokie wdechy. Pomogły natychmiast, ponieważ ziąb był nieludzki. Pogody na jazdę motorem nie było na pewno. Delikatnie otworzyła szybkę kasku, który miał na głowie leżący mężczyzna. Zobaczyła fragment twarzy. To znaczy skórę bledszą od śniegu. Miała wrażenie, że na jej oczach zmienia kolor na sinozieloną. Nie wiedziała, czy dobrze robi, ale delikatnie uniosła głowę mężczyzny i ku swemu zdziwieniu bez wysiłku zdjęła mu z głowy kask. Jedną dłonią przytrzymała głowę, a drugą dotknęła jego policzka.

– Słyszy mnie pan? – zapytała dość głośno.

Niestety nie reagował. Tym razem trochę mocniej uderzyła w coraz bledszy policzek.

– Słyszy mnie pan? – zapytała znów, tyle że dużo głośniej.

Udało się! Mężczyzna otworzył oczy. Były bardzo błękitne. Popatrzyły prosto na nią.

– Mamo... – szepnął ledwie słyszalnie.

Znów zamknął oczy. Musiała działać. Szybko zdjęła z siebie rozpięty sweter. Zrobiła z niego coś na kształt poduszki, którą wetknęła mężczyźnie pod głowę. Nerwowo zerwała z siebie wąski pasek przytrzymujący dżinsy i nie wiedząc, czy dobrze postępuje, znów wiedziona jakimś intuicyjnym podszeptem, zupełnie nie zwracając uwagi na to, że brudzi swe dłonie krwią, używając do tego nadludzkiej siły, obwiązywała nogę mężczyzny tuż nad raną. Nie potrafiła sobie teraz przypomnieć, czy ktoś kiedyś nauczył ją takiego postępowania, czy może widziała je na jakimś mrożącym krew w żyłach filmie, ale to było nieistotne. Teraz bardzo chciała uratować życie wciąż jeszcze tlące się w leżącym na śniegu człowieku. Zakrwawionymi i trzęsącymi się rękami zerwała z szyi apaszkę w kolorze oczu mężczyzny i obwiązała jego ramię. Też nad raną. Gdy udało jej się to zrobić, świat zawirował jej przed oczami. Natychmiast przyklękła przy głowie zranionego i kolejny raz uderzyła lekko jego policzek, całkowicie brudząc go przy tym krwią.

– Proszę pana! Proszę pana! Proszę otworzyć oczy! Proszę nie zasypiać! Słyszy mnie pan?! – Tym razem nie krzyczała, tylko szeptała w panice.

Nie miała siły na krzyk. Nie miała siły już wcale. Była bezradna. Płakała, nie zdając sobie z tego sprawy. Mężczyzna nie otworzył oczu. Niestety. Nie mogła patrzeć na jego zamknięte powieki. Dzięki Bogu, do jej uszu dobiegał już sygnał karetki. Dzięki Bogu, pomoc była już bardzo blisko.

– Już jedzie karetka – Usłyszała nad sobą jakiś głos.

Podniosła głowę. Popatrzyła w kierunku, z którego go usłyszała. Zobaczyła nad sobą kilka przerażonych twarzy. Była tak skupiona na pomocy rannemu, że nie rejestrowała, co się wokół działo. Wciąż trzymała mężczyznę za rękę. Przeraźliwie zimną. Znów spojrzała na jego ranę na udzie. To, co zobaczyła, sprawiło, że poczuła, iż jeszcze chwila, a sama będzie potrzebowała pomocy ratowników. Szybko przeniosła wzrok wyżej, na kurtkę. Dopiero teraz zauważyła, że była gęsto podziurawiona. Komuś musiało bardzo zależeć na śmierci tego mężczyzny.

– Przepraszam!!! Proszę się rozejść!!! Proszę zrobić miejsce!!! – Słyszała podniesione męskie głosy.

Jednak teraz zwracała uwagę tylko na krew. Była wszędzie. Wydawało jej się, że jej dłonie są coraz czerwieńsze.

– Policja!!! – Tym razem usłyszała inny głos niż poprzednio. – Proszę się rozejść!!!

Polecenia policjanta były dużo bardziej donośne niż ratowników. Dzięki temu wścibscy gapie rozstąpili się natychmiast.

– Kim pani jest? – zapytał szybko policjant.

Nie zdążyła odpowiedzieć. Było jej słabo. Pewnie dlatego jeden z ratowników przykucnął obok niej, chwycił ją za ramiona i spojrzał na nią z ogromnym zrozumieniem. Po czym, całkowicie ignorując nachalnego policjanta, zaczął mówić do niej wyjątkowo spokojnym głosem.

– Bardzo pani dziękujemy. Proszę się nie martwić. Zajmiemy się nim odpowiednio. Zachowała się pani doskonale. Proszę teraz pozwolić im działać – mówiąc to, spojrzał na swoich kolegów. – Uratują go. Na pewno.

Ostatnie słowa, które usłyszała, sprawiły, że puściła dłoń mężczyzny i z pomocą ratownika wstała. Tym razem wpatrujący się w nią policjant zachował się o wiele sensowniej. Nie bacząc na krew na jej dłoni, podał jej swoją i pomógł jej oddalić się od ratowanego mężczyzny.

– Skąd się pani tu wzięła? – zapytał policjant w końcu przyjaznym tonem.

Nie zdążyła odpowiedzieć, gdyż nagle wyrósł przed nią inny, bardzo postawny mężczyzna. Machnął jej przed oczami jakąś legitymacją.

– Komisarz... – Podał nazwisko tak szybko, że go nie zrozumiała. I już wolniej dodał: – Komenda Stołeczna Policji.

Patrzyła na niego, zupełnie nie rozumiejąc, dlaczego musiała brać udział w tej nieoczekiwanej prezentacji. Komisarz „Jakiśtam" nie miał na sobie munduru. Zupełnie nie wyglądał jak policjant.

– Czy była pani świadkiem zdarzenia? – zapytał, oczekując natychmiastowej i rzeczowej odpowiedzi.

Na taką nie miała siły, zatem tylko skinęła głową.

– Czy widziała pani coś... cokolwiek, co ułatwi nam poszukiwanie sprawcy, ewentualnie sprawców zdarzenia?

Patrzyła na komendanta, nie mogąc zdobyć się na ani jedno słowo.

– Postrzelony mężczyzna to policjant. – Komisarz chyba właśnie argumentował, dlaczego oczekiwał na jej konkretną odpowiedź.

– Tak – odezwała się w końcu.

Mówiąc to, utkwiła wzrok w kałuży krwi wciąż topiącej śnieg. Zranionego mężczyzny już nie zobaczyła, natomiast słyszała syrenę oddalającego się ambulansu. Pomyślała, że musi się natychmiast gdzieś położyć...

Jestem zmarznięta. Skostniała. Ręce mam wciąż lodowate. Zamiast wracać do domu, siedziałam dziś na ławce obok szpitala. Dopiero Beatka, jak się na mnie natknęła, to wciągnęła, dosłownie wciągnęła mnie do swojego samochodu, a przedtem siłą mnie do niego zaciągnęła. Panie Boże, jak ona pomstowała w tym aucie. I to wcale nie na tych strasznych morderców, co ich Matka Ziemia nosi i którzy życie ludzkie za nic mają. Beatka klęła, na czym świat stoi, na Maksa. Wyzywała go od najgorszych. Od debili, bohaterów, za przeproszeniem, pieprzonych. W dodatku straszyła mnie, że jak tak dalej pójdzie, to Maks przez tę swoją robotę na nas wszystkich nieszczęście ściągnie. Oczywiście nie odzywałam się, kiedy moja córka krzyczała na całe gardło. Nie chciałam jej dodatkowo denerwować, bo i bez moich wtrętów jechała jak wariatka. Po prostu serce mi waliło i wali do teraz. Powinnam zmierzyć sobie ciśnienie. Maks kupił mi ciśnieniomierz. Łatwy w obsłudze. Szwajcarski.

Kochany Panie, dziękuję Ci, że go ocaliłeś. Wiem, że najpierw opiekowałeś się Włodkiem, a teraz Maksem.

Jestem tego pewna. Czuję to całym sercem. Dziękuję, że dałeś nam taki mroźny dzień, bo to chyba dzięki temu Maks po służbie włożył kamizelkę kuloodporną albo jej po prostu nie zdjął. Sama nie wiem. Szkoda tylko, że mnie nie posłuchał i wsiadł na ten diabelski motor. Kto to widział jeździć czymś takim, zwłaszcza zimą. Musiał dzień mieć ciężki. Kiedyś powiedział mi, że jazda na motorze pozwala mu pozbyć się stresu. Ale w taką pogodę? Kto to widział? Boże kochany! Na szczęście kamizelkę miał. Wygrał życie. W szpitalu lekarz mnie uspokajał. Bez skutku. Powtarzał w kółko coś o młodym, silnym organizmie. Ramię przestrzelone. Na wylot. Z nogą dużo gorzej. W tętnicę udową trafili. Gdyby nie pomoc jakiejś przypadkowej kobiety, mojego syna mogłoby już nie być. Dziękuję Ci, Panie, za tę kobietę. Za to, że zachowała się jak należy. Że ratowała. Że nie bała się ratować. Biedaczka na koniec sama pomocy potrzebowała. O wszystkim opowiedział mi komisarz Starzyński, kiedy patrzyłam na mojego synka. Przez szybę niestety. Patrzyłam, a komisarz szeptał. Boże... Jaki mój chłopiec był blady. Usta sine. Oczy zamknięte, i to ciągłe pikanie koło jego głowy. Straszne. Nie chcę myśleć, co byłoby, gdyby... Nie chcę myśleć. Nie mogę tak myśleć. Panie, opiekuj się nim. Ja nie proszę, ja błagam, błagam na kolanach. Panie, jeśli poczujesz, jeśli postanowisz, że czas na kogoś z naszej rodziny, to proszę, mnie wezwij do siebie. Nigdy w życiu nie pchałam się przed szereg, ale teraz się pcham i proszę, byś mnie wysłuchał. Chętnie się z Włodkiem spotkam. Omówię z nim sprawy, których nie zdążyliśmy omówić tu na ziemi. Ale moje dzieci niech użyją jeszcze świata, chociaż momentami jest bardzo zły. Psują go źli ludzie, ludzie okrutni. Psują go tak bardzo, że bardziej już chyba nie można.

Muszę się już położyć. Obiecałam Beatce, że wcześnie pójdę spać i nie będę się zadręczać. Obiecałam na wyrost, bo jak tu nie zadręczać się, jak nie myśleć, skoro władzy nad swymi myślami nie mam żadnej. Żałuję, że w szpitalu nie mogłam zostać. Nie pozwolili. A ja tak bardzo chciałam do niego wejść. Za rękę potrzymać, sine usta zwilżyć mu od czasu do czasu, po prostu posiedzieć obok. Nie pozwolili. Do domu kazali iść. Odpoczywać przykazali. Trudno o odpoczynek, jak się człowiek martwi i tęskni. Zawsze za dziećmi tęsknię. Taka już jestem. Myślę o nich dużo. Z nimi dni zaczynam i z nimi kończę. Moje dzieci to cały mój świat. Tak było, jest i będzie. Innego świata nie mam. Inny świat się dla mnie nie liczy. Kiedyś, jak żył Włodek, było trochę inaczej. Do pewnego czasu inaczej. Później wszystko się posypało, a gdy odszedł, to runęło już całkiem. To znaczy we mnie, gdzieś w środku, gdzieś bardzo głęboko. Popsuło się strasznie, niewyobrażalnie. Na szczęście życie nauczyło mnie okazywać tylko te uczucia, które innym niczego nie utrudniają. Wszystkie inne, te najtrudniejsze, chowam w sobie, i to bardzo głęboko. Czasami to ukrywanie się przychodzi mi bardzo łatwo, a innym razem towarzyszy temu wielki wysiłek. Dziś nie muszę niczego udawać. Nie mam przed kim, a przed sobą przecież nie muszę. Ani trochę...

Mój Maks... Kiedy był mały i coś sobie zrobił, zawsze do mnie przybiegał. Przytulałam go wtedy do siebie. Nie musieliśmy nawet nic mówić. Wystarczyło, że zbolałe miejsce pocałowałam albo rozmasowałam, na ranę podmuchałam, i od razu raźniej nam się robiło. I Maksowi, i mnie. Teraz jest inaczej. Dzieci rosną, a ich nieszczęścia i kłopoty poważnieją razem z nimi. Dziecięce guzy i zadrapania w przypadku Maksa zamieniły się na rany postrzałowe. Odchodzę od zmysłów, jednak nie mogę sobie na to pozwolić. Przecież jutro muszę iść do szpitala. Muszę być przy moim synku. Muszę strzec jego życia. I nie jest dziś ważne, ile mój syn ma lat. Matka to matka. Choćby taka jak ja. Kochająca bez pamięci, kochająca od chwili, gdy zobaczyła małego chłopca po raz pierwszy. Miał wtedy zamknięte oczka. Tak jak dziś. Spał wtedy, tak jak dziś. Panie... Dziękuję Ci za to, że mi go dałeś, i proszę Cię o to, byś mi go teraz nie zabierał. Niech będzie dobrze. Niech dobrzeje. Wybacz, że tak na Ciebie naciskam. Przecież powinnam powiedzieć: „Panie, niech będzie tak, jak chcesz tego Ty". Należało by tak zrobić, ponieważ w Ciebie wierzę, a skoro tak jest, to przecież o mnie nie zapomnisz. Ani o mnie, ani o moich dzieciach. Przecież mogę być spokojna, wybacz mi, że dziś tego nie potrafię. Nie potrafię nawet wtedy, gdy przypominają mi się słowa siostry Józefy: „Po prostu wierz, a Pan Bóg o tobie nie zapomni. On pamięta nawet o tych, którzy myślą, że Go nie ma".

– A gdzie to się tyle czasu podziewałaś, moja Sarenko?

Dziadek spoglądał na nią radosnym, ale bardzo zatroskanym wzrokiem.

Usiadła przy stole, a raczej opadła na krzesło. Zmęczonym gestem potarła czoło, zupełnie tak jakby chciała przegonić doskwierający ból głowy.

– Byłam na policji.

Troska w oczach Dziadka z miejsca zamieniła się w strach. W bezmiar strachu, który sprawił, że zdenerwowała się sama na siebie.

– Nie! Bądź spokojny, Dziadku. Nic się nie stało. To nie to, co myślisz. To nie Robert. – Ostatnie słowo wymówiła z ogromną niechęcią.

Na nienawiść nie miała dziś siły. Zresztą nawet w dobre dni nie chciała myśleć o byłym mężu. Niestety na domiar złego dzisiaj o nim rozmyślała. Oczywiście całkowicie wbrew sobie. A wszystko przez ślady krwi na śniegu. Kombinacja ciepłej czerwieni z zimną bielą sprawiła, że wróciły wspomnienia, których żadną siłą nie udawało jej się wyrzucić z pamięci. Wszystko, co kojarzyło jej się z Robertem, było złe. Było w niej tak bardzo dużo złych wspomnień i myśli, że na dobre nie starczało już miejsca. Poza tym te dobre były tak odległe, że wydawały się nierzeczywiste i całkowicie odrealnione, jakby wymyślone. Miała świadomość, że wszystkie dobre chwile były udawane i odegrane. Były atrakcyjną pułapką, w którą wpadła.

– Na ulicy przed przedszkolem postrzelono człowieka. Widziałam to i mu pomogłam. Okazało się, że to policjant. Musiałam złożyć zeznania. Mogłam to zrobić jutro, ale wolałam dziś, żeby o niczym nie zapomnieć.

– Zawsze byłaś taka dzielna – powiedział Dziadek z dumą, jednak wciąż w jego głosie słychać było troskę. – Ale co się ze światem dzieje? To, co kiedyś można było zobaczyć tylko w filmach, przeniosło się na ulice. Dokąd to wszystko zmierza?

– Nie wiem, Dziadku... – odpowiedziała gorzko, choć w istocie nie odpowiedziała na jego pytanie. – Psuje nam się świat – dodała smutnym głosem.

– Nie psuje się, tylko ludzie go psują. I jak na ciebie dziś patrzę, to odnoszę wrażenie, że ludzie niestety nie mają zamiaru przestać.

– Chyba, Dziadku, nie mają... Przeżyłam dziś straszny dzień. Najpierw ten człowiek cały we krwi. Później policja, a na koniec starcie z moją dyrektorką. Nie wyobrażasz sobie, jakie miałam nieprzyjemności w pracy po tym wszystkim. Na policji to mi chociaż podziękowali, bo gdyby nie moja pomoc, to nie wiadomo... No wiesz, Dziadku... – Bała się dokończyć rozpoczęte zdanie. – Ale to nie zmienia faktu, że w związku z tym, co zrobiłam, mogę stracić pracę.

– Dlaczego? – zapytał od razu Dziadek i zrobił wielkie oczy.

– Dyrektorka zinterpretowała to tak, że samowolnie opuściłam miejsce pracy, narażając tym samym dzieci przebywające pod moją opieką na niebezpieczeństwo. Podczas gdy ja, kiedy to się wszystko działo, wracałam z toalety, a z dziećmi była Karolina. Jesteś w stanie, Dziadku, to sobie wyobrazić? – zapytała, licząc na zrozumienie.

– No masz! – fuknął Dziadek. – Sarenko, ja już tyle w życiu przeżyłem i tyle widziałem, że mnie to już nic nie zdziwi, a zwłaszcza brak zwykłej ludzkiej życzliwości.

– Zobacz! A ja wciąż się jeszcze dziwię. Najbardziej ludzką znieczulicą – podsumowała gorzko, ale mocnym głosem.

– To dobrze, Sarenko, akurat bardzo dobrze. To znaczy, że jesteś wrażliwa, bo niewrażliwych znieczulica rozjeżdża jak walec, a oni i tak niczego nie czują. Telefonujemy do Taty? – Dziadek utkwił w niej pytający wzrok.

– Nie, Dziadku. To niepotrzebne. Poradzimy sobie sami – stwierdziła przekonująco i zmieniła temat. – Jadłeś kolację, Dziadku?

Szybko wstała od stołu i otworzyła lodówkę.

– Na obiad zjadłem zupę – wymijająco odpowiedział Dziadek.

– Zakupów przez to wszystko nie zrobiłam, ale coś tu mamy – powiedziała, wciąż wypatrując czegoś we wnętrzu lodówki.

Czuła chłód i myślała, że powinna bardziej przyłożyć się do prowadzenia domu, ponieważ przez jej zaangażowanie w ratunek, a tym samym brak troski o dom, mogli dziś z Dziadkiem na kolację zjeść tylko śniadaniowe tosty z dżemem. W lodówce panowała bieda, ponieważ jak na złość akurat teraz dobiegał końca zwyczajowy dzień robienia zakupów. A skoro zakupy nie doszły do skutku, to oznaczało, że na kolację musiało być śniadanie. Zatem bezzwłocznie poinformowała o tym Dziadka.

– Wnusiu – powiedział ten od razu – nieważne, co się je, ważne, kto nam przy posiłku towarzyszy.

Uśmiechnęli się do siebie w tym samym momencie. Rozgrzeszyła się natychmiast i przygotowując posiłek, myślała o tym, jak mało w jej życiu było kobiet. Mamę straciła wcześnie. Miała wtedy dziesięć lat. Pamiętała ją, ale jak przez mgłę. Na szczęście Babcia była przy niej dłużej niż Mama, oczywiście i tak za krótko. Tylko przez to, że miała ją dłużej, to za Babcią tęskniła bardziej niż za Mamą. Pewnie działo się tak dlatego, że miała świadomość, za kim i za czym tęskni. Mama była dla niej obrazem, za którym tęskniła. Babcia natomiast była głosem, śmiechem, dotykiem, zapachem. To Babcia się nią opiekowała, ponieważ Mamy zwykle nie było, a jak już przestała wyjeżdżać, to zawsze chorowała. Babcia natomiast była dla niej jeszcze uzupełnieniem obrazu Dziadka. Tego sprzed lat i tego dziś. Gdy dziś patrzyła na Dziadka i nie widziała Babci w jego pobliżu, wciąż odczuwała brak i ogromną stratę. Kiedy podczas spacerów z Dziadkiem widziała jego pojedynczy cień, to niezmiennie nie mogła pogodzić się ze śmiercią Babci. Przecież ta ważna dla niej para miała zawsze wspólny cień.

Rozmyślając o Babci, dotknęła szyi i od razu poczuła się nieswojo. Nie miała już apaszki, którą od niej dostała. Nie miała też na sobie paska, ale ten brak nie doskwierał jej wcale. Apaszki natomiast było jej bardzo żal, chociaż wiedziała, że gdyby mogła opowiedzieć Babci, do czego dziś przydał jej się ten błękitny prezent od niej, to byłaby z niej bardzo dumna. Niestety nie mogła tego zrobić.

– Proszę, Dziadku, tosty gotowe. Dzisiaj bieda, ale jutro... obiecuję ci, będzie na bogato. Zrobię jakieś super zakupy, a jak się okaże, że dyrektorka za dzisiejszą akcję ratunkową zwolni mnie z pracy, to przez jakiś czas będę miała doskonałe warunki do wzorowego prowadzenia domu – stwierdziła, udając beztroskę, której nie miała w sobie dziś wieczorem ani odrobiny.

– Jak cię zwolni, to ze mną będzie miała do czynienia – stwierdził Dziadek, z apetytem zajadając chrupiące tosty.

Jedli, zerkając na siebie. Lubiła milczeć z Dziadkiem, który nigdy zbyt wiele nie mówił. To dzięki niemu wierzyła, że cisza potrafi być najdoskonalszą metodą porozumienia. Zwłaszcza dusz. Dziadek bywał milczkiem, ponieważ gdy żyła Babcia, nie musiał często się odzywać, bo ona była gadułą. Mówiła za dwoje, a na upartego nawet za troje. Odkąd jej zabrakło, ich dom ucichł. Pewnie do dziś Dziadek nie mógł się przyzwyczaić do tej ciszy. Jednak nie narzekał i nie skarżył się na swój los. Teraz jadł powoli, a każdy kęs popijał gorącą herbatą.

Wpatrywała się w jego twarz i myślała. O mężczyznach. Miała kilku w swoim życiu. Kilku ważnych. Dziadek był jej opoką. Najważniejszym pewnikiem w jej życiu. Był przy niej zawsze. Tato po śmierci Mamy długo był sam, aż w końcu ułożył sobie życie na nowo. Nie miała mu tego za złe. Wprost przeciwnie, cieszyła się, że stara się stworzyć nową rodzinę, nowe życie. Sama też tego kiedyś bardzo pragnęła. Jednak nie udało się. Z kimś takim jak Robert nie mogło się udać, chociaż bardzo się starała. O dwa lata za długo. O złamany nos i połamane żebra za długo. Starała się bardzo, za bardzo, starała się do krwi. Własnej krwi na białym śniegu. Już bardziej starać się nie potrafiła i nie mogła. Dziadek jej na to nie pozwolił i dobrze zrobił. Zachował się wzorowo. Jak zwykle. Zastąpił jej Tatę, który w związku z tym, że mieszkał w Amsterdamie, długo nie zdawał sobie sprawy z nadludzkich starań własnej córki, by utrzymać małżeństwo, a raczej je przetrzymać.

– Całkiem dobre to śniadanie na kolację – podsumował skończony posiłek Dziadek, zbierając opuszkiem palca okruchy, te pozostałe na talerzu, jak również te, które zawieruszyły się w jego pobliżu.

– Dobre to dopiero będzie jutrzejsze śniadaniowe śniadanie, zobaczysz, Dziadku – zażartowała, choć przed oczami wciąż majaczyły jej dwa patriotyczne kolory.

– Dziękuję, Sarenko. Dziękuję za dziś i dziękuję za jutro.

– Dziadku! Przecież wiesz, że nie lubię tych twoich podziękowań awansem – żachnęła się nieznacznie.

– Wiem, Sarenko, wiem… Ale uważam, że lepiej podziękować o sto razy za dużo niż raz za mało – spointował Dziadek, wstał od stołu i nachylił się, by pocałować jej czoło.

Od lat, z krótką przerwą na jej nieudane małżeństwo, żegnał się z nią w identyczny sposób. Gdy wstała od stołu, Dziadka już nie było.

Była koszmarnie zmęczona. Wiedziała, że powinna oddzwonić do Wojtka, ponieważ przez cały dzień nękał ją telefonami. Skoro jednak jakąś godzinę temu przestał, mogło to oznaczać, że poddał się i położył spać. A gdy spał, przeszkadzać mu nie należało. Sen był jego miłością. Podobnie jak sztuka i fotografowanie. Kochał kobiety, ale kochał je tylko fotografować. Żadna inna miłość nie wchodziła w jego przypadku w rachubę. Był uczuciowy. Zakochiwał się dość często, tyle że w mężczyznach, na jego nieszczęście zwykle bez wzajemności. Wojtek był jej największym i najwierniejszym przyjacielem. Takim, któremu można wszystko powiedzieć i jeszcze więcej od niego usłyszeć. Dla niej był doskonały, chociaż wad miał bez liku. Jednak akceptowała je wszystkie w pełnej rozciągłości, gdyż zawsze mogła na niego liczyć. On zresztą na nią również.

Myśląc o Wojtku, posprzątała po kolacji tak wystawnej, że tych kilku czynności, które wykonała, chyba nie można było nazwać sprzątaniem. Po cichutku weszła po schodach na górę. Kiedyś piętro domu należało do jej rodziców, teraz było już tylko jej. Dziadek gospodarzył na dole, na górze ona. Było im tak dobrze. Każde z nich miało swoją strefę komfortu. Lubiła ciszę i spokój swojego rodzinnego, kiedyś można było powiedzieć, że wielopokoleniowego domu. Lubiła tę ciszę najbardziej wtedy, gdy wracała z rozgadanego, a nawet rozkrzyczanego przedszkola. Lubiła swą przestrzeń. Czuła się w niej bezpieczna, ponieważ Robert nakazem sądu nie mógł się zbliżać nie tylko do jej domu, ale przede wszystkim do niej. Sądowy nakaz pozwolił jej odzyskać spokój, a bezpieczeństwo czuła dzięki bliskości Dziadka. Dziadek był w stanie zrobić dla niej wszystko. Nawet stanąć do walki z osiłkiem. Do walki skazanej oczywiście na porażkę. Jednak widmo porażki niektórym nie jest w stanie odebrać chęci do walki. Dziadek był dla niej bohaterem. Był przykładem, że to nie siła czyni z człowieka bohatera, tylko odwaga. Był bardzo odważny. Umiał w jej obronie zrobić wszystko, powiedzieć wszystko i zawalczyć o wszystko. Pamiętała, jak bardzo walczył o życie Babci. Nie przeszkadzała mu świadomość, że przegra. Była przekonana, że Babcia dzięki Dziadkowi żyła jeszcze długo od momentu, w którym lekarze po raz pierwszy załamali nad nią ręce.

Dzisiaj Dziadek jak zwykle nie powiedział zbyt dużo, ale widziała dumę w jego oczach, gdy opowiadała mu o tym, co dziś zrobiła. Miała nadzieję, że dyrektorka ochłonie i cofnie wszystkie swoje idiotyczne groźby związane ze zwolnieniem z pracy, w dodatku dyscyplinarnym.

Kładąc się do łóżka, nie miała siły nawet myśleć. Jednak myślała. Jak zwykle. O Mamie, Tacie, Babci, Wojtku, policjancie, który powiedział dziś do niej „mamo". Miała nadzieję, że ten człowiek przeżyje. Chciała też, by dzięki jej zeznaniom zabójca z czarnego samochodu trafił za kratki tak szybko, jak to tylko możliwe. O nim akurat nie chciała teraz myśleć, ponieważ bardzo pragnęła już zasnąć. Od czasu, gdy znów tu zamieszkała, sypiała w miarę dobrze. Również dobrze jej się żyło, bo w jej życiu znów zawitał spokój, który ceniła sobie zawsze nade wszystko. Jednak kiedy zamykała oczy po ciężkich dniach, często widziała wściekłe, chorobliwie zazdrosne spojrzenie Roberta, któremu zawsze wydawało się, że spotykała się z kimś bez jego wiedzy, że zdradzała go i wciąż myślała o innych mężczyznach. Oczywiście tak nie było...

Dopóki nie poznała Roberta, uważała się za kogoś, kogo bardzo trudno oszukać. Twardo stąpała po ziemi. Nie była idealistką. Była realistką, która doskonale potrafiła odróżniać rzeczywistość od marzeń. A tu proszę! Dała się nabrać. W dodatku pokazowo. Pozwoliła na to Robertowi. Niestety jej były mąż miał warunki do oszukiwania. Nie miał serca. Był zabójczo przystojny, nieprzeciętnie inteligentny i niebotycznie bogaty. Był mężczyzną, o którego bliskości marzyło wiele kobiet. I taki królewicz trafił się właśnie jej. Żałowała, że nie wiedziała, iż ktoś mądry powiedział kiedyś: „Uważaj, czego sobie życzysz, bo może się spełnić". Robert specjalnie dla niej wybudował piękny dom. Pokazał jej świat. Była z nim w miejscach, które inni mogli oglądać tylko w telewizji. Obsypywał ją kwiatami i prezentami. Wstawił ją do swego luksusowego świata jak rzecz. Uśpił jej czujność. Dlatego gdy poprosił ją o rękę po ponad roku znajomości, wypełnionym magią wielu bajkowych chwil, nie zawahała się ani przez chwilę. Inna odpowiedź niż „tak" na romantyczne pytanie zadane pod Łukiem Triumfalnym w Paryżu po prostu nie wchodziła w rachubę. Dlaczego miała nie wierzyć w to, że prezes wielkiej firmy może zakochać się w studentce pedagogiki? Nawet różnica wieku jej nie przerażała. Przecież miłość nie wybiera. To stara prawda. Wyszła za mąż. Przy dźwięku fanfar podczas wesela w Zamku Ryn. I to był początek końca. Wytrzymała dwa lata. Pierwszy rok małżeństwa nie był jeszcze taki zły. Zdarzały się spięcia, krzyki, przepychanki, za które – o zgrozo – często obwiniała siebie. Jednak gdy zdała sobie sprawę, że nie chce wychodzić z uczelni, ponieważ boi się wracać do domu, wtedy już wiedziała, że musi brać nogi za pas i uciekać. Nie miała niestety pojęcia, jak to zrobić. Po prostu trudno uciec od kogoś, kto jest mistrzem osaczania i manipulacji. W dodatku szanowanym człowiekiem, wzorem cnót wszelakich. Trudno walczyć z doskonałością, która poza zasięgiem ludzkiego wzroku zmienia się nie do poznania. Gdyby nie Dziadek, a raczej jego przemyślana pomoc, możliwe, że do dziś tkwiłaby w złotej klatce luksusowego domu i modliła się to o wypadek samochodowy, to o katastrofę lotniczą prywatnej awionetki, to o choroby rozmaite, najlepiej nieuleczalne. Gdyby nie Dziadek, wciąż byłaby samotną, zastraszoną dziewczynką, która musi spełniać zachcianki pana i władcy panującego nad wyraz niemiłosiernie.

To Dziadek nie pozwolił Robertowi na zniszczenie jej życia. Dziadek miał głowę na karku. Dzięki niemu zrobiła pełną obdukcję i zgromadziła dokumentację medyczną. Dzięki temu tylko jedna sprawa rozwodowa zamknęła najgorszy rozdział w jej życiu. A później, gdy okazało się, że rozwód to za mało, by uwolnić się od Roberta, kolejny raz dzięki Dziadkowi i pomocy jego przyjaciela, prawnika z wieloletnim doświadczeniem, poczuła, że może prowadzić normalne życie, ponieważ jej były mąż, by ratować swoją karierę poważnie nadszarpniętą prokuratorskim oskarżeniem, został zmuszony do wyjazdu na drugi koniec świata.

Robert był daleko. Jednak wciąż czuła, że o niej myśli, i z pewnością przez to poczucie miewała takie noce, że sen nie nadchodził, chociaż zmuszała się do nierozpamiętywania tego, co było, i nieprzypominania sobie śladów krwi na śniegu…

Teraz wśród jej zmęczonych i nieuporządkowanych myśli błądziły właśnie takie ślady. Jednak nie te związane z przemocą Roberta, ale te dzisiejsze. Znów przypomniała sobie jedno, jedyne słowo wymówione przez rannego policjanta.

– Babciu… – szepnęła tęsknie i poszukała wzrokiem zdjęć Babci porozstawianych między innymi fotografiami na komodzie stojącej naprzeciwko łóżka. Wędrowała wzrokiem po różnych fotografiach. Taki spacer w jej przypadku był możliwy nawet nocą, spała przy świetle. Od zawsze bała się ciemności. I od zawsze tę wycieczkę kończyła na tym samym zdjęciu. Babcia jako mała dziewczynka przytula się na nim do szarej kotary, za którą widoczny jest pień brzozy. Zdjęcie było bardzo stare. Lubiła je do tego stopnia, że wyprosiła je od Dziadka, gdy była małą dziewczynką. Dziadek nie potrafił jej odmawiać, dlatego od lat mogła się w nie wpatrywać. Pamiętała też, co powiedział, gdy je jej ofiarował. „Jeśli tak bardzo chcesz, to weź je sobie, Sarenko, tylko proszę cię, dbaj o nie, bo to jedna z największych rodzinnych pamiątek. Komu innemu bym go na pewno nie dał, ale tobie ufam". Dbała zatem o zdjęcie Babci. Co więcej, była to jedyna rzecz, którą zabrała ze sobą, gdy opuszczała złotą klatkę. Zostawiła w niej wszystko. Ubrania, książki, biżuterię. Wszystko, po prostu wszystko. Srebrna ramka, w której była fotografia, przypominała jej o Robercie, bo to od niego ją dostała jeszcze przed ślubem. Chciała ją nawet wyrzucić. Jednak nie zrobiła tego od razu, zresztą Babci należała się taka piękna ramka. Natomiast żeby podziękować Dziadkowi, że przed laty ofiarował jej to zdjęcie, zrobiła mu niespodziankę i kilka lat temu na urodziny sprezentowała wzorowany na nim olejny portret Babci, wykonany przez dobrego znajomego Wojtka. Od tamtego dnia portret Babci Sary, bo to po niej odziedziczyła imię, wisiał w salonie na dole. Najbardziej na nim podobały jej się oczy Babci, wtedy jeszcze małej dziewczynki, uśmiechnięte i bardzo ciemne. Też takie miała. Zamknęła powieki i wspominając głos Babci, usiłowała zasnąć.

„Śpij już, Sarenko, śpij, bo jutro musisz wstać do szkoły..."

Znajdowała się już niedaleko domu. Było jej bardzo ciężko, gdyż szła objuczona siatami pełnymi zakupów. Gdy zobaczyła zaparkowany na ulicy przed domem samochód Wojtka, uśmiechnęła się radośnie. Cieszyła się na spotkanie z przyjacielem, który od lat imponował jej tym samym. Mianowicie tym, że się nie zmieniał. Zawsze był taki sam. Był radosny i potrafił wszystko obrócić w żart. Kariera znanego fotografa nie zamieniła go w snoba obracającego się tylko w określonych kręgach. Wojtek mieszkał w małym mieszkanku, chociaż stać go było na pałac. Ale tylko takie było mu do szczęścia potrzebne. Jeździł rozklekotanym gruchotem, którego przekornie nazywał Jaguarem. Również na przekór światowi mody i blichtru ubierał się w rzeczy, które nie miały nic wspólnego z kolorem, ponieważ według Wojtka barwy biała i szara nie były kolorami. Znali się od czasów szkoły podstawowej, w której jej najlepszy przyjaciel był zawsze mniejszy od innych chłopców. Dopiero w szkole średniej przerósł wszystkich kolegów. Był szczupły i bardzo wysoki, jednak w duszy pozostał kimś, kto nie potrafi patrzeć na innych z góry. Ostatnio rzadko ją odwiedzał. Był bardzo zapracowany. Dlatego gdy już się pojawiał, to zawsze nadchodziło wielkie święto. Dziadek traktował Wojtka jak członka rodziny. Może dlatego, że ten bez większych ceregieli ochrzcił go kiedyś „Dziadziem" i właśnie tak zwracał się do niego od lat.

– Dzień dobry! – krzyknęła już w progu domu i postawiła tuż za nim siaty.

Nikt niestety nie zareagował na jej powitanie, dlatego wciąż podniesionym głosem upomniała się o jakiekolwiek zainteresowanie.

– A może ktoś raczyłby mi pomóc?! Są w tym domu jacyś dżentelmeni?!

– Mówisz, masz!

Wojtek wyskoczył z kuchni jeszcze w kurtce. Widocznie przyjechał chwilę przed nią.

– Cześć, kochana! – Pocałował ją w policzek, i to dwa razy w ten sam.

Zawsze witał ją w ten sposób. Wojtek lubił nazywać się królem natręctw i ta podwójna całowanka była jego znakiem rozpoznawczym.

– Cześć! Boże, jak dobrze, że się pojawiłeś – stwierdziła z radością. – Już prawie zapomniałam, jak wyglądasz. A może z pracy cię wyrzucili? Sobota, a ty nie między modelkami, sławami o nogach przypominających swą długością słupy telegraficzne.

– Wolne sobie zrobiłem. Wróciłem dziś rano z Paryża. Niestety za dwa dni muszę znów gdzieś gnać, więc postanowiłem odpocząć chwilkę z wami. I chyba dobrze, że się pojawiłem, bo mi Dziadzio już zdążył donieść, że z pracy chcą cię wyrzucić za brak odpowiedzialności. Niczym się nie martw. Z przedszkola cię wyrzucą, za to do policji przyjmą, i to z pocałowaniem rąsi. Człowieka im uratowałaś, zabójcę namierzyłaś, jako pielęgniarka też dałaś radę. Normalnie Sara niezłomna, pseudonim Przedszkolanka.

– Nie kpij, tylko za zakupy się chwytaj! O ile masz ochotę załapać się na pyszne śniadanie.

– A ty nie pyskuj, tylko się rozbieraj i ciesz, że kiedyś będziesz mogła się przed wnukami pochwalić, z kim w dawnych czasach jadałaś śniadania.

– Akurat na wnuki to ja raczej szans nie mam – odpowiedziała z wyraźnym stękaniem towarzyszącym zdejmowaniu kozaków o bardzo wąskich cholewach.

– Eee! Noo! Kochana! Nie przekreślaj się zawczasu. Po co to robisz?! – Wojtek wlepił w nią poważne spojrzenie.

– Bo tak mi się coś wydaje, że policjant to zawód wysokiego ryzyka – odparowała błyskotliwie. Schyliła się, by pozbierać z podłogi siatki. Wojtek jednak wcisnął się między nią a zakupy.

– Może jednak póki co pani z przedszkola pójdzie rączki umyć przed pracą w kuchni – mówiąc to, trącił ją biodrem z taką siłą, że gdyby nie ściana, to na pewno straciłaby równowagę.

– Ej, ty! Fotograf! Tak to możesz po ścianach rzucać swoimi modelkami, a ze mną lepiej nie zadzieraj, bo od wczoraj mam znajomości w policji – syknęła.

– Tylko patrzeć, a odznaczenie dostaniesz. Telewizja reportaż o tobie zrobi. Sławna będziesz. – Wojtek zbierał zakupy z podłogi i kpił w najlepsze.

Nie przeszkadzało jej to ani trochę. Zawsze tak się zachowywał, kiedy miał dobry humor. Czyli bardzo często, ponieważ złe humory miewał rzadko. Wojtek był człowiekiem robiącym na innych wrażenie kogoś, komu w życiu wszystko się udaje, a w swoje osiągnięcia nie musi wkładać wysiłku i pracy. Szczęściarz, po prostu szczęściarz.

Była jedną z niewielu osób, które znały Wojtka na tyle, by wiedzieć, że to tylko pozory. Pod beztroskim uśmiechem przyjaciela kryły się skupienie na życiu i mistrzowska uważność. Wojtek doskonale wiedział, co jest w życiu warte kpiny, co pochylenia głęboko głowy, a co ugięcia kolan.

– To jest myśl! – Podchwyciła jego pomysł. – Jak zrobią o mnie program, to może dyrektorce będzie głupio dać mi dyscyplinarkę.

– Obiło mi się kiedyś o uszy, że głupiemu to nigdy nie jest głupio – stwierdził, kładąc zakupy na kuchennym stole.

– To ja chyba głupia nie jestem – skonstatowała.

Uśmiechnęła się do Dziadka przysłuchującego im się w milczeniu. W kuchni pachniało świeżo zaparzoną kawą. Parowała z kubka, na którym był napis: „Najlepszy Dziadek pod słońcem".

– To co mam robić? – zapytał Wojtek.

– Możesz umyć rzodkiewkę. – Wręczyła mu pęczek, jakby był to bukiet kwiatów.

– Będzie twarożek? – rozpromienił się Wojtek.

– Nawet szczypiorek kupiłam.

Zmartwiła się też szybko, ponieważ wlepione w nią oczy Wojtka podejrzanie traciły swą radość.

– A ta policja to nie powinna zafundować ci jakiejś ochrony?

Usłyszawszy pytanie Wojtka, skuliła się w środku. Nawet ją coś zabolało. Spojrzała na przyjaciela błagalnym wzrokiem, dając mu do zrozumienia, by nie kontynuował właśnie rozpoczętego wątku. Niestety Wojtek nie odczytał jej niewypowiedzianej słowami prośby albo po prostu postanowił ją zlekceważyć. Odwrócił się w kierunku kuchennego zlewu i kontynuował.

– Jakkolwiek by na to patrzeć, to jesteś świadkiem, pewnie jedynym, usiłowania zabójstwa, tak to się chyba nazywa...

Zamarła w bezruchu nad siatką pachnącą świeżym pieczywem, ponieważ bała się spojrzeć w oczy Dziadka. Już czuła na sobie jego zafrasowany wzrok.

– Po pierwsze, widziałam tylko samochód – skłamała. – Po drugie, nie jesteśmy w Nowym Jorku.

– I co z tego?! – przyjaciel paplał jakby jej na złość.

– Możesz przestać! – podniosła głos, tracąc cierpliwość.

– Nie denerwuj się – poprosił od razu Dziadek. – To, co mówi Wojtek, wcale nie jest całkiem niedorzeczne...

– Nie wiem jak wy, ale ja jestem potwornie głodna i nie zamierzam zaczynać tego dnia od jakiegoś wariactwa – powiedziała podniesionym głosem.

– Może to jednak nie jest wariactwo, moja miła Sarenko? – Dziadek patrzył na nią czujnym wzrokiem.

– Raczej jest – stwierdziła kategorycznie, widząc, że rzodkiewka była umyta wzorcowo.

– Ta nasza policja… – zaczął Wojtek.

Nie mogła dać mu skończyć.

– Nie bój się! Oni wiedzą, co robią! – skomentowała, ponieważ wciąż pamiętała pewność i siłę głosu komisarza, który ją wczoraj przesłuchiwał.

– Jakoś swojego nie udało im się upilnować – zauważył.

– Wojtek! – wrzasnęła. – Jeśli chcesz zjeść z nami śniadanie – tu wymownie spojrzała na Dziadka – to, dobrze ci radzę, skończ już ten idiotyczny temat.

– Przecież wiesz, że nie chcę źle.

– Skoro nie chcesz, to przestań – poprosiła. – Dziadek nie powinien się denerwować – ucięła.

– Właśnie, Sarenko – dopowiedział Dziadek.

– Jeszcze jedno wasze słowo, a sama zgłoszę się zaraz na policję i poproszę o areszt tymczasowy. Nie dlatego, żeby mnie jakiś mafioso nie odstrzelił, tylko żebym to ja nie zrobiła krzywdy któremuś z was – zawyrokowała.

Zrobiła to, ponieważ bardzo chciała, żeby rozpoczynający się dzień był bardzo spokojny i przyjemny. Zwłaszcza że miała za sobą nieprzespaną noc.

– To może przydzielisz mi jakąś pracę – stwierdził Dziadek.

Wojtek niestety wciąż spoglądał na nią wzrokiem, w którym obawa konkurowała ze współczuciem. Żeby się uspokoić, musiała wyjść z kuchni.

– Idę powiesić pranie. – Popatrzyła na Wojtka wzrokiem zblazowanej modelki, wiedząc, że przyjaciel takiego nie znosił, a sam ją tego nauczył. – Mam nadzieję, że jak wrócę, to śniadanie będzie gotowe. Skoro tak świetnie się dogadujecie, to z pewnością dacie sobie radę bez moich wskazówek. Moi drodzy, do roboty!

Wyszła z kuchni, udając, że nie zauważa, w jakie osłupienie wprawiła obu panów swoim konkretnym, choć niezbyt długim występem. Zresztą nawet samą siebie trochę zdziwiła. Szła przed siebie, denerwując się sytuacją, która miała miejsce przed chwilą. Bardziej jednak przerażało ją to, co przeżyła wczoraj. Mimo to miała nadzieję, że nic jej nie groziło. Uspokajała się myślą, że kierowca czarnego samochodu nie mógł jej widzieć. Tego mogła być pewna. Chyba że…

Minął już ponad miesiąc, odkąd źli ludzie chcieli zabić Maksa. To był bardzo trudny czas. Na szczęście już przeminął. Wszystko, co złe, przemija. Zresztą to, co dobre, również. Tyle że szybciej. Niestety. Maks wyszedł już ze szpitala. Martwię się o niego. Żadna nowość. Powinien na siebie uważać. Powtarzam mu, żeby się nie przemęczał i pracę z daleka omijał. Co z tego? Przytakuje mi, ale wiem, że swoje robi. Cóż ja mogę? Dorosły jest. Może robić, co chce. Kiedy wychodził ze szpitala, poszłam porozmawiać z lekarzem. Z chirurgiem, który go operował. Czasu oczywiście nie miał. Zbyć mnie próbował. Przykro mi było bardzo. Gdyby nie chodziło o Maksa, to pewnie położyłabym uszy po sobie. Ale chciałam zapytać o zdrowie mojego syna, więc nie pozwoliłam się zbyć. W moim przypadku to wyczyn nie lada, bo w życiu nigdy zbytnio o swoje walczyć nie potrafiłam. Ale jeśli o dzieci chodzi, co nieco potrafię… Lekarz powiedział, że wszystko dobrze i powodów do zmartwień nie ma. Rana wygojona, morfologia dobra. Pacjent wypisany do domu w stanie dobrym. Zalecany oszczędny tryb życia. Tak do mnie mówił. Zupełnie jakby strzelał tymi zdaniami do celu, którym się czułam. Tylko w oczy mi nie patrzył. Jak ja nie lubię z takimi ludźmi rozmawiać, którzy mówią do mnie, a jakby nie do mnie, bo w oczy mi popatrzeć nie chcą choćby przez chwilę. Ja jestem inna. Lubię patrzeć ludziom w oczy. Patrzę, widzę i wiem. Uważam, że w oczach człowieka można wiele zobaczyć. Niektórzy ludzie takie spojrzenie mają, że z miejsca strach mnie ogarnia. Inni natomiast wystarczy, że zerkną w moim kierunku, a już mi się lżej i cieplej na duszy robi. Siostra Józefa miała właśnie takie spojrzenie. Niebiańskie. I to wcale nie dlatego, że niebieskie. Jej oczy były zawsze radosne, jakby uśmiechały się takim charakterystycznym ciepłym uśmiechem, który z lodem w moim sercu zawsze potrafił się rozprawić. Oczy Maksa są podobne do tych siostry Józefy. To dlatego lubię, kiedy na mnie patrzy. Czas się wtedy cofa i czuję się chwilami tak, jakbym nawet w oczy Włodka znów popatrzeć mogła. Beatka natomiast ma moje oczy. Może nie identyczne, ale też ciemne. Ja odziedziczyłam oczy po Mamie. Wiem to od siostry Józefy, która dużo opowiadała mi o niej, chociaż znała ją krótko. Niecały miesiąc. Ja znałam ją dłużej. Ale jej nie pamiętam prawie wcale. To pewnie wynika z tego, że zapamiętałam jej oczy. Całkiem dobrze. Śnią mi się czasem. Śmieją się do mnie. Bardzo lubię ten sen. Równie bardzo chciałabym, żeby przyśniła mi się twarz Mamy. Niestety jeszcze nigdy to nie nastąpiło. Wiem tylko, że Mama była bardzo ładna. Pamiętam, że gdy byłam już trochę starsza, często wypytywałam siostrę Józefę o Mamę. Zwykle odpowiadała mi, że Mama, oprócz tego, że piękna, była też bardzo dobrą i odważną kobietą. Nigdy niczego więcej się nie dowiedziałam. Aż pewnego dnia siostra Józefa powiedziała mi, że czasami lepiej jest nie wiedzieć… Wtedy przestałam pytać…

Teraz na pewno nie zgodziłabym się z jej zdaniem. Wtedy jednak była dla mnie jak matka, więc nie przyszło mi do głowy, by powiedzieć jej, że nie ma racji, i poprosić, aby opowiedziała mi o tym, o czym mówić nie chciała. Już tyle na świecie żyję, iż wiem doskonale, że milczenie ludzkie w niektórych sprawach zwykle ma jakieś ważne powody. Wiem coś o tym. Wiem dobrze. Wiem doskonale. W moim życiu też jest jedna sprawa, o której również milczę. Wciąż o niej myślę i wciąż milczę. Myślę, chociaż oddałabym wiele, żeby nie myśleć. Czasami tak się dzieje w życiu człowieka, że choćby nie wiem jak się starał, to i tak wraca do tematu myślami. Po prostu siła wyższa. Zatem myślę i myślę… I jak znam siebie, myśleć nie przestanę.

Teraz zerkam w małe lusterko i wydaje mi się, że w swojej twarzy widzę wyśnione oczy mojej Mamy. Lubię takie chwile, Mama wydaje mi się wtedy bardzo bliska. Nawet trochę bliższa od siostry Józefy. Przecież jest to możliwe. Matka to matka. Krew z krwi. Z siostrą Józefą łączy mnie serce. Nie miałam szczęścia, by przeżyć dzieciństwo pod czujnym okiem matki. Ale miałam inne szczęście. W moim życiu znalazł się ktoś, kto doskonale zastąpił mi nieobecną Mamę. Żałuję tylko, że nie mogłam używać słowa „mama". Ono umarło razem z moją Mamą. Umarło na zapalenie płuc. Umarło z biedy, głodu i gorączki. Kiedy patrzę na moje pierwsze zdjęcie z czasów dzieciństwa i widzę na nim uśmiechniętą siostrę Józefę, to myślę, że to niemożliwe, iż moja Mama umarła w noc poprzedzającą wizytę fotografa w naszym domu dziecka. Chociaż powinnam napisać: klasztorze, bo w czasie wojny to jeszcze nie był dom dziecka, tylko klasztor. To w nim moja Mama znalazła schronienie. Wcale nie dla siebie, tylko dla swoich dwojga dzieci. Zima była bardzo mroźna, a głód dużo mniejszy od niebezpieczeństwa. Tak, byłyśmy trzy. Mam siostrę. Młodszą ode mnie. Nie zawsze o niej wiedziałam. Powiedziała mi o niej siostra Józefa na łożu śmierci. Zatem byłyśmy trzy. Tato już wtedy nie żył. Siostra Józefa chyba nie wiedziała, co się z nim stało. Mama zapukała do bramy klasztoru, który z zewnątrz wyglądał na opuszczony. Te drzwi, o które uderzała słabą dłonią, były dla nas ostatnią deską ratunku. Marną, ale jednak... Otworzyła nam siostra Józefa. W klasztorze było też kilka innych zakonnic, ale tylko siostra Józefa nie bała się otworzyć klasztornych drzwi. To dzięki jej odwadze mojej Mamie udało się uratować dzieci. Żyję dzięki odwadze siostry Józefy. Mam nadzieję, że moja siostra też żyje. Głęboko wierzę, że tak jak ja mam tu swoje życie, ona ma swoje gdzieś indziej tam. Gdzie? Tego nie wiem. Siostra Józefa oddała ją dobrym ludziom. Gdy umierała, wytłumaczyła mi, że zrobiła to dla małej. Moja siostrzyczka była wątła i bardzo chorowita, dlatego gdy tylko nadarzyła się okazja, Siostra oddała ją z naszego głodnego i przeżartego wilgocią świata do lepszego. To na pewno była dobra decyzja. Niebieskooka zastępczyni mojej Mamy była bardzo mądra i tylko trafne decyzje w życiu podejmowała.

Mój Włodek też miał błękitne oczy. To chyba właśnie przez nie tak mocno mi w głowie zawrócił. Maks też ma takie oczy i panny się za nim oglądają. Tylko żałuję, że się przy nim na dłużej nie zatrzymują. Widocznie jeszcze się taka nie znalazła, która raczyła Maksowi w głowie na całego zawrócić. Ale ja jestem cierpliwa i bardzo cierpliwie na nią czekam. Poza tym z mężczyznami jest inaczej niż z kobietami. Na pewne sprawy mają więcej czasu. Za to Beatka, moje popędliwe dziecko, bardzo szybko sobie kompana do życia zorganizowała. I dobrze. Cieszę się z tego, bo Marcin to bardzo dobry człowiek. Za dużo nie mówi i tym samym doskonale się z Beatką uzupełniają. Beatka już od małego lubiła dużo mówić. Jak tylko półtora roczku skończyła, to się tak rozgadała, że aż uwierzyć w to nie mogłam. Takie maleństwo, a pełnymi zdaniami mówiło. Z Maksem było całkiem inaczej. Musiał trzy lata skończyć, żeby z siebie jakąś „mamę" i jakiegoś „tatę" wydusić. Do dziś pamiętam, ile zmartwień kosztowało mnie to jego dziecięce milczenie. Chłopcy sąsiadek z osiedla jeden przez drugiego trajkotali, a mój Maks tylko mądrze na wszystkich patrzył tymi swoimi wielkimi niebieskimi oczami. Zresztą nawet wtedy, gdy już nauczył się mówić, nigdy zbyt rozmowny nie był. Jak Włodek. Lecz w tym akurat nic dziwnego raczej nie ma. Przecież jaki ojciec, taki syn. Prawda to raczej znana. Włodek też do rozmów dłuższych niż konieczne chętny nie był. Za to do pracy rwał się każdego dnia i o każdej porze. Maks też już na posterunek wrócił. Na moje nieszczęście. A komendant, zamiast go wygonić, to z otwartymi ramionami go przyjął. Lubią go w tej robocie i cenią, a ja jej pracą nie zamierzam nazywać, bo uważam, że to jest akurat robota. Gdyby Maks pracował w normalnym zawodzie, to takie zdarzenie jak to ostatnie na pewno by go nie spotkało. Ale cóż zrobić... Jak znam życie, to Maks już dzień od pompek zaczyna. Jak był mały, to też pompki robił. Razem z Włodkiem. To na pewno dlatego ma identyczne ramiona. Jak jest ubrany, to się nawet mocno w oczy nie rzucają, ale jak się rozbierze, to mięśnie ma jak powrozy. Włodek miał identyczne. Pamiętam czasy, kiedy mogłam ich dotykać, ale skoro teraz o tym piszę, oznacza to, że powinnam na dziś dać już sobie spokój z tą pisaniną. I amen.

– Cześć, kochana!

Najpierw usłyszała głos Wojtka, a dopiero po chwili zobaczyła jego sylwetkę opatuloną w bardzo dziwne futro.

– Cześć! – Przywitała się już z daleka. – Wyglądasz w tym czymś trochę jak z peerelowskiej komedii.

– Tam gdzie robiłem jeszcze wczoraj zdjęcia, jest pełnia lata, jak tu wróciłem, to mnie tak zaczęło telepać z zimna, że nie dziw się, proszę... Po prostu musiałem się tak ubrać. – Wojtek dwukrotnie pocałował ją w policzek. – Ale widzę, że dyrektorka poszła po rozum do głowy i nie wyrzuciła cię z roboty na zbity pysk.

Wojtek od razu nawiązał do zajścia sprzed ponad miesiąca, podczas gdy ona robiła wszystko, aby o nim zapomnieć. Jednak robiła wciąż chyba za mało... Poza tym w jej przypadku „chcieć" i „móc" to były dość często dwie, bardzo oddalone od siebie sprawy.

– Wyobraź sobie, jakiś policyjny guru przyniósł mi do pracy dokładnie w dniu, kiedy byłam przekonana, że zostanę bezrobotna, wielgachny bukiet kwiatów i w obecności dyrektorki podziękował mi za odwagę, postawę i takie tam. Żeby było śmieszniej, to dyrektorce pogratulował takiego pracownika i tym sposobem w jednej chwili z przedszkolnej dywersantki stałam się, jak mi to przepowiedziałeś, policyjną bohaterką, więc chyba rozumie się samo przez się, że byłoby idiotycznie, gdybym swe bohaterstwo musiała odkupić bezrobociem. – Przytuliła się do miękkiego futra, bo stęskniła się, i to bardzo, za przyjacielem.

Czując na sobie ramiona Wojtka, odzyskiwała spokój i wmawiała sobie, że wszystko jest tak, jak powinno. Chciała zostać w nich jak najdłużej, więc całkiem świadomie przedłużała moment bardzo serdecznego przywitania.

– Co jest? – szepnął.

– Cieszę się, że wróciłeś – odpowiedziała, choć całkowicie nieprzekonująco.

– Mogę cię zabrać gdzieś na kolację? – zapytał.

Ton głosu miał zupełnie normalny, ale spojrzenie, które właśnie napotykała, było więcej niż zaniepokojone. Ten niepokój dostrzegła bez problemu, choć zapadał już zmrok. Do końca kalendarzowej zimy zostało jeszcze kilka dni, lecz były wciąż niezmiennie zimne i nie chciały się zrobić ani trochę dłuższe.

– Tak szczerze, to zmęczona jestem… Bardzo…

– Chcesz jechać do domu?

– Tam jest Dziadek – stwierdziła.

– Nie będzie dobrych warunków do rozmowy – podsumował.

– Nie będzie.

Wiedziała, że nie będzie potrafiła zamknąć się z Wojtkiem na górze w momencie, kiedy czuła, iż Dziadek wypatruje jej powrotu. Całe dnie spędzał w samotności. Wiosną i latem było inaczej, lecz jesienią i zimą samotność doskwierała Dziadkowi wyjątkowo. Wiedziała o tym dobrze. Jednak dziś potrzebowała porozmawiać tylko z Wojtkiem.

– Rozumiem, że moje podejrzenia dotyczące tego, że jest temat do rozpracowania, właśnie się potwierdziły – stwierdził.

– Potwierdziły.

– To mamy do wyboru albo jakąś knajpę, albo klitkę zawaloną świeżo zrobionym praniem i rozbebeszonymi bagażami. Do jedzenia zamówimy, co będziesz chciała. Pizzę chcesz?

– Bardzo.

– A poprasujesz mi trochę?

Wojtek nie byłby sobą, gdyby czegoś dla siebie nie ugrał. Ale taki już był i wcale nie miała mu tego za złe. Zawsze sam musiał dbać o siebie. Nikt tego za niego nie robił. Rozumiała go dobrze, choć z nią było inaczej. Wychowała się w rodzinie, w której czuła się potrzebna i bardzo ważna.

– Poprasuję, posprzątam, nawet się z tobą prześpię, jak wieczór się przedłuży – zaoferowała.

Tego ostatniego z Wojtkiem nie miała szansy zrealizować. A uważała, że do tego jej talent był całkiem spory. Robert o niego dbał, to znaczy dbał do czasu. Musiała przyznać, że w łóżku był bardzo dobry. Tylko w nim. Gdzie indziej nie potrafił być nawet znośny. Na jej nieszczęście ich życie małżeńskie nie składało się tylko z nocy. Noce oddzielały dni. To właśnie dni z Robertem rozłożyły ich małżeństwo, a przede wszystkim ją na łopatki. Bywało tak, że leżała na łopatkach od rana do wieczora i na zmianę pozycji się nie zanosiło. Nie chciała o tym pamiętać.

– To przestań się już przyglądać mojej pięknie opalonej twarzy, tylko dzwoń do Dziadzia i powiedz mu, że będziesz u mnie spała. Ja w tym czasie zamówię pizzę, żebyśmy nie musieli na nią długo czekać.

Zrobiła to, o co poprosił Wojtek. Prawie natychmiast usłyszała spokojny głos Dziadka.

– Wsiadaj! – Wojtek otworzył przed nią drzwi Jaguara. – Dziadziowi też zamówię.

Posłusznie wsiadła do samochodu, ciesząc się, że nie musi nic tłumaczyć Dziadkowi, gdyż ten usłyszał głos Wojtka i od razu roześmianym głosem potwierdził to, o czym chciała go poinformować.

– Wiem, wiem, Sarenko... Wszystko wiem. Dzisiejszy wieczór chcesz spędzić z Wojtkiem. A gdyby wam się przedłużyło, to już nie musisz dzwonić. Mną się nie przejmuj. Ja tu sobie świetnie daję radę.

– Wiem, Dziadku... Wiem... – odpowiedziała głosem, w którym jak w lustrze odbijała się radość Dziadka. – Wojtek zamówił ci pizzę, więc za jakieś czterdzieści minut powinna u ciebie być. Zjedz sobie na zdrowie. Umówmy się, że będę jutro. Postaram się wrócić przed południem, to razem pójdziemy do Babci, później na zakupy, a jeszcze później może dasz się namówić na kino.

– Dobrze, Sarenko, dobrze. Wszystko będzie, jak chcesz. A teraz ucałuj ode mnie Wojtka. Życzę wam miłego wieczoru, a za pizzę podziękuj mu w moim imieniu. Nawet nabrałem na nią chęci, chociaż jeszcze niedawno wydawało mi się, że wcale nie jestem głodny.

– Dobrze, Dziadku, podziękuję. Smacznego życzę. Ja też ci dziękuję. To pa, Dziadku, do jutra.

– Pa, Sarenko…

– Jak się miewa?

– Dobrze. – Wrzuciła telefon do torebki. – Ale też ma już dość tego zimna.

– To plan jest taki…

Wojtek uwielbiał planować. Pewnie dlatego, że tego wymagał jego zawód. Aby ogarnąć niezliczoną ilość zajęć i spotkań, wszystko musiał mieć zapisane w kalendarzu z wyprzedzeniem i z dokładnością co do godziny.

– … robimy wjazd do mnie, pożeramy pizzę, a później mówisz mi, o co chodzi, i to bez ciągnięcia za język. Zrozumiano?

– Tak jest!

Ucieszyła się, że w końcu będzie mogła opowiedzieć komuś o nękających ją niepokojach. A ten ktoś jej wysłucha i zupełnie nie będzie udawał, iż ją rozumie. W pewnych sprawach, w pewnych rozmowach nie chodzi o poszukiwanie zrozumienia. Chce się o tych sprawach opowiedzieć i po prostu zostać wysłuchanym. Wojtek umiał słuchać. Była szczęściarą. Przynajmniej w jego towarzystwie.

Wojtek leżał z rękami założonymi za głowę i wpatrywał się w każdy jej ruch. Prasowała i mówiła. Nikt jej nie popędzał, nie przerywał jej. Mogła mówić, powoli dostosowując tempo wypowiadanych przez siebie słów do własnego oddechu, nad którym ostatnio musiała regularnie pracować i dzięki niemu kontrolować narastające lęki.

– Po tym jak to się stało, dokładnie trzy dni po tamtym zdarzeniu, zadzwonił do mnie jakiś policjant i powiedział, że mam się stawić na komendzie. Nie podał żadnych szczegółów oprócz tego, że mam być tego i tego dnia, tam i tam, o tej i o tej. Nawet musiałam wziąć dzień urlopu z tej okazji, bo dyrektorka stwierdziła, że nie mogę przecież być obecna i w pracy, i na komendzie. Już na miejscu dowiedziałam się, że przyszłam na okazanie. To było straszne! – Przerwała na moment swą opowieść, a kolejna biała koszula Wojtka zawisła na dwumetrowym wieszaku bez powodzenia udającym szafę.

Wojtek lubił takie garderobiane rozwiązania, ponieważ ułatwiały mu funkcjonowanie w gospodarstwie, w którym nawet nie zanosiło się na gospodynię. Przyjaciel nie miał w mieszkaniu ani jednej szafy. Gdy kiedyś zapytała go, dlaczego nie sprawi sobie mebla z prawdziwego zdarzenia, odpowiedział, że gdyby chował ciuchy w szafie, to na pewno nigdy nie zrobiłby prania na czas. Lubiła w Wojtku to, że był praktyczny i nie czuł potrzeby funkcjonowania w określony sposób tylko dlatego, że tak robili inni. To jemu miało być dobrze i wygodnie.

– Naprawdę? – Wojtek aż podniósł się z wrażenia.

Siedział teraz po turecku na łóżku i wpatrywał się w nią w milczeniu i w oczekiwaniu na dalszą część jej prawie kryminalnej opowieści.

– Stałaś przed lustrem weneckim? Było jak w filmie?

– Było. Nawet jak w horrorze – stwierdziła i zamilkła.

To milczenie nie spodobało się Wojtkowi.

– Obiecywałaś, że nie będę musiał ciągnąć cię za język.

– Nie obiecywałam, tylko ty dokonałeś takiego założenia.

– Niech ci będzie, ale jak go dokonywałem, to z tego, co pamiętam, nie oponowałaś.

– Nie byłam świadoma, że będzie tak trudno. – Przerwała pracę, by spojrzeć przyjacielowi w oczy.

– Myślę, że jak się nie wygadasz, to dopiero będzie ci trudno – podsumował.

Musiała przyznać, że zrobił to bardzo umiejętnie. Jak zwykle zresztą. Wojtek umiał łapać ją za słowa tak dobrze, jak umiał uchwytywać momenty godne uwiecznienia obiektywem aparatu. Fotografował od zawsze. Odkąd pamiętała, nie rozstawał się z aparatem. Pracy z modelkami nie lubił jakoś przesadnie, ale to ona sprawiała, że stać go było na podróże bliskie i dalekie. Wszystkie odbywał w tym samym celu. Podróżował, by fotografować fragmenty świata, a dokładniej światów. Tych, które rozumiał aż nadto, i tych, których nie pojmował wcale. Wojtek nie był zwyczajnym fotografem. Był artystą, który w bardzo intrygujący sposób potrafił uwieczniać naturę i zwyczajnie przedstawiać cuda współczesnej rzeczywistości. Gdyby nie był tak skromny i podzielił się z innymi swoimi zdjęciami, to z pewnością niejedna nagroda trafiłaby już na jego konto. Ale Wojtek fotografował dla siebie, nie dla nagród. Bardzo często miała wrażenie, że była jedyną osobą, która dostępowała zaszczytu oglądania efektów pracy Wojtka, tych nieprzeznaczonych do kolorowych magazynów o modzie.

– No powiedz coś!

Wojtek ponaglił ją, ale w tym ponagleniu nie było nawet grama przymusu. Pewnie dlatego zaczęła znów mówić. Odważyła się opowiedzieć o tym, przez co nie mogła ostatnio normalnie funkcjonować.

– Stałam tam i widziałam, jak ich wprowadzali. Było ich pięciu, pięciu rosłych dryblasów z ogolonymi głowami i szerokimi karkami. Strasznych. Barczystych. Takich, że gdybym spotkała ich w ciemnej uliczce, to nie zdążyliby mi zrobić krzywdy, bo natychmiast umarłabym ze strachu. Uwierz mi, oni byli okropni. W dodatku patrzyli w moim kierunku zupełnie tak, jakby mnie dobrze widzieli. A ten właściwy miał najstraszniejsze spojrzenie ze wszystkich. Takie, które mówi: „Pamiętaj, jeżeli mnie wsypiesz, to jak stąd wyjdę, szybko cię znajdę”. Normalnie chyba nie mam instynktu samozachowawczego, bo wskazałam go od razu. – Znów zamilkła.

– I co?

Patrząc na Wojtka, dałaby głowę, że jej opowieść bardzo mu się podobała. Nie potrafiła zrozumieć przyjaciela w tej chwili, a takie momenty przytrafiały się jej niezmiernie rzadko.

– I od tamtej pory prześladuje mnie ten jego wzrok. Nie mogę normalnie żyć. Boję się, że jacyś jego kolesie mnie namierzą i sprzątną, a Dziadek tego nie przeżyje.

– Żartujesz?

– Nie załamuj mnie – poprosiła. – Czy wyglądam ci na kogoś, kto jest w nastroju do żartów? – Wlepiła wzrok w twarz przyjaciela.

– Mówiłaś o tym komuś oprócz mnie?

Na szczęście Wojtek chyba właśnie przystępował do akcji: „Pomoc".

– Nie. Przecież oprócz ciebie nie mam nikogo, komu mogłabym o tym opowiedzieć.

– A policja? Współpracują z tobą od tamtego czasu czy mają cię gdzieś?

– Nie wiem, czy mają mnie gdzieś, czy nie, ale nie ma między nami żadnego kontaktu.

– To może przynajmniej wiesz, kto prowadzi tę sprawę?

– Znam tylko nazwisko tego komisarza, który spisywał moje zeznanie tamtego dnia. Nawet mam w domu jego wizytówkę.

– A był podczas tego okazania?

– Był, ale nie wiem, czy to on prowadzi sprawę.

– Jak się nazywa?

– Nowak. Jan Nowak.

– No proszę! – Parsknął z niesmakiem Wojtek. – To pewnie ten sam Jan Nowak, który użycza swoich personaliów na wzorach do wypełniania idiotycznych druczków na poczcie. Jeżeli on naprawdę nazywa się Jan Nowak, to ja jestem Dalajlamą.

– Myślisz, że dał mi nieprawdziwą wizytówkę, kiedy prosił mnie, żebym się do niego odezwała, jeśli coś mi się przypomni? – Zrobiła wielkie oczy.

– Numer telefonu na pewno był prawdziwy, ale ten Jan Nowak brzmi podejrzanie. Nie uważasz? Równie dobrze mógłby się nazywać Jan Kowalski.

– Sama nie wiem... – Wzruszyła ramionami i powiesiła na wieszaku koszulę tysiąc razy jaśniejszą od koloru oczu policjanta, którego chciała zabić ta wstrętna kreatura spoglądająca bezczelnie w jej kierunku podczas okazania.

– To może przynajmniej wiesz, jak nazywa się ten postrzelony?

– Nie mam pojęcia. Widziałam go tylko wtedy... – znów zamilkła.

– Masz w telefonie numer do tego Kowalskiego?

Wiedziała, już widziała w oczach przyjaciela, że planował pomoc. I już się bała, żeby przez te plany nie wpakował się w jakieś tarapaty. Tego akurat wolałaby uniknąć. Nie mogła zapomnieć dnia, w którym Wojtek postanowił spuścić manto

Robertowi i oczywiście to zrobił. Niestety Robert nie pozostał mu dłużny i teraz, gdy widziała bliznę po szwie na prawym łuku brwiowym Wojtka, znów obleciał ją strach.

– Mam – przyznała po chwili, nie wytrzymując presji wzroku Wojtka – Ale…

– Ale co?

– Może najlepiej będzie, jeśli to wszystko przeczekam. Może to jest tylko w mojej głowie…

– To, czyli co?

Patrzyła na przyjaciela i zamiast mówić, milczała, mając pełną świadomość, że tym milczeniem tylko pogarsza swą sytuację.

– No, wyduś coś z siebie!

Nie zareagowała na podniesiony głos przyjaciela. Była na to odporna od czasu, gdy Robert przystąpił do rękoczynów. Nie bała się donośnego głosu. Nie bała się nawet krzyków.

– Mów! No, mów… Proszę…

Chciała się odezwać, tylko nie wiedziała, od czego zacząć.

– Ktoś ci groził?

Zaprzeczyła szybkim ruchem głowy.

– Ktoś za tobą łazi?

Znów usłyszała pytanie, ale tym razem nie potrafiła na nie odpowiedzieć tak szybko i tak jednoznacznie jak na poprzednie.

– Zostaw to żelazko!

Nie posłuchała i już za kilka sekund usłyszała hałas kabla wyszarpanego z elektrycznego gniazdka i upadającego na podłogę.

– Zostawiasz żelazko. Siadasz naprzeciwko mnie. Patrzysz mi w oczy i mówisz, jak jest.

– Włączysz? – zapytała.

– Nie! Nie włączę. Co więcej, zaraz zostawię cię tu samą i bez umawiania się z niejakim Kowalskim czy innym Nowakiem pojadę tam i zrobię rozróbę, więc w tej chwili powiedz mi, dlaczego powinienem ją zrobić, bo bez wyraźnego powodu to trochę głupio. Nie uważasz?

– Uspokój się! – też podniosła ton.

– To mów. Ktoś ci grozi? – Głos Wojtka złagodniał.

– Nie.

– To o co chodzi?

– Sama nie wiem. Nie potrafię tego określić. Po prostu ostatnio czuję się jakoś dziwnie. Jestem niespokojna. Pełna obaw. Boję się, że coś mi się stanie.

– Posłuchaj… Umówmy się, że pójdę tam do nich. Podpytam, może mi coś powiedzą. A jeśli nabiorą wody w usta, to powiem im wprost, że wydaje ci się, że ktoś za tobą łazi, i wtedy będą musieli zareagować.

– Ale chyba nie łazi.

– Co to znaczy „chyba"?!

– To znaczy „chyba" – odparła.

– Ale ty potrafisz być wkurzająca.

– Nie bardziej niż ty.

– Żadne odkrycie – fuknął. – Jutro idę do tych gliniarzy. Do której pracujesz?

– Jutro jest sobota – stwierdziła przytomnie.

– Rzeczywiście... Ale oni na pewno pracują. Tak myślę... Jak będę po rozmowie, to przyjadę do was i powiem, czego się dowiedziałem.

– Tylko nie przy Dziadku, błagam.

– Wyglądam ci na debila? – zapytał poważnie Wojtek.

Zlustrowała przyjaciela powolnym wzrokiem, kiedy jej zagroził:

– Zaraz cię palnę.

– To może lepiej będzie, jeśli wrócę do prasowania – zaproponowała. – Żelazko mi włącz!

W duchu poczuła ulgę. W końcu pojawiła się szansa na rozwianie obaw, ponieważ od czasu gdy widziała ślady krwi na śniegu, czuła się obserwowana. Czasem przeczuwała to wyraźnie, czasami wcale. Ale nosiła w sobie niepokój tym straszniejszy, że na własne oczy zobaczyła ludzkie zło. W pamięci wciąż miała okrutną desperację mordercy. W uszach odgłos następujących po sobie strzałów. W oczach chłodny wzrok o wiele gorszy od tego, jaki w chwilach największej furii dostrzegała u byłego męża.

– Zrobić ci drinka? – zaproponował Wojtek.

– Możesz...

– Jakieś specjalne życzenie?

– Coś bezpiecznego – poprosiła, znając swe ograniczone możliwości.

Wojtek uśmiechnął się, a ona pomyślała, że bezpieczeństwo było czymś, co od pewnego czasu ceniła w swym życiu nade wszystko. Gdy uwolniła się od Roberta, kiedy dowiedziała się, że wyjechał z Polski, odetchnęła. Poczuła się bezpieczna. Teraz znów powróciły nasilające się nocą obawy, przez które nie mogła spać. A jeśli nawet udało jej się zasnąć, to miewała takie koszmary, o których nie potrafiłaby opowiedzieć nawet Wojtkowi. W życiu pomagał jej zawsze, ale ze swoimi strachami musiała poradzić sobie sama. Innego wyjścia nie było.

Czuł się już całkiem dobrze. Cieszył się, że tak jest. Wciąż miał w pamięci dzień, w którym ktoś postrzelił tatę w ramię. Mama panikowała i płakała, a tato, jakby nic się nie stało, wrócił wieczorem do domu z zabandażowanym ramieniem. Przytulił mamę i śmiejąc się, powiedział, że nie ma co płakać, bo na porządnym gliniarzu rany postrzałowe goją się jak na psie, a co dopiero takie byle jakie draśnięcia.

Uśmiechał się do tego wspomnienia i pomyślał, że tata wtedy z pewnością nawet nie przypuszczał, że kiedyś jego syn też zostanie policjantem i rany też będą goiły się na nim jak na psie. W dodatku, że znajdą się też tacy, którzy z pogardą w głosie będą go właśnie psem nazywać.

Robił sobie kawę, czekając na spotkanie z szefem.

– Cześć – powiedział Stary. Tak policyjne towarzystwo nazywało szefa.

– Witam.

Szef niezbyt często odwiedzał pokój, w którym pracował, a raczej popijał kawę kwiat stołecznej dochodzeniówki.

– Jak samopoczucie?

Usłyszał pytanie, na które w ostatnim czasie odpowiadał tyle razy, że gdyby nie fakt, kogo miał przed sobą, to w odpowiedzi wysłałby pytającego do diabła, w dodatku ekspresowym środkiem lokomocji.

– Doskonałe. Mój lekarz jest zachwycony. Ale rozumiem, że przyszedłeś nie po to, żeby zapytać o blizny na moim ciele – skwitował. – Nasz psycholog też jest ze mnie zadowolony.

– Dobrze wiedzieć, że mam odpowiedniego człowieka na odpowiednim miejscu – stwierdził Stary.

– Kawy? – zaproponował, wiedząc, że Stary musiał mieć konkretny powód, żeby się do niego pofatygować.

– Nie, dziękuję. Żona mi nie pozwala.

– Żona? – spojrzał na przełożonego z uśmiechem.

– Tak naprawdę to żona i nadciśnienie – wytłumaczył Stary.

– To już lepiej. – Uśmiechnął się. – Ale do rzeczy, szefie.

Jak zwykle odzywała się w nim jego rzeczowa natura, nieznosząca marnotrawienia czasu na rozmowy niewnoszące niczego nowego do spraw. Zwłaszcza tych, które akurat prowadził.

– U Nowaka był w sobotę jakiś kolega tej Bystrzyckiej.

– I co? – zapytał.

– Prawdopodobnie niezbyt przyjemny gość. Jakiś fotograf współpracujący z mediami. Tylko takiego nam trzeba! – Stary skrzywił się z niesmakiem. – Dopytywał o sprawę. Mówił, że Bystrzycka jest niespokojna, nie czuje się bezpiecznie, a w jego opinii nie jest panikarą, więc może powinniśmy zacząć ją obserwować, żeby nie okazało się, że coś jej grozi.

– Odkrywca się znalazł! – syknął i upił łyk trzeciej już dzisiaj kawy.

– Rozumiem, że jest całkowicie bezpieczna – powiedział Stary.

Bardzo cenił spokój szefa. Uczył się od niego przede wszystkim tego, żeby nie zwariować w tej robocie, choćby nie wiem co się działo. A tak się składało, że postradać zmysły na stołku Starego nie było trudno.

– Całkowicie – odparł z pewnością w głosie.

– To znaczy...?

Za takie podejście do pracy też cenił szefa. Jego przełożony wolał zamienić trzy zdania z człowiekiem, niż przeczytać trzy strony raportu naskrobanego z wysiłkiem, a i tak do końca nieoddającego przebiegu śledztwa.

– Przez pierwsze trzy tygodnie po zdarzeniu obserwowali ją Korkociąg i Gruby. Nie działo się nic. W ostatnich dwóch tygodniach dołączyłem do nich ja. Zaczęliśmy się trochę zmieniać. Jestem przekonany, że jest bezpieczna. Poza tym, szefie, przecież obaj wiemy, że towarzystwo już zwinęło się za wschodnią granicę, bo u nas zrobiło się im zbyt duszno i trochę za ciasno jak na ich wytrzymałość. Oni cenią sobie komfort pracy, nie lubią czuć oddechu na plecach.

Przed Starym zgrywał twardziela, ale wciąż widział puste biurko Pati i nie mógł zrozumieć, dlaczego już nigdy nie usłyszy w tym pokoju jej śmiechu. Nie mógł się z tym pogodzić.

– Obyś się nie mylił. – Stary spojrzał w skupieniu.

– Jest nadzieja.

– Na nadzieję w naszym fachu nie ma miejsca. Nie ma w nim miejsca na nic, co przeszkadza, zamiast pomagać. A teraz proszę o kilka słów na temat Bystrzyckiej.

– Młoda, ale z bogatą przeszłością.

– Notowana? – spytał Stary podejrzliwym tonem.

– To nie to. Sara Bystrzycka, urodzona w Warszawie – rok urodzenia, nie wiedzieć czemu, pominął – wykształcenie wyższe, magister pedagogiki, rozwiedziona. Były mąż, Robert Rygier, szesnaście lat starszy, aktualnie prezes banku w Malezji. Ma sądowy zakaz zbliżania się do niej. Przemoc fizyczna i psychiczna. Matka nie żyje. Ojciec mieszka i pracuje w Amsterdamie. Ma drugą żonę. Bystrzycka mieszka z Dziadkiem, Adamem Berner, emerytowanym prawnikiem. Prowadzi regularny tryb życia. Praca, dom, dwa wieczory w tygodniu fitness. Sporadyczne spotkania z koleżanką z pracy Karoliną Welc. Najczęściej kawa przed kinem albo po nim. Nic specjalnego. Spotyka się z tym fotografem, który był u ciebie. Z Wojciechem Konarskim. Spędziła u niego noc z piątku na sobotę. Namierzony po rozklekotanym samochodzie. Dużo podróżuje z racji zawodu. Po całym świecie. Właśnie wrócił z Meksyku.

Myślę, że czas zdjąć obserwację. Bystrzycka jest bezpieczna. Nikt oprócz nas nie ma jej na oku. To wszystko.

Wziął głęboki oddech, bo trochę zmęczył się tym potokiem informacji na temat kobiety, dzięki której przeżył i mógł teraz siedzieć naprzeciwko Starego.

– Kończymy obserwację? – Stary patrzył poważnym i przenikliwym wzrokiem.

– Kończymy – odparł z przekonaniem.

Wciąż pamiętał to rozgoryczenie, jakiego doznał, gdy Bystrzycka nie wyszła w piątek z mieszkania Konarskiego. Nie pasowała do niego ani trochę. W ogóle do siebie nie pasowali. Konarski wyglądał na niezbyt sympatycznego. Ją Maks obserwował blisko dwa tygodnie. Wydawała mu się dziwnie bliska. Może dlatego, że pamiętał, co prawda jak przez mgłę, ale chował w pamięci dotyk jej bardzo zimnych rąk na swojej twarzy. Uratowała go trzeźwością umysłu i chyba brakiem strachu. Obserwując ją, zauważył, że jej powierzchowność zupełnie nie pasowała do tego, co zrobiła dla niego w dniu strzelaniny. Była niska, dość drobna, delikatna. Kumpela, z którą spędzała czasem wieczory, była bardzo hałaśliwa. Bystrzycka reagowała na wszystko dużo spokojniej, niewiele się odzywała. Natomiast kiedy spacerowała z Dziadkiem, mówiła dużo i cały czas była wesoła. W domu, w którym mieszkała, zajmowała piętro. Widział, jak wieczorem zaciągała zasłony w oknach. Gdy gasiła górne światło, od razu zapalała ścienne. Nie gasło do rana. Dzień rozpoczynała zwykle około szóstej odsłonięciem zasłon i dość długim spojrzeniem najpierw w niebo, później krótkim przed siebie. Wiedział o niej dość dużo, ale chciał wiedzieć więcej. Miał do niej słabość. To już też wiedział. Tym większą, im dłużej ją obserwował.

– Słyszysz, co mówię?

Napotkał spojrzenie Starego.

– Tak – skłamał, gdyż odpłynął myślami do ostatnich kilku dni i nocy spędzonych w pobliżu Bystrzyckiej.

– To pogadaj z nią albo niech to zrobi Korkociąg, jak wolisz. Trzeba zapewnić ją o tym, że jest bezpieczna. Jak znam życie, to pękła po okazaniu. To normalne. A tak z innej beczki... Rozumiem, że czujesz się dobrze.

– Rzecz jasna.

Nie musiał oszukiwać. Rzeczywiście miał się już bardzo dobrze. Wszystkie dotychczasowe dolegliwości ustały, a co najważniejsze, wierzył już całkowicie swojej kondycji niezbędnej w zawodzie, który wykonywał.

Nagle do pokoju z gradową miną wpadł Korkociąg.

– Co się dzieje? – zapytał Stary. – Kto pilnuje Bystrzyckiej?

– Gruby. Mnie podmienił Lufa. Coś dziwnego wypłynęło pod Poniatem. Musimy tam jechać. Możliwe, że trup. – Korkociąg nie mógł złapać tchu, ale i tak w szybkim tempie udzielał informacji.

– To życzę, żeby nie trup – stwierdził Stary. – Zakończ sprawę Bystrzyckiej – rzucił na odchodnym.

– Zakończę.

Zszarpał kurtkę z oparcia krzesła, z którego wstał w pośpiechu.

– Szkoda, co? – podsumował zasapany Korkociąg, gdy zbiegali ze schodów.

Od razu pojął, o co chodziło partnerowi, jednak udał nieświadomość.

– Co szkoda?

– Bo fajna dupcia z tej Bystrzyckiej.

– Przypominam ci, że masz żonę i troje dzieci, w tym córkę prawie w wieku Bystrzyckiej.

– Ale inaczej mi się do nich wraca, jak się napatrzę na taką Bystrzycką, a inaczej, kiedy ciągną się za mną perfumy z prosektorium.

– To racja – musiał zgodzić się z Korkociągiem.

Zresztą musiał mu przyznać rację w obu poruszonych właśnie sprawach. To Korkociąg został jego nowym partnerem. Stał się nim naturalnie. Stary lubił właśnie tak załatwiać sprawy. W dochodzeniową parę połączyła ich obserwacja Bystrzyckiej. Korkociąg nie mógł zastąpić Patrycji. Jednak miał ogromne doświadczenie. Nic nie stało więc na przeszkodzie, aby stanowili dobry zespół, gdyż Korkociąg był inteligentny, mógł się poszczycić bardzo dużą wykrywalnością i, co najważniejsze, nie mówił zbyt dużo. Za to dużo myślał i zaskakująco szybko łączył fakty. Miał tak zwanego dochodzeniowego czuja.

– Ale na ciebie nikt nie czeka – stwierdził nie wiadomo dlaczego Korkociąg podniesionym tonem, przebił hałas koguta przyklejonego naprędce do dachu samochodu. Kierowali się w stronę mostu Poniatowskiego.

– A skąd ty możesz to wiedzieć?

– Po pierwsze, pracuję tu, gdzie pracuję. Po drugie, widziałem, z jaką przyjemnością obserwujesz nasz ostatni obiekt, a po trzecie...

Korkociąg otworzył samochodowy schowek, w którym kajdankom towarzyszyły dwie apaszki. Jedna wyprana mnóstwo razy. Niestety plam z krwi na jedwabiu nie dało się wywabić niczym. Druga nowa, w granatowym pudełku z napisem „Milanówek". Nawet trochę podobna do tej należącej do Bystrzyckiej.

– Sugeruję, żebyś zaczął oszczędzać zdolności dedukcji. Za chwilę przydadzą nam się pod Poniatem.

– Spokojnie... – Korkociąg uśmiechnął się do niego – ... przecież nikomu nie powiem. Dyskrecja to podstawa w tej trupiej robocie.

– Uważaj, bo cię palnę.

– A ja taki nieprzygotowany, kamizelka w bagażniku. – Korkociąg nieumiejętnie udawał wystraszonego.

– W łeb cię palnę – sprostował i spojrzał na kumpla bez uśmiechu, z trzaskiem zamykając schowek.

– Jaka szkoda, że nie mamy hełmów na stanie.

– Przestań już gadać i zadzwoń po wsparcie, zobacz, jaki tłum. Technicy nie będą mogli się do nas dopchać, a prokurator... Lepiej nie mówić... Już na wejściu będzie miał zły humor. – Wyprzedzał fakty, parkując samochód niedaleko sporej grupy wygłodniałych sensacji gapiów. – Trzeba się ich pozbyć.

Trzasnął drzwiami. Korkociąg zrobił to jeszcze głośniej.

– Proszę się rozejść!

– Rozejść się! Rozejść się, mówię! Policja!!! – wrzeszczał Korkociąg.

Chyba już stanowili zgrany zespół. On zwykle miał być tym dobrym, a Korkociąg złym policjantem.

To był dobry dzień, choć umęczona jestem okrutnie. Ale to naprawdę był dobry dzień. Niania Zosi zaniemogła, więc Beatka przywiozła mi wnuczkę. Przecież to raj dla stęsknionej babci. Co to za cudne dziewczątko. Czułam się tak, jakbym mogła na swoją Beatkę sprzed lat popatrzeć. Co prawda Zosia do Marcina też jest trochę podobna. Najważniejsze jest jednak to, że to jego cechy charakteru wyzbierała, i to dokładnie. Spokojna jest i rozważna, bardzo ostrożna, a Beatka za małego to był piorun, nie dziecko. Upilnować jej nie mogłam nawet wtedy, gdy bez przerwy nad nią stałam. Wszędzie jej było pełno. A psota z niej była taka, że przez łzy często się śmiałam. Szkód potrafiła narobić, a po wszystkim tak pięknie przepraszać, rzęsami trzepotać, że człowiekowi cała ochota na reprymendę z miejsca przechodziła.

Dziś Beatce też nic nie brakuje. Spryciara, jak się patrzy. Na szczęście cały ten swój spryt na powodzenie w pracy zamienia. Lubią ją i doceniają. Wiem to nie od niej, tylko od Marcina. Beatka nie lubi o sobie opowiadać. To akurat chyba ma po mnie. A Marcinowi wierzyć można. Stateczny jest i prawdomówny. Milczący zwykle, ale jak już coś powie, to powie. Taki trochę z cicha pęk. Mądry jest bardzo, ale pracę ma trudną. Rozwodząc ludzi, napatrzeć się musi na to, jak burzą wszystko, co razem zbudowali, często przez lata. Dzielą majątki. Ale majątki to przecież nic takiego. Jednak dzieci podzielić i ich serca to dopiero jest dramat. Dla mnie niewyobrażalny. Przecież dzieciom do wzrastania bezpieczeństwo jest potrzebne tak samo jak powietrze. Przytulanie. Obecność. I matki, i ojca. Niestety teraz ludzie czasami są nastawieni tylko na swoje dobro, i to z takimi właśnie Marcin musi przede wszystkim pracować. Oczywiście zdarzają się wyjątki, ale one przecież bywają wszędzie. Beatka często złości się na Marcina. Mówi, że zamiast spać i odpoczywać, to w nocy ślęczy nad papierami. Głupoty też potrafi wygadywać w zdenerwowaniu, że przez te wszystkie jego sprawy rozwodowe w końcu sama się z nim rozwiedzie. Proszę ją wtedy o to, by się uspokoiła i cieszyła, że trafił jej się pracowity małżonek. Przecież są też tacy, którym nie przeszkadza, że to kobieta w małżeństwie nosi spodnie. Osobiście za takimi nie przepadam. Beatka mówi, że dobrze jest, jak Marcin wraca z pracy o ludzkiej porze. Takiej, że jeszcze może Zosi przed zaśnięciem poczytać. Wtedy dziecko pamięta, że ma też tatusia. „Przyganiał kocioł garnkowi" – tak często myślę, kiedy Beatki słucham. Zwłaszcza wtedy, gdy się na Marcina wyzłośliwia. Sama przecież nie jest wiele lepsza. Też bardzo dużo pracuje. Ale nie odzywam się, nie wtrącam, nie komentuję, bo po co będę własne dziecko denerwować. Poza tym spokoju potrzebuję do życia. Już teraz tylko zdrowia i spokoju. Więcej potrzeb nie mam. A jeśli dzieje się tak, że tego spokoju mam już po dziurki w nosie, to przyjmuję od Kwietniowej zaproszenie na herbatę. Daleko do niej nie jest. Idę piętro wyżej po wiadomości wiele. Kwietniowa wie wszystko o wszystkich. Nasz blok nie ma przed nią żadnych tajemnic. I jak się tak nasłucham przez dwie godziny analizowania życia innych, to wracam do swojego spokoju i cieszę się nim od nowa. Albo jak cisza mi doskwiera, a na spotkanie z Kwietniową siły nie mam, to modlę się o to, by takich dni jak ten trafiło się więcej. Zosię karmiłam, zabawiałam dzień cały. Na spacerze byłyśmy. Na cmentarzu wózek przed sobą z dumą ogromną pchałam. Na każde „dzień dobry" odpowiadałam z radością większą niż zwykle. „Babcia z wnuczką" – tak dumnie o sobie myślałam. Nie zauważyłam nawet, kiedy Zosia w wózku zasnęła. Do koszyka pod wózkiem Beatka mi dodatkowy kocyk zapakowała, to nakryłam i otuliłam moją wnusię, żeby nie zmarzła, bo dzień był dziś dość chłodny, ale wydaje mi się, że wiosna już całkiem blisko. Powietrze inaczej zaczyna pachnieć. Woziłam i woziłam moją wnuczkę między topolami. Spotykałam swoich psich znajomych. Byli zdziwieni, że bez Nutki spaceruję. Ale i dziecko, i pies to jak dla mnie za dużo odpowiedzialności. Całe dwie godziny się dziecko na świeżym powietrzu przespało. Zbudziło się chyba tylko dlatego, że poczuło, iż babci chłód zaczyna doskwierać. Wróciłyśmy zatem do domu. Nutka o mało ze skóry nie wyskoczyła na nasz widok. Przyzwyczajona jest psina do tego, że ma mnie na wyłączność, a tu nagle taka zmiana. Po powrocie Zosię moim rosołkiem nakarmiłam, nie tym słoikiem, który Beatka dać mi jej kazała. Nie ma to jak posiłki ugotowane w domu. Wolałabym, żeby Zosia tylko takie jadła. Ale oczywiście nie wtrącam się. Staram się zrozumieć. Młodzi rodzice są teraz nowocześni, stawiają na wygodę. Czy to dobrze, czy źle? Nie mnie to oceniać. Każdy w życiu swoje racje ma. I młodzi, i starsi. Najważniejsze, że Zosia, którą Beatka niejadkiem nazywa, dziś akurat rosół jadła tak, że aż jej się uszka trzęsły. A po obiedzie to się dopiero wspaniale zrobiło, bo przyszedł Maks. I znów miałam powód do radości. Chociaż odkąd wydobrzał, znów nie widzę go tak często, jak bym chciała. Znów jest zapracowany tak, że czasami dni wydają mu się za krótkie. Na szczęście dziś wygospodarował dla mnie trochę czasu. W dodatku humor miał doskonały. Tak w ogóle nie jest jakiś szczególnie humorzasty. To nie to. Po prostu czasami przychodzi i sama widzę, że mu się nawet rozmawiać nie chce. Jakiś taki zgaszony. Kwietniowa na pewno nazwałaby go „ciałem bez ducha". Dziś w jego oczach okruszków radości było co niemiara. W dodatku apetyt mu wrócił. Najadł się jak bąk. Wszystko chwalił. I rosół, i udka z kurczaka. Nawet Zosi dał kilka kawałeczków mięska i chociaż ode mnie nie chciała, to od niego zjadła. Maks oka z Zosi nie spuszczał. Bardzo ucieszyło mnie to jego zainteresowanie małą siostrzenicą. Z tej radości w duchu modlitwę do Pana układałam, żeby tęsknotę w sercu mojego syna za rodziną obudził. Tak bardzo chciałabym, żeby Maks sobie życie ułożył. Przecież on ma taką trudną pracę, że powinien po niej jakąś normalnością się cieszyć. Powinien wracać do domu i spotykać dobre i piękne uczucia, a nie obracać się tylko wśród złych. Poza tym co to za życie jest, w którym tylko praca i praca. Praca choćby najlepsza była, to wieczorem nie przytuli, dobrym słowem nie wesprze, na duchu nie podniesie, a na starość w ukojenie się nie zamieni. W dodatku to chyba grzech, żeby taki mężczyzna jak Maks był sam. Dobry, przystojny, rodzinny. Kandydat na męża doskonały. Nic dodać, nic ująć. Cóż zatem robić? Jakie to łatwe pytanie. Odpowiedź na nie też do trudnych nie należy. Czekać muszę. I tyle. W dodatku w milczeniu, ponieważ Maks w tych tematach do rozmownych nie należy. Zawsze był skryty. Nie znosił wypytywania. Nie wtykałam więc nosa w jego sprawy, jak był młodszy, i teraz też nie zamierzam tego robić. Czekam zatem i cieszę się z tego, że mam takiego syna. Również z tego, że wspaniale się na ojca nadaje. Jak zaczął się dziś z Zosią bawić, to się taki chichot po mieszkaniu rozlegał, że miło było słuchać. A kiedy się okazało, że Maks musi już wyjść, to Zosia zamiast uśmiechu na twarzy miała podkówkę. Nie ma się czemu dziwić. Moja dziewczynka więcej czasu z kobietami spędza, więc spragniona jest męskiego towarzystwa. Jak to dziewczyna. A Maks dziś zrobił dla Zosi wszystko. Podrzucał, łaskotał, w konia się zamieniał, po mieszkaniu obwoził jak damę. Maks potrafi się do potrzeb dziecka dostosować. Uważam, że jeśli dorośli piękne dzieciństwo mieli, to w każdym momencie do niego powrócić potrafią. Bez trudu. Przecież to czysta przyjemność – do zabaw i dziecięcej beztroski wracać. Tego się nie zapomina. Jak jazdy na rowerze. Może to nieskromnie zabrzmi, ale wydaje mi się, że Maks miał piękne dzieciństwo. Beatka zresztą też, chociaż ją o wiele trudniej było zadowolić. Staraliśmy się z Włodkiem ze wszystkich sił, żeby naszym dzieciom niczego nie brakowało. Chociaż czasy do najłatwiejszych nie należały, a w portfelu dno było widoczne już w połowie miesiąca. Tak, tak... Tak było, ale nasze dzieci o tym nie wiedziały. W ogóle naszych kłopotów nie znały. A było ich mnóstwo. Jak to w małżeństwie, jak w rodzinie. Przeplatały się problemy, frasunki, zmartwienia. U nas akurat wiele małych problemików i jeden poważny. Ale nie mam siły go teraz roztrząsać. Jeszcze nie pora. Może kiedyś nadejdzie... Najważniejsze, że wszystko udało nam się z Włodkiem jakoś udźwignąć, bo była między nami miłość. Nawet wtedy, gdy wydawało nam się, że przepadła gdzieś między obowiązkami i uciekającymi latami. Prócz miłości były też błędy, a za nie trzeba zawsze płacić, one się nie chowają, tylko patrzą człowiekowi prosto w oczy. Teraz to już wiem. Kiedyś było inaczej. Wcale nie tak kolorowo. Bywało trudno. Długo żyliśmy z Włodkiem tylko we dwójkę. Naczekaliśmy się na Beatkę. Już straciłam nadzieję, że nam się przydarzy. I gdy tylko się z tym pogodziłam, szepnął mi Pan Bóg, że nigdy nie należy tracić nadziei. I mam Beatkę, mam dobrego zięcia, cudowną wnuczkę. Mam Maksa... moje oczko w głowie. Wiem, że rodzina to podstawa. To dlatego chciałabym, żeby mój syn przeżywał życie całym sercem. Chcę, żeby kochał i żeby był kochany, bo przecież życie to miłość. Bez miłości nas nie ma. Żebyśmy byli, musi być miłość. Nie pieniądze, nie kariery, nie cuda, nie wianki, nic, nic się nie liczy, tylko miłość. Nie tracę więc nadziei, że jakaś dobra kobieta zauważy mojego Maksa, że się nim zaopiekuje. Kobieta powinna się mężczyzną opiekować, ale tak, by on czuł się właśnie jak mężczyzna, a nie jak dziecko. Za to ona musi kobietą być, a nie matką. Matkować mogą tylko matki. Żona ma być żoną. Nic mniej i nic więcej. I jak się dziś Maksowi uważniej przyjrzałam, to jakąś nową radość w nim zobaczyłam. Taką, której dotąd nie dostrzegłam, więc chyba czas na to, by żarliwiej się modlić o miłość w życiu Maksa. I to wcale nie na klęczkach. Ja się zwykle modlę inaczej. Modlę, czyli myślę dobrze o sprawie, dobrymi myślami ją otulam, gdy ziemniaki obieram, naczynia zmywam, pranie wieszam, z Nutką spaceruję, nawet jak plotek Kwietniowej słucham, zwykle tylko jednym uchem. Kwietniowa opowiada, a ja się modlę. Plotki mi nie przeszkadzają. Jak świat światem, ludzie zawsze swoje prawdy wymyślają i się nimi z innymi chcą dzielić. Ale ani mnie to ziębi, ani grzeje. Zwłaszcza że Maks ode mnie dziś uśmiechnięty wyszedł. Zdrowy, najedzony, zadowolony. Maks wyszedł, a ja nie zostałam sama jak zwykle. Czego chcieć więcej? Zresztą moje dzieci w moim sercu są zawsze. Rozumiem, że wychowałam je dla świata. Nie dla siebie. Staram się o tym zawsze pamiętać. Pamiętam i cierpliwie czekam na momenty, w których świat łaskawie się ze mną moimi dziećmi podzieli. A świat się chętnie z nami dzieli, jeśli uda nam się dzieci na dobrych ludzi wychować. Dobrych, czyli takich, którzy i nam pomogą, gdy zajdzie taka potrzeba, i światu. Moje dzieci pomagają światu, dlatego jestem z nich bardzo dumna i bardzo je kocham. Tak bardzo, że bardziej już chyba nie można. Chociaż nie wiem, czy teraz głupot nie piszę, bo pewnie tylko Pan Bóg wszystko wie o miłości i o całej reszcie. To był naprawdę bardzo dobry dzień, ponieważ czułam w nim miłość. To był dzień w miłości zanurzony. Dziękuję Ci za niego, mój Panie…

W głowie miała wciąż hałasy mijającego dnia. Wychodziła z pracy jak zwykle później, niż powinna. Taka właśnie była druga zmiana. To dlatego jej nie lubiła. Rodzice powinni odbierać swe dzieci najpóźniej do godziny osiemnastej. Co z tego? Zawsze zdarzał się jakiś spóźnialski. Zdążyła się już do tego przyzwyczaić. Bez trudu odróżniała tych, którzy spóźniali się, bo naprawdę im coś wypadło, od tych, którzy odbierali swe dzieci po godzinach, bo mieli taki kaprys. Tłumaczeń rodziców nie lubiła słuchać, niezależnie od tego, do której grupy należeli. Dziś jej praca skończyła się godzinę później, niż powinna. Było już ciemno. W dodatku zimno. Nie mogła doczekać się ciepła.

– Do widzenia, pani Ludwiko – krzyknęła.

– Do zobaczenia, pani Saro – odkrzyknęła bardzo zmęczonym głosem sprzątaczka, która układała naczynia w kuchni.

Wyszła z przedszkola. Z przyjemnością zamknęła za sobą drzwi. Do domu miała niedaleko. Lubiła tę odległość. Pokonując ją, zwykle myślała o dobrych rzeczach, które spotkały ją danego dnia. Bardzo starała się myśleć tylko o dobrych, ponieważ gdy to robiła, nie starczało jej czasu na rozpamiętywanie tego, o czym pamiętać nie chciała. Takiego podejścia do życia nauczył ją Dziadek. I to nie wtedy, gdy cierpiała w małżeństwie z Robertem. Dziadek nauczył ją tego wcześniej i zawsze korzystała z tej wiedzy i nauki wówczas, gdy było jej ciężko. Zapinając kurtkę, zbiegała z kilku przedszkolnych schodków, które dzisiaj pokonywała już kilkakrotnie. Szybkim krokiem przechodziła przez tunel utworzony z wysokich tuj, odgradzający ogromny plac zabaw od wejścia. Nacisnęła przycisk, który pozwalał otworzyć furtkę. Szarpnęła za nią i zamiast wyjść, zatrzymała się, nie wiedząc, czy zrobić krok przed siebie, czy może lepiej cofnąć się i pędem zwiać z powrotem.

Po drugiej stronie ulicy naprzeciwko furtki, której okrągłą klamkę wciąż miała w ręku, stał człowiek. Mężczyzna. Nie widziała jego twarzy. Było już ciemno. Dostrzegała jedynie zarys jego nieruchomej sylwetki. Patrzyła na czarny, bardzo wysoki posąg i powoli zrobiła krok w tył. Ona w tył, a on niestety w przód. Serce przestało jej bić. Czarny posąg miał nad nią przewagę. Szedł w jej kierunku, a ją sparaliżował strach. On się zbliżał, ona stała wciąż w tym samym miejscu. Bała się. Panicznie.

– Dobry wieczór.

Usłyszała miły głos i od razu pomyślała, że to nic nie znaczy. Robert też potrafił mieć taki. Niezmiennie trwała w bezruchu, nie wiedząc, czy mężczyzna stojący już prawie przed nią to przyjaciel czy wróg. Na ucieczkę i tak było już za późno. Mężczyzna już wchodził w obręb światła lampy padającego na jej sylwetkę.

– Mam nadzieję, że pani nie przestraszyłem.

Podniosła wzrok do góry i zobaczyła oczy. Nie pomyliłaby ich z innymi. Te zapamiętała na zawsze. Chociaż dotychczas widziała je tylko raz. W dodatku tylko przez ułamek sekundy.

– Nie... skądże... – Walczyła z samą sobą o to, by głos brzmiał jej spokojnie.

Chyba jej nie wyszło. Na pewno jej nie wyszło. Przecież nie umiała kłamać. Chociaż Robert twierdził inaczej. Teraz jednak, widząc oczy patrzącego na nią mężczyzny, z miejsca zapomniała, iż jeszcze przed momentem myślała, że jakiś zbir pojawił się tu dokładnie po to, by wyrównać z nią rachunki. Aby ostatecznie ukarać ją za przydługi jęzor i prawdomówność podczas okazania, a także za współpracę z policją.

– Nazywam się Maksymilian Grabski. Jestem policjantem, któremu uratowała pani życie.

Podała mu dłoń. To było jedyne, na co mogła się w tej chwili zdobyć. Mowę niestety jej odjęło. Policjant trzymał jej dłoń i chyba nie zamierzał puścić. Ona natomiast chyba nie zamierzała się przedstawić.

– Na pewno wszystko dobrze? – zapytał policjant.

Zamiast odpowiedzieć, wyszarpała swą dłoń z jego uścisku.

– Tak... Dobrze... To znaczy... – Plątała się w zeznaniach.

Wszystko przez tego policjanta. Powoli otrząsała się z wrażenia, jakiego wciąż doznawała, ponieważ mężczyzna niezmiennie nie spuszczał z niej oka. Patrzył na nią, i to tak przenikliwym wzrokiem, że od tego spojrzenia mrowiło ją całe ciało.

– Jestem tylko trochę zmęczona. – Szukała usprawiedliwienia. – Nie spodziewałam się, że pana tu spotkam. To znaczy, nie spodziewałam się, że w ogóle pana kiedyś spotkam.

W końcu udało jej się uśmiechnąć. W dodatku szczerze. Stał przed nią człowiek, któremu naprawdę uratowała życie. Może dlatego, że nie bała się widoku krwi na śniegu.

– Jak ma pani na imię?

Policjant w cywilu znów uśmiechnął się do niej. Wyglądał tak, że musiała trzymać oczy na wodzy, by nie galopowały, ponieważ tak bardzo jej się podobał. Przystojna sylwetka, oczy, usta, włosy, zęby, uśmiech, ramiona, dłonie szczupłe i długie nogi. Podobało jej się wszystko. Po prostu wszystko. Przed chwilą jej serce nie chciało bić, a teraz zwariowało i wyrywało się z jej piersi. Chyba znów groziło jej omdlenie, tylko z całkiem innego powodu niż wcześniej.

– To pan tego nie wie? – palnęła, zamiast się po prostu przedstawić.

– Wiem – odpowiedział.

Jego uśmiech stał się jeszcze bardziej wyraźny.

– To dlaczego pan pyta? – zdziwiła się, walcząc z sobą o choćby jedno rozsądnie brzmiące zdanie.

– Sam nie wiem... Może dlatego, że chciałbym chociaż udawać, że możliwe jest między nami w miarę normalne zawarcie znajomości.

Zauważyła, że stojący wciąż przed nią mężczyzna, mówiąc to, w jednej sekundzie spoważniał. Taki też jej się podobał.

Może nawet bardziej niż uśmiechnięty. Najbardziej jednak przypadło jej do gustu to, co właśnie powiedział.

– To jest myśl. – Też się uśmiechnęła.

Przecież podobnie jak patrzący teraz na nią mężczyzna nie chciała pamiętać owego dnia, który budził grozę w ich pamięci.

– Sara. – Teraz to ona wyciągnęła dłoń w jego kierunku i znów mogła poczuć na sobie ciepły dotyk.

Patrzyła na policjanta, a raczej wzroku nie mogła od niego oderwać. Wciąż prześladowało ją pytanie, dlaczego znów pojawił się w jej życiu i spoglądał na nią tak wnikliwie, iż kolejny raz czuła, że z jej sercem dzieje się coś dziwnego. Tym razem nie mogło się zdecydować, czy bić szybciej niż zwykle, czy może wolniej?

– Muszę się pani do czegoś przyznać – powiedział w chwilę po tym, jak po raz drugi tego wieczoru wyswobodziła swą dłoń z jego dość zdecydowanego uścisku.

Zrobiła to z niechęcią. Gdyby sama miała odwagę mu się do czegoś przyznać, to musiałaby mu powiedzieć, że jego dotyk sprawiał jej wielką przyjemność. Dawno takiej nie przeżywała. Jednak kiedyś już tak się czuła. Właśnie to sobie przypomniała. Miała świadomość, że tak dobre i magiczne są złego początki. Poczuła się zagubiona i w takim zagubieniu oczekiwała kolejnych słów patrzącego na nią mężczyzny.

– Muszę z panią porozmawiać...

Policjant zachowywał się tak, jakby chciał oddalić od niej moment prawdy. Znów się zdenerwowała, ponieważ wyobraźnia podsuwała jej widok krwi na śniegu.

– Powinienem to zrobić w normalnym trybie, czyli wezwać panią na komisariat. Jednak pomyślałem, że będzie lepiej dla pani, jeśli zrobię to inaczej. Pani chłopak ostatnio zrobił awanturę na komisariacie... To dlatego postanowiłem porozmawiać z panią na neutralnym gruncie. Mam nadzieję, że mój pomysł podoba się pani bardziej niż policyjna procedura.

Patrzyła na niego i myślała tylko o tym, że miejsce, w którym właśnie stali, już nigdy nie będzie dla niej neutralnym gruntem.

– Bardziej – odpowiedziała, jednak bez przekonania w głosie. Już zastanawiała się, jakimi słowami zruga Wojtka. Bała się tego, co nawyrabiał, ponieważ znała jego zdolności aktorskie, zwłaszcza te dotyczące eksponowania negatywnych uczuć.

Wiejący wiatr nagle z hukiem zatrzasnął otwartą do tej pory przedszkolną furtkę. Hałas sprawił, że aż podskoczyła ze strachu.

– Tu będziemy rozmawiać? – zapytała. Nie chciała tu być. Z kilku powodów. Jednym z nich był wzmagający się wiatr, który robił teraz z jej fryzury z pewnością coś na kształt bocianiego gniazda.

– Rozumiem, że da się pani zaprosić do kawiarni... A może byłoby lepiej, gdybyśmy mogli zamienić kawę na kolację?

– Tak szczerze, to jestem głodna...

Pomyślała, że najlepiej dla niej będzie, jeśli nie ulegnie urokowi ani sylwetki, ani spojrzenia, ani niczego, co reprezentował sobą niezmiennie wpatrujący się w nią mężczyzna. Najlepiej, jeśli nie będzie udawała niedostępnej damy, tylko zaprezentuje się przed nim jako możliwie najsympatyczniejsza kandydatka na koleżankę. Po prostu normalną koleżankę. Musiała się szybko o to postarać. Dla własnego bezpieczeństwa. Zadanie, które sobie wyznaczyła, było o tyle trudne, że wzrok Maksymiliana sprawiał, że już była gotowa do wpakowania się w jakąś pożałowania godną miłość, z której trzeba się leczyć długo, a terapia bywa bolesna i wymagająca cierpliwości. Na to wspomnienie odechciewało jej się wszystkiego. I terapii, i miłości.

– Jakieś propozycje? – zapytała.

Mogła być z siebie dumna, ponieważ jej głos w końcu zaczął brzmieć w miarę normalnie. Niestety spojrzenie policjanta nie zmieniło się wcale. Jej pewnie też niewiele. Zatem słowa słowami, a ona czuła się tak, jakby już należała do faceta patrzącego jej prosto w oczy. Co gorsza chciała takiego obrotu spraw, chociaż wciąż pamiętała, co sobie kiedyś obiecała. To jest: nigdy więcej miłości, faceta i wszystkiego, co się zawiera w tych dwóch słowach.

– Kebab – zaproponowała, już ćwicząc koleżeńskie spojrzenie.

– Uwielbiam – uroczo odpowiedział uroczy gliniarz.

Zagadnienie koleżeństwa znów stawało się niemożliwe. Westchnęła ciut za głośno. Usłyszał to od razu. Na szczęście nie zareagował, tylko zadał kolejne konkretne pytanie.

– Kto wybiera lokal?

– Ty. – Wlepiła odważne spojrzenie w policyjny błękit.

Jej słowa zrobiły na nim wrażenie. Była z siebie dumna. Z wielu powodów. Najważniejsze jednak wydało jej się teraz to, że tym krótkim „ty" nad wyraz sprytnie ominęła etap czajenia się i zastanawiania, czy to już, czy może jeszcze nie kończyć z tym idiotycznym „pan, pani, pani, pan". Przecież już czuła, że w ich przypadku te formy grzecznościowe bardzo utrudniają komunikację.

– To super. Tak się składa, że znam miejsce, w którym da się spokojnie porozmawiać. W dodatku doskonale w nim karmią i jest blisko twojego domu – powiedział szybko i z wyczuwalną radością.

Mogła być dumna również z niego. Bardzo jej się spodobało, że bez żadnych oporów przyjmował model dialogu, który narzucała z rozmysłem. A może tylko jej się tak wydawało? Może tylko udawał, że podążał za jej oczekiwaniami bez mrugnięcia okiem. W swojej pracy umiała doskonale rozmawiać z dziećmi. Z nim było inaczej. Chyba miał nad nią pewną przewagę. W przeciwieństwie do niej, w swej roli musiał doskonale umieć rozmawiać z dorosłymi. W dodatku w taki sposób, by chcieli mu powiedzieć o wszystkim. Nawet o tym, co woleliby zostawić tylko dla siebie. Zatem musiała na niego uważać. Musiała być ostrożna. Mimo swoich spostrzeżeń mogła jednak zachować spokój. Była zaprawiona w boju w trzymaniu języka za zębami. Pomagała jej w tym poraniona przeszłością psychika.

– Czyli wiesz, gdzie mieszkam?

– Wiem – odparł bardzo poważnie.

– Wiesz o mnie coś jeszcze? – zapytała jeszcze poważniej.

– W sumie to całkiem sporo. Na przykład, że masz bardzo nerwowego przyjaciela Wojciecha.

Dałaby głowę, że wzrok, którym ją obdarzał, był czuły. Zupełnie nie pasował do jej zamiaru, by nadawać ich znajomości koleżeńskiego wymiaru. Przecież inny był nie po jej myśli.

– Taki mam zawód – usprawiedliwił się natychmiast.

Teraz to ona patrzyła na niego przenikliwie. Trochę zdenerwowała się na Wojtka, ale najbardziej ciekawa była, co Maks jeszcze o niej wiedział, a czego nie. Już się bała, że wiedział więcej, niż chciała.

– Po prostu są takie sprawy, o których muszę dużo wiedzieć. – Usprawiedliwiał się nadal. – Im więcej wiem, tym lepiej. Tym mniejsze ryzyko. W mojej pracy, jak w każdej innej, muszę uczyć się na błędach. Niestety pomyłki, które popełniam, najczęściej mają nieodwracalne skutki, czasem tragiczne. Dlatego chyba się domyślasz, że muszę się ich wystrzegać.

Patrzył na nią bardzo poważnie. Czekał na jej odpowiedź. Musiała jej udzielić.

– Domyślam się – odpowiedziała.

Chociaż nie było jej do śmiechu po tym, co usłyszała, to cieszyła się. Ucieszył ją fakt, że mężczyzna, który jej się podobał, był teraz przed nią i usiłował jej cokolwiek wytłumaczyć. Cieszyła się również z tego powodu, że oczu, w które teraz patrzyła, nie zasłaniała trupia mgła. Patrzyła na szybko poruszające się usta. Na czerwień, której daleko było do bladości szepczącej w jej kierunku słowo „mamo...". Pamiętała, jak bardzo wtedy przeraziło ją to jedno słowo. Przestraszyła ją myśl, że było pożegnaniem, a ona ze wszystkich sił chciała, żeby postrzelony motocyklista przeżył.

Teraz, gdy patrzyła na niego, zrozumiała, pojęła to sercem i rozumem, że tamto jej pragnienie miało ogromny sens, bo śmierć w owym momencie byłaby dramatycznie bezsensowna.

– To idziemy?

Policjant wzrokiem wskazał kierunek, w którym mieli dziś razem podążyć.

Ruszyła przed siebie, ciesząc się z wieczoru, którego się nie spodziewała, a także ze znajomości, która przychodziła z zaskoczenia. Jednak największą radość odczuwała z tego, że udało jej się uratować kogoś, kto już zmieniał jej życie. Czuła to wyraźnie. Przyjmowała tę nowość z zadowoleniem i obawą, a przede wszystkim z podekscytowaniem.

– Odezwę się tylko do Dziadka – wyjęła telefon z torebki. – Mieszkam z nim – wytłumaczyła.

– Wiem.

Postanowiła nie komentować tego, co usłyszała.

– Nie lubię, kiedy się o mnie martwi – dodała szybko.

– Rozumiem.

Szli obok siebie. Cieszyła się, że policjant zrównał z nią krok. Lubiła, gdy mężczyzna się do niej dopasowywał. Takie uczucie nie było dla niej chlebem powszednim. Kiedyś bywało całkiem inaczej. Jednak nie chciała wracać myślami do tego, co było kiedyś. W obecnej chwili liczyło się dla niej tylko teraz. Bez później, bez jutra... Tylko teraz i tylko tu.

Dawno nie czuł się tak dobrze. Ogarniała go przyjemna beztroska. Siedziała przed nim Sara Bystrzycka. Nie mógł uwierzyć, że tak łatwo mu poszło. Na razie niczego jeszcze jej nie powiedział. Na razie tylko jedli. Bekhir, gdy zobaczył ich w progu swojej restauracji, zrobił wielkie oczy.

Znali się z czasów podstawówki. Rodzice Bekhira przyjechali do Polski z Turcji, kiedy ten miał trzy lata. Od razu założyli restaurację z kebabem, a baklawa mamy Bekhira i wtedy, i teraz była najlepsza w całym mieście. Z Bekhirem zaprzyjaźnił się szybko. Trzymali się razem od podstawówki, zwłaszcza że Bekhir nie miał wtedy łatwo. To dlatego musiał wiele razy stawać w jego obronie. Na szczęście prawie zawsze udawało im się ukrywać szkolne utarczki przed nauczycielami, a w klasie działo się, dopóki turecki kolega nie został całkowicie zaakceptowany. Zatem on był Bekhira obrońcą, a Bekhir jego nauczycielem przedmiotów ścisłych, ponieważ miał głowę do rachunków i kiedy zaczął dostawać same piątki z matematyki, fizyki i chemii, to już żaden klasowy półgłówek nie miał nic do powiedzenia na temat koloru jego skóry czy kraju, z którego pochodził. Po latach Bekhir objął rodzinną firmę, a dyplom zarządzania zdobyty na politechnice pomagał mu do tego stopnia, że mała knajpka założona przez jego rodziców rozrosła się do sporej restauracji, co więcej, miała też kilka siostrzanych biznesów rozlokowanych pod dobrymi stołecznymi adresami. Bekhirowi sukces nie przewrócił jednak w głowie i co wieczór przynajmniej przez godzinę stawał za barem w tej pierwszej, macierzystej restauracji.

Dziś też tam stał i co chwila rzucał ku stolikowi, przy którym siedzieli z Sarą, ukradkowe spojrzenia. Oczy Bekhira były prawie czarne. Podobne miała Sara. Podobały się Maksowi, ponieważ były trochę wesołe, a trochę czujne. Poza tym również bardzo błyszczące. Właśnie teraz siedząca naprzeciwko niego kobieta spoglądała w jego stronę całkiem inaczej niż przed budynkiem przedszkola. Wtedy nie odrywała od niego wzroku. Teraz wciąż miała badawcze spojrzenie, ale krótkie, zupełnie jakby bała się zatrzymać je na dłużej na jego twarzy. Mimo to i tak wydawała mu się bardzo kontaktowa i sympatyczna.

Kiedy podjął decyzję, iż sam poinformuje ją o tym, że była obserwowana przez policję, zupełnie nie przypuszczał, że przyjdzie mu rozmawiać z kimś takim. Ilekroć mama powtarzała mu, że pozory mylą, tylekroć wiedział, że się nie myliła. Tym razem, patrząc na Sarę, kolejny raz w życiu przekonywał się, że pozory naprawdę były nic niewarte. Siedziała przed nim kobieta, która wydawała mu się oazą spokoju. Wyglądała na delikatną i z tego, czego o niej się dowiedział, wywnioskował, że z pewnością bała się mężczyzn. Jednak cały ten obraz zniekształcało mu, i to w znacznym stopniu, wspomnienie jej ostatniego spotkania z fotografem. Nie mógł zapomnieć chwili, kiedy wpadła mu w ramiona. W każdym razie obserwując ją, stworzył sobie, już teraz był tego pewien, mylny i nieprawdziwy obraz osoby, która była teraz tak blisko. W dodatku wydawała mu się bardzo bliska. Jeszcze nie wiedział, jaka jest naprawdę, ale na pewno była inna, niż wcześniej przypuszczał. Bardzo chciał poznać ją lepiej.

Kebab był wyśmienity. Jadł z ochotą, chociaż nie był wcale głodny, ponieważ porządnie najadł się dziś u mamy. Sara również jadła z apetytem, choć jej kęsy były mikroskopijne. Sos, który wyciekał na jej dłonie, zlizywała z dużym wdziękiem, a leżącą obok talerza serwetką co chwilę wycierała kąciki ust, choć w większości przypadków nie było to wcale konieczne.

– Pyszne – powiedziała, patrząc na niego z uśmiechem.

Zanim zdążył się odezwać, już uciekła wzrokiem.

– Właściciel to mój najlepszy przyjaciel. Zawsze tu przychodzę. Najczęściej z kumplami po pracy. Widzisz tego wysokiego mężczyznę za barem?

Zobaczył, jak dyskretnie spojrzała w kierunku, który wskazał jej oczami, i leciutko kiwnęła głową.

– To właśnie on. Jest dziś zdziwiony, bo pierwszy raz przyszedłem tu z kimś, kogo wcześniej nie widział.

– Długo się znacie? – zapytała Sara i spojrzała znów na niego. W końcu. Jej spojrzenia sprawiały mu przyjemność.

– Baaardzo – odparł.

– To znaczy?

– Na pewno ponad dwadzieścia lat…

Nie chciało mu się teraz liczyć. Skończył jeść i powycierał w serwetkę najpierw usta, później prawie niepobrudzone dłonie.

– To rzeczywiście bardzo długo. – Uśmiechnęła się do niego. – Gratuluję.

Odwzajemnił uśmiech.

– A ty masz przyjaciółkę z takim stażem?

– Nie mam – odpowiedziała od razu.

– A ta dziewczyna z przedszkola?

– Karolina? – Podniosła na niego zdziwiony wzrok.

Przełknęła jedzenie i patrząc mu prosto w oczy, szybko scharakteryzowała znajomość, którą się zainteresował.

– To tylko koleżanka z pracy. Skąd wiesz, że czasami się z nią spotykam?

Wpatrywał się przez moment w utkwione w niego oczy. Im dłużej się nie odzywał, tym to spojrzenie stawało się czujniejsze, a może nawet pojawiał się w nim brak zaufania. Tego ostatniego wolał uniknąć. Poza tym przecież to spotkanie odbywało się w określonym celu. Musiał zmierzać do niego szybko. Im szybciej, tym lepiej.

– Muszę ci o czymś powiedzieć…

Cedził słowa, ponieważ nie chciał ani jednym nieprzemyślanym zepsuć nastroju, jaki wytworzył się między nimi.

– To coś strasznego?

Chyba się zestresowała, ale był pewien, że miała odwagę, by wysłuchać tego, co musiał jej właśnie powiedzieć.

– Nie – poinformował ją spokojnie.

Musiał już w tej chwili omówić i zamknąć główny temat tego spotkania, ponieważ bardzo chciał, by uciekająca przed jego wzrokiem kobieta w końcu poczuła się w jego towarzystwie bezpiecznie i komfortowo.

– Możesz przestać być taki zagadkowy? – Popatrzyła na niego z wyczekiwaniem.

– Posłuchaj…

Natychmiast przestała jeść.

– Kiedy mnie postrzelono i okazało się, że widziałaś, kto to zrobił, to założyliśmy ci obserwację. Całe szczęście, że zdążyłaś się przyjrzeć, bo dzięki twoim zeznaniom dotarliśmy do kogo trzeba…

– Co? – Podniosła głos i szeroko otworzyła oczy.

Dzięki temu mógł im się dokładnie przyjrzeć. Oczywiście zrobił to z przyjemnością.

– Bądź spokojna – mówił wolno. – Zrobiliśmy to… by sprawdzić… czy nic ci nie grozi, czy nikt cię nie obserwuje, czy jesteś bezpieczna. Musieliśmy mieć pewność, że ci ludzie o tobie nie wiedzą.

– I co? Spotkałeś się ze mną, bo coś mi grozi? – zapytała, odruchowo ściszając głos.

Widział, jak bardzo zmienił się wyraz jej twarzy i jak bardzo bała się tego, co miała za chwilę usłyszeć.

– Spokojnie. – Uśmiechnął się do niej. – Mam dla ciebie tylko dobre wiadomości. Naprawdę możesz być spokojna. Mieliśmy cię tak długo na oku, że nie mamy żadnych wątpliwości… Jesteś całkowicie bezpieczna. Wszystko jest w porządku. Daję ci słowo, nikt nigdy nie powiąże cię z tą sprawą. Całą grupę z nią związaną już rozpracowaliśmy.

– Czym się zajmowali?

– Nie mogę powiedzieć.

Jeśli chodziło o sprawy zawodowe, zawsze był konkretny i bardzo dyskretny.

– Kto mnie obserwował? Chyba tyle możesz mi powiedzieć. Ty?

– Nie od razu – odpowiedział poważnie, ale się uśmiechnął.

– Domyślam się…

Odwzajemniła jego uśmiech i spojrzała mu w oczy, ale zaraz potem szybko uciekła wzrokiem. Chyba zaczynał się do tego przyzwyczajać. Sara patrzyła w talerz. Możliwe, że zamierzała wrócić do jedzenia. Jednak tego nie zrobiła. Podniosła wzrok. Znów się ucieszył.

– Długo dochodziłeś do siebie?

– Trochę.

– Zawsze tak trudno wyciąga się z ciebie informacje?

– Wiesz… zwykle to ja jestem od zadawania pytań.

Rozmowa zaczynała mu się podobać prawie tak bardzo jak kobieta, którą, gdyby to zależało tylko od niego, chciałby obserwować nieprzerwanie.

– Zapomnijmy o tym na chwilę… – poprosiła. – Czyli jak długo mnie obserwowałeś?

– Ponad tydzień. – Znów udzielił wymijającej odpowiedzi.

– Uff… – odetchnęła teatralnie. – To nie jest aż tak źle. Na pewno nie wiesz o mnie nic strasznego.

Zupełnie nie wiedział, co powiedzieć. Pewnie dlatego, że obserwując ją, w istocie niczego strasznego nie zobaczył. Jednak badając jej przeszłość, natrafił na kilka strasznych faktów z jej życia. Teraz, gdy na nią patrzył, było mu bardzo trudno uwierzyć, że to właśnie jej dotyczyły. Zupełnie do nich nie pasowała. Patrzył na Sarę i choć dużo w swoim życiu widział i sporo wiedział na temat przemocy, to nie mógł uwierzyć, że właśnie ona była jej ofiarą. Nie mógł zrozumieć, że ktoś potrafił ją krzywdzić.

– To milczenie coś oznacza? Czy zupełnie nic?

Sara odezwała się do niego w ten sposób z pewnością dlatego, że przez dłuższą chwilę rzeczywiście zamiast mówić, tylko myślał.

– Mam twoją apaszkę. – Postanowił zmienić temat.

Zrobił to, ponieważ nie uśmiechało mu się przyznawanie do tego, z jaką ciekawością lustrował przez ostatni tydzień jej życie, a także życie jej byłego męża.

– Naprawdę?!

Najszczersza radość wystarczyła, by w momencie ze zmartwionej dziewczyny stała się kobietą. Piękną kobietą, w zasięgu nie tylko jego wzroku, ale również rąk. Chciał jej dotykać, przynajmniej tak jak podczas powitania. Niestety musiał z tym poczekać. Z pewnością aż do pożegnania.

– Naprawdę.

Sięgnął do zewnętrznej kieszeni kurtki, gdzie miał jej apaszkę. Natomiast w kieszeni wewnętrznej miał tę nową. Po chwili obie położył na stole.

– Proszę bardzo.

Na początku dotknęła swojej. Na jej twarzy dostrzegł wzruszenie.

– Boże... Myślałam, że już do mnie nie wróci... – Nie odrywała wzroku od dotykanego materiału.

– Niestety nie dało się całkowicie wywabić plam, chociaż moja mama robiła, co w jej mocy.

– To nic... Nie szkodzi... Dostałam ją od Babci. Dała mi tę apaszkę, chociaż sama bardzo lubiła ją nosić... Kiedy jeszcze żyła... – dokończyła po chwili.

– Przykro mi... – szepnął.

Chyba dobrze zrobił, bo podniosła na niego wzrok. W końcu. Znów miał powód do radości.

– Życie... – szepnęła. Zrobiła się bardzo smutna. Już nie miał ochoty na to, żeby dotknąć jej dłoni. Teraz bardzo chciał ją przytulić. Patrzył w jej oczy i wiedział, że nic z tego. Nie mógł sobie na to pozwolić.

– Ludzie umierają... – dodała po chwili.

– Jeśli umierają, to jeszcze nie jest tak źle – spointował gorzko.

– Bardzo się cieszę, że żyjesz...

Zauważył, jak mówiąc to, odruchowo spojrzała na jego ramię, którego na pewno dotykała. Nie pamiętał tego dotyku. Prawie niczego nie pamiętał. Bardzo tego żałował. Patrząc teraz na nią, nie mógł się nadziwić, jak szybko zmieniał się wyraz jej twarzy. Potrafiła w mgnieniu oka zmienić nastrój.

– A to? – Wskazała wzrokiem na granatowe pudełko.

– To prezent. Od mojej mamy. Jest ci bardzo wdzięczna za to, że…

Nie dała mu skończyć.

– Za to, że uratowałam jej ukochanego syna – dokończyła za niego i z uśmiechem otworzyła pudełko.

Wyjęła błękitny materiał. Rozłożyła przed sobą tak, że jej nie widział.

– Piękna! – stwierdziła z zachwytem w głosie. – W dodatku bardzo podobna do mojej.

– Mojej mamie bardzo zależało na identycznej. Niestety nie udało się jej takiej kupić.

– W życiu nie wszystko się udaje…

Znów zauważył zmianę jej nastroju z lepszego na gorszy.

– Ale apaszka jest cudna. – Znów się uśmiechała. – Bardzo podziękuj mamie w moim imieniu.

– Oczywiście, zrobię to z przyjemnością.

Zauważył też, że spojrzała na swój talerz.

– Mam nadzieję, że się nie obrazisz, jeżeli nie zjem wszystkiego, ale już nie mogę. Po prostu mam jedzenia potąd. – Przeciągnęła dłonią po czole.

– Spokojnie, nie musisz zjeść wszystkiego. Bekhir na pewno się nie obrazi, zwłaszcza jeśli spróbujesz baklawy jego mamy.

– O nie! – zdecydowanie zaoponowała. – Ja już naprawdę niczego nie zdołam w siebie wcisnąć.

– Mam plan! – szepnął konspiracyjnie.

Nachylił się nad stolikiem i zbliżył swą twarz w jej kierunku. Z miejsca odnalazła się w konwencji chwili i powtórzyła jego zachowanie. Już ją za to uwielbiał. I nie tylko za to.

– Zamieniam się w słuch – szepnęła tak, że poczuł na twarzy delikatność jej oddechu.

– Zamówię teraz dwie herbaty i dwie bakławy. Twoje ciastko zjem ja i po sprawie. Co ty na to?

Wyraźnie dostrzegał, jak patrzyła to w jego oczy, to na jego usta. Wpatrywał się w nią z wielką uwagą i już wiedział, że zrobi wszystko, co tylko możliwe, aby to ich spotkanie było pierwszym z wielu.

– Normalnie geniusz – odparła uradowanym szeptem. – Ale poproszę o herbatę miętową, bo czuję, że przesadziłam z ilością jedzenia – dodała już głośno. – Chyba powinnam poluzować pasek.

Po usłyszeniu tych słów nie mógł nie zareagować.

– Niestety paska nie udało się uratować.

Wrócił pamięcią do dnia, którego do teraz nie chciał pamiętać. To znaczy wrócił do tej części, którą zapamiętał. Teraz, gdy patrzył na Sarę pierwszy raz, pomyślał, że to nie był w istocie tak paskudny dzień, jak mu się dotychczas wydawało.

– Najważniejsze, że ciebie udało się uratować – powiedziała poważnie i zdecydowanie.

– Lekarz powiedział, że gdyby nie twoja pomoc, to...

Celowo nie dokończył zdania, gdyż nie chciał cytować słów lekarza, z którym rozmawiał, wychodząc ze szpitala.

– Nie bałaś się? – zapytał wprost.

Zanim odpowiedziała, zastanowiła się chwilę.

– Już sama nie wiem... To był impuls. Zobaczyłam, co się dzieje, i wybiegłam z przedszkola. Po prostu chciałam pomóc... Najlepiej jak potrafiłam. Nawet nie zapamiętałam dokładnie tego, co robiłam. Jedynie ślady krwi na śniegu bardzo utkwiły mi w pamięci. Ty pewnie też niczego nie pamiętasz...

– Pamiętam ciepło twoich rąk na moich policzkach i chyba to, że coś do mnie mówiłaś.

– Prosiłam, żebyś nie zasypiał...

Mówiąc o tym, uciekła spojrzeniem w bok. Zupełnie tak, jakby chciała sobie jeszcze coś przypomnieć. Zauważył, że chyba jej się to udało.

– I wiesz co...

Rzeczywiście chyba jeszcze odnalazła coś w pamięci.

– Pamiętam, że otworzyłeś na chwilę oczy, ale dosłownie na sekundę, nie więcej. Popatrzyłeś na mnie i powiedziałeś „mamo".

– Mamo?

– Tak – potwierdziła z delikatnym uśmiechem.

– Może dlatego, że moja mama ma takie oczy jak ty. Takie duże i też takie bardzo ciemne...

Teraz każdy powód był dobry, by zajrzeć głębiej i odważniej w oczy Sary.

– W takim razie ty z pewnością swoje odziedziczyłeś po ojcu.

– Tak. W ogóle jestem do niego bardzo podobny. Tak przynajmniej uważa moja mama, a ona zna się na takich sprawach.

– Co robi twój tata?

– Mój tata nie żyje – odparł najszybciej, jak się dało.

– Przepraszam.

– Życie... – westchnął głęboko. – Ludzie umierają...

Nie chciał, by ich rozmowa oscylowała wokół trudnych tematów.

– Mój tato też był policjantem jak ja. – Zmienił temat. – A dokładniej, to ja zostałem policjantem tak jak on.

– A mama?

Usłyszał kolejne pytanie zadane bardzo naturalnym tonem.

– Moja mama pracowała całe życie w przedszkolu.

– O proszę!

– Ale nie była przedszkolanką jak ty, tylko kucharką – dodał szybko.

– To masz na pewno w domu niezłe obiadki. O, przepraszam! – Zawahała się. – Może mylnie założyłam, że mieszkasz z mamą i jesteś w związku z tym trochę maminsynkiem.

Chyba zażartowała. Tego akurat nie mógł być pewien. Zatem musiał wyprowadzić ją z błędu.

– Nie jest ze mną aż tak źle. – Ratował swój obraz w jej oczach. – Mieszkam sam, ale nie będę ukrywał, że na obiadki do mamy wpadam chętnie i często. Chyba nie ma w tym nic złego?

– Przepraszam, bezmyślnie palnęłam z tym maminsynkiem – zreflektowała się. – Powinnam się ugryźć w język, bo i tak jesteś ode mnie lepszy. Przynajmniej dorobiłeś się swojego mieszkania. Ja mieszkam z Dziadkiem... zresztą... przecież nie muszę ci niczego o sobie opowiadać, bo i tak wszystko o mnie wiesz.

– Wszystkiego pewnie nie... – sprostował.

Patrzył na nią i już miał przed oczami wszystko, co robił jej były mąż. Poczuł, że nie potrafi dalej rozmawiać w atmosferze udawanej beztroski, zwłaszcza że Sara całkowicie spoważniała. Zastanawiał się, czy to możliwe, że oboje myśleli teraz o tym samym.

– Ale o Robercie wiesz – stwierdziła z kamiennym wyrazem twarzy.

– Wiem – odpowiedział najciszej, jak się dało.

Spojrzenie Sary zrobiło się szkliste. Musiał to wytrzymać. Był zły, że rozmowa potoczyła się w kierunku sprawiającym jej przykrość. Patrzyli na siebie. W końcu bez słów. Dodatkowo czuł na sobie spojrzenie Bekhira, który z pewnością już zauważył, że ich rozmowa ewaluowała od przyjemnej i beztroskiej do trudnej.

– Wszystkiego na pewno nie wiesz – odparła nieśmiało, już na niego nie patrząc.

– Wiem, że całą prawdę w tej sprawie znasz tylko ty.

Bardzo chciał odzyskać jej spojrzenie. Ale nie miał na nie szans. Wpatrywała się w talerz, który po chwili nieznacznie od siebie odsunęła. Ten gest go wystraszył. Nie chciał, by ich spotkanie dobiegło końca, a na pewno nie w takiej atmosferze. Musiał jakoś zaradzić temu, co się właśnie działo. Nie miał pomysłu, jak to zrobić. Instynktownie wyciągnął przed siebie rękę i dotknął jej leżących na stole dłoni, bardzo mocno ze sobą splecionych. Natychmiast schowała je pod stół. Zupełnie jakby ratując je przed oparzeniem. Już żałował, że to zrobiła, ponieważ ten krótki dotyk sprawił mu przyjemność.

– Przepraszam... Nie chciałem... To był odruch...

Chyba skłamał. Sam do końca nie wiedział, co czuje. Może dlatego, że siedząca naprzeciwko niego kobieta nie była taka, jak przypuszczał, zanim ją dziś spotkał. Siedziała przed nim zagadka, niewiadoma, niepewność. W swojej pracy był przyzwyczajony do tego, że prawda miewa różne oblicza. Z Sarą było podobnie. Jednak najbardziej pewny był tego, że jest silna. Gdyby taka nie była, to nie uratowałaby mu życia, tylko zemdlała na widok tego, co się z nim działo.

Wciąż milczeli. Ciążyła mu ta cisza. Nie wiedział, co zrobić, a raczej co powiedzieć. Na szczęście Sara podniosła wzrok i na niego spojrzała. Po szklistości jej oczu nie było śladu. Patrzyła na niego spokojnym, normalnym spojrzeniem.

– Posłuchaj… – zaczęła bardzo poważnie. – Cieszę się, że żyjesz i masz się dobrze. Cieszę się, że zrobiłam dla ciebie to, co zrobiłam. – Użyła wygodnego dla nich obojga skrótu myślowego. – Jestem zadowolona, że mnie obserwowaliście i nic mi nie grozi. Już prawie zapomniałam o tym, że umierałam ze strachu, bo czułam się obserwowana, i nie mogłam w nocy spać, ponieważ byłam przekonana, że mają mnie na oku jacyś kumple tego zbira, którego wzrok mnie prześladuje po tym cholernym okazaniu. Cieszę się, że odzyskałam apaszkę Babci. Sam widzisz… Mam w swoim życiu wiele powodów do radości. Ale teraz… chcę już stąd wyjść. Nie chcę herbaty, nie chcę bakławy i nie chcę, żebyś mnie dotykał, bo…

Nie mógł pozwolić jej dokończyć, bo była poruszona, chociaż umiejętnie udawała spokojną.

– Przepraszam! – dość drastycznie wszedł jej w słowo.

– Nie przepraszaj. – Też potrafiła być stanowcza. – Dziękuję ci za to, że mnie pilnowaliście. Dziękuję, że się ze mną spotkałeś i mnie o tym poinformowałeś. Szkoda tylko, że nikt wcześniej na to nie wpadł.

– Gdybyśmy ci powiedzieli…

Teraz to Sara nie pozwoliła mu dokończyć.

– Dziękuję ci za spotkanie – mówiła bardzo szybko. – Pójdę już. Nie odprowadzaj mnie. Przecież nic mi nie grozi.

Wstała od stołu. Również się poderwał.

– Mogę wyjść sama?

– Tak – zgodził się wbrew sobie.

Miał poczucie, że wcześniejszym dotykiem jej splecionych dłoni i teraz tym poddańczym „tak" wszystko zepsuł. Ale cóż mógł teraz zrobić? Chyba nie miał alternatywy. Sara była nieprzewidywalna.

– To cześć. Dziękuję za kolację. Uważaj na siebie.

Mówiąc ostatnie zdanie, uśmiechnęła się tak, jakby nic się nie stało. Zbaraniał. Nie wiedział, o co chodzi. Nie potrafił zrozumieć jej zachowania. Nie starał się nawet odgadnąć, czy była w tej chwili zdenerwowana, czy spokojna.

– Mogę zadzwonić? – zapytał w ostatniej chwili.

– Jeśli będziesz chciał... Rozumiem, że znasz mój numer telefonu – odpowiedziała, odchodząc od stolika.

– Znam i będę chciał.

Zrobił to niezwykle głośno, ponieważ bardzo chciał, by go usłyszała. Ubrała się szybko i wyszła. Oddalała się od niego. Wiódł za nią wzrokiem. Nie spojrzała już w jego kierunku. Szybko zniknęła mu z oczu. Zatopiła się w ciemnościach panujących za szybą restauracji.

Wbił wzrok w puste krzesło, na którym przed chwilą siedziała. Nie wiedział, co ma myśleć o tym spotkaniu. Nie wiedział, co myśleć o Sarze. Była intrygująca. Interesowała go. Miała bardzo inteligentne spojrzenie. Był świadomy, że dotykając jej dłoni, zepsuł ich spotkanie. Jednak wiedział też, że przez ten jego instynktowny gest będzie o nim myślała. I to dużo. Był tego pewien, dlatego uśmiechnął się sam do siebie.

– Dziewczyna ci uciekła – dobiegł go głos przyjaciela.

– Co zrobić? – Wzruszył ramionami, udając obojętnego.

– Ale o czymś zapomniała – zauważył Bekhir.

Sam również dopiero teraz to zauważył. Na stole zostały dwie apaszki. Uśmiechnął się. Miał ułatwione zadanie. Droga do kolejnego spotkania stała otworem. Był farciarzem. W dodatku przez głowę przemknęła mu bardzo próżna myśl, że Sara uratowała go dla siebie. Udawała koleżankę, jednak na dotyk zareagowała jak kobieta. Czuł to. Paradoksalnie poczuł to wyraźnie dopiero teraz, gdy już jej przy nim nie było. Uciekła tak nagle, ponieważ jego dotyk jej się spodobał, a nie wystraszył.

– Fajna – ocenił Bekhir, zajmując miejsce Sary. – Kto to?

– Fajna dziewczyna – gładko wywinął się od odpowiedzi.

– Ma jakieś imię? – Bekhir patrzył na niego pytająco.

– Sara.

– Oryginalnie. Skąd się znacie?

– To ta, która mnie uratowała – odparł i uśmiechnął się szeroko.

– Żartujesz?

– Ani trochę

– To jesteś jej winien życie – skonstatował filozoficznie przyjaciel.

– Na to wygląda – podsumował i z radością zwinął apaszki ze stołu.

Drzwi otworzył jej Dziadek, zanim zdążyła to zrobić sama.

– Coś się stało? – Spojrzał na nią dobrotliwie. – Dobry wieczór, Sarenko.

– Dobry wieczór, Dziadku. – Usiłowała się uśmiechnąć.

– Co się stało? Płakałaś?

– Chciałam płakać, ale ze złości nie mogłam – przyznała się.

Z Dziadkiem zawsze była szczera. A jeśli nie mogła sobie na to pozwolić, wówczas po prostu milczała.

– A kto cię zeźlił, moja duszko?

– Ta co zwykle – odparła z gorzkim uśmiechem.

– Dyrektorka? – Dziadek podążył błędnym tropem.

– Nie, Dziadku, dziś akurat nie ona. Dziś wściekłam się na siebie!

– To ci, Sarenko, współczuję z całych sił, bo tę odmianę wściekłości człowiek znosi najciężej.

– Boże! Dziadku, jak super, że używasz słów Babci – stwierdziła.

Z radością odnajdywała w mowie Dziadka ulubione powiedzenia Babci. Dziś było to stwierdzenie „człowiek znosi najciężej".

– Jak to robię, to udaję, że jest tu ze mną. Czuję, jakbyśmy blisko siebie byli. Tak sobie podróżuję w jej kierunku.

– Dziadku, nie mów tak – poprosiła. – Nie zostawiaj mnie tu samej – dodała przestraszona.

– Gdzież ja bym cię mógł, Sarenko kochana, tutaj samą zostawić?

Dobrotliwy uśmiech Dziadka był lekarstwem na wszystko. Zatem na jej dzisiejszy lęk przed samotnością również.

– Obiecaj, że mnie nie zostawisz! – zażądała.

– Słowo honoru starego dziada!

Weszli do kuchni. Była zmęczona. Osunęła się na krzesło przy stole. Dziadek krzątał się przy czajniku.

– Inki ci zrobię, dobrze?

W odpowiedzi skinęła głową.

– Czekolady trochę dodam, chcesz?

Znów zgodziła się bez słów.

– Napijesz się i może opowiesz staremu dziadowi, skąd się ta strasznie smutna mina bierze na twarzy mojej najukochańszej wnuczki.

Znów skinęła głową. Chyba odruchowo, ponieważ akurat najmniejszej ochoty nie miała na wałkowanie tematu, który zepsuł jej dziś bardzo sympatyczne spotkanie z interesującym mężczyzną.

– Bardzo proszę...

Miała już przed sobą kubek z kawą inką. Zapach i smak kojarzyły jej się z dzieciństwem, kiedy to samotność jej nie groziła. Wówczas byli wokół niej wszyscy. Teraz tylko Dziadek, który robił wszystko, starał się bardziej niż bardzo, by atmosfera minionych lat nie odeszła w zapomnienie.

– To mów, Sarenko... Mów, co się stało...

Popijając małymi łykami słodycz dzieciństwa, opowiedziała Dziadkowi, oczywiście w niezbędnym skrócie, co się dziś wydarzyło.

– To się przecież same dobre rzeczy stały – Dziadek podsumował jej słowa bardzo spokojnym tonem. – Dowiedziałaś się, że jesteś bezpieczna. Raz! Poznałaś mężczyznę, któremu życie uratowałaś. Dwa! Dowiedziałaś się, że to dobry i porządny człowiek. Trzy! Nawet moje niedowidzące oczy jakichś grubszych powodów do zmartwień nie widzą. Sarenko moja miła.

Zapatrzyła się w spojrzenie Dziadka. Zastanawiała się, czy się uśmiechnąć i zamaskować swój wewnętrzny dygot, czy wprost przeciwnie – przyznać się Dziadkowi do tego, dlaczego ten właśnie dygot towarzyszył jej od momentu, w którym uciekła od towarzystwa zabójczo przystojnego policjanta.

W rezultacie wybrała uśmiech. Co prawda bez większego przekonania, dlatego Dziadek najprawdopodobniej nie nabrał się.

– Sarenko... Jak nie chcesz mówić, to nie mów. Ale udawanie dobrego nastroju nic tu nie da.

– To nie tak, że nie ma go wcale.

– W takim razie kamień spadł mi z serca.

Popatrzyła w oczy Dziadka i to wystarczyło, by odwaga wzięła górę nad rozmemłaniem, które zwykle było jej bardzo dalekie.

– Spodobał mi się – powiedziała otwarcie.

Znała siebie doskonale i już wiedziała, że po dzisiejszym spotkaniu jej życie zacznie się zmieniać.

– No proszę!

– No i proszę!

– Dziecko! Rozchmurz się! Przecież to nie jest powód do zmartwień.

Zamiast się uśmiechnąć, wykrzywiła usta.

– I właśnie tego nie byłabym taka pewna. Pamiętasz co zawsze mówiła Babcia?

– Babcia dużo mówiła – przypomniał Dziadek. – Ale powtarzała zawsze, że prawdziwym ludzkim nieszczęściem jest nieuleczalna choroba, cała reszta to nic szczególnego.

– Babcia tak mówiła, bo nie poznała Roberta.

– Ale ja go pamiętam – powiedział Dziadek bez śladu negatywnych emocji w głosie.

Podziwiała go za to.

– Znałem go – kontynuował Dziadek – i jestem pewny, że teraz stałaś się jeszcze większym diamentem niż przed związkiem z Robertem.

Spojrzała na Dziadka z zainteresowaniem większym niż do tej pory. Zaintrygował ją.

– Robert cię zmienił. To przez niego jesteś teraz bardzo silna. Bo jakoś „dzięki niemu" nie może mi przejść przez gardło. Mądrości życiowej masz tyle, że mogłabyś obdzielić nią kilka swoich rówieśniczek i nie tylko. A jedyne, czego ci brakuje, to miłości. Uważam więc, że to wielki powód do radości, że ci się znów ktoś spodobał.

Wpatrywała się w Dziadka, nie mając pojęcia, co mogłaby mu teraz powiedzieć. Wcale nie dostrzegała w sobie cech diamentu. Nie była twarda. Gdyby miała tę cechę, nie obawiałaby się tego, że nowy mężczyzna znów pozbawi ją godności. Ale mogła nad sobą popracować. To umiała. Paradoksalnie małżeństwo z Robertem czegoś ją nauczyło. Właśnie pracy nad sobą. Nad tym, żeby nie zwariować w trudnych warunkach. Nad tym, żeby się bronić przed złem. Żeby codziennie odnajdywać siebie, chociaż tak łatwo o sobie zapomnieć, gdy ktoś nieustannie zachowuje się wobec ciebie jak szlifierz diamentów. I robi wszystko, aby cię zmienić. Wszystkimi dostępnymi metodami. Nawet strasznymi. Najstraszniejszymi.

Dotyk niebieskookiego mężczyzny był taki przyjemny... Ale wiedziała, że jedyne, do czego nie mogła teraz dopuścić, to do skoku na głęboką wodę. Tak było z Robertem. Zakochała się bez pamięci. Zatraciła się w uczuciu. Oddała się bez reszty. Straciła samą siebie. Nic jej nie zostało. I to nawet nie byłoby takie głupie, gdyby Robert okazał się...

No właśnie, jaki?

Chyba zupełnie nie chodziło jej o to, że Robert chciał karygodnymi metodami wymóc na niej zachowania pasujące do jego wyobrażenia o niej. Gdyby był inny, gdyby było inaczej... Gdyby kochał ją naprawdę, a nie warunkowo, gdyby stosował inne metody, potrafiłaby się dla niego zmienić. Dla miłości mogłaby zrobić wiele. Dla prawdziwej miłości byłaby w stanie wiele znieść. Ale Robert nie chciał jej kochać. On chciał nią zawładnąć. Pragnął nią tylko rządzić. Osaczał ją chorą zazdrością i swą chęcią posiadania. Pamiętała, że gdy pierwszy raz spojrzała w jego oczy, zabrakło jej tchu, bo patrzył na nią tak pożądliwie. „Amant i anioł w jednym" – tak wtedy o nim pomyślała. I było w tym myśleniu trochę prawdy. Niestety źdźbło to nie cała prawda. Część o amancie się zgadzała. Tylko anioł był nieprawdziwy. I to jak! Do dziś nie mogła uwierzyć, jak idealnie można udawać dobroć. Ale jeśli jest się perfekcjonistą w każdym calu, to chyba łatwiej udawać dobrego, niż być takim naprawdę. To prawdziwej dobroci zabrakło jej w Robercie. Ta jedna cecha mogła zmienić ich wspólne życie. Jednak skoro jej nie było, zabrakło też miejsca na zmiany, zmiany na lepsze. W jej życiu z Robertem wydarzyło się tyle złego… A jednak nie przestała wierzyć w dobroć. Może właśnie dzięki Babci… Pamiętała jej uśmiech, a raczej śmiech, kiedy mówiła jej: „Ale ty, Babciu, jesteś dobra…", na co ta zwykle odpowiadała: „A cóż ja, Sarenko, poradzę, że mnie w życiu łatwiej jest być dobrą niż szczupłą i wysoką". Babcia nie była gruba, ale do szczupłych jej się też żadną siłą zaliczyć nie dało. Ze wzrostem było podobnie. Nie była wysoka, ale przesadnie niska również nie. Jak ją określał najczęściej Dziadek, była po prostu akurat. Ani za duża, ani za mała. W sam raz. I co najważniejsze i najpiękniejsze, w takiej osobie mieściła się gigantyczna dobroć.

Myślała o Babci, a patrzyła w oczy Dziadka. Te były zawsze spokojne. To one pomagały jej najbardziej w złych i najgorszych chwilach. Teraz wciąż w nie spoglądała i chyba zaczynała rozumieć, dlaczego tak nieracjonalnie zachowała się pod koniec spotkania z… Maksymilianem. Podobało jej się to imię. W oczach mężczyzny, którego dziś poznała, dojrzała dobroć. I co z tego, skoro na dotyk zareagowała tak samo jak na ten Roberta. On też pierwszy raz dotknął tylko małego fragmentu jej ciała, a poczuła się tak, jakby od tej chwili już cała należała do niego. To, co poczuła dzisiaj, było identyczne. Jeden dotyk wystarczył, aby obudziła w sobie pragnienie. Pragnęła należeć do Maksymiliana. Było jej żal, że dobroć w jego oczach nie okazała się silniejsza od jej obawy przed tym, że znów się zatraci w uczuciu, które nie przyniesie jej niczego dobrego.

– I jak tam, moja Sarenko? – zapytał nagle Dziadek. – Wymyśliłaś coś mądrego?

– Chyba tak – odpowiedziała, zdobywając się nawet na uśmiech.

– To dobrze. Zuch Sarenka!

Wiedziała, że Dziadek nie będzie jej męczył pytaniami. Nie zapyta o to, co wymyśliła, co zamierza zrobić, co czuje. Całe szczęście, że tak było, ponieważ nawet gdyby miała odwagę zadać sobie te pytania, to nie wiedziałaby, jakimi słowami wyrazić uczucia, które rozgościły się w jej sercu już w momencie, gdy dziś przedstawiał jej się nieznany mężczyzna. Czy wiedziała, co począć z tymi uczuciami?

– Chyba tak – wypowiedziała na głos swe myśli.

Dziadek się do niej uśmiechnął. Zrobiła to samo, wciąż pamiętając, jak bardzo podobał jej się uśmiech obserwującego ją przez jakiś czas mężczyzny. Jego dłonie, usta, ramiona.

Ciemne, krótko ścięte włosy, bardzo ciemny zarost, wysportowana sylwetka. Ale najbardziej ujęła ją dobroć, którą miał w oczach. Nie miał w sobie nic z amanta, z anioła raczej też nie. Poza tym na taką diabelską kombinację nie nabrałaby się już nigdy więcej. Natomiast na dobroć musiała się otworzyć. Innego wyjścia nie miała. Musiała to jednak zrobić ze spokojem. Bez emocjonalnych zrywów. Bez trzęsień ziemi. Powinna to zrobić krok po kroku, a kroki musiała stawiać małe.

Była przekonana, że ten, o którym nie mogła dziś przestać myśleć, z pewnością wiedział, jak traktował ją były mąż. Z pewnością nie miał kłopotów, by dotrzeć do dokumentów związanych z historią jej pierwszej, nietrafionej miłości. Nie zdziwiłaby się, gdyby wczytał się w każdą lekarską obdukcję. Tę najstraszniejszą również.

Przecież nie mógł przypuszczać, że była gotowa dać mu siebie na tym pierwszym spotkaniu. Taka już była. Albo wszystko, albo nic. Robertowi dała wszystko, a nie dostała nic. Nie, w istocie było inaczej. Gdyby niczego nie dostała, byłaby szczęściarą, ale przecież nią nie była. W tym przypadku otrzymała zło, i to w dodatku z nawiązką.

Maksymiliana musiała przekonać, że nie chce dać mu nic poza przyjaźnią. Najpierw potrzebowała sprawdzić, czy nadaje się na przyjaciela. Sprawdzać, czy nadaje się na kochanka, nie musiała. Akurat tego była pewna. To właśnie ta obserwacja poczyniona dzisiejszego wieczoru przeraziła ją najbardziej. Chciała się z nim kochać. I nie chciała na to czekać...

I masz babo placek! Pyszny placek, pyszniutki! Właśnie tak sobie dziś pomyślałam, kiedy Maks zasiadł do obiadu. Wystarczyło, że między kęsami napomknął niby od niechcenia, że spotkał się ze swą wybawicielką, żeby dać jej apaszki, a ja już ani chwili nie musiałam się zastanawiać nad tym, co ta wybawicielka zrobiła z sercem mojego syna. Nie musiałam się zastanawiać, bo z jego oczu wiele wyczytać potrafię. Gorzej z Beatką. Ta jest dla mnie zagadką od urodzenia. Ale nie o tym teraz. Szkoda tylko, że nie wiem, czy Maksowi z tym, co czuje do swojej wybawicielki, dobrze jest czy wprost przeciwnie. Możliwe, że nie mam o tym pojęcia, bo on jeszcze sam tego nie wie. Tak to bywa z miłością. Czasem trafia w nas grom z jasnego nieba, ale może zdarzyć się też tak, że strzała Amora najpierw trafia w labirynt i nakombinować się musi, natrudzić nie lada, zanim trafi tam, gdzie miała zamiar się znaleźć od samego początku.

Ale że coś jest na rzeczy, tego akurat jestem pewna. Maks podczas obiadu, który zjada najczęściej w porze kolacji, zachowuje się bardzo różnie, ale i tak mamy swoje rytuały. Przywykłam już do nich. On je, a ja patrzę. Czasem tylko patrzę, czasami jeszcze słucham. Najbardziej lubię dni, kiedy zdarza nam się zwyczajna rozmowa. Po prostu syn z matką ucinają sobie wieczorną pogawędkę. O wszystkim i o niczym. I jak tak sobie rozprawiamy, to od razu wiem, że moje dziecko dobry dzień miało. Nic mu się złego nie przydarzyło. A skoro tak, to ludziom w tym mieście też tego dnia żyło się bezpiecznie.

Niestety bywają też takie razy, kiedy ani rozmowa nam się nie klei, ani Maks specjalnie apetytu nie ma. Wtedy do głowy mi nie przychodzi zagadywać go podczas posiłku, bo wiem, że nawet jeśliby chciał, to i tak powiedzieć mi nic nie może. Taką ma pracę. To dlatego kiedy w Wiadomościach jakieś straszne rzeczy opowiadają, fakty makabryczne podają, to serce mi wali jak szalone, bo jestem prawie pewna, że mój Maks to wszystko widział. Wtedy nawet się nie dziwię, że mój syn z rozsądku wmusza w siebie jedzenie, a nie z apetytem pałaszuje.

Dziś Maks wszystko zjadł ze smakiem. Z uśmiechem na twarzy i radością w głosie. Aż miło mi było na niego patrzeć. Zresztą nic w tym dziwnego przecież nie ma, że ludziom jest do twarzy z dobrymi uczuciami. Takie oblicze jest ładne nawet wówczas, gdy urodą nie grzeszy. A Maks nie dosyć, że ogólnie jest urodziwy, to jeszcze z uśmiechem na twarzy moje cynaderki jadł. To dopiero miałam widok. Ależ ja lubię, gdy on do mnie w takim dobrym humorze przychodzi. Jest mi wtedy dużo bliższy niż kiedy indziej. Z pewnością dlatego, że kiedy był małym dzieckiem, to wciąż się uśmiechał i nawet dość dużo mówił. Dopiero gdy wszedł w nastoletni wiek, to zamilkł. Martwiłam się wtedy o niego. Bardzo, bardzo. Z trudem znosiłam tę zmianę. Włodek mi to w ten sposób tłumaczył: „Nie ma się co dziwić. Przecież już teraz ani ty, Maryś, ani ja dla niego nie jesteśmy kompanami. Ale nie przejmuj się, burza hormonów przejdzie i znów do rozmów z nami wróci". Niestety Włodek nie doczekał ponownego porozumienia syna z ojcem. Maks skończył piętnaście lat, jak Włodek umarł. Beatka trochę więcej. To był dla nas wszystkich bardzo trudny czas, więc nie widzę powodów, dla których miałabym teraz do niego wracać. Czyżbym mało problemów w życiu miała? Najlepiej jest wtedy, gdy człowiek sobie życie ułatwia, a nie utrudnia. I jak dziś wpatrzyłam się w syna, to chyba nie przez przypadek taka myśl mi się przez głowę przewinęła, że spotkanie Maksa z tą jego wybawicielką życie mi ułatwi. Przecież to właśnie w ten sposób Pan przed sobą ludzi stawia. Może to nie przypadek, że to właśnie ona go uratowała. Zobaczyli się dziś, Maks jest zadowolony, w dodatku widzę przecież, że zachowuje się inaczej niż zwykle. Może to akurat ona życie z moim synem będzie chciała przeżyć. Może nawzajem sprawią, że pojedynczy żywot każdego z nich, gdy będą razem, zmieni się na lepsze. Pewnie, zdaję sobie dziś sprawę, że tworzę teorię czegoś, o czym nie mam pojęcia. Ale kto mi zabroni dobrze myśleć? Poza tym głęboko wierzę w to, że dobre myśli fruną w świat i czynią świat bardziej znośnym. Zatem dobrych myśli nigdy dosyć. A nawet jeśli cieszę się na wyrost, to cóż poradzić? Taka już jestem. Chciałabym, żeby ludziom się dobrze żyło. Siostra Józefa mówiła mi, że dobra droga to ta przebyta z Panem, z rodziną i pracą. Taka, gdzie ludzie Pana kochają autentyczną miłością, a jeśli tak jest w istocie, to rodziny swe też właśnie tak kochać potrafią. Pracują, a po pracy z radością wracają do domów, żeby nie tylko okruchami chleba karmić, ale żeby przytulać i uczyć kochać. Wiem, że mój Maks taki właśnie jest. Skąd wiem? Z serca taką wiedzę da się czerpać. Tylko z serca.

I już mnie Nutka swoim chłodnym i wilgotnym noskiem trąca. Zimne pieczątki mi na łydce robi. W dodatku tak odważnie, iż oznacza to, że natychmiast muszę z nią wyjść. Nie będę przecież męczyć psiny czekaniem. Zwłaszcza że w końcu na zewnątrz chłodu coraz mniej. Natura już małymi krokami ku wiośnie zmierza. A ona sprzyja miłości jak żadna inna pora roku. Daj, Panie, miłość mojemu synowi. Dobrą i mądrą. Proszę Cię o to z całego serca, ponieważ serce mam duże, i żeby to nieskromnie nie zabrzmiało, od razu wytłumaczę, że ten nadmiar wziął się u mnie z miłości. Z niczego innego. I amen.

– Znowu mnie śledzisz? – zapytała poważnie.

Nie wiedziała, dlaczego starała się ukryć radość z faktu, że znajomy policjant stał pod płotem naprzeciwko przedszkolnej furtki. Dokładnie tam gdzie ostatnio.

– Gdybym cię śledził, to byś mnie nie widziała.

Uśmiechnął się zawadiacko, po czym dodał do swej błyskotliwej odpowiedzi szybkie „dzień dobry".

– Cześć – powiedziała, przechodząc na drugą stronę ulicy.

Popatrzyła mu prosto w oczy i to spojrzenie wystarczyło, by szeroki uśmiech przekreślił zamiar pozostania poważną.

– Co słychać?

Zamiast odwzajemnić jej uśmiech, taksował ją wzrokiem. Poczuła się nieswojo.

– Ostatnio zapomniałam o apaszkach – przypomniała szybko.

– Tak bywa. Jak się ucieka w popłochu, to zwykle się o czymś zapomina – powiedział dość poważnym, nawet policyjnym tonem.

Patrzył na nią wciąż bardzo uważnie, jakoś tak badawczo. Musiała coś zrobić, żeby przestał, ale zupełnie nie wiedziała co.

– Możemy do tego nie wracać? – poprosiła grzecznie.

– Możemy – zgodził się i uśmiechnął.

– Proszę bardzo – podał jej małą prezentową torebkę, której wcześniej nie zauważyła. – Tylko nie zgub – poprosił.

– Będę się starać.

– To co robimy z tak mile rozpoczętym popołudniem?

Podniósł głowę i utkwił wzrok w bezchmurnym niebie. Podążyła spojrzeniem za nim.

– Jak mogę się do ciebie zwracać? Maksymilianie? – zapytała, ciesząc się, że w tej chwili patrzyła w błękit nieba, a nie w błękit oczu stojącego obok mężczyzny.

– Maksymilian. Dla znajomych Maks.

– Czyli Maks? – Udała niepewność.

– Po prostu Maks. – Ton jego wypowiedzi nie pozostawiał żadnych wątpliwości.

Przez kolejną chwilę stali w milczeniu.

– Czyli co robimy z tak mile rozpoczętym popołudniem? – ponowił zaczepkę.

Patrzyła w niebo, ale jak to zwykle bywa, musiała wracać na ziemię. By przygotować się do odpowiedzi na jego powtórne pytanie, musiała zerknąć na zegarek.

– Spieszysz się gdzieś?

Od razu wyczuła, że jego dobry nastrój trochę się pogorszył.

– Nie, ale już się dziś umówiłam – odparła zgodnie z prawdą.

Chociaż przeszło jej przez myśl, żeby skłamać i dla Maksa zlekceważyć umówione spotkanie. Po dobrym nastroju Maksa nie został nawet cień. Już nie patrzył na niebo, tylko na nią. Jednak najwyraźniej nie miał zamiaru się odezwać. Musiała sklejać rozmowę, póki jeszcze była na to szansa.

– A tak w ogóle… To ty nie jesteś o tej porze w pracy? – zapytała i uśmiechnęła się tym razem całkiem beztrosko.

Wiosenne słońce robiło swoje. Zresztą jej uśmiech był nie tylko jego zasługą.

– Jestem – odezwał się wciąż niewesołym tonem Maks.

– I ładnie to tak? – Zastanawiała się, czy stoi obok niej uzbrojony mężczyzna.

– Taka praca. Mogę sobie chodzić, gdzie chcę, tylko z telefonem nie powinienem się rozstawać.

– A pistolet masz?

– A nie za dużo chciałabyś o mnie wiedzieć?

– Nie o tobie, tylko o twoim pistolecie – sprostowała bardzo kumplowskim tonem.

Natychmiast jednak wysnuła wniosek, że budowanie takiej kumplowskiej relacji może okazać się arcytrudne, ponieważ Maks właśnie wpatrywał się w nią jak w kobietę, a to jego nieruchome spojrzenie podobało się jej jak nic innego na świecie. Wpadła, wpadła jak śliwka w kompot.

– Może chcesz mnie przeszukać. – Podniósł ręce, wyrażając tym gestem swą gotowość do rewizji osobistej.

Spojrzała w górę. Nawet gdy Maks nie unosił rąk, i tak dzieliła ich spora różnica wzrostu.

– Po pierwsze, zabrakłoby mi rąk, a po drugie, aż taka ciekawska nie jestem – stwierdziła.

Powiedziała to trochę kłamliwie, bowiem przestała myśleć o pistolecie, a zaczęła o dotyku. Była przekonana, że sprawiłby jej dużo przyjemności.

– Szkoda.

Uniesione ramiona Maksa natychmiast opadły, ale jego riposta zabrzmiała bardzo intrygująco.

– To jak będzie? – patrzył na nią wyczekująco. – Znajdziesz dla mnie chwilę czy musisz gdzieś biec?

– A co będzie, jeśli ja znajdę chwilę, usiądziemy sobie gdzieś razem i wtedy zadzwoni twój telefon i okaże się, że to ty musisz gdzieś biec?

– Niestety może tak się stać ... – Maks zrobił niezadowoloną minę.

– To nie wiem, czy mi się to opłaca – kokietowała.

– Przecież wiem, że w życiu kierujesz się nie tylko opłacalnością – stwierdził rzeczowo.

– Skąd ty to możesz wiedzieć? – obruszyła się.

– Dedukcja!

– Widzę, że przydaje się nie tylko w tropieniu społecznych szkodników.

– Nie tylko... – odparł.

Ależ jej się podobał. Patrzyła mu prosto w oczy, a on nie pozostawał jej dłużny. Przez chwilę oboje bardzo dzielnie znosili wzajemne spojrzenia, nie rozpraszając ich rozmową. Cisza towarzysząca im w tej chwili była intrygująca.

– To co robimy? – pękł pierwszy. – Stoimy tak nadal? Patrzymy się na siebie? A twój cenny czas ucieka. Czy oddalamy się stąd? Zwłaszcza że od dłuższej chwili ktoś nam się przygląda zza firanki na pierwszym piętrze przedszkola.

– Z okna, na którym namalowany jest Papa Smerf?

– Właśnie.

– Dyrektorka. – Zrobiła zniesmaczoną minę.

– Ta sama, która chciała wyrzucić cię z pracy za to, że uratowałaś mi życie?

– We własnej osobie. – Uśmiechnęła się gorzko. – Ta sama, która chciała wyrzucić mnie za... – zastanowiła się przez chwilę – ... za nieodpowiedzialne opuszczenie miejsca pracy i pozostawienie dzieci bez opieki. To znaczy, rzekomo, bo akurat wtedy zajmowała się nimi Karolina i większość z nich spała.

– Tak patrzy, jakby na coś czekała...

– Cała ona! – fuknęła. – Ona zawsze czeka na to, żeby ktoś, kogo akurat obserwuje, zrobił jakieś głupstwo, a ona później będzie mogła o tym rozprawiać przynajmniej przez godzinę i jeszcze będzie jej się wydawało, że uczy fachu wcześniej nauczonych. Nawet nie wyobrażasz sobie, jakie to wredne babsko. A ty masz w swojej pracy jakiegoś normalnego szefa?

– Świetnego. Na dużo pozwala, ale jeszcze więcej wymaga. Bardzo porządny facet.

– I o to właśnie chodzi! Przynajmniej wiesz, że ma do ciebie zaufanie – stwierdziła z goryczą w głosie.

– Nie uważasz, że fajnie nam się rozmawia?

Z pięknie wykrojonych ust usłyszała pytanie zupełnie niepasujące do dotychczasowej rozmowy.

– Nie zaprzeczę.

– To ile masz dla mnie czasu?

Podobało jej się, że Maks był taki konkretny. Zmusił ją tym do ponownego zerknięcia na zegarek.

– Coraz mniej.

– Czyli...

Maks nie odpuszczał łatwo, ale patrzył na nią tak, że nie czuła się jak podczas przesłuchania.

– Jakąś godzinę... Może trochę więcej...

– Ekstra! To co robimy? Pijemy? Jemy? Na co masz ochotę?

– A co proponujesz?

– Jedno i drugie.

Nagle wziął ją za rękę i pociągnął za sobą. Ruszyła posłusznie, ale już za zakrętem sprawnie, choć oczywiście wbrew sobie i przeżywanej właśnie przyjemności, wyjęła swoją dłoń z umiarkowanego uścisku Maksa. Zerknął na nią, ale odezwał się dopiero po chwili.

– Wszystko rozumiem. Za rączki tylko wtedy, gdy dyrektorka widzi.

– Dedukcja jak zwykle na szóstkę.

– Szkoda...

Żałowała, że nie spróbował powtórnie dotknąć jej ręki. Chciała, żeby zmienił minę. Postanowiła mu co nieco wytłumaczyć i humorem uratować sytuację.

– Nie możemy paradować po mieście za rękę. Przecież prawie się nie znamy.

– Czyli jak się lepiej poznamy, to mam szansę?

– Szansę na co? – Podniosła na niego zdziwione i pytające spojrzenie.

– Na twoją rękę. – Maks uśmiechnął się, doskonale zdając sobie sprawę z wieloznaczności tego zwrotu.

I zwrot, i uśmiech, który zobaczyła, wprawiły ją w nie lada zakłopotanie.

– Lepiej będzie, jeśli mi powiesz, dokąd idziemy – bezpiecznie zmieniła temat.

– Dokąd chcesz.

– Może kupimy sobie coś na ulicy. Usiądziemy na ławce i po prostu posiedzimy na świeżym powietrzu. Dzisiaj jest tak ładnie… – Rozejrzała się po wciąż bezchmurnym niebie. – Mam na dziś dosyć siedzenia w murach.

– Dobry pomysł. – Maks odzyskał humor. – Czyli reflektujesz na hot doga i herbatę z papierowego kubka?

– Chodzi ci o hot dogi z tej budki w paski, dwie ulice dalej? – zapytała.

– Właśnie. Jeśli będziesz chciała, to dostaniesz hot doga ze wszystkimi dodatkami – zaproponował Maks.

– Dużo musztardy, mało keczupu, żadnych dodatków – konkretnie opisała swe preferencje. – A ty?

– Ja na odwrót, czyli dużo keczupu, a śladowe ilości musztardy. Czyżbyśmy się uzupełniali?

Zabrakło jej tchu i to nie dlatego, że szli dość szybko. Dałaby głowę, że Maks znów nawiązywał do tematu, od którego ona usilnie uciekała, oczywiście trochę wbrew sobie. Ale gdy był przy niej, czuła się mocno zagubiona, uczuciowo zagubiona. To jest: chciała i bała się. Jak to kobieta. Serce krzyczało – „do przodu!", a rozum szeptał – „krok w tył...". Jednak gdy Maks patrzył na nią tak jak w tej chwili, za nic miała rozum i chciała go pocałować, albo lepiej, chciała, żeby to Maks pocałował ją.

– To chyba zbyt daleko idące wnioski... – chciała jeszcze coś dodać, ale nie zdążyła.

– Uważaj! – krzyknął Maks.

Szarpnął mocno jej ramię, ponieważ nieopatrznie weszła na drogę dla rowerów.

– Kretynka!!! – wrzasnął rowerzysta.

– Przepraszam!!! – krzyknęła za bardzo szybko oddalającym się rowerzystą. – I dziękuję. – Spojrzała na Maksa.

– Nie ma sprawy. Zobacz! Zwolniła się fajna ławka. W słońcu. Chcesz...

– Super. To lecę ją zająć!

Nie dała mu skończyć i pobiegła przed siebie, oczywiście wbiegając na ścieżkę rowerową.

– Tylko uważaj na siebie!

– Bardzo śmieszne!!! – krzyknęła o wiele głośniej, niż było to konieczne, ale nie odwróciła się za siebie.

Szybko dobiegła do skąpanej w słońcu ławki. Usiadła na niej i zwróciła twarz ku niebu. Zamknęła oczy. Uwielbiała się opalać, pewnie dlatego, że po Babci odziedziczyła lekko śniadą cerę. Gdy otworzyła oczy, Maks szedł już w jej stronę, trzymając w jednej dłoni podkładkę, na której sztywno stały dwa papierowe kubki z białymi przykrywkami z plastiku. W drugiej ręce umiejętnie niósł dwa duże hot dogi. Szedł w jej kierunku i uśmiechał się sympatycznie. Nie wiedzieć czemu, zamiast odwzajemnić uśmiech, znów zamknęła oczy. Za kilka sekund została zmuszona, by je otworzyć. Maks z premedytacją przysłonił jej słońce. Świat chyba też...

– Proszę. – Zatrzymał dłoń z hot dogami na wysokości jej wzroku.

– Który mój?

– Chyba widać – odparł ze śmiechem.

– Rzeczywiście. – Wyjęła z jego dłoni bułkę z przewagą musztardy.

– Co kupiłeś do picia? – zapytała, gdy Maks usiadł obok niej, a kubki postawił na skraju ławki.

– Herbatę.

– Ale jaką? – zapytała niezbyt wyraźnie, bo już zdążyła wgryźć się w bułkę z parówką.

– Owoce leśne.

Maks patrzył, jak jadła, a sam wyglądał tak, jakby nie zamierzał zacząć konsumować.

– Super! – znów odezwała się niewyraźnie.

– Że owoce leśne? Czy że hot dog taki dobry?

– Jedno i drugie – odparła. – A ty dlaczego nie jesz? – Nie czekając na odpowiedź, znów zatopiła zęby w ciepłej i słodkawej bułce.

– Nie wiedziałem, że jesteś taka głodna. Może chcesz jeszcze mojego? – zaproponował, nie odrywając od niej wzroku.

– Jedz! – rozkazała i zamiast popatrzeć na niego, spojrzała na jeszcze nienadgryzioną bułkę. – No jedz! – Tym razem poprosiła łagodnie. – I tak bym go nie tknęła. Jak dla mnie za dużo keczupu.

– To mogę? Naprawdę?

– Proszę bardzo, nie krępuj się! – zachęciła go, wyraźnie czując już przyjemne szczypanie na języku, mające swe źródło w nadmiarze spożywanej musztardy.

Maks zaczął posiłek. Jadł całkiem inaczej niż ona. Powoli. Uważał, żeby się nie pobrudzić, podczas gdy ona już prawie skończyła i pewnie umorusała się przy tym bardziej niż trochę. Włożyła do ust ostatni kęs i dopiero teraz dostrzegła, jak bardzo pobrudziła ręce musztardą. Maks od razu zauważył to jej spojrzenie. Był bardzo spostrzegawczy i uważny.

– W tej kieszeni mam serwetki – poinformował ją, spoglądając na kieszeń swej kurtki.

– Myślisz, że mogę grzebać w kieszeniach policjanta, w dodatku takimi brudnymi łapskami? – Zaczęła zlizywać musztardę z jednej dłoni, by nie pobrudzić kurtki Maksa.

– Policjant pozwala.

– A jeśli natknę się na...

– Na nic się nie natkniesz.

Zatem włożyła dłoń do jego kieszeni i natknęła się tylko na serwetki. Wyjęła je i podzieliła sprawiedliwie. Należną

Maksowi część włożyła z powrotem do kurtki. Swoimi wytarła najpierw usta i część twarzy, a dopiero na koniec dłonie. Kiedy skończyła zacieranie musztardowych śladów, Maks wciąż jadł.

– Boże! Jak ty powoli jesz!

– Ja się delektuję – sprostował.

– Delektowanie się hot dogiem, dobre sobie!

– Nie delektuję się jedzeniem, tylko chwilą i towarzystwem.

Zamarła. Nie wiedziała, co powiedzieć. Docierała do niej świadomość, że z każdym kolejnym wypowiadanym przez Maksa słowem lubiła go coraz bardziej.

– To może ja się tymczasem napiję, zanim znów dojdę do pochopnych wniosków.

Wstała i obchodząc Maksa, podeszła do kubków.

– Tylko uważaj, gorąca.

– Przecież wiem. – Sprawnie chwyciła kubek. – I co pan na to, panie Mądraliński?

– Brawo! Jestem pod wrażeniem – odpowiedział.

Przytknął serwetkę do ust, chociaż zupełnie nie musiał tego robić, ponieważ nie miał żadnych śladów wskazujących na to, że przed chwilą skończył posiłek. Podała mu zatem już trzymany w dłoniach kubek.

– Proszę. Tylko uważaj, gorące.

– Postaram się. – Maks uśmiechnął się pod nosem i przejął napój z jej dłoni, niestety, nie dotykając jej przy tym.

Znów usiadła obok niego. Chyba nawet trochę bliżej niż przed momentem. Pili bez słów. Oboje patrzyli przed siebie, w dal. Nagle Maks podniósł dłoń. Chciał dotknąć jej policzka. Uchyliła się szybko i podniosła ramię, zupełnie jakby broniąc się przed ciosem. To był odruch. Paskudny odruch.

Natychmiast cofnął rękę, a jej zrobiło się głupio, potwornie głupio.

– Przepraszam, ale zauważyłem, że masz na policzku jeszcze trochę musztardy. Chciałem...

– Wiem – weszła mu w słowo. – To ja przepraszam. – Mocno potarła policzek.

– Nie tam – podpowiedział cicho Maks.

Potarła drugi policzek. Już spokojniej.

– Już dobrze? – zapytała, odwracając się w jego stronę, tak by mógł dokładnie jej się przyjrzeć.

– To ty mi powiedz, czy już dobrze? – zapytał tak troskliwie, że miała ochotę się rozpłakać.

Ale nie tylko. Miała ochotę rozpłakać się w jego ramionach. Zrozumiał. To było nadzwyczajne. Pojął jej gest. Siedział teraz obok niej i rozumiał, że nie raz i nie dwa musiała się bronić. Uwielbiała go za to.

– Już dobrze – odpowiedziała cicho.

Wbiła wzrok w niebo i nie chciała już więcej rozmawiać. Upiła łyk herbaty i cieszyła się, że Maks na nią nie patrzył. Byłoby jej teraz trudno znieść jego wzrok. On też patrzył przed siebie. Słońce miało ochotę schować się za wysokimi topolami, a ona miała ochotę położyć głowę na ramieniu Maksa.

– Mogę cię przytulić? – zapytał Maks, nie patrząc na nią, tylko jakby czytając w jej myślach.

Postanowiła nie odpowiadać. Jednak niestety słowa same wyfrunęły z jej rozgrzanych herbatą ust.

– To niepotrzebne – szepnęła cicho, całkowicie wbrew swoim pragnieniom.

– Szkoda. – Maks spojrzał na nią.

– Mała strata.

– Skromna jesteś.

– Po Babci.

Odwzajemnił jej uśmiech i wszystko wróciło do normy. Znów było jej przy nim dobrze.

– Odziedziczyłaś po niej coś jeszcze? – zapytał Maks z autentyczną ciekawością.

– Imię – odpowiedziała w chwili, kiedy słońce zostało schwytane przez wierzchołki wysokich topoli.

– To masz po niej wszystko, co dobre i ładne.

– Będę musiała za chwilę iść.

– Spotkamy się jeszcze?

– Przecież wiesz, gdzie mnie szukać – uśmiechnęła się dokładnie w chwili, gdy zadzwonił jego telefon.

– Tak? – odebrał natychmiast. – Zaraz będę – rzucił szybko. – Przepraszam, ale muszę...

– Przecież rozumiem.

– Nie obrazisz się, jak cię...

– Nie. – Lubiła mu wchodzić w słowo.

Lubiła też wchodzić mu w życie. Już to lubiła.

– Znajdę cię – stwierdził i ruszył przed siebie.

– Wiem.

Patrzyła na niego. Oddalał się szybko. Biegł. Gdy zniknął jej z oczu, poczuła pustkę. Nawet ją to uczucie ucieszyło. Dobrze rokowało. Znów usiadła na ławce i odstawiła swoją herbatę. Wolała napić się tej, którą zostawił Maks. Dotknęła ustami jego kubka, a pustka zniknęła. Jego herbata wydawała się smaczniejsza. Zapatrzyła się w słońce usiłujące do niej docierać przez jeszcze bezlistne gałęzie topoli i to wystarczyło, by życie wydało jej się łatwiejsze, łatwiejsze niż dotychczas.

– Ciężki dzień? – zapytał Bekhir, przyglądając mu się z uwagą.

– Na początku super, a później było już tylko gorzej. – Starał się nie myśleć o tym, co zobaczył dziś w małym i strasznie zapuszczonym mieszkaniu na warszawskiej Pradze.

– Może coś zjesz, żeby przynajmniej dobrze się skończył? – zaproponował Bekhir, nie zważając na późną porę.

Restauracja była już zamknięta, a personel kończył porządkowanie sali i pewnie kuchni również. Znał system pracy w lokalu Bekhira, ponieważ jako młody chłopak podczas wakacji zawsze w niej pracował. To za pieniądze w niej zarobione zrobił na przykład po maturze kurs prawa jazdy.

– Nie. Dzięki. Nie przełknę niczego.

– Chcesz pogadać?

– Nie chcę i nie mogę – odpowiedział.

– Dla dobra sprawy – stwierdził Bekhir, rozumiejąc doskonale jego nastrój.

– Najlepiej zmieńmy temat. – Spojrzeniem poprosił przyjaciela o wyrozumiałość.

– Proszę bardzo. – Bekhir uśmiechnął się od razu. – A to chuchro, z którym byłeś tu ostatnio, to...

Rzeczywiście Bekhir miał trochę racji, nazywając Sarę chuchrem, ale chyba tylko trochę.

– Ja wiem, czy chuchro...? – Zamyślił się, wlepiwszy wzrok w okno, za którym panowała już ciemna noc.

Na autobusowym przystanku po drugiej stronie ulicy stała jakaś przytulająca się do siebie parka.

– To może chociaż zrobię ci coś do picia. A może masz ochotę na piwo?

– Nie dziś. Muszę być trzeźwy, jakby co... Jutro od samego rana na chodzie. Wody mi nalej, po prostu wody.

– Gaz, nie gaz? – zapytał Bekhir.

– Gaz.

– Szklanki nie dostaniesz. Wszystko już umyte. Mam na zmywaku jakąś nową dziewczynę, studentkę, jest dziś pierwszy dzień i przejęła się rolą, dlatego nie będę już nic brudził.

– Ludzki pan. – Przyssał się do przyniesionej butelki.

– To co z tym chuchrem?

– Podoba mi się – stwierdził bez ogródek.

– Wygląda na sympatyczną, taka fajna czarnulka. Szkoda tylko, że mój kebab ją przerósł.

Bekhir, jak każdy porządny właściciel restauracji, uwielbiał, gdy na zmywak trafiały tylko puste talerze.

– Ale ty jesteś spostrzegawczy. Fakt, nie zjadła do końca, ale to trochę moja wina...

– Twoja?

– Dotknąłem jej. Wystraszyła się, i tyle ją widziałem tamtego wieczoru.

– Co ty za bzdury opowiadasz? Przestraszyła się dotyku? To chyba niemożliwe...

– Jest po rozwodzie. Rozwiodła się, bo mąż się nad nią znęcał.

– Co?

– To, co słyszysz.

– Nie wygląda...

– Na kogo?

– Ani na rozwódkę, ani na... No wiesz... Kim trzeba być, żeby bić takie chuchro? – Przyjaciel wpatrywał się w niego z dziwnym grymasem na twarzy.

– Aleś się czepił tego chuchra.

– Ale ty z nią... coś... tego... – Bekhir zawsze, gdy rozmowa schodziła na tematy damsko-męskie, nie potrafił się wysłowić.

– Nie udawaj, że nie widziałeś, jak zareagowała, kiedy chciałem tylko coś... Nawet bez tego... – celowo mówił językiem przyjaciela.

– Spokojnie... – Bekhir machnął ręką. – Skoro uratowała ci życie, to jest ci teraz coś winna.

– To chyba ja jestem jej coś winien – natychmiast skorygował.

– A czy to ważne kto komu? – zapytał ten filozoficznie.

– Nie mam pojęcia – odparł z niepewnością w głosie.

– Rozumiem, że tego jej boksera sprawdziłeś?

– No masz!

– I co to za zwierzę?

– Wyjątkowy gnój – bardzo pewnym głosem powiedział, co myślał o byłym mężu Sary.

– Ale rozumiem, że ma go już z głowy.

– Po rozwodzie jeszcze czegoś od niej chciał, ale za to ma zakaz zbliżania.

– To po całości. – Bekhir ciężko westchnął.

– Ale też chyba trochę po niej – zauważył zgorzkniale i załamanym wzrokiem spojrzał na przyjaciela.

Ten odwzajemnił jego spojrzenie, ale nie odezwał się już ani słowem, ponieważ zwykle doskonale pojmował w lot wszystkie jego problemy. Albo rozumiał, albo przynajmniej starał się. Bekhir taki już był.

– Ja jednak sądzę, że powinieneś być dobrej myśli…

Przyjaciel odezwał się wtedy, gdy on wszystkim swoim dobrym myślom pozwolił się oddalić.

– Zawsze coś powinienem – zasępił się. – Jak mnie to wkurza!

Był zdenerwowany. Nie wiedział, co o tym wszystkim myśleć, a nie znosił u siebie takiego stanu. Lubił wiedzieć, mieć pewność. Natomiast nie znał się na kobietach. Każda, z którą się dotychczas zadawał, była inna. Sara natomiast, na domiar złego, wydawała mu się inna od innych. Co więcej, bał się, że nie będzie miał okazji do tego, by się do niej zbliżyć. Obawiał się tego, ponieważ intrygowała go jak żadna dotąd. Chyba musiał się przy niej zachowywać tak samo jak w czasie śledztwa. Uważnie i ostrożnie. Ryzyko było ostatecznością i nie miał do niego skłonności. Wiedział, że realiście daleko do hazardzisty. Trochę się uspokoił, ale chyba tylko dlatego, żeby odsuwając od siebie nadmiar emocji, wysnuć wniosek, że Sara była kobietą, dla której potrafiłby zaryzykować wszystko. Czyli to, co się ma, a nawet to, czym w danej chwili nie można dysponować.

Nutkę wyprowadziłam dziś wcześniej niż zwykle. Będę musiała najprawdopodobniej wcześniej niż kalendarz przestawić się na czas letni. Nutka jest już psią starowinką i zna się na urokach natury, więc czuje, że dni bardzo powoli, ale stają się dłuższe. A jak tak się dzieje, to patrzy na mnie tymi swoimi mądrymi latarenkami i wciąż chce wychodzić. Chodzę z nią, żeby miała coś z tego swojego psiego życia. Ale dzisiaj nie tylko Nutka dzień pełen wrażeń miała. Mnie się też przydarzyło coś bardzo miłego. Chociaż ukrywać nie zamierzam, że jak mnie Kwietniowa na spacer z domu wyciągała, to wyjść mi się z nią wcale nie chciało. Dobrze, że z nią nie ma dyskusji, bowiem wyszłam z nią i taki cud zobaczyłam, że do teraz nie mogę przestać się uśmiechać. Ale do rzeczy. Idziemy sobie dzisiaj z Kwietniową naszą trasą. Jak zwykle. Od bloku do topoli wysokich. Nutka smycz rozciąga, ile tylko można. Biega po wszystkich możliwych krzakach, więc przystawać co chwila muszę, a Kwietniowa ze mną. Za dużo nie mówię, bo Nutkę do porządku co chwilę przywołuję. Kwietniowej oczywiście to nie przeszkadza ani trochę, bo może wygadać się do woli. Ona mówi, a ja jej przytakuję. I o to chodzi. Kwietniowa się nagada, ja namęczę udawaniem, że słucham, Nutka się nabiega i po takim spacerze wszystkie do obiadu jesteśmy gotowe. I było dziś jak zwykle, bez żadnych zaskoczeń. Do czasu! Idziemy, aż tu nagle patrzę i kogo z daleka widzę? Idzie mój Maks. Środek dnia, a on sobie po prostu spaceruje. W dodatku z daleka widać, że uśmiechnięty. Aż przystanęłam. Normalnie dech mi zaparło. A on na szczęście nikogo i niczego wokół siebie nie widzi. Normalnie jak nie mój syn. Z kubkami i jakimiś wynalazkami do jedzenia, z pewnością niezdrowymi, do ławki się zbliża. I co jeszcze widzę? To dopiero jest opowieść! Tam, gdzie się zatrzymał, siedziała kobieta, a może lepiej będzie, jeśli nazwę ją dziewczyną. Dziewczątkiem nawet, bo dopiero jak Maks obok niej usiadł, zobaczyłam, jaka to drobnica. Coś tam do siebie mówili, uśmiechali się do siebie na pewno. Z daleka to obserwowałam, więc tak mi się wydawało. Oczy mam już nie te co kiedyś, ale tak się składa, że lepiej widzę to, co jest dalej, a żeby zobaczyć literki przed moim nosem, to okularów potrzebuję, bo bez nich ani rusz. I tak się na tym podpatrywaniu skupiłam, że Kwietniowa w pewnym momencie zauważyła, że mój uśmiech nijak do opowiadanej przez nią historii się ma. Musiała powędrować za moim wzrokiem i od razu zapytała: „Czy moje oczy dobrze widzą? Czy to Maks w środku dnia na randkę się wybrał?". „Pewnie tak" – potwierdziłam podejrzenia mojej spacerowej towarzyszki i dalej nie słuchałam, jak akurat ten temat postanowiła omówić, tylko patrzyłam przed siebie. W dodatku tak, jakbym tym widokiem miała się za wszystkie czasy nacieszyć. Na tę dziewczynę patrzyłam, a serce mi tak biło, jakby młodzi nie na ławce siedzieli, tylko już przed ołtarzem. Nie widziałam jej dokładnie. Ale już z daleka jakaś mi się taka bliska wydała. Taka swoja. Normalnie jakbym siebie sprzed lat zobaczyła. Czego to matka sobie w głowie uroić nie potrafi, żeby swojemu dziecku przyszłość, przynajmniej chociaż trochę na swoją nutę, ułożyć. Cała ja! Stałam jak zaczarowana i wpatrywałam się we włosy dziewczyny, rozwiewane trochę przez wiatr, czarne jak smoła. Też takie kiedyś miałam. Tylko Maks mnie nigdy z takimi nie widział, bo jak pojawił się w moim życiu, to były już siwizną przyprószone. Ale skoro ja między innymi hebanowymi włosami Włodkowi w głowie zawróciłam, to może i Maksowi właśnie takie podobają się najbardziej. Byłoby dobrze!

Byłoby też dobrze, gdyby wiosna na zimę w końcu odważnie tupnęła, bo dziś było pięknie. Wiosenne słońce świeciło, a teraz wieczorem za oknem znów zima. Mam nadzieję, że Maks jutro do mnie przyjdzie, skoro dziś na wizytę czasu nie znalazł. A nuż z matką radością będzie się chciał podzielić. Byłoby cudownie. Cudnie też jest już wieczorem oczekiwać nadejścia dobroci dnia następnego. Zatem czekam, już czekam jutra. Z cierpliwością i pokorą w sercu. A gdyby się jednak okazało, że nie przyjdzie, to kto mi zabroni cieszyć się choćby tylko z własnych wyobrażeń? Przecież, jak mawiała siostra Józefa: „W życiu każdy powód do radości jest dobry, a każda ludzka radość, nawet ta najmniejsza, to święto wielkie". Zatem świętuję dzisiaj. Świętuję na całego. I amen.

Spieszyła się. Na spotkanie z Wojtkiem. Dałaby głowę, że ktoś ją obserwuje. Chciała, żeby to był Maks, ale on przecież nie musiał już tego robić. Sęk w tym, że pragnęła tego. Chciała mieć go blisko. Dobrze się przy nim czuła. Jej osobiste przysięgi, że zamknie życiowy rozdział pod tytułem „Mężczyźni", na nic się zdały. Spojrzenia Maksa sprawiały, iż była pewna, że kolejny raz w swoim życiu otwierała nowy rozdział z mężczyzną w roli głównej. A Babcia zawsze powtarzała: „Jak się nie przewróci, to się nie nauczy".

Przewróciła się. Żyjąc z Robertem, zrobiła to wiele razy. Tylko co z tego? Nic! Dla Maksa gotowa była zostać nawet kaskaderką, której niestraszne są najniebezpieczniejsze upadki. Przyznawała się do tego przed sobą bez żadnego wysiłku. Zawrócił jej w głowie. I tyle! Identycznie jak kiedyś Robert. Znów wpadła w pułapkę. Podobało jej się wszystko, co wiązało się z Maksem. To, jak pił herbatę, jak trzymał kubek, jak chodził, jak na nią parzył, akurat to ostatnie podobało jej się najbardziej. Co więcej... Była gotowa mu się do tego przyznać już dziś, nawet gdyby nie wysyłał w jej stronę żadnych intrygujących sygnałów. Na szczęście je wysyłał, a ona odczytywała je bezbłędnie. Jednak przecież nie znała go wcale. Podczas wczorajszej herbaty miała ochotę na to, by ją przytulił, a jeszcze większą chyba na to, aby ją pocałował. I kto wie, co stałoby się, gdyby miała dla niego więcej czasu albo gdyby jego telefon nie zadzwonił. Któż to może wiedzieć?

– A ty co?! Oślepłaś?! – Tuż za sobą usłyszała zdziwiony głos Wojtka.

– O ludzie! Zamyśliłam się, przepraszam. – Uśmiechnęła się do przyjaciela.

– Czyli rozumiem, że wymyśliłaś, gdzie coś zjemy. Tylko błagam, żeby to było blisko, bo jestem taki głodny, że żołądek właśnie przyrasta mi do kręgosłupa.

– Nie wymyśliłam... Ale może naleśnikarnia, jest w miarę blisko...

Wojtek zrobił niezadowoloną minę.

– Zimno mi. Zjadłbym na początku jakąś porządną zupę.

– Przecież w naleśnikarni mają barszcz.

– Z kartonu.

– Nie z kartonu, tylko z buraków. Napijesz się gorącego, później dostaniesz jakiegoś naleśniczka z dobrym mięchem, a na deser banana w karmelu i pyszną kawkę.

– Czego się nie robi, żeby kobietę zadowolić.

Domyślała się, że Wojtek skapituluje, bo doskonale wiedziała, jak z nim rozmawiać.

– To chodź, mój ty zadowalaczu! – Wzięła Wojtka za rękę i pociągnęła w stronę naleśnikarni.

Lokal znajdował się dość blisko i choć był mały, to o tej porze nie groziło im czekanie na wolny stolik.

W naleśnikarni od progu przywitała ich woń pyszności. Nawet lubiła to miejsce. Zresztą lubiła wszystkie, w których nigdy nie była z Robertem. Te, w których bywali – a ich nie brakowało – omijała szerokim łukiem. Po pierwsze, nie chciała się babrać we wspomnieniach, a po drugie, w restauracjach, które odwiedzała z byłym mężem, płaciło się słono już za samo dotknięcie klamki. Taki luksus przeżyła i za żadne skarby świata nie chciałaby do niego wrócić.

– Jak tu dobrze pachnie. – Rozchmurzył się w końcu Wojtek, rozplątując pod szyją cienki szalik w jasnoszarym kolorze.

– Widzisz! – Uśmiechnęła się do przyjaciela. – A nie chciałeś przyjść.

Od momentu, w którym się spotkali, dostrzegała, że nos Wojtka był spuszczony na kwintę. Nie chciała martwić się na zapas, ale wiedziała, że jej przyjaciel nie jest typem smutasa i malkontenta. To z tego powodu czuła się trochę nieswojo, gdyż miała pewność, że im szybciej omówią to, co ewidentnie dręczyło teraz Wojtka, tym lepiej dla nich obojga.

– Przyniosę kartę – zaproponowała, wstając od stolika, który zajęli.

Biorąc menu, od razu zamówiła dwa gorące barszcze, które stojąca za ladą kobieta przyniosła jej prawie natychmiast.

– O! Dziękuję bardzo!

– Proszę bardzo. Tylko niech państwo uważają, są bardzo gorące.

Odwzajemniła serdeczny uśmiech i włożywszy sobie pod pachę menu, ostrożnie wzięła kubki i zaniosła je do stolika.

– Proszę bardzo! Tylko uważaj! Gorące! – Spojrzała na Wojtka, który sprytnie wyciągnął jej spod pachy spis naleśników.

– Co jemy?

– Naleśniki.

– Aha... – odpowiedział półgębkiem Wojtek, studiując kartę i marszcząc przy tym zabawnie usta.

– I co tam wyczytałeś? – zapytała po chwili.

– Może z kebabem – zaproponował niepewnie. – Trochę mięcha... trochę zielska... Może być całkiem dobre...

Na myśl o tym daniu rozpromieniła się. To znaczy nie do końca na tę myśl...

– Poprosimy dwa z kebabem. – Podniosła wzrok na obsługującą kobietę. Póki co byli jedynymi gośćmi w lokalu.

– Już się robi.

– Znasz ją? – Wojtek był zdziwiony.

– Teraz tak. Poznałyśmy się przed chwilą.

Wojtek wpatrywał się w nią nieobecnym wzrokiem, nawet kiedy powolutku pił barszcz. Okulary, które nosił, nieznacznie powiększały jego i tak duże oczy. Lubiła, gdy na nią patrzył. Robił to zwykle, by podkreślić swoje zdziwienie. Patrzył na nią wtedy znad szkieł, których nigdy nie ograniczały oprawki.

– Co mi się tak przyglądasz? – zagadnęła radosnym tonem.

Bardzo chciała, by ich spotkanie należało do wesołych, choć biorąc pod uwagę wzrok i nastrój Wojtka, nic tego nie zapowiadało.

– Czekam na reprymendę – odpalił.

– Na co? Przepraszam?

– Nie udawaj! Przecież cię znam i wiem, że na pewno nie spodobało ci się to, że zrobiłem burdę w gabinecie szeryfa.

– A, to!

Dotarło do niej, że Wojtek zatrzymał się w całkiem innym momencie policyjnej historii właśnie zamieniającej jej aktualne, byle jakie życie w znów wypełnione oczekiwaniami.

– Rzeczywiście, nie powiem, jak się dowiedziałam o twojej wizycie na policji, to mocno się zdziwiłam, ale później zrobiło się całkiem interesująco i dziś mogę ci tylko podziękować za to, że widocznie szeryf – uśmiechnęła się do przyjaciela – przejął się twoimi wrzaskami i postanowił zrobić coś w mojej sprawie.

– Chyba masz złego informatora – skwitował Wojtek. – Nie wrzeszczałem, tylko zachowywałem się jak wymagający podatnik. I co? Opłaciło się? – Zerknął na nią znad szkieł.

– I to bardzo – odparła zagadkowo.

– Naleśniki, proszę!

Wojtek o mało nie oblał się barszczem, słysząc podniesiony głos, ale poderwał się natychmiast.

– Siedź! – rozkazała i spojrzała nań tak, że od razu wykonał polecenie. – Ja przyniosę, siedzę na wylocie.

Na ladzie pojawiły się dwa naleśniki, a raczej naleśnikowe giganty.

– Ale wielkie!

Spojrzała na kobietę, która może nie należała do najładniejszych, ale za to uroku osobistego mogłaby jej pozazdrościć niejedna piękność.

– Mam nadzieję, że na słodko też będą – kobieta zagaiła wesoło.

– Ja to na pewno nie zmieszczę – szepnęła – ale ten okularnik może zjeść nawet konia z kopytami.

– To trzymam za słowo.

Obsługująca gości naleśnikarni uśmiechała się nieustannie. I właśnie tym ją ujmowała. Poza tym wydawała jej się dziwnie bliska. Może dlatego, że to przez ten permanentny uśmiech przypominała jej Babcię, choć fizycznie nie była do niej ani trochę podobna.

– Może być pani spokojna – stwierdziła już głośno i spojrzała na Wojtka. – Proszę bardzo. – Postawiła przed nim talerz. – Rozchmurz się wreszcie. Naprawdę nie jestem na ciebie zła – przekonywała przyjaciela, rozkrawając naleśnika nafaszerowanego czymś, co nawet trochę przypominało mięso, które jadła w restauracji Bekhira.

– To może powiesz mi w końcu, co było takiego opłacalnego w mojej wycieczce do szeryfa – powiedział, a raczej wybełkotał Wojtek z pełnymi ustami.

– Jedz wolniej! – upomniała przyjaciela. – Przecież nikt ci tego nie zje! Mam nadzieję, że nigdzie się nie spieszysz?

– Nie. Mam dla ciebie czas aż do wieczora.

– Ekstra! To pójdziemy razem do domu. Dziadkowi też coś tu kupię na wynos.

– No to już, mów. – Wojtek spojrzał na nią w wyczekiwaniu. – Coś zrobili? Wezwali cię?

– Lepiej. – Uśmiechnęła się zagadkowo.

– Dali ci status świadka koronnego. – Wojtek zaczynał bawić się jej kosztem. – Możesz sobie wybrać dowolną wyspę na Pacyfiku i zabrać ze sobą Dziadzia i jeszcze kogoś, a tym kimś będę oczywiście ja.

– Z taką wyobraźnią to chyba byłoby lepiej, żebyś książki pisał, a nie z aparatem po świecie latał!

– Do rzeczy!

Wojtek postanowił przywołać ją do porządku. Widocznie chciał wrócić do głównego tematu rozmowy przerywanej nie tylko dygresjami, lecz również dmuchaniem na gorące kęsy wcale niestygnącego naleśnika.

– Przysłali do mnie kogoś, kto poinformował mnie, że byłam obserwowana przez policję. A w dodatku... – z rozmysłem cedziła słowa, ciesząc się ze szczerego zainteresowania przyjaciela.

– W dodatku co?! – ponaglił ją Wojtek i zbyt szybko przełknął kęs. – No mów! Normalnie sobie przez ciebie przełyk poparzę.

– Otóż okazało się... – za nic miała gromy w oczach Wojtka – ... że to ten...

– Ten, czyli któren?!

– Ten, którego uratowałam.

– Matko święta!!! Oszalałaś?! Chcesz, żebym dostał zawału?! Już myślałem, że cię śledził ktoś od tego łysola i że już cię mieli na muszce. Normalnie oszaleć z tobą można!

– Ty rzeczywiście powinieneś zarabiać, rzeźbiąc w słowach.

– No i co? – Wojtek wciąż wbijał w nią pytający wzrok.

– No i… fajny jest… – przyznała w końcu z rozmarzeniem w głosie, nie wstydząc się tego, że jej dotychczasowe, bardzo feministyczne postanowienia spełzły na niczym.

– Co?! – Wojtek wybałuszył na nią oczy.

Znała go dobrze. Nawzajem znali się doskonale, dlatego już wiedziała, że Wojtek też wie, i to doskonale, o tym, co jej chodziło po głowie i co miała w sercu.

– To, co słyszysz.

– Nie wierzę!

Wojtek był zaszokowany. Bardzo wyraźnie i całkiem zrozumiale zaszokowany. Nie udawał ani nie przerysowywał swoich emocji, chociaż gdy chodziło o jego uczucia, miał to w zwyczaju.

– Mnie też trudno w to uwierzyć… – przyznała szczerze.

– Jak to możliwe?

– Normalnie – odparła, nie denerwując się ani trochę rozmową. – Przecież zakochiwałeś się już w swoim życiu, więc chyba wiesz, jak to jest.

– No wiem. – Wojtek w momencie posmutniał.

– Co się dzieje?

Wojtek milczał.

– Mów! Na co czekasz?! – teraz to ona ponaglała.

– Na ciebie – odparł wymijająco.

– Ale ja już powiedziałam. Ten facet zawrócił mi w głowie. To wszystko. Przyznaję się bez bicia – chlapnęła wyświechtane słowa, które w tej chwili niestety kojarzyły się jej z trudną przeszłością.

– Tylko tyle?

– Chyba aż tyle – prychnęła z dumą i zadowoleniem.

Wojtek patrzył na nią tak, że wiedziała, iż zupełnie nie podzielał jej entuzjazmu.

– Tylko apetytu nie strać. – Wzrokiem wskazała na zwieszony w powietrzu widelec przyjaciela.

Wróciła do jedzenia i czekała. Honorowo, bez ponagleń, oczekiwała tym razem na opowieść Wojtka.

– Wystarczy, że głowę straciłem – powiedział, gdy już nie miała nadziei, że się dziś czegokolwiek dowie.

– To chyba powód do radości.

– Właśnie niespecjalnie.

– Zajęty?

Przyjaciel zaprzeczył ruchem głowy.

– To w czym problem?

– W tym, że udaje, że nie jest z mojego autobusu.

Słysząc słowa Wojtka, o mało nie udławiła się doskonale smakującym naleśnikiem. Przyjaciel zawsze mężczyzn o jego orientacji seksualnej zapraszał do tak zwanego swojego autobusu. To było jego autorskie określenie. Tym autobusem poruszał się po świecie. Bardzo szybko poznawał i wyłapywał z tłumu tych, z którymi było mu po drodze. Miał wielu kolegów, ale ich urok działał na niego niezbyt często.

– To tak można?

– Nie zgrywaj się! – skarcił ją Wojtek.

– Po prostu jakoś trudno mi w to uwierzyć. – Usiłowała się ratować. – Chyba do tej pory nie spotkałeś kogoś takiego.

– Zawsze jest ten pierwszy raz.

– Może jest jeszcze jakaś szansa? – chciała ocalić resztki optymizmu może tlące się jeszcze gdzieś na dnie duszy przyjaciela.

Wojtek patrzył na nią w ciszy, jakby zastanawiając się, czy jest sens kontynuowania tematu. Też przestała się odzywać. Wspierała go wzrokiem. Nauczyła się tego od Dziadka. Widocznie miała bardzo dobrego nauczyciela, ponieważ Wojtek zaczął w końcu mówić.

– Jest zagubiony. Patrzy na mnie tak, że jestem skołowany, ale kiedy tylko ma okazję, to robi wszystko, żeby udowodnić mi, że interesują go wyłącznie kobiety.

– Żartujesz? – Zupełnie nie ukrywała swego zniesmaczenia sytuacją, o której z wielką szczerością opowiadał Wojtek.

– Ani trochę. Staje na rzęsach, by mi pokazać, że jest nie dla mnie, a ja czuję, że to taka gra. Nie wiem tylko, po co to robi, bo mnie to jest do niczego niepotrzebne.

– Gdzie go poznałeś?

– Oczywiście, że w pracy.

– Model?

Niestety skrzywiła się na samą myśl i od razu zrugała się w myślach, ponieważ nie lubiła stereotypów.

– Fryzjer.

Wojtek rozgrzebywał naleśnika, zupełnie jakby zapomniał o głodzie, który mu do tej pory doskwierał.

– Co ty wyrabiasz? – Dotknęła dłoni, w której trzymał widelec. – Uspokój się i jedz. Jest nowy w waszym zespole?

– Dołączył do nas tylko na chwilę. Przygotowujemy kalendarz. Pracuje na podobnych zasadach jak ja. Jest freelancerem.

– Wiesz, jak długo będziecie współpracować?

– Myślę, że jakieś trzy tygodnie, w porywach do czterech, ale na pewno nie dłużej.

– Tylko tu?

– Trochę tu, trochę w Saint-Tropez, kilka dni na Saharze i jeszcze gdzieś, nie ogarniam już tego.

– Ale super!

Były w jej życiu takie czasy, kiedy bardzo lubiła podróżować. Ale minęły jakiś rok po ślubie. Chyba nawet wcześniej.

– Właśnie nie mam tej pewności.

– To zmień podejście.

– Jak?

– Udawaj, że ci nie zależy.

– Babska metoda.

– Babska, nie babska, ale skuteczna – broniła swego pomysłu.

– A co, stosujesz? Z powodzeniem? Na gliniarzu?

– Chyba tak... – zamyśliła się na chwilkę. – Na początku... chyba... zupełnie nieświadomie...

– Sama widzisz, nieświadomie to może się i sprawdza, a świadomie to pewnie będzie porażka.

– Krytykujesz babskie metody, a sam zachowujesz się jak baba.

– Chcesz mnie obrazić?

– Raczej obudzić.

– Normalnie cię nie poznaję. – Przyjaciel spojrzał ze zdegustowanym wyrazem twarzy.

– A ja ciebie – odgryzła się. – Widocznie miłość nas zmienia! – skonstatowała. – Tylko że ciebie na gorsze, a mnie na lepsze.

– To powiedz mi, skąd masz pewność, że to miłość.

– Bo chciałabym, żeby ciągle był przy mnie.

– Ale to proste! – Wojtek w końcu się uśmiechnął.

– To akurat proste, ale cała miłosna reszta bardzo skomplikowana.

– W sumie to do końca nigdy nie wiadomo, czy w ogóle opłaca się w to wchodzić – dodał filozoficznie i przeprosił się z naleśnikiem.

– Osobiście myślę, że opłaca się nawet wtedy, gdy ryzyko jest ogromne.

– Normalnie nie mogę uwierzyć. Ty mówisz takie rzeczy? Ty? – Zdziwienie przyjaciela przybierało na sile.

– Ja.

Uśmiechnęła się z zadowoleniem.

– Nie boisz się?

– Boję, ale staram się nie bać.

– To ci zazdroszczę.

– To nie zazdrość, tylko weź ze mnie przykład.

– Skromności to ty po Dziadziu nie odziedziczyłaś.

– Ale mam za to jego odwagę.

– Ciekawe do czego?

Tym razem Wojtek popatrzył na nią znad okularów.

– Do miłości.

– No rzeczywiście, trzeba mieć mnóstwo odwagi, jak miłość jest uzbrojona.

– Co?

– Chyba nie sądzisz, że ten twój glina lata po mieście tylko z kajdankami.

– Nie myślę o nim w ten sposób…

– A jak go widzisz?

– Moja Babcia powiedziała mi kiedyś, że nie można bać się miłości – zaczęła trochę z innej beczki. – Uwierzyłam jej i jak pojawił się Robert, to przez myśl mi nie przeszło, że…

– Czyli Babcia się pomyliła?

– To nie Babcia – stanęła w jej obronie. – To ja się pomyliłam.

– A jak pomylisz się znowu?

Czarnowidztwo Wojtka zaczynało ją męczyć i irytować.

– To wezmę to na klatę! Znowu!

– Siłaczka.

– Ty też jesteś silny.

Nie zamierzała się ani obrażać, ani kłócić, tylko sprytnie wrócić do problemów Wojtka. Przecież to miała być rozmowa o nim, a nie o niej. Zatem patrzyła na przyjaciela wspierająco.

– Musisz to sobie tylko udowodnić – kontynuowała. – Nikomu innemu, tylko sobie.

Wojtek wpatrywał się w nią przez dłuższą chwilę. Wiedziała o tym, że myślał intensywnie.

– Ty naprawdę myślisz, że babska metoda może okazać się pomocna?

– Naprawdę. – Uśmiechnęła się i złożyła sztućce na pusty talerz.

– A masz jeszcze jakąś?

– Postanowiłam, że nie będę testować na Maksie, gliniarz ma tak na imię, żadnych metod. Po prostu nie będę niczego udawać. Kolejny raz postaram się, żeby było dobrze, i wierzę, że tym razem nie przeinwestuję uczucia. Mam nadzieję, że Maks jest gotowy na takie zadanie.

– A jeśli się nie uda?

Wojtek nie był dziś sobą.

– Co mówiłeś, bo nie usłyszałam?

– Że straciłem apetyt. – Wojtek w końcu wracał do niej z dalekiej podróży.

– To musisz go odzyskać!

Patrzyła na przyjaciela w taki sposób, że ten z pewnością pojmował, iż mówiąc to, nie miała na myśli kolejnego naleśnika, tym razem na słodko. Miała na myśli całkiem inny apetyt. Co więcej, rozpoznawała go doskonale. Był to apetyt na miłość.

Mama otworzyła mu drzwi z uśmiechem. Jak zwykle. Nutka oparła mu się o nogi i czekała na głaskanie. Też jak zwykle.

– Już myślałam, że nie przyjdziesz.

– Wiem... mamo... przepraszam. Późno już. Ale wiesz... Jeśli chcesz się położyć, to robię w tył zwrot i już mnie nie ma.

Zbierał się do odwrotu, choć umierał z głodu. Co więcej, był pewien, że z okazji piątku w kuchni mamy czekało na pewno coś bardzo dobrego. Lubił wszystkie potrawy, które robiła. Jednak piątki u mamy były zwykle najsmaczniejsze.

– Jak już przyszedłeś, to wchodź. I proszę mi się tu nie krygować. Przecież wiesz, że tego bardzo nie lubię.

– Wiem, wiem...

Wszedł i zamknął za sobą drzwi. Rozebrał się i pociągnął zmarzniętym nosem. Na dworze znów zapanował ziąb. Gdy wyszedł z komendy, musiał skrobać szybę w samochodzie, a gdy tylko włączył radio, usłyszał prognozę pogody informującą o mroźnym weekendzie i z miejsca w nią uwierzył.

Za to w kuchni mamy było ciepło, przyjemnie i pachnąco.

– Jesteś głodny? – zapytała zwyczajowo.

– Baaardzo.

– Mam krupnik i leniwe. Krupnik taki delikatny, ugotowany na skrzydełkach, a leniwe dla takiego chłopa jak ty to raczej deser niż danie.

– Zjem wszystko, co mi dasz.

Znów stanął mu przed oczami obraz Sary witającej się z fotografem. Niezmiennie był zazdrosny o tę jedną noc, którą spędzili ze sobą, kiedy ją obserwował. Dziś znów ich zobaczył. Co więcej, również dziś przegrał z fotografem. Gdy zbliżał się do przedszkola, w którym pracowała Sara, już z daleka zobaczył, jak się do siebie uśmiechali, kiedy szli chodnikiem. Gdyby miał trochę oleju w głowie, to zatrzymałby samochód i chociaż się przywitał. Jednak zimna krew, która była jego znakiem rozpoznawczym w pracy, zamieniała się w gorącą, gdy Sara uśmiechała się do mężczyzny ubranego zawsze w szare ubrania. Jakieś takie dziwne. Ni to eleganckie, ni szmatławe.

Z zamyślenia wyrwał go łoskot pistoletu uderzającego o kuchenny parapet. Wiedział, że mama była uczulona na ten dźwięk.

– Przepraszam. – Zreflektował się od razu.

– Niestety znowu wrócił mróz.

Mama wolała zmienić temat, niż dać mu burę.

– Co gorsza w weekend nie będzie lepiej. – Westchnął.

– Już tak się cieszyłam. A Nutka jak się cieszyła. I znów mróz rano wszystko przykryje. Jakoś strasznie długa ta zima w tym roku. Proszę, jedz.

– A ty, mamo?

Często zadawał to pytanie, chociaż mama do stołu siadała z nim rzadko. Zwykle jadł sam, a mama tylko patrzyła, uśmiechając się i starając nazbyt go nie zagadywać.

– Co słychać? – zapytał z ciekawością.

– Miałam plan, że jutro Zosię do zoo wezmę, ale jak będzie zimnica, to Beatka będzie nosem kręcić. I w sumie nic dziwnego. W dodatku Zosia i tak lekkiego kataru dostała, bo Beatka postanowiła, że ją Niania będzie dwa razy w tygodniu na godzinkę do jakiegoś klubiku dla dzieci prowadzała, żeby mała się z dziećmi bawiła. I oczywiście, że się bawi. Tylko że jedna taka wizyta wystarczyła i już dziecko nosem pociąga. Pamiętam, że jak Beatka była mała, to ja też z nią miałam. Boże, jak to dziecko chorowało. Trzy dni w przedszkolu, trzy tygodnie w domu. I tak w kółko.

– A ja?

– Ty byłeś dużo odporniejszy. Tato często mówił na ciebie „ruskie dziecko". Nie chorowałeś prawie wcale, a jeśli nawet, to dawałeś radę bez antybiotyków. Dwa, trzy dni gorączkowałeś, pokaszlałeś trochę i gotowy do przedszkola byłeś. A jak już poszedłeś do szkoły, to wcale nie imały się ciebie choroby. Zresztą przecież pamiętasz.

– Pamiętam, pamiętam...

Uśmiechnął się, wspominając te czasy, kiedy nieraz zazdrościł Beacie, że choroby lubiły ją bardziej niż jego i mogła bezkarnie wylegiwać się w łóżku, podczas gdy on musiał grzecznie maszerować do szkoły. Nic dziwnego, że dostawał nagrody za wzorowe zachowanie i za stuprocentową frekwencję, bo z ocenami to różnie bywało. Zwłaszcza w szkole średniej.

Krupnik mu się kończył. Mama już to zauważyła.

– Przysmażone czy z wody? – zapytała, wstając od stołu.

– Może z wody.

– Mam nadzieję, że jutro masz wolne. Nie myślisz, że ciut za szybko wróciłeś do pracy na pełen gwizdek? Zupełnie jakbyś nie pamiętał, co ci się całkiem niedawno przydarzyło.

– Pamiętam, mamo..

Zrobiłby w życiu wszystko, żeby tylko mama była spokojna, by się nie denerwowała. Przekonywał ją już kilka razy, że po tamtym wydarzeniu nie odczuwał żadnych niepokojących dolegliwości. O sercowych uniesieniach wolał jej na razie nie informować, by nie budzić w niej zbyt dużych nadziei. Na razie wystarczyło mu, że on sam poczuł nadzieję. Było to dla niego totalnie nowym przeżyciem. W dodatku bardzo pozytywnym. Sprawiającym, że chciało mu się żyć.

– Proszę.

Mama postawiła przed nim talerz. Znów usiadła naprzeciwko i była gotowa do dalszej rozmowy.

– To na czym skończyliśmy?

Akurat tego wolał mamie nie przypominać, ponieważ weekend, a przynajmniej pierwsza jego część, zapowiadał się pracowicie.

– Obiecaj mi, proszę, że odpoczniesz, proszę cię.

Jak się okazało, mama oczywiście doskonale pamiętała, na czym skończyli.

– Odpocznę, odpocznę, nie martw się, mamo. Odpocznę w niedzielę.

Nieopatrznie powiedział prawdę. Od zawsze wolał milczeć, niż kłamać. Tylko że przy mamie milczenie nie zawsze się udawało.

– A jutro to co?

– Muszę pojechać na jeden dzień do Kazimierza Dolnego.

– O Panie! Tak daleko? Droga na pewno będzie śliska.

Mama była urocza, gdy wymyślała różne przeciwności losu mające sprawić, by zmienił swoje plany. Tych jutrzejszych niestety nie mógł zmienić.

– Spokojnie, mamo... Po pierwsze, to nie jest wcale tak daleko. Pomyśl, że Korkociąg musi jechać do Gdańska, w dodatku na dwa dni.

– To się żona ucieszyła i dzieci pewnie też skaczą z radości.

– Po drugie, nie będę przecież jechał do Kazimierza polną drogą, tylko krajową, więc o lodzie nie ma mowy.

– To przynajmniej obiecaj, że będziesz na siebie uważał.

Mama często wymagała od niego, by składał jej takie deklaracje. Robił to, chociaż w jego pracy z bezpieczeństwem bywało różnie.

– Obiecuję.

Tym razem naprawdę mógł to obiecać, ponieważ podróż, która go jutro czekała, nie była obarczona żadnym ryzykiem.

Musiał ją odbyć w ramach zbierania materiałów do sprawy złożonej z samych poszlak. Miał wewnętrzne przekonanie, że rozmowa, którą przeprowadzi jutro w Kazimierzu, nie może wnieść wiele do śledztwa, ale skoro Stary tego wymagał, oznaczało to, że był cień szansy, że stanie się jednak inaczej. Stary lubił sprawdzać każdy trop. Nawet taki, który na pierwszy rzut oka wydawał się totalną niedorzecznością.

– O której musisz wyjechać?

– Im wcześniej, tym lepiej.

– To może prześpisz się w domu…

Spojrzał mamie w oczy. Delikatność i brak nachalności w jej propozycji sprawiły, że od razu wiedział, iż ją przyjmie. Lubił, kiedy mama mówiła „w domu". Chociaż mieszkał już gdzie indziej, to kategoria „dom" w jego pojęciu dotyczyła tylko i wyłącznie miejsca, w którym się właśnie znajdował.

– Dobrze – zgodził się zatem bez zwłoki.

Co prawda organizacyjnie byłoby lepiej, gdyby spał u siebie. Jednak kiedy mama go o coś prosiła, to z zasady starał się nie odmawiać. Niezależnie od tego, czego dotyczyła prośba. Robił tak, ponieważ gdy on czegoś potrzebował, ona zawsze ofiarowała swą pomoc. Zawsze mógł na mamę liczyć, i to od zawsze. A gdy dziękował za wszystko, co od niej otrzymywał, to zwykle słyszał to samo: „Synku, nie musisz mi za nic dziękować. Moje główne zadanie na tej ziemi polega na tym, żeby ci pomagać. Dobrzy rodzice powinni wspierać swoje dzieci, a ja bardzo się staram być dobra".

To dlatego zgodził się zostać w domu na noc. Lubił, gdy mama się cieszyła, a radowała się wtedy, gdy miała co robić, ponieważ była bardzo pracowita.

– To łóżko ci pościelę. Czysty ręcznik na wannie położę. A jutro, już cię uprzedzam, bez śniadania cię nie wypuszczę i na wynos też ci zrobię, a spróbuj choć raz zamarudzić. Dostaniesz też herbatę w termosie. Taką dobrą ci zrobię. Posłodzę ją sokiem malinowym, nawet trochę imbiru do niej dodam. Na tę pogodę, a raczej wciąż niepogodę, będzie doskonały. Dziś dostałam kawałek od Kwietniowej na spacerze.

– Ale się najadłem. – Ziewnął szeroko.

– To teraz myć się i spać – rozkazała mama jak za dawnych czasów. – Tylko powiedz, o której cię jutro zbudzić.

– Spokojnie, mamo, nastawię budzik w komórce.

Uśmiechnął się i pomyślał, że oddałby wiele, żeby mógł w jutrzejszą podróż zabrać ze sobą Sarę. Pomyślał o tym i Kazimierz z nią wydał mu się bardzo atrakcyjny i wcale nie taki nieosiągalny. Zerknął na zegarek. Dochodziła dwudziesta druga. Chyba jeszcze mógł do niej zadzwonić. Przecież górne światło gasiła zwykle między dwudziestą drugą trzydzieści a dwudziestą trzecią. Przecież mógł spróbować. Gdyby się zgodziła, byłoby fantastycznie.

– O której?

Mama nie zamierzała ustąpić. Lubił tę jej tyranię, a to dlatego, że za każdym razem była przypieczętowana uśmiechem.

– Może o szóstej... – zaproponował niepewnie.

Nie chciał teraz planować jutrzejszego dnia. Jedyne, czego pragnął, to zadzwonić do Sary i zaproponować jej jednodniowy wypad do Kazimierza. Przecież powinna się zgodzić...

– Cześć.

Wsiadła do samochodu. Była koszmarnie niewyspana. Ekscytacja z powodu nagłej propozycji Maksa sprawiła, że zasnęła dopiero po północy. Jednak kiedy dziś rano obudził ją dźwięk budzika, wcale nie poczuła porannej niemocy. Otwierała się przed nią nowa życiowa możliwość. Byłaby idiotką, gdyby z niej nie skorzystała. A za taką się przecież nie uważała. Poza tym nie chciała nią być już nigdy więcej.

– Cześć.

Wyraz jego niebieskich oczu ucieszył ją nawet bardziej niż jego wczorajszy wieczorny telefon. Zaproszenie na wspólny wyjazd do Kazimierza nie mieściło się nawet w jej najskrytszych marzeniach.

– Nie zdążyłem otworzyć ci drzwi.

– Mam na imię Sara, a nie dama – zażartowała.

– Ale się cieszę, że przyjęłaś zaproszenie na ten wyjazd.

Uśmiech Maksa wciąż trwał. Zerkała w jego stronę i nie mogła się nacieszyć, że Maks był prostolinijnym, bezpośrednim i szczerym człowiekiem. Czuła, że niczego nie udawał. Domyślała się również, że skoro pracował jako policjant, musiał być też pragmatyczny, czyli nie marnował czasu na udawanie czegokolwiek. Na pewno nie był efekciarzem, ale po prostu żywym dowodem na to, że istnieją mężczyźni całkowicie inni od Roberta. I tylko tacy ją teraz interesowali. A gwoli ścisłości teraz interesował ją tylko Maks. Żaden inny mężczyzna nie wchodził w rachubę.

– Ja też się bardzo cieszę.

Również zamierzała być szczera. Tylko szczera. Nic poza tym. Chciała cieszyć się wolnością i robić to, na co miała ochotę.

– Trochę mi tylko głupio, bo na początku tygodnia obiecałam Wojtkowi, że...

– Wojtek to ten fotograf? – Maks wszedł jej w słowo.

– Tak. – Odeszła jej ochota na dokończenie rozpoczętego zdania.

– Co mu obiecałaś?

Usłyszała pytanie, w którym pobrzmiewała zazdrość Była na nią uczulona, śmiertelnie uczulona. Nie chciała mieć z nią do czynienia już nigdy w życiu. Gdyby ktoś kazał jej dziś wybierać pomiędzy miłością z zazdrością a nieszczęściem w samotności, to bez wahania wybrałaby osamotnienie.

– Jesteś zazdrosny? – Nie kryła niezadowolenia i rozdrażnienia.

– Nie. Po prostu pytam.

Głos Maksa brzmiał spokojnie. Tak spokojnie, że postanowiła natychmiast zapanować nad skłonnością do doszukiwania się złych uczuć nawet tam, gdzie nie miały szansy zaistnieć.

– To przepraszam, jak zwykle coś mi się wydawało – przyznała szczerze.

Musiała stawiać na szczerość, ponieważ to właśnie ona w budowaniu nowej relacji, na którą miała ogromna ochotę, powinna stawać się jej największą siłą.

– Czyli... – Maks bardzo umiejętnie próbował nakłonić ją do tego, by jednak omówiła rozpoczęty przez siebie wątek.

– Czyli co?

– Czyli co obiecałaś Wojtkowi? – Maks dokończył pytanie głosem tak beznamiętnym, że nawet ona nie zdołała doszukać się w nim żadnych emocji, ani dobrych, ani tych nieco gorszych.

– Że spędzę z nim dzień, bo jutro znów wylatuje na drugi koniec świata.

– Coś was łączy? – Maks nawet nie zerknął w jej stronę.

– Zadawanie pytań to rzeczywiście twoja specjalność – odpowiedziała wymijająco.

– Jak się do tego doda kojarzenie faktów i dociekanie prawdy, to będzie już wszystko, w czym jestem naprawdę dobry, oczywiście nie chwaląc się.

– A intuicja?

– Wolę opierać się na faktach.

– Uważasz, że intuicja to głupota?

– To, że czegoś do końca nie rozumiem albo nie czuję, wcale nie oznacza, że to głupie. – Zmienił temat. – To co z tym Wojtkiem?

Spojrzała na niego z uśmiechem. Zaimponował jej tym, że pomimo dygresji nie stracił głównego wątku rozmowy.

– A dlaczego myślisz, że coś mnie z nim łączy? – Miała pełną świadomość tego, że się z nim droczy, i sprawiało jej to przyjemność.

– Bo kiedyś spędziłaś z nim noc.

Chyba zasłużyła sobie na takie bezpośrednie traktowanie. Potrzebowała chwili, żeby zebrać myśli.

– Spędzić z kimś noc a spędzić noc u kogoś to chyba dwie różne sprawy. Nie uważasz?

– Chyba... – odparł Maks, nie przejmując się wcale jej tonem.

Jej głos był całkiem normalny, niczym niewzruszony. Za oknami samochodu skończyła się szarówka. Dzień wstał już całkowicie. Gdy zostawiali za sobą Warszawę, była spowita jeszcze w mroku.

Ziewnęła.

– Nie wyspałaś się?

– Po prostu nie mam w zwyczaju zrywać się z łóżka w sobotę o tak nieludzkiej porze – wyznała, przeciągając się.

– Mam nadzieję, że jak będziemy już wracać, to dojdziesz do wniosku, że było warto akurat dziś wstać z łóżka wcześniej niż zwykle.

– To zabrzmiało jak obietnica. Czyżbyś szykował jakieś niespodzianki?

– Aż tak się nie przygotowałem.

– A to dlaczego?

– Chyba za krótko cię znam, żeby wiedzieć, co mogłoby sprawić ci wyjątkową radość.

– A na kobietach się znasz? – Postanowiła zgłębić temat.

– Niespecjalnie…

Tym razem w głosie Maksa usłyszała niezdecydowanie i niepewność.

– Czyli pozory mylą. – Udała zawód w głosie..

Maks się roześmiał. Głośno i szczerze. Jeszcze tak roześmianego go nie widziała. Zaskoczył ją. Musiała przyznać, że nie takiej reakcji się spodziewała.

– Z czego się śmiejesz?

– Z tego, że mogłem ci się wydać kobieciarzem.

– Ależ ty jesteś dosłowny.

– Faceci już tak mają.

– Chyba nie wszyscy. – Postanowiła nie zgadzać się grzecznie ze wszystkim, co słyszy.

– Czyżby Wojtek był typem niedosłownym?

Maks chyba znów miał ochotę ją wypunktować, a temat Wojtka wciąż powracał niczym bumerang.

– Aleś się czepił. – Groźnie zmarszczyła brwi.

– Dążę do prawdy.

– Wojtek to mój przyjaciel.

– Długo się znacie?

– Bardzo. Wydaje mi się, że od zawsze.

– Czyli jesteście dowodem na to, że przyjaźń między kobietą a mężczyzną jest jednak możliwa.

– Nie wiem, czy dowodem, ale przyjaźnimy się i wychodzi nam to zaskakująco dobrze. – Uśmiechnęła się, w tym momencie chyba nawet bardziej do Wojtka niż do swego rozmówcy.

– Masz tylko Wojtka czy kogoś jeszcze?

– Tylko Wojtka – odpowiedziała zdecydowanie.

– I żadnych przyjaciółek albo przynajmniej koleżanek?

– Nie przepadam za kobietami – przyznała.

– Naprawdę?

– Naprawdę. Co w tym takiego dziwnego?

– Zawsze myślałem, że kobiety lubią otaczać się przyjaciółkami, organizować babskie wieczory, wspólne wyjścia i takie tam historie.

– Widocznie nie jestem zwykłą kobietą – spointowała.

– Właśnie tak mi się wydaje.

Popatrzył na nią i dopiero w tym spojrzeniu dostrzegła siłę komplementu osadzonego w jego ostatnim stwierdzeniu.

– Podrywasz mnie? – Też potrafiła być bezpośrednia.

– Nie wiem, czy mogę...

Rozmawiając z Maksem, w sumie nie rozróżniała do końca, kiedy żartował, a kiedy był całkiem poważny.

– Ciekawa jestem, jakiej odpowiedzi ode mnie oczekujesz. – Uśmiechnęła się do niego.

Maks natomiast spojrzał na nią tak, iż od razu poczuła, że podrywali się nawzajem. Ten stan jej się bardzo podobał. Z minuty na minutę coraz bardziej.

– Przecież to jasne, że twierdzącej.

– Tak w sumie... – udawała, że się zastanawia – ... to nie widzę przeciwwskazań – palnęła.

– Czyli co? Randka w Kazimierzu?

Maks nie zasypiał gruszek w popiele, musiała mu to przyznać.

– Chyba zapowiada się całkiem romantycznie – przyznała. – W dodatku nietypowo.

– Dlaczego nietypowo? – Znów zaczął się śmiać, lecz nie tak głośno jak poprzednio.

– Zwykle nie nastawiam budzika, żeby zdążyć na randkę.

– To przyznaj się, jak zwykle randkujesz.

– Zwykle nie randkuję. – Na tym chciała skończyć, jednak się nie udało. – Więcej... Skoro i tak bardzo dużo o mnie wiesz... Na przykład kiedy i z kim spędzam noce... To powiem ci jeszcze, że mój były mąż doprowadził do tego, iż kiedyś obiecałam sobie, że już nigdy nie pozwolę na to, by jakikolwiek facet się do mnie zbliżył, bo randki, nawet te najromantyczniejsze – wtrąciła niby mimochodem – kończą się źle.

– Czy to możliwe, że jestem wybrańcem losu?

Widziała, że to co powiedziała, bardzo go poruszyło.

– Na twoim miejscu nie cieszyłabym się zawczasu – skonstatowała dość gorzko.

– Postaram się o tym pamiętać – powiedział bardzo poważnie. – Może jesteś głodna?

Była pewna, że zmienił tematykę, by mogła teraz nie wracać myślami do tego, co już było i do czego wracać nie chciała.

– Chyba nie...

– Przyznaj się, czy jadłaś śniadanie przed wyjazdem?

– Oczywiście... – powiedziała i na moment zamilkła – ... że nie. Nie lubię jeść wcześnie rano.

– To tak samo jak ja – podchwycił. – Pamiętam, że jak byłem młodszy, to zawsze wysłuchiwałem pieśni mojej mamy na temat, jak ja to strasznie robię, że wychodzę z domu bez śniadania.

– Ja też. Tyle że nie od mamy, ale od Babci. Moja mama dużo chorowała...

– Wiem... Przykro mi...

Tym razem głos Maksa zabrzmiał bardzo empatycznie. Tak bardzo, że wzruszyła się do tego stopnia, iż miała łzy w oczach.

– Bo jeśli jesteś głodna... – nie pozwalał jej się rozkleić – ... to dostałem od mamy jakieś pyszności na drogę. Jeśli chcesz, to możemy się zatrzymać. Zjemy coś, napijemy się ciepłej herbaty albo kawy, na co będziesz miała ochotę.

– Tutaj?

Rozglądała się po całkiem jasnym świecie. Widziała dwie ściany lasu po obu stronach drogi, którą całkiem szybko zmierzali w stronę Kazimierza Dolnego. Bardzo klimatycznego miasteczka, w którym była już wiele razy i które bardzo lubiła.

– No, może nie tutaj. – Maks też rzucił szybkie spojrzenie na zaokienny krajobraz – Tylko na najbliższym parkingu.

– A ty jesteś głodny?

– Jeszcze nie.

– To na razie się nie zatrzymujmy. Może staniemy tuż przed Kazimierzem. Tam w jednym miejscu jest taki piękny widok. Doskonale pamiętam charakterystyczne miejsce, gdzie

Wisła wchodzi w malowniczy zakręt. Zapowiada się słoneczny dzień, więc na pewno będzie super widok.

– Skoro tak chcesz, to w porządku.

Zdążyła już zauważyć, że Maks był zgodny i bardzo elastyczny. Z pewnością umiał się dostosowywać i potrafił brać pod uwagę potrzeby innych. To było dla niej bardzo ważne, ponieważ sama nie urodziła się sobkiem i niezwykle nie lubiła ludzi, dla których dobro własne było dobrem najważniejszym i jedynym. Wyjechali z lasów w przestrzeń pól rozciągających się wzdłuż drogi.

– O Boże! Ile tu jeszcze jest śniegu!

W mieście od jakiegoś czasu nie było go wcale.

– To jest taki trochę inny świat niż u nas. Po prostu niezdeptany przez ludzi.

– Żebyś wiedział, jak ja mam czasami dosyć tego świata intensywnie zadeptywanego przez ludzi... – Uśmiechnęła się do widoku za szyby.

– Myślę, że nie jesteś wyjątkiem. Każdy tak czasem ma. I właśnie wtedy najlepiej, chociaż na krótko, przenieść się do innego.

Oczywiście zaimponował jej takim podejściem, a także swym spokojem, ponieważ była pewna, że kto jak kto, ale Maks z pewnością znał i widział miejski światek w najgorszej odsłonie. Dziś udało mu się wyrwać stamtąd na krótką chwilę.

– Czyli do takiego deptanego przez sarny – odezwała się w ten sposób, gdyż w oddali na białej śnieżnej połaci dostrzegła małe stadko saren.

– Na przykład…

– Dużo potrzebujesz czasu w Kazimierzu na załatwienie tych swoich spraw?

– To się dopiero okaże. Albo kilka minut, albo godzinę. Na pewno nie więcej.

– Lubisz swoją pracę?

– To zależy. Czasem bardzo, czasem ani trochę – odpowiedział wymijająco.

– No to się dowiedziałam..

– Myślę, że niezależnie od tego, co się w życiu robi, to zdarzają się dni bardzo dobre, dobre, znośne i koszmarne. Ja właśnie tak mam, że są takie chwile, kiedy myślę, że już lepiej nie mogłem trafić, i takie, kiedy mi się wydaje, że jestem na skraju wytrzymałości psychicznej. Wtedy dochodzę do wniosku, że wybierając zawód, trafiłem jak kulą w płot.

– Nomen omen. O to chodzi, że nie w każdym zawodzie możesz być potraktowany kulą…

– Tego akurat nigdy nie zapomnę, tak samo jak tego, że dzięki tamtym kulom poznałem bardzo fajną dziewczynę.

– Czyli nie ma tego złego?

– Na to wychodzi.

Maks przyłączył się do jej radości, nie tylko odwzajemnił uśmiech, ale także spojrzał radośnie. Żałowała, że widziała jego zadowolenie na twarzy tylko pobieżnie. Niestety musiał patrzeć przed siebie. Lubiła jego wzrok. Nawet tamten, gdy popatrzył na nią po raz pierwszy, kiedy dotykała jego przeraźliwie zimnego policzka. W tej chwili z pewnością był ciepły.

Tylko że na razie nie miała odwagi, aby go dotknąć. Teraz najważniejsze dla niej było to, że miała ochotę go dotknąć. W dodatku przeogromną. Wierzyła też, że życie właśnie zapragnęło udowodnić jej to, o czym powiedział jej kiedyś Dziadek, a mianowicie, że „każda miłość jest pierwsza".

To właśnie te słowa powtarzała Dziadkowi Babcia, kiedy nie miał ochoty wyjść z nią na poobiedni spacer. Babcia straszyła go, że jak wybierze się spacerować sama, to może akurat spotka kogoś interesującego, a skoro każda miłość jest pierwsza, to może stracić dla nieznajomego głowę i… I Dziadek zawsze, wsłuchując się w te babcine słowa, chcąc nie chcąc, zmieniał plany – drzemkowe na spacerowe. Cóż miał zrobić, widocznie bał się uczuciowych zmian.

Z Sarą było inaczej. Marzyła o uczuciu, o kolejnej pierwszej miłości, która pozwoliłaby jej zapomnieć o tej poprzedniej pierwszej. Już nawet wyczuwała w sobie rodzącą się miłość i chyba nie bała się niczego. Raczej niczego…

– Miałaś rację.

Spojrzał na rzekę, której spokojny, acz pewnie zdradliwy nurt przenosił ogromne ilości pozornie nieruchomej wody.

Zaparkował przed pięknym hotelem. Nawet zaproponował Sarze, że mogą nie korzystać ze śniadania przygotowanego przez jego mamę, tylko zjeść w hotelowej restauracji. Całe szczęście nie chciała o tym słyszeć. Dlatego stali teraz obok siebie, całkiem blisko siebie, tuż przy murku, za którym płynęła

Wisła. W oddali rzeczywiście widniało malownicze zakole. Do Kazimierza mieli już bardzo blisko. Biegnąca za ich plecami droga o tej porze nie była zbytnio ruchliwa. Stali więc we względnej ciszy i patrzyli przed siebie.

– Cudnie, prawda...? – Sara spojrzała mu w oczy, ale tylko na moment.

– Byłaś tu wcześniej?

Był ciekawy, ponieważ Sara zachowywała się tak, jakby właśnie widziała dobrze znany krajobraz.

– Kilka razy – przyznała się od razu. – Ale nie chcę teraz o tym myśleć, mówić, pamiętać... – Zamilkła chyba tylko po to, by po chwili dodać: – Chociaż to takie piękne miejsce.

Nie potrzebował ani chwili dłużej, by zrozumieć, że nadszedł czas na natychmiastową zmianę tematu.

– Jemy?

Otworzył średniej wielkości kosz piknikowy, który jego mama uwielbiała napychać do granic możliwości. Czy to było potrzebne, czy zupełnie nie.

– I co my tu mamy? – Sara zerknęła do koszyka z nieudawaną ciekawością. – Banany, jabłka, srebrne kule, dwa termosy. Nie mogę! Jest też prince polo. Twoja mama wie, ile masz lat?

– Doskonale.

– Czy to naprawdę możliwe, by taki facet jak ty był jednak maminsynkiem?

Pamiętał, że już wcześniej użyła w odniesieniu do niego tego sformułowania, ale dziś w jej głosie nie wysłuchał kpiny, jak za pierwszym razem, tylko spore zdziwienie.

– Nie jestem żadnym maminsynkiem.

– A to wszystko to co? – parsknęła Sara.

– To nie są dowody. To tylko poszlaki.

– Ale zawartość tego koszyka jest dowodem na to, że twoja mama jest chyba trochę nadopiekuńcza – Sara podsumowała swe prywatne śledztwo.

Jednak zrobiła to z takim wdziękiem, że miał ochotę ją pocałować. Miał ochotę na to nie od dziś, nie od teraz... Sam dokładnie nie wiedział od kiedy. Możliwe, że od tamtego poranka, kiedy zobaczył ją wychodzącą z domu, gdzie spędziła noc z Wojtkiem albo, jak mu sugerowała, u Wojtka. To chyba wtedy poczuł, że nie chce, by inny mężczyzna ją dotykał. Już wtedy wydało mu się, że tylko on sam powinien to robić.

– Nie jest nadopiekuńcza – dokonał natychmiastowego sprostowania.

To prawda, mama dbała o niego w sposób szczególny. Często miał wrażenie, że całkiem inaczej niż o Beatę. Ale nadopiekuńcza z pewnością nie była, ponieważ jej dbałość ani obecność nigdy go nie męczyły. Kochał mamę bardzo, a czuł się kochany jeszcze bardziej. Nigdy w jej obecności nie poczuł się zmęczony jej miłością, ponieważ uczucie, którym go obdarzała, było bardzo wyraźne, ale też bardzo delikatne. Mama umiała go kochać dokładnie taką miłością, jakiej od niej potrzebował i jakiej oczekiwał.

– To od czego zaczynamy? – zapytała Sara z niegasnącym uśmiechem, wciąż zaglądając do kosza.

– Zobaczymy...

Wziął do ręki, jak to ujęła Sara, srebrną kulę i odpakował z folii aluminiowej dużą bułkę.

– Z kotletem schabowym i czerwoną papryką. – Pokazał Sarze smakowicie pachnące znalezisko.

– Ale na bogato – rozpromieniła się.

– Reflektujesz? – Podniósł bułkę na wysokość jej oczu.

– A dla ciebie też jest?

– Na pewno.

– To biorę!

Patrzyła na niego. Czekała, aż odpakuje swoje srebrne znalezisko. Zaczęła jeść, dopiero gdy odpakował swoje.

– Ale ... ooobra – powiedziała niewyraźnie, bo z pełnymi ustami.

Przez chwilę jedli w milczeniu, patrząc przed siebie, na rzekę.

– Że też twojej mamie chciało się tak rano bujać ze smażeniem kotletów.

– Moja mama uwielbia pracę w kuchni. Lubi gotować, żeby móc innym dogadzać. I uwielbia, kiedy się u niej dużo je.

– To na pewno by mnie polubiła – stwierdziła Sara z rozbrajającą szczerością.

– Tylko nie mów, że dużo jesz – powiódł wzrokiem po szczupłej sylwetce Sary – bo i tak w to nie uwierzę.

– Ale ja naprawdę uwielbiam jeść – chciała go przekonać. – W dodatku bardzo dużo, dużo i dobrego. Na przykład jak Wojtek zrobi coś pysznego na kolację, a musisz wiedzieć, że gotuje tak samo doskonale, jak fotografuje, to ja zwykle zjadam więcej od niego, a często też potrafię jeszcze wyjadać resztki tych pyszności z garów tak długo, aż nie zobaczę dna i...

– Jakoś wciąż trudno mi w to uwierzyć – wszedł jej w słowo. Udało mu się to, ponieważ Sara przerwała na moment swą opowieść, by znów z apetytem wgryźć się w bułkę.

– Może chcesz się napić? – zaproponował.

– Na razie dziękuję. Dopiero jak zjem. Ale dobre... Dawno nie jadłam takiej pychoty! I ten kotlet nawet jeszcze trochę ciepły. Ciepły schabowy na takim zimnie to jest to! Normalnie mistrzostwo świata.

Był pod ogromnym wrażeniem zachwytów Sary. Dawał się ponieść zauroczeniu.

– Śmieszna jesteś – wyrwało mu się.

– Nie mówi się śmieszna, tylko zabawna – poprawiła go.

– Masz rację. Jesteś zabawna.

– W dodatku zjem pierwsza. – Uśmiechnęła się do niego szelmowsko.

– Trzeba było mi powiedzieć, że się ścigamy.

– Nawet gdybym to zrobiła, to i tak nie miałbyś szans. O, proszę! – Włożyła do ust ostatni dość duży kęs bułki i gryzła go z ekstatyczną miną.

Bacznie ją obserwował. Zamknęła oczy. Przełknęła.

– Jeszcze jedna? – zaproponował i powiódł wzrokiem do koszyka.

– Nie. Dziękuję bardzo. Na razie wystarczy. Jestem usatysfakcjonowana.

– W takim razie kawa czy herbata?

– Poczekam na ciebie, to napijemy się razem. – Utkwiła wzrok w przeciwległym brzegu Wisły.

Jadł spokojnie. Cieszył się, że mógł bezkarnie wgapiać się w stojącą obok niego kobietę, gdyż ta skierowała twarz ku słońcu, które z minuty na minutę coraz bardziej starało się ogrzać bardzo zimny świat. Skończył jeść bułkę. Stał i patrzył, patrzył to źle powiedziane. Oczu nie mógł oderwać. Sara była niesłychanie urodziwa. Miała długie, podwinięte, bardzo czarne rzęsy. Mały, lekko zadarty nos. Ślicznie wycięte, czerwone, pełne usta. Jego mama określiłaby ją z pewnością jako dziewczynę jak malowanie.

– Zjadłeś?

– Tak.

Sam nie wiedział, dlaczego się przyznał, ponieważ obserwowanie Sary z tak bliska sprawiało mu trudną do opisania przyjemność.

– To czemu nic nie mówisz? – Wlepiła w niego wesołe spojrzenie.

– Zapatrzyłem się.

– Rzeczywiście... – Spojrzała przed siebie. – Jest na co popatrzeć – zgodziła się z nim, a on dałby głowę, że doskonale wiedziała, iż nie o urodę krajobrazu chodziło mu w tej chwili.

– Kawa? Herbata?

– A ty co wybierasz?

– Ja chyba wolę herbatę. Zapowiada się tak emocjonujący dzień, że nie potrzebuję kawy.

– W takim razie ja też poproszę o herbatę.

Reagując na słowa Sary, wyjął z koszyka zielony termos. To w nim mama zawsze przygotowywała herbatę. Kawa była w srebrnym. Powoli odkręcił kubek, z uwagą wcisnął korek i nalał herbatę. Pachniała doskonale. Wiedział, że zamiast cukru był w niej syrop malinowy, a zamiast cytryny, która miała tendencję do gorzknienia, mama dodała imbiru. Podał Sarze mocno parujący kubek. Przejmując go, dotknęła jego dłoni. Niestety na krócej niż tego chciał.

– Tylko u… – Nie zdążył jej ostrzec.

Sara zbyt szybko umoczyła usta w gorącym napoju.

– Auć! – krzyknęła.

Odruchowo przyłożyła do ust swą dłoń i szybko rozglądając się na boki, zapytała przez palce.

– Masz coś zimnego?

– Mam – skłamał. – Pokaż!

Oderwał od jej ust dłoń, którą przykryła poparzone wargi. Po czym nie rozglądając się za czymkolwiek zimnym, pocałował ją. Na pewno chłodnymi ustami. Zrobił to niezbyt delikatnie, ale musiał wykorzystać nadarzającą się okazję. To był odruch. Nieprzemyślany, a jednak planowany od dłuższego czasu. Usta Sary były gorące. Rzeczywiście parzące. Starał się, by pocałunek był coraz delikatniejszy, nienachalny, powolny. Gdy go zakończył, oddalił od Sary swą twarz. Niezbyt daleko. Patrzyła na niego zaszokowanym wzrokiem. W ręku wciąż trzymała metalowy kubek z parującą herbatą. Ewidentnie nie wiedziała, co powiedzieć.

– Już lepiej? – zapytał, patrząc jej to w oczy, to na usta, które wciąż tkwiły w lekkim rozchyleniu.

– A co to… przepraszam… miało być? – w końcu wydusiła z siebie.

– Pomoc w potrzebie – odparł szybko i uśmiechnął się.

Z niecierpliwością i niepewnością czekał na uśmiech wpatrzonej w niego kobiety.

– Pomoc? – powtórzyła po nim pytająco i dość poważnie.

– Tak. Zimny okład.

Sara patrzyła na niego, chyba nie dowierzając w to, co się przed chwilą stało. On natomiast czekał na jej uśmiech. Udało się. W końcu się uśmiechnęła.

– Wcale nie taki zimny. – Spojrzała na jego usta w taki sposób, że znów był gotowy do podjęcia akcji ratunkowej.

– Ale pomógł?

– Nie wiem – odparła i w końcu się roześmiała, tak jak na to liczył. – To raczej była terapia szokowa, a nie pomoc. – Wędrowała wzrokiem po okolicach jego ust.

– Najważniejsze, że udało mi się chyba sprawić, że zapomniałaś o bólu.

– A ja wiem…?

Zerknęła do kubka. Podmuchała na jego zawartość i umoczyła usta, pewnie wciąż gorące, w taki sposób, że musiał się wysilić, aby zapanować nad swoimi pragnieniami.

– Tylko uważaj. – Tym razem też nie zdążył jej ostrzec.

Oderwała wargi od herbaty.

– Ale dobra. A co się stanie, jeśli ja nie chcę uważać?

– Możesz na mnie liczyć – zaoferował się natychmiast. – Jestem przygotowany do tego, by nieść pomoc nawet w najtrudniejszych warunkach, a co dopiero w takich sprzyjających – mówił powoli, błogosławiąc w myślach mamę, a także herbatę, którą zrobiła dziś przed świtem.

Sara znów umoczyła usta i upiła mały łyczek.

– I jak tam? Potrzebna pomoc? – zapytał, udając luzaka, do którego było mu teraz daleko.

– Już nie. – Sara uśmiechnęła się do niego radośnie, a jemu mina zrzedła. – Ale i tak poproszę… – dodała po upływie dłuższej chwili, oka z niego nie spuszczając.

Oniemiał. Jednak wiedział, że się nie przesłyszał. Tym razem zbliżył do niej swą twarz powoli. Popatrzył jej w oczy i ucieszył się, że teraz nie musiał działać odruchowo, tylko z rozmysłem. Chciał się przekonać, przekonać powoli, jak smakowała. Sara też tego pragnęła. Czuł to. Dała temu wyraz, odstawiając kubek na murek i dotykając ciepłą dłonią jego zimnego policzka. Smakowała mu. Pięknie pachniała. Miała zachwycające usta i ich wnętrze. Zapowiadał się cudowny dzień. Czuł to bardzo wyraźnie. Jednak najwyraźniej czuły to jego usta…

Znów była zmarznięta, ale widok zmierzającego w jej kierunku i uśmiechającego się mężczyzny działał na nią szczególnie rozgrzewająco. Maksa nie było przy niej przez czterdzieści pięć minut, a już zdążyła się stęsknić. Z jednej strony bardzo ją to niepokoiło, z drugiej zaś – jeszcze bardziej cieszyło. Rynek w Kazimierzu wyglądał dziś całkiem inaczej, niż zapamiętała z letnich rodzinnych wypadów.

Przyjeżdżała tu z całą rodziną. To było całkiem inne życie. Niby nie było bardzo dawno temu, jednak gdy dziś sięgała do niego pamięcią, wydawało się tak odległe, jakby dziś miała co najmniej pięćdziesiąt lat. A przecież tak nie było. Najlepiej pamiętała tak zwane jednodniówki w Kazimierzu. Spędzała tu wtedy czas z Babcią, Dziadkiem i Tatą. Mama przyjeżdżała z nimi rzadko. Albo występowała zagranicą, albo zostawała w Warszawie, bo miała próby. Była bardzo utalentowaną śpiewaczką w operze. Tato stracił dla niej głowę, kiedy jeszcze uczyła się w szkole średniej. Tego akurat dowiedziała się od Babci. Temu, co pamiętała z czasów, kiedy mama była w jej życiu, zawsze towarzyszył śpiew. Mama wciąż śpiewała, a jeśli tego nie robiła, to przynajmniej nuciła. Była solistką. I w operze, i chyba również w życiu, bo występów w życiu rodzinnym miała dużo mniej niż tych w operze. Nie zapamiętała Mamy z wyjazdów do Kazimierza. To, co teraz jej się przypominało, i to jak przez mgłę, to matczyne narzekania dotyczące okropności kazimierskiego bruku, po którym nijak nie dało się spokojnie chodzić w butach na obcasach, a Mama innych chyba nie miała. Niedziele spędzone w tym mieście kojarzyły jej się z upałem, słońcem, tłumem, z włoskimi lodami i oczywiście pysznymi, złotymi kogutami upieczonymi z maślanego ciasta.

Dziś póki co nie miała okazji, by przypomnieć sobie słodycz tego już zapomnianego smaku.

– Już jestem. – Maks patrzył na nią z rozanieleniem w oczach.

– Super, bo zaczynam marznąć. Załatwiłeś, co miałeś załatwić?

– Tak. – Jego twarz przybrała bardzo poważny wyraz.

– Rozmawiałeś z kobietą czy z mężczyzną? – dopytywała, opierając się o studnię w środku rynku.

– Z kobietą – odpowiedział, ale wyczuła, jak bardzo sznurują mu się usta.

– Ładną? – Zaczęła drążyć, chcąc, by choć odrobinę zdystansował się od własnej pracy.

– Skupiłem się bardziej na tym, o czym mówiła, niż na tym, jak wyglądała. – Rzeczowość tonu Maksa podobała jej się równie bardzo jak on sam.

– I oczywiście mi nie powiesz, o czym rozmawialiście, bo jak to mówią w telewizji: „dla dobra sprawy… na tym etapie śledztwa… nie można ujawniać i takie tam… ble, ble, ble…".

– Jak będzie konkurs na rzecznika prasowego policji, to chyba cię zgłoszę, co więcej, jeszcze zarekomenduję. – Maks w końcu się uśmiechnął, w dodatku całkiem beztrosko. – A teraz idziemy napić się czegoś gorącego i zjeść coś dobrego. Chcesz?

– O niczym bardziej nie marzę – rozanieliła się.

– Tylko będziesz musiała uważać, żeby znowu się nie poparzyć.

– A co jeśli spodobała mi się akcja chłodząca?

Nie zdążyła się uśmiechnąć, gdyż Maks chwycił za zwisający z jej szyi szalik i przyciągnął ją do siebie.

– To teraz dla odmiany będzie akcja rozgrzewająca – szepnął i zaczął ją całować.

Robił to tak umiejętnie, a raczej namiętnie, że nie wiedziała, czy ją całuje, czy raczej dotyka w bardzo szczególny sposób jej ust swoimi. Efekty czuła nie tylko na swoich rzeczywiście jeszcze przed chwilą zimnych wargach, ale nawet tam, gdzie, jak jej się wydawało, nie zdążyła jeszcze wcale zmarznąć. Zamknęła oczy i czerpała z tego zbliżenia tyle ciepła, ile było można, a Maks miał chyba zamiar doprowadzić ją do tropikalnej gorączki...

– Może powróżyć zakochanej parze? – usłyszała skrzekliwy głos tuż obok.

Maks z nieukrywaną niechęcią odkleił się od wciąż nienasyconych ust Sary.

Obok nich stała Cyganka okutana w przyduży brązowy kożuch i kilka kolorowych chustek na głowie. Kobieta świdrowała ich wzrokiem.

Sara nie zdążyła się wystraszyć, ponieważ poczuła na sobie dotyk Maksa. Przygarnął ją do siebie zupełnie tak, jakby bał się, że Cyganka mogłaby wepchnąć ją sobie za pazuchę i uciec gdzieś w nieznane. Znów zrobiło jej się bardzo przyjemnie.

– Panienka taka czarniutka, zupełnie jakby nasza – znów odezwała się Cyganka.

– To moja panienka. – Maks zacieśnił uścisk swych ramion.

– No przecież widzę, piękny kawalerze! Ale może panienka akurat popatrzy w moje karty! Powróżę! Powiem, co tam na was dobrego w życiu czeka. Niech kawaler grosika nie żałuje! – Cyganka umiejętnie zamachała Maksowi talią bardzo zużytych kart tuż przed oczami.

I stało się coś, czego Sara zupełnie się nie spodziewała. Maks wyjął z kieszeni kurtki jakąś monetę i dał Cygance. Na odczepnego.

– Piątak dla pani, ale nie za wróżbę, tylko za jej brak.

– Ale niech się kawaler nie obawia, przecież ja wam same dobre rzeczy powiem, bo w ani jedną kartę zaglądać nie muszę, żeby wiedzieć, co się teraz z wami dzieje, ale co się będzie działo, to patrzeć muszę, kochany panie!

Cyganka nie chciała się od nich odczepić. Nie pomogło nawet to, że dostała monetę, ani to, że oddalali się od niej coraz szybciej. Miała kłopot z dorównaniem kroku Maksowi.

– Za chwilę nogi sobie połamię na tych kamieniach – poskarżyła się.

Potrzebowała chwili, żeby dotarło do niej, iż użyła słów Mamy, nienawidzącej wędrówek po twardych wertepach.

– Jeszcze kawałeczek.

Maks nic nie robił sobie z jej marudzenia. Ani trochę nie zwolnił kroku, dzięki temu natrętna Cyganka dała za wygraną i odczepiła się. Nie nadążyła za uciekinierami niechcącymi znać swojej przyszłości.

– No i udało się! Uciekliśmy! – stwierdził radośnie Maks.

Wciągnął ją w mroczne podcienie Kamienic Przybyłów, gdzie na elewacji widoczna była postać świętego Krzysztofa z Dzieciątkiem Jezus na barkach. Pamiętała, że był to ulubiony zabytek Babci. To właśnie jemu przyglądała się zwykle dłużej niż czemukolwiek innemu w Kazimierzu.

– Zwariowałeś?! Chcesz, żebym dostała zawału! – szepnęła, walcząc z poważną zadyszką.

– Cicho! Bo jeszcze znowu wypatrzy nas ta jędza z kartami, a tego chyba nie chcemy…

Maks patrzył na nią tak, iż nie dosyć, że wiedziała, czego teraz sama chce, to jeszcze lepiej wiedziała, na co on ma ochotę.

– Chyba nie chcemy – wyszeptała, uśmiechając się dwuznacznie.

Doskonale wiedziała, czego chce. Dlatego teraz to ona przyciągnęła Maksa do siebie za poły jego rozchełstanej kurtki i pocałowała go. Maks natychmiast przejął inicjatywę i była z tego powodu bardzo zadowolona. Ale nie chciała dać za wygraną. Zatem sprytnie włożyła swe lodowate dłonie pod ubranie Maksa na jego plecach. Zrobiła to tak nagle, że aż syknął. Na szczęście nie przerwał pocałunku, który ewaluował od zdecydowanego do nieśmiałego, jakby dopiero się rozpoczynającego. Lubiła takie zamieszanie w swych uczuciach, ale bardziej od wszystkiego innego lubiła dotyk ust Maksa. Zawsze ciepłych ust.

Nie wiadomo kiedy zrobiło się południe. Siedzieli ni to w knajpce, ni w kawiarence, przez okna wpadało słońce doskonale rozświetlające wnętrze pomieszczenia upstrzonego najróżniejszymi i licznymi bibelotami. W Warszawie taki styl wydawałby się nieco dziwny, ale tu, w Kazimierzu, wszystko, czemu się w tej chwili przyglądała, pasowało jak ulał do klimatu miejsca i w ogóle miasteczka. Żydzi z długimi brodami wgapiający się w nią z obrazów porozwieszanych na ścianach. Stare stoły, przy których stały krzesła – każde inne. Na parapecie obok stołu, gdzie siedzieli, oprócz dwóch rachitycznych o tej porze roku pelargonii ustawiły się w rządku ceramiczne koty w różnych kolorach, kształtach i rozmiarach. Jednak najlepiej na wystrój knajpki wpływały czarno-białe fotografie obrazujące przedwojenny Kazimierz. Ramki, w które były oprawione, mogły być chyba nawet starsze od samych zdjęć, przedstawiających głównie plażowe harce młodych ludzi nad wiślanym brzegiem.

Na jej talerzyku leżał niedojedzony bajgiel z twarożkiem i wędzonym łososiem. Bardzo jej smakował. Jednak gdy się do niego zabierała, wcale nie była głodna, i to nie dlatego, że bułka ze schabowym nakarmiła ją na cały dzień, tylko dlatego, że tyle się już dziś zdążyło wydarzyć, choć było dopiero południe. Emocje stanowiły najwartościowszy pokarm, nie tylko dla duszy. Poza tym zaznała ich tyle, że mogłoby jej ich wystarczyć do następnego miesiąca.

Naprzeciwko niej siedział mężczyzna, który bardzo jej się podobał. Nieziemsko całował i pragnął jej całym sobą. Dobrze o tym wiedziała i ta wiedza przyprawiała ją o zawrót głowy. Tym bardziej że jeszcze wczoraj w najśmielszych marzeniach nie ośmieliłaby się tak właśnie wyobrazić sobie dnia, który właśnie przeżywała. Dawno takiego nie miała. Takiego, iż życie nagle stało się znów piękne.

– A to co? – zapytał Maks, spoglądając na jej talerz, na którym połowa niezjedzonego bajgla wyglądała trochę jak szczery uśmiech posypany gdzieniegdzie makiem, a gdzie indziej naprzemiennie czarnym i białym sezamem.

– Już nie mogę – odezwała się tonem przedszkolnego niejadka. – Nie wcisnę w siebie już ani kęsa. Chyba że zależy ci na tym, żebym pękła, ale ja wolałabym wrócić do domu w jednym kawałku. Może masz ochotę? – zapytała, spojrzawszy najpierw na Maksa, a później na jego pusty talerz, na którym nie został nawet ślad po bajglu na słodko, z twarożkiem i konfiturą z pomarańczy.

– Też się już najadłem, ale... Ale to chyba byłoby marnotrawstwo, żeby takie pyszne jedzenie skończyło w koszu...

– Proszę. – Podała Maksowi swój talerz, jakby bojąc się, że mógłby się rozmyślić.

– To może napijesz się jeszcze herbaty – zaproponował.

– Nie – zaoponowała. – Już nic nie zmieszczę, naprawdę...

Patrzyli na siebie, a raczej wzroku od siebie nie odrywali, wciąż się uśmiechając.

– Ale dobrze, co...? – zagadnęła z rozmarzeniem, zupełnie jakby chciała utwierdzić się w przekonaniu, że wpatrzony w nią mężczyzna czuł teraz to samo co ona.

– Nawet nie przypuszczałem, że tak to się skończy. – Maks nie ukrywał swej radości, ale też chyba zdziwienia z obrotu spraw.

– Co to znaczy: skończy? – zapytała lekko urażonym tonem.

– Akurat teraz mam na myśli ten przypadek, przez który się poznaliśmy – wytłumaczył szybko.

– Ładny mi przypadek! – skwitowała dość głośno, a ślady krwi na śniegu od razu zamajaczyły jej przed oczami.

Nie chciała wracać myślami do tamtego obrazu.

– Myślę, że byłoby doskonale, gdyby dla nas ten przypadek okazał się nieprzypadkowy – skwitował z rozmarzeniem w głosie Maks.

Nie podejrzewała go dotąd o takie myślenie. Bardzo spodobało jej się to, co teraz powiedział, i to, w jaki sposób to zrobił. W jego głosie usłyszała nie tylko nadzieję, ale też oczekiwanie na wszystkie dobre chwile, które mogły im się jeszcze przydarzyć, i to całkiem niedługo.

– Pewnie tak. – Uśmiechnęła się.

Powiedziała to, ponieważ wracała do niej myśl, że mimo wszystkiego, co miała, a raczej co zostawiła za sobą, znów pojawiała się w jej życiu szansa na to, by stworzyć normalną, kochającą się rodzinę. Miała nadzieję, że rozdział patologii i toksyczności w związku miała już odhaczony na liście życiowych doświadczeń.

– Dlaczego mi wtedy pomogłaś? – zapytał Maks, sprawiając, że musiała wrócić myślami do tego, co tu i teraz. – Tylko proszę cię, nie mów mi, że to był odruch.

Spojrzała na niego poważnie. On też obdarzał ją takim spojrzeniem. Zamyśliła się na moment. Zupełnie nie wiedziała, od czego zacząć. Zastanawiała się też, czy to aby na pewno dobry czas i dobre miejsce na opowieść o jej życiu. Raczej nie powinna teraz zaczynać, by nie zepsuć nieziemskiej atmosfery tego doskonałego dnia.

– Już z daleka zobaczyłam ślady krwi na śniegu…

Jednak odnalazła w sobie siłę, by odtworzyć w pamięci to, co kojarzyło jej się z tak kontrastowym biało-czerwonym obrazem. A może wspomnieniem… Nieprzyjemnym i prześladującym.

– To chyba przez te ślady tak się zachowałam. To ich widok wystarczył, żebym ruszyła ci na pomoc… Kiedyś moja krew też roztapiała śnieg. Nie było jej tyle co twojej, ale mi też ktoś wtedy pomógł. Też ktoś całkiem obcy. I pewnie to dzięki tamtej pomocy mogę sobie teraz tutaj z tobą siedzieć i akurat o tym ci opowiadać.

– Bił cię…

Maks patrzył jej w oczy. Wiedziała, że nie pytał. Maks stwierdzał fakt. Niestety miał w oczach współczucie, którego nie chciała, nie potrzebowała i nie znosiła.

– Przecież wiesz – odparła mocnym głosem.

Miała świadomość, że jako policjant na pewno dużo wiedział, ale tego, ile się domyślał, nie mogła wiedzieć.

– Wiem – potwierdził Maks. – Ale nie sądziłem, że…

– Było, minęło!

Nie chciała kontynuować tematu.

– Jak to dobrze, że od niego odeszłaś.

Patrzył na nią w taki sposób, jakby na coś czekał. Jak gdyby chciał omówić temat, a potem zamknąć go raz na zawsze, by już więcej nie pojawił się w ich rozmowach. By nie psuł tego, co się między nimi działo. Pomyślała, że może to dobre rozwiązanie. Nie miała pewności, ale postanowiła spróbować. Skoro Maks nie wywierał na nią żadnej presji, mogła chociaż podjąć próbę.

– To nie było takie proste – zaczęła, starając się mówić, ale jak najmniej myśleć o Robercie.

– Domyślam się… Ktoś musiał ci pomóc…

Maks wpatrywał się w nią w tak szczególny sposób, że czuła, iż jego policyjne doświadczenie było teraz po jej stronie.

– Dziadek.

Uśmiechnęła się do swoich myśli, ponieważ zobaczyła przed sobą dobrotliwe spojrzenie człowieka, który towarzyszył jej w życiu, od kiedy sięgała pamięcią. Na którego zawsze mogła liczyć.

– Długo to trwało?

Maks zadawał jej pytania, których nie zniosłaby, gdyby był to ktoś inny, a teraz czuła, że jemu, akurat jemu, może coś opowiedzieć. Co prawda bez nurzania się w makabrycznych szczegółach. Tego nie chciała i nie potrafiła. Zresztą to byłoby całkowicie zbyteczne.

– Trochę...

Maks patrzył na nią i milczał. W jego spokojnym wzroku odnajdywała cierpliwe oczekiwanie. To dlatego postanowiła się otworzyć, a raczej odtworzyć tamte czasy. Chociaż trochę. Dla niego. Chciała, by wiedział, że jest dla niej ważny i że mu ufa.

– Na początku było cudownie. Ale tylko na początku. Wszystko zaczęło zmieniać się po ślubie. Przez jakiś czas nie mogłam pojąć, dlaczego tak się dzieje. Zastanawiałam się, co robię nie tak. Szukałam winy tylko w sobie. Poza tym niesamowite było to, że... – przerwała na moment.

Chyba nie chciała się rozkręcić. Wciąż zastanawiała się, czy aby na pewno dobrze robi? Czy powinna akurat Maksowi opowiadać o tym, o czym w istocie jeszcze nikomu nie mówiła. Patrzyła w jego oczy. Znajdowała w nich otwartość, cierpliwość i zrozumienie. To one pozwoliły jej kontynuować rozpoczęty temat. Co więcej, dzięki temu potrafiła czynić to ze spokojem, który był niezbędny, by mogła powrócić do tamtych złych emocji. Złych, skrajnych, wyniszczających jej człowieczeństwo.

– Niesamowite było to... – powtórzyła – ... że przez niezależność, której nauczyli mnie moi rodzice, a raczej Tato i Dziadkowie, znosiłam wszystko, przez co przechodziłam w moim małżeństwie. Niestety do tej niezależności dołączyła też miłość, i to ona stała się głównym źródłem moich problemów. Gdybym nie kochała... odeszłabym po pierwszym razie...

Używając takich sformułowań, miała ogromną nadzieję, że nie musi bardziej drążyć tematu, by Maks pojął, co działo się teraz w jej duszy.

– Niestety Robert zdążył mnie w sobie rozkochać. Wtedy tak czułam i tak myślałam. Teraz wiem, że to nie chodziło o zakochanie, tylko o uzależnienie. On mnie od siebie uzależnił. W dodatku bardzo mocno. To właśnie dlatego pierwszy raz nie wystarczył, żebym przestała kochać albo, jak kto woli, skończyła z nałogiem uczucia. Najwidoczniej potrzebowałam więcej razów i upokorzeń. Taka już jestem. Zakochuję się szybko, odkochuję powoli. To wszystko, co wydarzyło się między mną a Robertem, od początku naszej znajomości do makabrycznego jej końca, sprawiło, że musiałam całkowicie zweryfikować swoje poglądy na życie, ale przede wszystkim na miłość. Teraz, kiedy myślę o tym, co mnie spotkało, chociaż wcale nie chcę do tego wracać – wtrąciła, patrząc Maksowi głęboko w oczy – mam nadzieję, że w moim życiu już nigdy nie będę zmuszona palić za sobą mostów. Nie znoszę tego robić, to jest całkowicie wbrew mojej naturze. Jednak ten most, który mógłby mnie wciąż łączyć z Robertem, staram się palić codziennie. I to nie tylko. Palenie w tym przypadku to za mało. Ja ten most muszę każdego dnia spopielać, a jego prochy rozsypywać jak najdalej od siebie. Dalej niż to możliwe. A na to potrzeba ogromnej siły...

Maks patrzył na nią i nic nie mówił. Nawet nie miał chyba najmniejszego zamiaru, by się odezwać. Cieszyło ją to jego milczenie, ponieważ było bardzo na miejscu. Chociaż mówiła o trudnych rzeczach, to czuła się komfortowo. Maks położył swoją rękę na jej opartej o stół. Jakby tego było mało, po chwili podniósł jej dłoń, odwrócił, pocałował delikatnie jej wnętrze, a potem splótł swe palce z jej. Robił to wszystko, nie spuszczając jej z oczu. Była z niego dumna. Rozpierała ją duma, że tak się zachowywał. Wiedziała, że rozumiał wszystko, o czym mu opowiadała. Pojmował jeszcze więcej, a mianowicie to, że czasami wystarczy podać rękę i nie silić się na żadne mądrości. Rozumiał, że są w życiu sytuacje i rozmowy, kiedy dotyk potrzebny jest bardziej niż słowa.

Przestała mówić. Patrzyli na siebie w bardzo przyjemnym milczeniu. Jej twarz oświetlało słońce, które podobnie jak Maks było teraz jej sprzymierzeńcem. Chyba dawało jej siłę do wypowiadania kolejnych słów. Maks też zachowywał się tak, jakby czekał na ciąg dalszy jej opowieści kluczącej między emocjami z przeszłości, o których chciała zapomnieć, a tymi teraźniejszymi, jakie chciałaby zachować w swej pamięci i w swym sercu do końca życia.

Podała Maksowi drugą dłoń i znów zaczęła mówić.

– Nie wiem, co by się stało, gdyby nie pomógł mi Dziadek. Nie musiał mi długo tłumaczyć. Po prostu poprosił mnie, żebym odeszła od Roberta, żebym uratowała swą godność. Chciał mnie chronić i mi pomóc. Uwierzyłam, że to zrobi, ale musiałam współpracować. Miałam do niego pełne zaufanie. To dlatego mi się udało. Współczuję wszystkim, którzy tkwią w życiowych horrorach i nie mogą liczyć na wsparcie. W takich sytuacjach nie liczą się żadne słowa, tylko konkretna pomoc. Ja taką dostałam, i to w odpowiednim momencie...

Znów przerwała. Zerknęła na słońce. Maks zacieśnił uścisk dłoni. Mogła mówić dalej.

– Na pewno wiesz, że można znieść życie wtedy, gdy zaczyna być w nim niewygodnie. Niewygoda to żaden dramat. Po prostu zdarza się i bierzesz ją wtedy na klatę, bo to w sumie żaden ciężar. Upadasz, wstajesz, otrzepujesz się i idziesz do przodu. Byle nie stać w miejscu. Ale kiedy budzisz się i czujesz, że twoje własne życie cię uwiera, że to, co się w nim dzieje, wbija cię w ziemię, wtedy zaczyna się dramat, w dramacie nie da się żyć. I ja tak miałam... W dodatku pozwoliłam, żeby dramat zamienił się w horror. Doszłam do takiego punktu, że ani kroku dalej... Sama do tego doprowadziłam. To znaczy, pozwoliłam na to. Wpakował mnie w to Robert, facet, który był ucieleśnieniem moich marzeń, kiedy go poznałam.

Wpatrywała się w Maksa prawie bez przerwy. Mówiąc, starała się nie uciekać wzrokiem, choć momentami nie było to łatwe, ponieważ Maks też nie odwracał spojrzenia. Wciąż miała nadzieję, że ją rozumiał. Chyba nadszedł taki moment, że chciała, by się odezwał.

– Powiedz, że mnie rozumiesz – poprosiła i uśmiechnęła się gorzko.

– Rozumiem.

Patrzyła mu w oczy i błogosławiła go w myślach właśnie za spokój, który jej się udzielał.

– Wiem, że odeszłaś od niego, bo cię bił...

Doczekała się. Nie musiała o tym mówić.

– A skoro cię bił – kontynuował Maks – to znaczy, że się go bałaś. Rozumiem cię... Strach to okropne uczucie. Jest mordercą bezpieczeństwa. Tego nauczyłem się w szkole policyjnej i staram się o tym zawsze pamiętać. W każdym momencie. Za strach w pracy mogę zapłacić życiem. Z tobą na pewno było tak samo. Myślę, że w życiu jest wiele ważnych rzeczy, ale bezpieczeństwo to podstawa. Nawet nie przypuszczasz, jak się cieszę, że odnalazłaś w sobie siłę, by od niego odejść, że miałaś przy sobie Dziadka, który potrafił ci pomóc. Żałuję, że nie było mnie wtedy przy tobie. Wiem, wiem... to niedorzeczność...

Patrzyła na Maksa i czuła, co się z nią w tej chwili działo. Znowu się zakochiwała. Znów na amen.

– Ale teraz jesteś – stwierdziła i w końcu się uśmiechnęła.

– W dodatku zawdzięczam ci życie. – Maks wciąż był poważny.

– Nic nie jesteś mi winien.

Dopiero gdy to powiedziała, zdała sobie sprawę, jak bardzo cieszy ją fakt, że siedzący naprzeciwko mężczyzna chce jej coś dać.

– Jestem, jestem – powiedział stanowczo Maks.

– W porządku. Nie mam zamiaru się z tobą spierać. Szkoda mi energii i emocji.

– Fajna jesteś.

Maks kolejny raz przytulił swoje usta do jej dłoni. Tym razem do ich zewnętrznej części. Wcale nie pocałował, po prostu przytulił wargi i chyba nie zamierzał szybko przestać.

Patrzyli na siebie. Słońce wciąż na nią świeciło. Pieściło swym ciepłym blaskiem jej policzki. Czuła się dobrze. Bezpiecznie. Marzyła, żeby tak było zawsze. Marzenia zawsze były jej mocną stroną. To dzięki nim udało jej się dotrwać do chwili takiej jak ta. To dzięki nim potrafiła wciąż wierzyć, że miłość w jej życiu jest ciągle możliwa. I niewykluczone, że skończy się inaczej niż za pierwszym razem. To znaczy, że nigdy się nie skończy.

– Imponujesz mi – odezwał się w końcu Maks.

– Czym?

– Tym, że spotkało cię tyle zła, a udało ci się pozostać dobrą i wrażliwą osobą. W mojej pracy rzadko obserwuję coś takiego. Czasami mam takie dni, kiedy myślę, że to zło jest silniejsze od dobra, chociaż wiem, że tak naprawdę jest na odwrót. Przynajmniej tak powinno być...

– Coś w tym jest... – zgodziła się cicho.

Zamilkła na moment, żeby zebrać myśli przed kolejnym zwierzeniem.

– Kiedy pierwszy raz zbił mnie tak, że nie potrafiłam ukryć śladów po jego uderzeniach, zrozumiałam, że muszę coś zrobić. Byłam przerażona i nie rozumiałam, a raczej nie wiedziałam, że motywacji do zmiany własnego życia muszę poszukać w sobie. Wtedy jeszcze nie wiedziałam, że nikt tego za mnie nie zrobi. Ta wola pojawiła się we mnie dopiero, gdy zobaczyłam ślady krwi na śniegu. Mojej krwi – wytłumaczyła szybko. – To mnie przeraziło, i to nie dlatego, że bardzo wtedy ucierpiałam. A wszystko z tego powodu, że chciałam w krótkiej spódnicy wyjść z domu na zwykłe spotkanie z koleżanką. Zobaczyłam krew na śniegu i poczułam się bardzo bezbronna. Zrozumiałam, że nie mogę dopuścić do tego, żeby Robert mnie zmienił. Bałam się, że sprawi, iż będzie we mnie pęczniało zło. Najbardziej obawiałam się nie tego, że mnie kiedyś zabije przez chorą zazdrość i patologiczną skłonność do kontrolowania mnie. Śmiertelnie wystraszyłam się czegoś całkiem innego. Przeraził mnie fakt, że tego nie zniosę, nie wytrzymam, i przez niego stanę się taka jak on. Bez serca. Nie chciałam taka być, nie chciałam zostać złym człowiekiem. Nie mogłam tego zrobić nie tylko sobie, ale też moim bliskim, chociaż ich prawie wszystkich już przy mnie nie było. To nie miało znaczenia. Nie chciałam tego zrobić Tacie i Dziadkowi, bo oni zawsze otaczali mnie dobrem. Ja po prostu pragnęłam zostać dobrym człowiekiem. Spanikowałam, że Robert zarazi mnie złem, a jak to się stanie, to będzie już po mnie... Choćbym jeszcze nieraz miała do czynienia ze swą krwią na śniegu albo na pościeli...

Przestała mówić, ponieważ widok krwi na poduszce zamknął jej usta. Właśnie to wspomnienie rzucało ogromny cień na jej duszę. Nie chciała żyć w cieniu własnych myśli. Nie chciała żyć z chłodną ani letnią, ledwo ciepłą duszą. Pragnęła pozwolić jej się zagrzać. Teraz to się działo. Jej duch się ogrzewał, i to wcale nie w słońcu, tylko w spojrzeniu Maksa. W jego wzroku pełnym zrozumienia.

– Idziemy? – zaproponowała.

Z wielką ulgą wróciła do tu i teraz..

– Posiedźmy jeszcze trochę – poprosił Maks. – Tu jest tak dobrze.

Wolała już nic nie mówić, dlatego rację przyznała mu tylko uśmiechem. Ucieszyła się, ponieważ zrozumieli się bez słów.

Czuł radość i żal. Taki uczuciowy miks zdarzał mu się niezwykle rzadko. Żałował, że wspólny dzień dobiegał końca. Natomiast cieszył go fakt, że bilans dzisiejszych wydarzeń, przynajmniej z jego punktu widzenia, był mocno dodatni. Na plusie, bez dwóch zdań. Nie chodziło mu nawet o pocałunki, które zawróciły mu w głowie, sercu i ciele. Na całego. W istocie najbardziej cieszył się tym, że Sara potraktowała go dziś jak najlepszego przyjaciela. Opowiedziała mu o sprawach, które były dla niej trudne, intymne i bolesne. Miał pewność, że nie poruszała ich z byle kim.

Jednak wszystko, co dobre, musi mieć swój koniec... Chociaż wracał z Kazimierza wolnym tempem, mocno opóźniając moment, który właśnie nastał. Musiał stawić mu czoło. Tak bardzo nie chciał się z nią rozstawać. Gdyby to zależało tylko od niego, zabrałby ją teraz do siebie. Miał wiele powodów, by tak zrobić. Podobała mu się. Szalenie. Lubił słuchać tego, co mówiła, i przyglądać się jej ustom. Podniecała go jej mowa ciała, a zwłaszcza gestykulacja. To, w jaki sposób poruszała rękoma podczas rozmów. Jak odgarniała włosy ze skroni. Jak zapinała suwak kurtki. To, że mimo trapiących ją przeżyć miała w sobie jakimś cudem wewnętrznie zakorzeniony spokój. Czy pozorny? Tego nie mógł być pewien. Jednak najbardziej podobał mu się sposób, w jaki na niego patrzyła. Trochę poważnie, a trochę wesoło. W jej bardzo ciemnych oczach odbijał się wyraźnie cały otaczający ją świat. On też. Lubił dostrzegać siebie w jej spojrzeniu. Chciał przeglądać się w jej oczach bez końca. Jednak koniec właśnie nadszedł.

Silnik samochodu zamilkł już kilka minut temu. Siedzieli, nie odzywając się, i patrzyli przed siebie. Kątem oka widział światła w domu Sary. Pewnie też je zauważyła.

– Powinnam już pójść. – To Sara przerwała ich całkiem przyjemne milczenie.

Miała smutny głos.

– Szkoda – grał na zwłokę.

Bardzo nie chciał, żeby poszła. Nie miał ochoty tracić jej z oczu.

– Ja też żałuję – przyznała z nostalgicznym uśmiechem. – Mogłabym teraz pojechać znowu do Kazimierza i przeżyć ten dzień na nowo, od samego początku. Już nie pamiętam, kiedy ostatnio wieczorem nawiedziła mnie myśl, że chciałabym, by znów było rano.

– To wracamy? – zaproponował z rozbawieniem w głosie.

– Chyba do rzeczywistości.

– Kiedy się teraz spotkamy?

Zastanawiał się, co zrobić, żeby choć trochę opóźnić jej wyjście z samochodu, gdyż pas bezpieczeństwa, który właśnie odpięła, uzmysłowił mu, że to już naprawdę koniec. Przynajmniej na dziś.

– Zdzwońmy się po prostu w tygodniu. Nie planujmy teraz niczego i niczego sobie nie obiecujmy. Tak jest lepiej. Niech będzie spontanicznie, bez jakiegoś idiotycznego spinania się. Jak będziesz miał wolną chwilę, to zadzwoń i się spotkamy. Pospacerujemy, porozmawiamy i już...

Wpatrywał się w głęboką ciemność oczu Sary i już wiedział, że opcja „pospacerujemy, porozmawiamy" mu nie wystarczy. Jednak póki co nie miał innego wyjścia i musiał zaakceptować propozycję bez szemrania. Nie mógł kręcić nosem, żeby nie przestraszyć uśmiechającej się do niego kobiety. Nie chciał na niej niczego wymuszać. Nie zamierzał oczekiwać za dużo.

Nie mogła czuć się przez niego zdominowana. To Sarze musiał zostawić pierwszeństwo w projektowaniu ich spotkań. Miał pewność, że wiedziała, czego nie chce.

– A mogę zadzwonić już jutro?

– Jutro spotykam się z Wojtkiem. Już mu obiecałam.

– Znowu ten Wojtek.

Bardzo nie lubił, gdy ktoś mu wchodził w paradę.

– Myślałam, że ten temat mamy już omówiony i wyjaśniony – ucięła.

– Gdyby był wyjaśniony, to bym do niego nie wracał.

– Policjanci zawsze tak mają? – głos Sary brzmiał coraz poważniej.

– Często. Czasami wydaje mi się, że sprawa jest zakończona, a później dokleja się do niej jakiś mały, wydawałoby się nieistotny szczegół, i to on może zmienić wszystkie dotychczasowe zapatrywania na śledztwo – starał się udzielić wyczerpującej odpowiedzi.

– W mojej znajomości też jest taki mały szczegół dotyczący Wojtka, który sprawi, że przestaniesz tak żywo interesować się naszymi spotkaniami.

– To powiedz mi o tym i miejmy to już z głowy.

– Wojtek nie jest z naszego autobusu.

– Słucham?

– To określenie Wojtka, który twierdzi, że jedzie przez życie autobusem, jakim podróżują tylko mężczyźni odporni na kobiece wdzięki.

Bardzo spodobało mu się to, w jak obrazowy sposób Sara wytłumaczyła mu preferencje seksualne swego przyjaciela.

– Czyli mogę nie być o niego zazdrosny?

– Jeśli chcesz, żebym cię polubiła, nie możesz być wcale zazdrosny!

W mig zrozumiał, skąd się wzięło akurat takie przesłanie jej słów.

– A ja naiwniak myślałem, że już mnie polubiłaś.

– Nie jesteś naiwny. Gdybym cię nie lubiła – patrzyła mu odważnie w oczy – nie pojechałabym z tobą do Kazimierza, a o tym, co się tam działo, w ogóle nie byłoby mowy. Chyba że masz mnie za dziewczynę, która całuje się z kimś na zawołanie.

Patrzył na Sarę, słuchał jej w skupieniu i dopiero w chwili gdy to powiedziała, poczuł, że dawno nie spotkał się z taką szczerością w damskim wykonaniu. Wpatrzona w niego kobieta zaimponowała mu otwartym podejściem nie tyle do pocałunków, które im się dziś przydarzyły, ile do niego samego. To wystarczyło, by poczuł się najbardziej wyróżnionym facetem na ziemi. Jeszcze nigdy mu się to nie zdarzyło. To było nowe odczucie. Nie znał go dotychczas. Niezmiernie mu się podobało. Prawie tak bardzo jak Sara i wszystkie uczucia, które już do niej żywił, a było ich trochę.

– Poczułem się wyróżniony.

– To dobrze... Jak się pewnie domyślasz, po tym, co zrobił ze mną i z moim życiem facet, który pojawił się jako pierwszy, do niedawna miałam silne postanowienie, że wolę być samotna niż nieszczęśliwa.

– Domyślam się – przytaknął z powagą i goryczą w głosie, chociaż ewidentnie miał wyraźny powód do radości. – Ale wierzę, że znajomość ze mną pozwoli ci zmienić zdanie na temat facetów. – Uśmiechnął się szczerze i wyczekująco.

Sara póki co nie odwzajemniła jego uśmiechu, za to obdarzała go poważnym spojrzeniem.

– Ja też w to wierzę… chyba…

Gdy wypowiadała słowo „chyba", już na niego nie patrzyła. Zerkała w oświetlone okna swojego domu.

– Nie skrzywdzę cię.

Chciał, by jego deklaracja zabrzmiała obiecująco, ale nie był pewien, czy tak się stało.

– Żadnych obietnic. Proszę cię…

Tym razem wzrok Sary stał się przenikliwy i oczekujący zrozumienia.

– Najgorsze jest to – znów mówiła – że mnie teraz bardzo łatwo skrzywdzić. Mam też wewnętrzne przeczucie, że zbliżając się do ciebie… trochę na własne życzenie znów wystawiam się na to, żeby zebrać baty od życia.

– Rozumiem… Rozumiem doskonale, że trudno o optymizm, kiedy stoi się pod pręgierzem.

Nie do końca wiedział, czy dobrze mówi. Jednak miał świadomość, że musi ryzykować. Był gotów podjąć nawet największe ryzyko, by przekonać Sarę do siebie. Musiał jej powiedzieć, czego chciał. Wiedział, że bez szczerości z jego strony to, co tak doskonale zapowiadało się w Kazimierzu, w warszawskiej codzienności mogło się nie udać. Powinien zatem mówić.

– Ale ty przecież spod tego pręgierza uciekłaś. Teraz jesteś w całkiem innym miejscu. Dlatego proszę cię, żebyś dała sobie szansę, ale jeszcze bardziej proszę cię o to, żebyś mi dała szansę.

– Przecież się staram.

– Przecież wiem.

Znów pojawiło się między nimi napięcie. Było bardzo ekscytujące. Postanowił je wykorzystać. Może zbyt perfidnie, ale w dobrej wierze. Sara otwierała drzwi, a on układał w głowie zaczepkę.

– To idę. Dziękuję za super dzień. – Nie reagowała na jego błagalne spojrzenie.

– Zamierzasz tak po prostu wyjść? – zapytał.

Był załamany, że to już koniec. Na dziś koniec. Nie chciał stracić jej z oczu. Nie poznawał się. Zamiast cieszyć się z tego, co się dziś wydarzyło, martwił się tym, co nie mogło zdarzyć się teraz, a czego pragnął całym sobą.

– Tylko mi nie mów, że powinnam cię prosić o pozwolenie – fuknęła Sara.

Zupełnie nie mógł odnaleźć się w konwencji chwili. Nie wiedział, czy zachowanie Sary miało charakter poważny, czy żartobliwy. Na wszelki wypadek spoważniał. Jednak dalej nie mógł odgadnąć, czy powinien się odezwać, czy po prostu milczeć.

– Zamierzasz mnie tak wypuścić bez słowa?

Już sam nie wiedział, co robić... Odzywać się? Nie odzywać?

– Tak szczerze, to trochę się pogubiłem – postawił na szczerość.

– W czym? – zapytała Sara, będąc już jedną nogą na zewnątrz auta.

– We wszystkim...

Znów szczerość wzięła górę, inaczej się chyba nie dało. Musiał dokończyć myśl, zwłaszcza że Sara spoglądała na niego pytająco.

– Nie wiem, kiedy żartujesz, a kiedy tego nie robisz. Nie jestem pewien, czy to, co do ciebie mówię, rozbawia cię, czy wprost przeciwnie. Totalnie namieszałaś mi w głowie.

– To się nawet dobrze składa, bo ty nie pozostałeś mi dłużny.

– To się nawet dobrze składa – podsumował.

Nie zamierzał ukrywać radości i tego, że patrząc na Sarę i jej uśmiech, znów wierzył, iż jednak rozumie doskonale jej słowa, a nawet wszystkie liczne niedopowiedzenia.

– To co? Pozwolisz mi tak po prostu wyjść? – Tym razem głos Sary zabrzmiał kokieteryjnie.

Był ugotowany. Jedno ciepłe, nawet nie gorące spojrzenie wystarczyło, by zawrzała w nim krew. Nie zastanawiał się nad tym, co robi. Po prostu wysiadł z samochodu i po chwili już był przy niej. Nie pozwolił jej tak po prostu zniknąć. Podał jej rękę. Skorzystała z niej. Wysiadła. Zamknął za nią drzwi. Odważnie spojrzał w czarne oczy. Sara, jakby czytając mu w myślach, oparła się o auto. Zbliżył się do niej. Patrzyli na siebie bardzo poważnie. W milczeniu chłonęli swe spojrzenia. Było mu bardzo dobrze, idealnie, ale musiał się odezwać.

– Mam nadzieję, że od teraz ani u ciebie, ani u mnie nic nie będzie się działo tak po prostu. – Zbliżał swe usta do warg Sary. – Myślę, że wszystko będzie wyjątkowe i inne od tego, co już było.

– Zawsze tyle mówisz? – zapytała Sara.

Z radością dostrzegał to, jak mu się przyglądała. Jak spoglądała w kierunku jego ust. Robiła to tak prowokująco, że postanowił udowodnić, że wszystko, o czym powiedział przed chwilą, będzie miało zastosowanie w ich życiu już od teraz. Od tej chwili. Wszystkie znaki na ziemi i niebie wskazywały na to, że teraz powinien ją pocałować, w dodatku tak, żeby już więcej nie przyszło jej na myśl go prowokować. Postanowił ją zmylić, chociaż wizja intymnego pocałunku nie miała sobie równych. Tym razem to jej chciał oddać pierwszeństwo. Zbliżył zatem swe usta do jej, już gotowych do pocałunku. Wstrzymał oddech i zamarł w bezruchu.

– Pocałuj mnie – poprosił, ryzykując, że Sara ucieknie, wyśmieje go, zrobi wszystko, tylko nie to.

– Ależ proszę... – wyszeptała bardzo powoli i namiętniej, niż się tego spodziewał.

Po czym... cmoknęła go w usta. Tak szybko, że nie zdążył poczuć nawet ciepła jej warg. Odwróciła się na pięcie i ruszyła przed siebie. Oczywiście najszybciej, jak potrafiła.

Stał oniemiały, myśląc, że to nie tak miało być. To on miał zaskoczyć Sarę, a nie Sara jego. Plan był inny. Obserwował, jak się oddalała. Nie widział jej twarzy, a był pewien, że się uśmiechała, zadowolona z siebie.

– Do zobaczenia! – krzyknął, gdy stała tuż przed domem.

– Pa! – odkrzyknęła, ale nie raczyła się ani odwrócić, ani spojrzeć w jego kierunku.

Zniknęła za drzwiami. Nawet nie było mu przykro. Ucieszył się, że okazała się kobietą nieprzewidywalną. Nuda przy niej była stanem raczej nieosiągalnym. Ta kobieta umiała go oczarowywać i intrygować. Chciał ją lepiej poznać. Pragnął ją poznać najlepiej, jak to możliwe. Miał ochotę ją rozwiązywać jak kryminalną zagadkę. Chciał jej udowadniać, że jest po prostu normalnym i porządnym facetem. Po tym jak go potraktowała przed chwilą, niczego nie mógł być pewien..., poza tym, że Sara była teraz – i miał nadzieję, że już zawsze pozostanie – najważniejsza. Była priorytetem, przy którym wszystko inne stawało się nieistotne. Jej spojrzenia wywracały jego świat do góry nogami. Już inaczej patrzył na wszystko. Miał całkiem inną perspektywę. A to wszystko ku jego wielkiej radości.

– Dobry wieczór.

Delikatnie pocałowała poorane zmarszczkami czoło Dziadka, zupełnie nie zauważywszy, że nie oglądał telewizji, tylko uciął sobie drzemkę przy cicho szemrzącym telewizorze. Pewnie mocno wiązało się to z oczekiwaniem na jej powrót.

– O! Jesteś już… – przebiegł go dość nieprzyjemny dreszcz związany z nagłą pobudką.

– Przepraszam, że cię zbudziłam. – Powtórzyła pocałunek.

– Nie spałem, drzemałem tylko… Która godzina?

– Za chwilę dwudziesta druga. – Z przyjemnością zapadła się w drugim fotelu.

Tym, który należał do Babci. Dziadek spojrzał na nią. Przekrzywił głowę, bardzo charakterystycznie. Tak samo jak wtedy, gdy w fotelu zasiadała jego żona.

– Jak minął dzień? – zapytał.

Zamiast odpowiedzieć, uśmiechnęła się. Miała wrażenie, że był to uśmiech wiele mówiący. Nic nie mówiła, ponieważ nie wiedziała, czy lepiej posłużyć się szczegółem, czy ogółem. Zresztą i tak każde rozwiązanie wydawało jej się nie do końca odpowiednie, albowiem nie było w stanie oddać atmosfery dnia, który właśnie dobiegał końca.

– W sumie każdy ma prawo do swoich tajemnic.

Sympatia w głosie Dziadka przekonała ją do tego, żeby jednak spróbować uchylić rąbka tajemnicy.

– Niesamowicie było… – szepnęła z rozmarzeniem. – Niesamowicie… – powtórzyła.

– Tak. Kazimierz to doskonałe tło dla niesamowitych przeżyć.

W jego głosie usłyszała nostalgiczną nutę.

– Czyżbyś też się kiedyś o tym przekonał?

Wlepiła w niego ucieszone i wyczekujące spojrzenie. Nie musiała czekać, by odwdzięczył się jeszcze radośniejszym.

– Cieszę się, że mnie rozumiesz – stwierdziła z łagodnością w głosie. – Coś mi się wydaje, że ja wróciłam z Kazimierza, a ty się właśnie do niego wybierasz.

– Nawet nie domyślasz się, Sarenko, jak często...

Usłyszała tak melancholijny głos, że pomyślała, iż dopytywanie teraz o cokolwiek byłoby ogromnym *faux pas*. Siedzieli zatem obok siebie, otoczeni, a raczej otuleni przyjazną ciszą. Wpatrywali się w migający kolorami telewizor, a dźwięki sączące się z niego nie miały szans na to, by im przeszkodzić. Oboje patrzyli przed siebie, a wracali myślami do tego, co już się wydarzyło...

– W Kazimierzu poznałem twoją Babcię.

– Naprawdę? – szczerze zdziwiła się, gdyż wcześniej nigdy o tym nie słyszała.

– Tak... tak...

– Opowiedz mi o tym... proszę... – szepnęła.

I już cofnął się czas... Była małą dziewczynką, a Dziadek bajarzem, który nie miał równych sobie. Chciała poznać rodzinną miłosną historię. Miała też ochotę sprawić mu przyjemność. Pragnęła, by przeniósł się do tamtych czasów, by opowiadając, przeżył wszystko jeszcze raz. By poczuł znów bliskość kobiety swojego życia i emocji, które wniosła w jego życie. W życie ich wszystkich. Była perłą w ich rodzinie, prawdziwym klejnotem. To nie ulegało wątpliwości. Pojawiała się i wszystko wokół nabierało nowej, większej wartości.

– To był bardzo gorący dzień. Babcia sprzedawała lody w małej kawiarence w rynku. To była jej pierwsza wakacyjna praca. Właśnie stała się pełnoletnia. Specjalnie poszukała sobie pracy poza Warszawą, żeby posmakować dorosłości. Chciała trochę odseparować się od rodziców. Młodość przecież ma swoje prawa. To znaczy, kochała ich bardzo, a oni świata poza nią nie widzieli, pewnie dlatego, że mieli tylko ją jedną. To byli bardzo dobrzy i zamożni ludzie. Przykładali ogromną wagę do wychowania i wykształcenia córki. A skoro pojawiła się w ich życiu dość późno, to traktowali ją jak skarb i pilnowali jak skarbu. Kiedy Babcia już wiedziała, że to ze mną chce iść przez życie, od razu powiedziała mi, że dzieci musimy mieć szybko, bo nie ma nic gorszego niż duża różnica wieku między rodzicami a dziećmi. Zresztą może nawet pamiętasz, Sarenko, jak zawsze powtarzała, że dzieci powinni mieć ludzie młodzi, bo im mniejsza różnica pokoleń, tym szansa na porozumienie większa...

Skinęła głową, bo rzeczywiście pamiętała te babcine mądrości, zresztą jak wiele innych. Wolała się nie odzywać, by nie przerywać kazimierskiej ballady.

– No, chyba że rodzi się dziecko nad wyraz niezależne. – Dziadek zdecydował się jednak na dygresję dotyczącą własnej córki.

Ale i tak postanowiła to przemilczeć. Patrzyła na niego i czekała, by znów wrócił myślami do wspominanego upalnego lata w Kazimierzu. Nie miała zamiaru go popędzać, bowiem nie musieli się spieszyć. Mimo że świat w jej przypadku zrobił już chyba wszystko, co możliwe, by zabić w niej romantyczną duszę, ona i tak uwielbiała przepojone liryzmem historie i mogła ich słuchać w nieskończoność. Utwierdzała się w przekonaniu, że to, co za nią, już się nie liczy, a to, co przed nią, liczy się po stokroć.

– Ale to całkiem inna opowieść… Babcia miała koleżankę Adę. Były nierozłączne. Ada mieszkała gdzieś na Nowolipiu. Jej rodzice handlowali, czym się tylko dało, na bazarze Różyckiego. Ada była jak żywcem wyjęta z piosenki albo, jak kto woli, z filmu *Ada! To nie wypada!* Robiła wszystko, co nie wypadało, a Babci było w to graj, bo dzięki przyjaciółce mogła poznawać i smakować prawdziwe przygody. Czyli takie niewyreżyserowane przez rodziców. To właśnie dzięki przedsiębiorczości Ady wyrwała się i zdobyła wakacyjną pracę w Kazimierzu, gdzie mieszkała babcia Ady.

– Czyli poznałeś ją dzięki Adzie – podsumowała z uśmiechem.

– Można tak powiedzieć… – westchnął Dziadek.

Było już późno. Widziała, że jej dobremu duchowi zaczynają kleić się oczy, ale czuła też, że bardzo chce opowiadać o Babci.

– A ty, Dziadku? Co robiłeś tamtego dnia w Kazimierzu?

– A mnie wyciągnął w tamte strony przyjaciel, który miał tam jakiś interes do załatwienia. Pamiętam nawet, jak mi się wtedy nie chciało jechać, ale jakimś cudem udało mu się mnie przekonać i do końca życia byłem jego dłużnikiem. Miał na imię Gustaw, a mówiliśmy na niego Gutek. Umarł pięć lat temu. Całe życie był kawalarzem. Umiał się wygłupiać jak nikt inny. Gdyby urodził się w innych czasach, na pewno zbiłby fortunę na swoim talencie, no, kabareciarz i tyle! Normalnie gdyby założył kabaret… – Dziadek zamyślił się na chwilę.

– A ty byś się do niego nie nadawał?

Cieszyła się tą pogawędką. Każda rozmowa z Dziadkiem czegoś uczyła, zwłaszcza te dłuższe nigdy nie należały do zwyczajnych. Zawsze dowiadywała się z nich czegoś o ludziach albo o świecie.

– Nie ma mowy! – zaprzeczył i roześmiał się serdecznie. – Za to Babcia nadawałaby się doskonale. Nawet mam gdzieś zdjęcie z tamtego dnia, kiedy ją poznałem… kiedyś ci pokażę… Jesteśmy na nim we czwórkę: ona, Ada, Gutek i ja. Koniecznie muszę poszukać. Na pewno jest w kartonie na szafie… w sypialni… Pamiętam, chodził wtedy po Kazimierzu fotograf. Miał bryczkę, którą ciągnął nieduży koń, taki śliczny, dereszowaty. Mogła zmieścić tylko dwie osoby. Czyli Sarę i Adę. Usiadły więc, ja stanąłem obok, a Gutek na chwilę odbił gdzieś w bok, ponieważ chciał nam wszystkim kupić zimne piwo, bo plan był taki, że pójdziemy razem nad Wisłę, żeby się napić. Fotograf ustawiał aparat, a Babcia krzyczała tak głośno, że słyszeli ją chyba wszyscy na rynku: „Gustaw! Wracaj! Do zdjęcia się ustaw! Gustaw! Do zdjęcia się ustaw!”. Tamtego dnia trochę się bałem, że wybierze Gutka, ale na szczęście okazało się, że wygłupiać lubi się z Gutkiem, a tak naprawdę preferuje poważniejszych mężczyzn.

– Chyba mam to po niej – wywnioskowała głośno. – Ale opowiadaj, Dziadku, opowiadaj... Gdzie ją zobaczyłeś? Poszedłeś na lody i ... – zachęcała.

– No tak... Zacząłem od lodów, a skończyłem na Gutku. Cały ja!

– To nic, Dziadku, to nic, opowiadaj dalej... – Wpatrywała się w niego w spokojnym wyczekiwaniu.

– Zatem... poszedłem na lody. Zobaczyłem ją i od razu doszedłem do wniosku, że mógłbym jeść lody do końca życia. Była śliczna. Jesteś do niej bardzo podobna. Miała na sobie czarną sukienkę. Dość krótką. Bardzo ciemne włosy, spięte z tyłu głowy. Czarne oczy, ty, Sarenko, masz identyczne. Na głowę założyła taką bardzo twarzową opaskę z białej sztywnej koronki i miała malutki fartuszek obszyty koronkowym rąbkiem. Obok stała Ada. Całkowite przeciwieństwo Babci. Była wysoka, taka dobrze zbudowana. Na głowie miała burzę jasnobrązowych mocno pokręconych włosów, których do końca nie udało jej się spiąć tak, jak było trzeba. Najwięcej uroku dodawały jej jednak duże, okrągłe okulary. No, po prostu wypisz, wymaluj dziewczyna z Nowolipek. I wyobraź sobie, Sarenko, że to Ada jako pierwsza zauważyła, że tamtego dnia zjadłem bardzo dużo lodów i że było mi bardzo przykro, gdy moja kolej przypadała wtedy, kiedy to Ada mi je nakładała do wafelka. „A to znowu pan! – skwitowała w końcu. – Coś panu powiem. Kończymy zmianę o czternastej i wtedy może nas pan zaprosić gdzieś na obiad. Nas, to znaczy Sarę i mnie, bo wie pan, beze mnie to się panu nie uda!" Do dziś pamiętam, że kiedy to mówiła, to puściła do mnie takie sympatyczne oczko.

– A Babcia? Co wtedy powiedziała? – zapytała mocno zaciekawiona przebiegiem miłosnych manewrów.

– Nic. Po prostu nic, zaczerwieniła się tylko, a Ada na to: „No sam pan widzi!". A ja wtedy nic nie widziałem poza tymi czarnymi oczami i tymi rumieńcami. I wiedziałem, że te rumieńce to bardzo dobry znak.

– Ale super! – szepnęła podekscytowana, odgrzebując w pamięci obraz Babci z fotografii przedstawiających ją jako jeszcze bardzo młodą dziewczynę.

Dziadek miał rację, zresztą jak zwykle. Rzeczywiście były do siebie podobne. Wtedy, gdy żyła jeszcze Babcia, nie dostrzegała tych podobieństw tak wyraźnie jak teraz, obecnie było inaczej. Gdyby dziś stało się to możliwe i to ona mogłaby pracować w kazimierskiej lodziarni, to kiedy przyszedłby do niej Maks, wszystko na pewno ułożyłoby się inaczej, chociaż była chyba kropka w kropkę swoją Babcią sprzed lat. Babcia wtedy była dla Dziadka pierwszą kobietą, a on dla niej pierwszym mężczyzną. Co do tego miała akurat stuprocentową pewność. Z nią i Maksem było inaczej. Nie miała złudzeń. Ale nie interesowało jej dziś, zwłaszcza po pocałunkach, które przeżyła w Kazimierzu, z kim Maks związany był do tej pory. Po tym jak na nią patrzył i jak ją całował, naprawdę mogła mieć to w nosie. Natomiast wszystkiego, co przeżyła, a co wiązało się z Robertem, niestety nie mogła mieć w nosie.

To wszystko sprawiało, że czuła chwilami trudne do opisania słowami niebezpieczne rozdarcie. Wiedziała, ile mężczyzna jest w stanie dać kobiecie ciepła i rozkoszy. Znała to, ponieważ przeżyła z Robertem wiele takich chwil, do których czasami, wbrew niej samej, przenosiła ją pamięć. I w jej duszy zawsze czaił się również ból. Jednak to wcale nie on był najstraszniejszy. Najstraszniejsza była przemoc, przez którą w jej doświadczeniu coś rozkosznego zamieniło się w gwałt. Robert zgwałcił ją raz. O raz za dużo. Nikt inny o tym nie wiedział. Tylko ona i Robert. Wystarczyło jej sił, by to przeżyć, ale nie starczyło ich na to, aby komukolwiek o tym opowiedzieć. Teraz nie chciała o tym pamiętać. Pragnęła, żeby to Maks był pierwszym w jej życiu. By to on na nowo wprowadził ją w świat miłości. W sferę, gdzie od wieków istniało porozumienie bez słów między kobietą a mężczyzną. Chciała tego z całego serca i nic nie mogła poradzić na to, że było inaczej. Maks nie był pierwszym... Niestety...

– A jak minął twój dzień w Kazimierzu, moja duszko...? – zapytał znów Dziadek, powróciwszy do rzeczywistości.

– Jak to w Kazimierzu... – odparła z uśmiechem, przeganiając jak najdalej przykre myśli.

Wiedziała, że Dziadek nie zapyta o nic więcej, a że był jedynym, z kim mogła na bieżąco dzielić się swymi przeżyciami, pomyślała, iż powinna opowiedzieć mu też o nadziei, którą miała, bo to właśnie ona była najtrwalszym fundamentem miłosnej przyszłości.

– Bardzo chciałabym, żeby coś z tego wyszło… – szepnęła z nadzieją.

– To zależy też od ciebie, moja Sarenko.

Dziadek zawsze w nią wierzył. Nawet wtedy, gdy jej brakowało wiary w samą siebie. Teraz, przypominając sobie słowa Maksa dotyczące tego, że jest jej winny życie, ucieszyła się z nich. Pojęła to zdanie na nowo. Pomyślała, że może to dobrze, iż Maks stał się jej dłużnikiem. Popatrzyła na to, co się między nimi wydarzało, z innej perspektywy. Pragnęła, by Maks w zamian za uratowane życie dał jej miłość. I to taką nie tylko na chwilę, ale identyczną, jak widziała teraz w oczach Dziadka. Taką, która nie ustaje.

– Wiem – zgodziła się po chwili.

– To dobrze… – Znów oparł głowę o fotel i zamknął oczy.

Pewnie zrobił to, by wrócić do swej nieskończonej miłości. Wzięła z niego przykład, by spotkać swoje rozpoczęte uczucie. Zobaczyła przed sobą Maksa. Szedł w jej kierunku przez kazimierski rynek. Uśmiechał się… Za chwilę patrzyła na Wisłę… Potem Maks ochładzał jej poparzone usta gorącym lodem…

Dziękuję Ci, Panie. Dziękuję za to, że wysłuchałeś moich próśb. Doczekałam się. Aż nie mogę w to uwierzyć. Właśnie wyszedł ode mnie mój Maks. Nie ten mężczyzna. Całkiem odmieniony. Inne ruchy, inne oczy, inny głos, inny uśmiech. Wszystko inne. „Cześć, mamuś" – tak się ze mną przywitał. Nutkę też dłużej niż zazwyczaj drapał za uchem. A z takim uśmiechem do domu wszedł, że aż jak się na niego popatrzyłam, to tak jakbym to ja się znowu młoda zrobiła. Przepłynęła z niego młodość do mnie i to zupełnie nie wiadomo kiedy. Koszyk, w którym mu drugie śniadanie do Kazimierza przygotowałam, postawił między butami w korytarzyku, a zwykle do pawlacza wkłada, bo tam jest jego miejsce. Czyli zakochany. Myśli mu głowę zaprzątają. A najpiękniejsze jest to, że wcale nie muszę, jak to zwykle ja, głowić się, co to za myśli, ponieważ mój syn w końcu przemówił. Cud. Odezwał się, w dodatku niepytany wcale. Jeszcze większy cud. Choć nie powiem, przygotowałam pytanie na jego powrót. Ogólne, bo takie Maks najlepiej toleruje. Miałam go zapytać:

„I jak tam, synku, minął dzień w Kazimierzu? Sprawy pozałatwiałeś?". Mogłam jednak sobie darować. Żadnych zapytań nie przygotowywać. Nie domyślać się nie wiadomo czego, chociaż jestem w tym najlepsza. Ale tym się akurat nie zamierzam przejmować, bo o tym nikt oprócz mnie nie wie.

Maks usiadł jak zwykle przy stole w kuchni. Kurtkę na oparciu krzesła powiesił, jak to on, czyli byle jak, jak to chłop. Popatrzył na mnie tymi swoimi uśmiechniętymi jeziorami i całkiem głośno powiedział: „zakochałem się". A ja nawet nie miałam podstaw do tego, żeby myśleć, iż się przesłyszałam. Maks ma piękny głos, a dykcję tak doskonałą, że mógłby aktorem zostać. Również uroda na drodze do tego celu podałaby mu pomocną dłoń. Mężczyzna z niego wyrósł jak malowanie. A to w dodatku nie moje słowa, tylko Kwietniowej. Serce mi się radowało, jak na to moje „malowanie" dziś spoglądałam. Chociaż zupę powinnam mu odgrzać, to usiadłam naprzeciwko niego i wgapiałam się w niego tak, że bardziej nie można. Język za zębami trzymałam, choć świerzbił mnie jak chyba nigdy dotąd. „Dlaczego tak dziwnie mi się przyglądasz?" – zapytał mnie. „Może dlatego, że mój syn w końcu powiedział mi o takiej arcyważnej rzeczy", odparłam dokładnie to, co czułam. Zawsze tak się staram mówić. Staram się, by język serca nie oszukiwał. Maks dodał jeszcze: „To ta dziewczyna, która mnie wtedy uratowała". Jak wypowiedział słowo „wtedy", to mi cała krew z serca odpłynęła, i to nie wiem dokąd, bo reszty ciała też nie czułam. Zapytałam tylko, czy to ta od apaszki, żeby jakoś do żywych wrócić, chociaż kołatała mi się po głowie myśl, że ta dziewczyna z ławki niedaleko topoli może być właśnie tą bohaterką, dzięki której mój Maks na śmierć się nie wykrwawił. „Ta sama"– odpowiedział krótko, a radość i miłość w jego oczach powiedziały mi więcej niż każde jego słowo. Któż by pomyślał... Takie właśnie jest życie, że zaskakuje nas na każdym kroku. Pozwoliłam sobie przypomnieć Maksowi, że powiedzenie „nie ma tego złego, co by na dobre nie wyszło" w jego przypadku sprawdziło się doskonale. Oczywiście przyznał mi rację, po czym niestety zamilkł, zupełnie nie zdając sobie sprawy, jakiego mi apetytu narobił tym wyznaniem. Patrzyłam na niego i czekałam. Od razu domyślił się, o co mi chodziło, i po chwili odezwał się znowu: „Ma na imię Sara". „Sara" – powtórzyłam po nim i powiedziałam, że to piękne imię, a mój syn wpatrywał się we mnie z uśmiechem. „Ma piękne imię i jest piękna, gdybyś ją zobaczyła, to na pewno by ci się spodobała". Od razu więc zasugerowałam, że może byśmy się kiedyś spotkali. Maks powiedział, że też by tego chciał. Podzielił się ze mną swoim pragnieniem. Ucieszyłam się, słysząc i wiedząc, że na realizację pomysłu z pewnością sobie jeszcze poczekam. Ale przecież „kiedyś" jest lepsze niż „nigdy". Piszę to i uśmiecham się sama do siebie. Jak to zwykle ja. Nutka pod stołem przysypia, tuląc mi się do nóg. Nabiegała się dziś psina w ciągu dnia, więc teraz mogę sobie siedzieć, ile tylko dusza zapragnie, bo pupilka nie przygląda mi się prosząco i do skończenia pisemnych zwierzeń mnie nie zmusza. Dobrze mi się dziś z Maksem rozmawiało, więc nic dziwnego, że również pisze mi się dobrze. Jestem przekonana, że ta Sara to dobra dziewczyna. I oczywiście, że z bliska na pewno bardzo by mi się spodobała, bo z daleka też przypadła mi do gustu, jak ją tak sobie obserwowałam.

Często mam takie wrażenie, że kiedy to wszystko, co mnie spotyka, opisuję, to tak jakbym listy sama do siebie słała. Nie tylko dni, ale też myśli księguję. Na liczbach nigdy zbyt dobrze się nie znałam, ale księgową własnych przemyśleń jestem całkiem udaną. Chyba staram się własnych śladów nie zacierać. Do końca nie wiem, czy dobrze robię. Ale próbuję wsłuchiwać się w siebie. Siostra Józefa mówiła, że mądry człowiek wsłuchuje się w swoje życie, bo najlepsze podpowiedzi otrzymuje się od żywota, a nie od ludzi. Słuchałam jej bardzo uważnie. I miała rację. Teraz, gdy sama mam już swoje lata, myślę, że bardzo ważne jest też przysłuchiwanie się samemu sobie. I życiu, i sobie. Byłoby też doskonale, gdyby każdy umiał słuchać mądrzejszych od siebie, o ile ma tyle szczęścia i tacy akurat znajdą się w jego pobliżu, i co więcej, są skłonni do pomocy. Mnie w życiu, jakie teraz prowadzę, cichym czasami aż do znudzenia, łatwo o takie uważne słuchanie, z młodymi na pewno jest inaczej. Oni mają dużo trudniej. Ich świat to hałas, pęd i ludzi, i czasu. W takich warunkach trudno jest być własnym rekolekcjonistą, a gdy się nim nie jest, to niestety można zabrnąć tam, gdzie się nie chciało.

Ja, chociaż piszę dużo, to i tak noszę w swym sercu sprawę, w którą wsłuchuję się codziennie, o której myślę każdego dnia, a i tak nawet słowa nie potrafię o niej napisać. Gdy tak sobie o niej rozmyślam, kiedy rozpatruję ją z każdej możliwej strony, to dociera do mnie, że akurat te moje bardzo osobiste rekolekcje są najtrudniejsze, ponieważ muszę być w nich tym, kto mówi, i tym, kto słucha. Jednocześnie. Właśnie taka jednoczesność jest bardzo trudna. Ale widocznie tak musi w życiu być. Nie za łatwo, bo jakby było za prosto, to człowiek w miejscu by stał. Żadnych wymagań by sobie nie stawiał. A ważne są przecież wymagania i przyjemności, przeplatające się ze sobą. Jedne się kończą, drugie zaczynają, i tak w kółko. Bez ustanku. I tym się trzeba bardzo cieszyć. Póki nie ma ustanku, żyjemy. A tym lepiej nam to wychodzi, jeśli potrafimy zachować umiar. To znaczy, nie przeszacowujemy ani przyjemności, ani wymagań. Bo jak się z czymś przesadzi, to jak nic w głowie się zakręci, a wtedy najłatwiej o upadek. A skoro tak wiele zależy od nas samych, to po co upadać?

Czasami zastanawiam się, czy moje milczenie w sprawie, o której nie potrafię nawet napisać, nie jest jakąś formą upadku. Ale wolę myśleć, że jest oczekiwaniem na odpowiedni moment. Oczekiwanie to wykazywanie się cierpliwością, a ta cnota nie jest przecież żadną formą upadku. Zatem rozgrzeszam to moje milczenie i czekam, czekam cierpliwie…

Nie mógł w to uwierzyć. Odkąd zaczął pracować w policji, mówiło się o tym człowieku. Co prawda po cichu i tylko w kuluarach. Był legendą, tyle że przerażającą. Doskonale znał każdy szczegół z jego parszywego, aczkolwiek idealnie przypudrowanego życia. Dla świata przestępczego Okularnik, bo taką miał ksywę, był guru. Działalność poza prawem, którą prowadził, inną oczywiście się nie zajmował, była zdywersyfikowana. Rozboje, napady, prochy, handel narkotykami i ludźmi, bronią też, nielegalne przerzuty towaru przez granicę. Po prostu przestępcza superoferta.

Kiedy patrzył na zdjęcie Okularnika, nie mógł uwierzyć, że pod skórą delikatnego intelektualisty, który zawsze chodził pod krawatem doskonale dopasowanym do reszty markowego stroju, a na nosie miał rogowe oprawki okularów – stąd ksywa – krył się inteligentny zabójca.

Teraz Okularnik był obserwowany. Cały wydział został postawiony na baczność. Stary powiedział, że mają dokonać kolejnego cudu nad Wisłą i dorwać tego drania na jakimś gorącym uczynku, choćby na jeździe po pijaku. Mieli się wykazać i dokonać czegoś, co nie udało się nikomu przed nimi.

Okularnik był ścigany już od ponad dziesięciu lat. Starego na wieść, że ten wrócił na stare śmieci, opanowała biała gorączka. W takim stanie jeszcze nigdy go nie widział. Przecież to właśnie szef był zawsze oazą spokoju i dystansu wobec różnych paskudnych wydarzeń, nawet tych, gdzie trup ścielił się gęsto.

Maks siedział w dobrze zamaskowanym samochodzie i przyglądał się zarysowi rezydencji, ledwo widocznemu zza wysokiego starodrzewu. Samochód, w którym ugrzęźli z Korkociągiem kilka godzin temu, nie należał do najwygodniejszych. Był bardzo mały, ale za to doskonale wtapiał się w koloryt lasu. Zaskoczenie dla niego stanowiło to, że w poszyciu leśnym jeszcze gdzieniegdzie leżał śnieg, ale z miejsca, gdzie wkleili się w krajobraz, został usunięty, by trudniej było ich zauważyć.

– Jak myślisz, ile tu będziemy siedzieć? – zapytał Korkociąg smętnym głosem.

Maks wciąż zerkał przez okno. Wokół rezydencji póki co nic się nie działo. Wiedział, że dla Korkociąga obserwowanie Okularnika nie było pierwszyzną. Robił to już wcześniej. Może więc dlatego nie podzielał policyjnej ekscytacji Starego, ponieważ wiedział, że Okularnik pojawia się, robi swoje, a zaraz po tym znika w magicznym stylu.

– Nie wiem, ale mam nadzieję, że tym razem się uda – powiedział rzeczowym i zdecydowanym tonem.

– A ja jakoś dziwnie nie... – Głos jego partnera był zgoła odmienny.

Taka postawa bardzo go zdziwiła. Nie znał kolegi od tak pesymistycznej strony. Zwykle Korkociąg był pewnym siebie facetem. Co więcej, Maks uważał go za bardzo doświadczonego i sprawnego pod każdym względem policjanta. Umiejętności, które posiadał, budziły w nim podziw. Zwłaszcza strzelanie. Na strzelnicy Korkociąg nie miał sobie równych. Był najlepszy w całym zespole. Nawet lepszy od Starego.

– Nie poznaję cię. Takie podejście pewnie nam nie pomoże – zauważył gorzko.

– Człowieku, akurat tutaj nic nie zależy od naszego podejścia – gorycz w Korkociągu wzbierała.

– A od czego? – Spojrzał z ciekawością na bardziej doświadczonego kolegę.

– To teraz posłuchaj mnie uważnie. – Oczy partnera nabrały nieprzeniknionego wyrazu. – Wiesz, na co my teraz czekamy?

Korkociąg wlepił w niego spojrzenie, które podczas przesłuchań potrafiło rozwiązywać usta nawet niemowom. W pierwszej chwili chciał zapytać „na co?", ale spojrzenie partnera skutecznie go zakneblowało. I dobrze, bo Korkociąg nie potrzebował teraz żadnych pytań pomocniczych.

– Czekamy teraz na błąd gościa, który nie popełnia błędów. Powinien mieć ksywę rozbudowaną o przymiotnik „nieomylny". Okularnik ma oczy dookoła głowy i intelekt Einsteina. Dysponuje też bandą ochroniarzy i pozbył się wszelkich słabości, a nas nienawidzi tak, że szkoda gadać. On zabija samym spojrzeniem.

– Skąd wiesz? – zapytał, czując podskórnie, że Korkociąg podejrzanie dużo wie o mocy spojrzenia Okularnika.

Korkociąg niestety nabrał wody w usta. W odpowiedzi zrobił tylko niewyraźną minę. Dlatego nie miał zamiaru na niego naciskać. Skoro partner nie chciał nic więcej powiedzieć, oznaczało to, że miał ku temu jakiś powód.

Przyłożył więc lornetkę do oczu i przez chwilę obserwował wciąż pozasłaniane okna pałacu w lesie. Nie działo się nic. Od kilku dni nie działo się nic. Gdyby nie światła widoczne w oknach wieczorami, to nie byłby w stanie uwierzyć, że ktoś tam w ogóle jest, a zwłaszcza ten szczur. Nikt nie wyjeżdżał przez bardzo wysoką kutą bramę osadzoną w równie wysokim i solidnym murze. Leśne pustkowie i tyle. Nic poza tym.

– Co to znaczy: pozbył się wszelkich słabości? – zapytał po dłuższej chwili milczenia, podczas której analizował każde słowo Korkociąga.

– To znaczy prawie wszystkich – powtórzył partner.

– Czyli...? – Nie dawał się łatwo zbyć.

Też był dobry w przesłuchaniach. Pewnie jeszcze nie tak dobry jak Korkociąg, ale była to tylko kwestia czasu, czyli po prostu zdobycia większego doświadczenia.

– Chcesz wiedzieć, to główkuj.

– Jakaś podpowiedź...? – Nie odrywał oczu od obserwowanego obiektu.

– Główkuj. – Korkociąg był nieugięty.

– Kobieta?

Korkociąg, zamiast odpowiedzieć, tylko klasnął językiem.

– Tylko nie mów mi, że jego mózgiem jest...

– Tego nie powiedziałem. – Kolega natychmiast wyprowadził go z błędu, ale wciąż pozostawał zagadkowy.

– To o co chodzi?

– Ten tam... – Korkociąg zerknął w stronę rezydencji – od tylu lat gra nam na nosie między innymi przez kobietę, z którą kiedyś był.

– I...

– To przez nią chcieliśmy dobrać mu się do skóry i niestety się nie udało...

Maks patrzył z uwagą na dom w lesie, oderwał od niego wzrok tylko na ułamek sekundy, by spojrzeć prosząco na partnera. Zrobił to, ponieważ zaczynał mieć po dziurki w nosie niedoinformowania i tego, że Korkociąg, zamiast mówić wprost, nie wiadomo dlaczego szyfrował.

– Czyli co...? Możesz mówić jaśniej?!

– Była prostytutką, ale taką z najwyższej półki. Taką, wiesz, nie dla każdego. To była dziewczyna dla elity, no i zawróciła Okularnikowi w głowie do tego stopnia, że chciał się z nią ożenić. To przez nią stracił czujność, ale i tak, jak się na niego zasadziliśmy, to sobie poradził... A ją zostawił w samochodzie na stacji benzynowej. Wtedy nie miał innego wyjścia... Została nam tylko ona. Wzięliśmy ją wtedy w obroty, tylko sobie nie myśl... Pełna kultura... A dziewczyna była wyjątkowo piękna. Pech chciał, że naprawdę zakochała się w nim. Nie chciała współpracować. Pierwszego dnia nie puściła pary z ust, a drugiego, podczas przesłuchania, była agresywna. Normalnie zachowywała się tak, jakby brała jakieś prochy. Rozmawiał z nią wtedy młodszy brat Starego. Pamiętam, jak przeorała mu twarz pazurami. Posadziliśmy ją za to znów na czterdzieści osiem. Po ośmiu już nie żyła. Powiesiła się. Na zwykłym sznurku. Do dziś nie wiadomo, skąd go wytrzasnęła. Rozumiesz? Powiesiła się, a my nic na nią nie mieliśmy. Czyli mieliśmy niewinnego trupa. Sekcja wykazała, że przyczynę śmierci stanowiło rzeczywiście powieszenie, ale oprócz tego odkryliśmy jeszcze jedną rewelację. Dziewczyna była w jedenastym tygodniu ciąży. Okularnik musiał o tym wiedzieć, bo z zimną krwią odstrzelił brata Starego, jeszcze zanim młodemu zagoiła się twarz. W biały dzień. Gość odstawił dzieci do szkoły, Okularnik pozwolił mu to zrobić, a potem odstrzelił mu łeb na parkingu przy komendzie. Zawodowo, cichaczem. Brat Starego zostawił dwóch chłopców i żonę w ósmym miesiącu ciąży. Urodziła natychmiast.

– Kiedy to było? – zapytał zaszokowany.

– Dokładnie dziesięć lat temu.

– Dlaczego nie ma o tym mowy w papierach? – zapytał podejrzliwie.

– Bo teraz to jest inna sprawa – stwierdził cynicznie Korkociąg.

– Jak to inna?

– Co ty, życia nie znasz? Pomyśl chwilę. Większość naszych to młodzi, mają rodziny, małe dzieci, żony w ciąży, więc nie zadawaj już trudnych pytań.

Popatrzył na partnera z niedowierzaniem. Pierwszy raz miał do czynienia ze sprawą dotyczącą kogoś, z kim pracował na co dzień. Wgapiał się w Korkociąga, a w głowie miał Starego.

– Co się tak patrzysz?

Nie potrafił się odezwać.

– Zapamiętaj sobie, za każdym razem pojawienie się Okularnika to zły znak. I kłopoty. Po pierwsze, jest nie do złapania. Po drugie, jak się pojawia, to oznacza, że znów chce przypomnieć psom o tym, co zrobili Viktorii. Ta jego kochanica tak miała na imię, a rocznica jej śmierci wypada za tydzień. Moja najstarsza córka jest teraz w jej wieku... – Korkociąg zamyślił się na chwilę. – Wiele bym dał, żebyśmy go dostali w swoje ręce, ale wiele nie oznacza wszystko...

Zaniemówił. Patrzył na partnera i nie wiedział, co powiedzieć ani co myśleć o tym wszystkim, czego się właśnie dowiedział. Nie mógł wyjść z szoku. A wszystko dlatego, że wbrew pozorom Korkociąg nie był takim bezkompromisowym gliną, na jakiego wyglądał. Poza tym był bardzo małomówny, posługiwał się zwykle konkretnymi i prostymi zdaniami. Jeszcze nigdy nie usłyszał od niego tylu słów naraz, w dodatku chwilami tak osobistych. Co więcej, Korkociąg jeszcze miał coś do dodania.

– To nie moja praca, ale moja rodzina jest dla mnie wszystkim...

– Rozumiem...

Znów przytknął lornetkę do oczu, odczuwając w sobie jeszcze większą niż do tej pory motywację do schwytania Okularnika.

– Na razie nie rozumiesz. Sorry, że tak mówię, ale zrozumiesz to, o czym do ciebie teraz mówię, dopiero jak będziesz miał żonę i dzieci. Wcześniej, choćbyś nie wiem jak się starał, to tego nie poczujesz. Nie ma takiej możliwości.

Spojrzał na partnera i tym razem nie miał zamiaru się odezwać. Korkociąg z pewnością był szczery, dobrze wiedział, co mówi, i miał świętą rację. Zatem ten temat mógł uznać za zakończony, ale o Okularniku chciał jeszcze pogadać. Miał ochotę nawet trochę egoistycznie skorzystać z tego, że kolega rozgadał się dziś jak nigdy.

Może to właśnie dlatego, chociaż patrzył na Korkociąga, stanęła mu przed oczami Pati. Jak żywa. Ta to lubiła mówić. Wciąż mówiła. Dużo, mądrze i z sensem. Gdy razem jeździli samochodem, to śpiewała. Zawsze razem z radiem. Umiała przynajmniej zanucić każdą piosenkę. Akurat teraz przypomniał sobie, jak któregoś razu wykonywała *Forever Young* z repertuaru zespołu Alphaville. Pamiętał, że kiedy skończyła się piosenka w radiu, Pati stwierdziła z powagą w głosie, że chciałaby być wiecznie młoda. Chyba wybrała zły moment na wypowiedzenie tego życzenia, niestety się spełniło. A on chciałby mieć życiową szansę, by oglądać swą partnerkę jako leciwą staruszkę. Był pewien, że gdyby jego marzenie mogło się spełnić, to Pati byłaby leciwą staruszką z zawsze młodą duszą i pięknym głosem.

– Z czego się śmiejesz? – Korkociąg nie ukrywał zdziwienia.

– Przypomniała mi się Patrycja, to, jak śpiewała na służbie...

– Aaa... taaak... – zamyślił się na moment Korkociąg. – Super była dziewucha! Coś was łączyło? Sorry za bezpośredniość...

– Sympatia.

Korkociąg chyba mu nie uwierzył.

– Nie patrz tak, mówię prawdę...

– Wiesz co?

– Co? – zapytał Maks zaintrygowany.

– Patrycja zawsze mi kogoś przypominała i nie mogłem za cholerę dojść kogo. Teraz już wiem.

– Kogo?

– Była podobna do tej Viktorii Okularnika.

– Naprawdę?

Korkociąg, zamiast potwierdzić, zamilkł.

– No, mów.

– Tak. Brat Starego był wtedy moim partnerem...

Obserwował wyraz twarzy kolegi i go nie poznawał. Czekał, gdyż czuł, że to wciąż jeszcze nie koniec historii.

– To ja miałem ją przesłuchiwać. Ale zadzwoniła moja córka, że żona zaczęła rodzić... Stary kazał mi się zabierać, a do niej poszedł jego brat...

– Myślisz, że... – zaczął, lecz szybko zamilkł, zdając sobie sprawę, że słowa, które cisnęły mu się teraz na usta, były przerażające.

– Wolę nie myśleć – uciął Korkociąg. – Nasz Jasiek skończył właśnie dziesięć lat. A jeżeli zapytasz, czy myślę, że to przypadek, że Okularnik pojawił się tu akurat w dziesięć lat po śmierci tej Viktorii i własnego nienarodzonego dziecka, to powiem ci, że jestem tego pewien, że to nie przypadek. Poza tym interesy to jedno. Okularnik zawsze potrafił łączyć to, co było dla niego pożyteczne, z przyjemnościami. Teraz na pewno ma na oku jakiś wielki interes, bo małymi nie zajmował się nigdy. Takie go nie interesowały, nawet gdy rozpoczynał swoją działalność. Teraz jest tu znowu, żeby dobić jakiegoś targu i przypomnieć psom, że to nie koniec.

Maks wpatrywał się w partnera z silnym postanowieniem pozostania w milczeniu.

– Wiesz, co jest naszą największą szansą w tej sytuacji? – zapytał nagle Korkociąg.

– Co?

– To, że chęć zemsty zawsze osłabia czujność, nawet u kogoś takiego jak ten gość za murem. Łudzę się, że będziemy potrafili odpowiednio wykorzystać jego słabość.

– A w tobie nie ma chęci zemsty? – palnął bez zastanowienia i z miejsca pożałował swych słów.

Korkociąg oderwał wzrok od obserwowanego obiektu.

– Nie – odezwał się mocnym głosem. – Jestem policjantem i tak jak ty przyjechałem tu po to, żeby dorwać go żywego. Chcę, by zapłacił za to, co zrobił nie tylko mojemu dawnemu partnerowi, ale wszystkim. Rozumiesz?

– Wydaje mi się, że doskonale.

– Zrozumiesz jeszcze lepiej, jak będziesz miał dzieci – skwitował Korkociąg i po cichu otworzył drzwi samochodu.

– A ty dokąd?

– Muszę rozprostować kości. To chyba rozumiesz?

– Tak.

Patrzył na partnera znikającego w leśnym gąszczu otaczającym mały samochód, a w głowie pulsowała mu nie tylko historia, którą właśnie poznał. Powtarzał w duchu słowa, którymi Korkociąg przepowiedział mu przyszłość: „zrozumiesz lepiej, jak będziesz miał dzieci". Pomyślał o Sarze. Wcale nie w kontekście przyszłości... Rozmyślał o niej, a zwłaszcza o jej spojrzeniu, za którym zdążył się już bardzo stęsknić. O jej ustach wolał nie wspominać... Nie teraz... Nie mógł stracić czujności, dlatego marzenia o Sarze musiał odłożyć na później. Zrobił to niechętnie...

Śpisz?

Zobaczyła wiadomość od Maksa. Jedno słowo, którym ucieszyła się tak, jakby co najmniej znów zaprosił ją na randkę do Kazimierza. Od razu chciała oddzwonić, ale przypomniała sobie słowa Wojtka mającego w życiu zawodowym zasadę, którą z powodzeniem stosował również prywatnie, a brzmiała ona następująco: „nigdy od razu nie odpisuj ani nie oddzwaniaj, bo jeszcze pomyślą, że ci zależy".

Palce ją świerzbiły, żeby odezwać się od razu, bo jej zależało. I to jeszcze jak. Zupełnie nie bała się faktu, że Maks może sobie pomyśleć, że się zaangażowała. Nawet tego, że mógłby dojść do wniosku, że to ona przejmuje się bardziej. Zwłaszcza że odkąd wrócili z Kazimierza, minął już prawie tydzień, a Maks do dziś, do teraz, milczał. Nie nawiązywał z nią żadnego kontaktu. Usiłowała to sobie tłumaczyć. Usprawiedliwiała go, myśląc, że z pewnością miał dużo pracy albo w jego życiu pojawiły się okoliczności pochłaniające go bez reszty. Jednak w głębi duszy czekała z ogromną niecierpliwością, którą wciąż potęgowały wspomnienia pocałunków Maksa. Zerknęła na zegarek i wiedziała, że w nosie ma teraz zasady Wojtka. Marzyła o tym, by go usłyszeć.

Nie.

Odpisała zatem, a słowo, którym się posłużyła, nijak nie oddawało jej radosnego oczekiwania, które natychmiast doczekało się spełnienia. Miała ochotę zemdleć ze szczęścia. Maks już do niej telefonował. Nie stosując się do żadnych wytycznych, odebrała natychmiast. Nie umiała inaczej.

– Halo? – odezwała się bardzo cicho.

Chyba obawiała się, że Dziadek może usłyszeć jej słowa, chociaż pora była tak późna, że z pewnością spał już w najlepsze.

– Cześć. Nie za późno na rozmowy?

Głos Maksa brzmiał bardzo naturalnie, w dodatku tak zmysłowo, że od razu zatęskniła za dotykiem jego ust i dłoni. Tęskniła też za jego ciałem, choć jeszcze wcale go nie znała.

– Nie...

– A na spotkanie?

Uwielbiała jego głos. Uwielbiała też to, że nie marnował cennego czasu, nawet doby, która miała skończyć się za niespełna dwie godziny. Tak się cieszyła z tej jego oszczędności, że nim zdążyła odpowiedzieć na pytanie, Maks zadał jej już kolejne.

– Co teraz robisz?

– Czytam, a ty?

– Patrzę w twoje okno.

Musiała przyznać, że umiał ją zaskakiwać.

– Znowu mnie obserwujesz? – Czuła, jak robi jej się gorąco na samą myśl, że był tak blisko.

– Niestety nie ciebie, tylko twoje okno.

Uśmiechała się, w końcu miała powody do radości. Maks jak zwykle był szczery i bezpośredni. Odczuwała, jak temperatura jej ciała wciąż rośnie. Chciała mu odpowiedzieć. Jednak Maks znów był szybszy.

– To może zrobimy coś z tak miło zapowiadającym się wieczorem?

– Masz jakiś pomysł? – zapytała, w myślach już zgadzając się na każdą propozycję.

– Może skoczymy do Bekhira napić się herbaty?

– A ma jeszcze otwarte? – zdziwiła się.

– Nas przyjmie na pewno.

Uwielbiała pewność w głosie Maksa.

– Poczekasz? – Zerwała się z łóżka.

– Ile tylko będzie trzeba.

Wiedziała, że mówiąc to, uśmiechał się już do niej, chociaż jeszcze się nie widzieli. Podobało jej się również to, że Maks, podobnie jak ona, zgadzał się na wszystko. Miała przeczucie, że trudno byłoby określić, komu bardziej zależało na dzisiejszym spotkaniu. Było to uczucie, które przypadło jej do gustu nawet bardziej niż przyjemny i niezwykle męski głos.

– Postaram się nie marnować czasu – obiecała szybko.

Chciała go zobaczyć. Natychmiast. Pragnęła go dotknąć, poczuć jego bliskość. I wcale nie przeszkadzało jej to, że gdzieś w podświadomości krążył jej obraz Wojtka pukającego się w czoło, bo zachowywała się tak, jakby czekający na nią mężczyzna był teraz najważniejszym człowiekiem na świecie. A takie podejście w jej życiu już kiedyś nie sprawdziło się wcale. Czyżby to było możliwe, że nie uczyła się na błędach? Miała z tyłu głowy takie pytanie, jednak nie przeszkadzało jej ono w tej chwili ubierać się tak szybko, jakby od tempa wciągania na siebie dżinsów zależały losy współczesnego świata.

Już ubrana schodziła na parter. Na paluszkach, żeby nie obudzić Dziadka. Nawet nie musiała sprawdzać, czy spał, bo jego pochrapywanie niosło się od strony wiecznie zacienionej sypialni, stanowiącej jedyne pomieszczenie w północnym skrzydle domu. Włożyła na siebie kurtkę, nie zapięła jej. Nie założyła czapki. Szybko otworzyła drzwi i jeszcze szybciej zamknęła je na klucz. Usiłowała się nie spieszyć, ale nic jej z tych usiłowań nie wychodziło. Nogi niosły ją przed siebie trochę szybciej, niż tego chciała. Albo nawet dużo szybciej...

Gdy otworzyła furtkę, Maks wyszedł z cienia, w którym chował się do teraz.

– Ale jesteś szybka.

– To komplement?

– Na komplementy przyjdzie jeszcze pora. – Maks roześmiał się i przyciągnął ją do siebie za poły niezapiętej kurtki. – Chcesz się zaziębić?

Patrzył jej w oczy z małej odległości, ale wciąż zbyt dużej, by mogła myśleć, że pragnął ją powitać nie tylko słowami. Spojrzała na jego chyba kilkudniowy zarost i pomyślała, że chciałaby poczuć go na swoich policzkach.

– Dlaczego się tak długo nie odzywałeś? – zapytała bez śladu wyrzutu w głosie.

– Sześć dni to długo?

– Dla mnie tak.

Do głowy jej nie przyszło, by ćwiczyć na Maksie metodę pod tytułem „mnie nie zależy". Zależało jej, i to bardzo, i nie zamierzała tego ukrywać. Zresztą chyba nie potrafiłaby.

– Dla mnie dłużej. – Głos Maksa przyjemnie matowiał.

– To dlaczego... – Nie dokończyła pytania, gdyż usta Maksa były już tuż-tuż...

– Taka praca.

Poczuła ciepło szeptu Maksa na swych ustach.

– To nie jest wytłumaczenie.

Zachowywała się tak, ponieważ chciała, by Maks natychmiast wynagrodził jej emocjonalną posuchę ostatnich dni, które musiała spędzić bez niego.

– Wybacz mi, proszę... – Maks spoważniał. – Było naprawdę ciężko...

– A dziś? – zapytała empatycznie.

– Dziś już nie wytrzymałem. Nie powinno mnie tu być... Załatwiłem zastępstwo na jakiś czas. Musiałem cię zobaczyć. Poza tym potrzebuję się trochę przespać.

– To ile ty pracujesz? – zapytała z przyganą w głosie.

– Teraz praktycznie non stop.

– To tak można? – zdziwiła się.

– Niestety w tej pracy czasami tak trzeba i nie da się inaczej – wyszeptał i pocałował ją.

W końcu. Myślała, że już się nie doczeka. Poczuła wokół ust podniecające ją ukłucia. A tak obawiała się, że nie przeżyje tego już nigdy więcej. Takie złe myśli prześladowały ją przez ostatnie dni i noce. Karolina, dowiedziawszy się, co się święci, namawiała ją, by w nosie miała jakieś babsko-męskie konwenanse i odezwała się do Maksa pierwsza. Jakoś nie potrafiła tego zrobić. Podchodziła do tego, co się działo, a raczej do tego, co przez ostatnie sześć dni się nie działo, tak, że musiała przez ten czas ćwiczyć zarówno swą cierpliwość, jak i własny optymizm. Teraz już wiedziała, że to były bardzo wartościowe ćwiczenia. Trudne, ale stanowiące preludium do tego, czego doświadczała teraz.

Maks całował ją spokojniej niż w Kazimierzu. Inaczej, ale to było tak bardzo przyjemne, że włożyła mu dłonie pod kurtkę. Wyczuwała twardość pleców, a na ustach przyjemną miękkość. W pewnym momencie Maks nagle przerwał pocałunek i mocno chwycił ją za rękę wędrującą po jego plecach. Zdębiała. Jego reakcja całkowicie ją zaskoczyła. Wystraszyła się. Nabrała powietrza więcej, niż potrzebowała do normalnego oddechu.

– Przepraszam – szepnął od razu.

Zauważyła, że był zaskoczony. Chyba nawet zdziwiony własną nagłą reakcją.

– Co się stało? – Pragnęła natychmiast poznać przyczynę takiego zachowania.

– Przepraszam. Po prostu nie chciałem, żebyś się wystraszyła – tłumaczył się enigmatycznie.

– To muszę cię zmartwić, bo ci nie wyszło.

– Wybacz... Po prostu jestem uzbrojony...

– Co?! – oniemiała.

– Zadajesz się z policjantem, który pół godziny temu skończył służbę.

– Masz przy sobie pistolet?

– Tak.

– Zawsze?

– Nie zawsze. – Uśmiechnął się do niej pojednawczo. – Ale teraz mam taki czas w pracy, że muszę mieć broń przy sobie.

– Coś ci grozi? – Zdenerwowała się. – Powinnam o czymś wiedzieć?

Nie potrafiła zapanować nad swą wyobraźnią, która już w tym momencie sięgała do najbardziej strasznych, w dodatku krwawych i morderczych scenariuszy, niestety z Maksem w roli głównej.

– Właśnie w tym rzecz, że nie możesz wiedzieć nic.

– To tak ma to wyglądać? – zapytała gorzko.

Nie siliła się na udawanie. Już była rozżalona, że rzeczywistość usiłowała dać jej nauczkę dokładnie w chwili, kiedy trzymał ją w ramionach mężczyzna, w dodatku w konkretny i zdecydowany sposób. Mężczyzna, którego pragnęła całą sobą.

– Co? – zapytał, jakby nie rozumiejąc.

Patrzył na nią tak poważnym wzrokiem, że miała ochotę zapaść się pod ziemię, ale nie zrobiła tego. Musiała być twarda i musiała sobie poradzić.

– Jak to co? – szepnęła łagodniej, niż wymagała tego sytuacja.

Maks patrzył na nią wyczekująco. Wiedziała, że nie zamierzał się odezwać. Po prostu czekał na to, aż ona wyjawi mu swój punkt widzenia.

– My – powiedziała wprost.

– Ale to genialnie zabrzmiało – powiedział i ją pocałował.

Jej dłoni, którą wciąż mocno ściskał, nie uwolnił.

– Ale muszę zrozumieć, że łapy mam trzymać przy sobie. Czy tak? – Znów zaczęła szeptać.

Jej szept pasował do ust Maksa. Dlatego nie czekając na to, co miał teraz do powiedzenia, zaczęła go całować. W dodatku robiła to coraz odważniej. Trafiła na ambitnego zawodnika, który nie pozostawał jej dłużny. Przyciągnął ją do siebie tak blisko, że bardziej już nie było można. Od razu poczuła, że powinna mu się poddać, bo choć sama rozpoczęła trwający pocałunek, to właśnie w tej chwili Maks stawał się panem sytuacji. Jednak nie mogła przecież zgadzać się całkiem posłusznie na wszystkie dyktowane przez niego warunki, powinna również zaznaczyć swój wkład w te negocjacje odbywające się bez użycia słów.

– Lepiej już przestań – wyszeptał Maks, prosząc ją o coś, czego sam nie potrafił zrobić.

– A to dlaczego? – Nie miała zamiaru spełnić jego prośby.

– Bo oszaleję...

Wiedziała, że Maks odkrywał przed nią teraz swoje emocje, bo o tym, w jakim stanie było jego ciało, mógł nie mówić... Czuła to doskonale.

– Proszę cię...

Głos Maksa działał na nią jak afrodyzjak. Nie poznawała się. Chciała zbliżyć się jeszcze bardziej do mężczyzny, który całował ją w tej chwili tak zaborczo, że brakowało jej tchu. Pragnęła Maksa całą sobą i nie wstydziła się tych pragnień. Musiała mu o tym powiedzieć. Musiała to zrobić natychmiast.

– Pragnę cię – szepnęła.

Udało jej się wygrać z pocałunkiem. Bała się jednak, że jej szept został zagłuszony przez głośny i mocno przyspieszony oddech Maksa. Bała się na próżno.

– Naprawdę oszaleję. – Tymi słowy Maks przerwał pocałunek.

Patrzył na nią w taki sposób, że choć miała zdrętwiałe usta, nade wszystko pragnęła dalszego ciągu.

– To chyba nie jest dobre wyjście. – Uśmiechnęła się i wpatrzyła w płonące pożądaniem oczy Maksa.

– Dlaczego? – Tym razem gorącymi ustami odszukiwał zimne rejony jej szyi.

– Przecież sam mi się przyznałeś, że jesteś uzbrojony. Poza tym nie trzeba być nadzwyczaj inteligentnym, by wiedzieć, że broń w rękach szaleńca to nie jest najodpowiedniejsze rozwiązanie.

Czuła, jak pocałunki Maksa, oprócz swego gorąca, zostawiają na jej szyi także wilgotne uśmiechy.

– Proszę cię… – Maks szeptał jej prosto do ucha.

– O co znowu? – Umiejętnie udawała zniecierpliwioną, chociaż wcale taka nie była.

– Żebyś mnie uspokoiła i kazała się zabrać do knajpy Bekhira.

– Nie umiem uspokajać szaleńców – szepnęła.

I skończyła się dobra zabawa. Przynajmniej dla niej, przynajmniej w tej chwili. Uspokajanie szaleńca przywiodło jej na myśl Roberta. To dlatego znienacka odżył w niej strach, który stanowił główny pokarm podczas trwania jej małżeństwa. Była zakładniczką. Przypomniała sobie o bliskości, której nie chciała i której nienawidziła. Maks natychmiast poczuł, że coś jest nie tak. Od razu odkleił od niej usta.

– Nie chcesz? – zapytał z przestrachem.

Musiała zająć czymś ręce. Czuła na sobie wzrok Maksa. Na pewno pytający. Zaczęła zapinać kurtkę.

– Przepraszam cię. Nie chciałem cię przestraszyć.

– Uspokój się – poprosiła.

Było jej trudno.

– To nie twoja wina – stwierdziła.

– Ale co się stało? – Nie dawał się zbyć. – Możesz mi przecież zdradzić. Powiedz... Proszę...

Teraz objął jej twarz swoimi dłońmi, tym samym zmuszając ją do tego, by nie uciekała przed jego spojrzeniem. Musiała na niego popatrzeć. Nie miała innego wyjścia. Zrobiła to.

– Wiem, że mogę. Ale nie chcę.

Przyznała się, że nie jest gotowa na bardzo szczególną szczerość.

Nawet chciała, żeby dowiedział się o tym, co teraz czuła, dlaczego zachowała się tak, a nie inaczej. Jednak w tej chwili nie miała ochoty unurzać się bagnie, które jeszcze od czasu do czasu usiłowało ją ponownie wchłonąć. Dowodem na to była dzisiejsza sytuacja. Przypadkowy zlepek słów potrafił zepsuć wszystko. Złe wspomnienia wciąż wracały.

Maks wciąż na nią patrzył. Nie odrywał od niej wystraszonego wzroku i zatroskanego, a jednocześnie opiekuńczego spojrzenia.

– Przepraszam...

Nie mogła tego znieść. Znów przepraszał ją za coś, czego nie zrobił. Nie mógł wiedzieć, że to nie o niego teraz chodziło.

Jednak musiała mu to szybko wytłumaczyć. Szybko, to znaczy teraz. Bez wahania i bez zwłoki.

– Nie przepraszaj mnie. – Uśmiechnęła się do niego. – To nie twoja wina, to nie ty mnie przestraszyłeś…

– To on? – zapytał. – Przepraszam…

W głosie Maksa, w tym jego kolejnym „przepraszam…" usłyszała nutę bezsilności.

– Błagam cię! Przestań mnie przepraszać – mówiła zdecydowanie, ale znów się uśmiechnęła, najszczerszym uśmiechem, na jaki ją było w tej chwili stać.

– Czuję się jak skończony dureń, ale nie potrafię się opanować, gdy jesteś tak blisko. Chciałbym…

Wiedziała, czego chciał. Nie musiał już niczego dodawać. Jego wzrok mówił wszystko. Miała powód do niesłychanej radości, ponieważ miała tę samą chęć. Miała świadomość jego pragnień, nie tylko gdy był blisko.

– Chciałbyś… zaprosić mnie do… – doskonale zdawała sobie sprawę z tego, jakie napięcie teraz buduje – … knajpy Bekhira na gorącą herbatę.

– Taki był plan. – Maks uśmiechnął się do niej pojednawczo.

Czuła, jak powoli opuszcza go nieprzyjemne, nerwowe napięcie. Miała też nadzieję, że przyjemne uczucie zostanie z nim na dłużej.

– To może go zrealizujemy?

Uśmiechem chciała poinformować Maksa, że oboje chcieliby akurat teraz wcielić w życie nie ten zwerbalizowany plan, tylko ten, którego dopominały się ich ciała.

– Tak będzie lepiej – przyznał bez przekonania w głosie Maks.

– Ciekawe dla kogo – znów się droczyła.

– Lepiej nie zaczynaj.

– Jak sobie życzysz.

– Jedziemy czy spacerujemy? – zapytał i odszukał jej dłoń.

– A jak wolisz?

– Może się przejdźmy? Chyba potrzebuję jeszcze trochę czasu i chłodu, żeby ochłonąć.

– To może nie powinniśmy się trzymać za ręce?

– Nie przesadzaj i chodź już. – Maks delikatnie pociągnął ją za sobą.

– Jesteś pewien, że Bekhir na pewno nie będzie zły, że przychodzimy tak późno?

– Nie. Czeka na nas. Chciałby cię poznać.

– Naprawdę? – zdziwiła się i zwolniła kroku, prawie się zatrzymała.

– Nie. Na niby! Chodź już. Uprzedzam, że jak się znów zatrzymasz, to znowu cię pocałuję, a wtedy to już na pewno na tym się nie skończy.

– Myślisz, że się teraz wystraszę czy ucieszę? – zapytała, idąc wciąż wolniej i już mając ochotę na to, by zastygnąć w bezruchu.

– Myślę, że lepiej będzie, jeżeli nie dowiesz się, o czym teraz myślę.

– Dla kogo lepiej?

– Dla ciebie! – powiedział głośno i szybko, i dopasował kroki do tempa swych ostatnich słów.

– Chcesz, żebym sobie połamała nogi?

– Nie! Chcę, żeby w naszym otoczeniu jak najszybciej znaleźli się inni ludzie.

– A to dlaczego? – Bawiła się jeszcze lepiej, mimo że tchu brakowało jej coraz bardziej, gdyż prawie biegła.

– Bo myślę o tym, żeby...

– Żeby co? – Weszła Maksowi w słowo i już biegła.

– Myślę o tym, o czym myślę! – Stopniowo podnosił głos.

Już otwierała usta, żeby znów coś powiedzieć.

– Nic już nie mów, proszę...

– Chciałam powiedzieć coś śmiesznego, ale skoro nie chcesz... – Wzruszyła ramionami.

– To opowiesz mi to przy herbacie. Zobacz! Bekhir na nas czeka.

Spojrzała przed siebie. Rzeczywiście Bekhir stał przed wejściem do swojej restauracji i palił papierosa. Rozpoznał ich z daleka i przyjaźnie pomachał ręką. Maks odwdzięczył mu się podobnym albo nawet bardziej przyjaznym gestem.

– Jak myślisz, polubi mnie? – Była tak zdyszana, jakby właśnie skończyła zajęcia aerobiku.

– Myślę, że już cię lubi – odpowiedział.

– A ty? Lubisz mnie? – spytała tonem szkolnego lizusa.

– Lubię? To mało powiedziane!

Nie mógł się skupić na rozmowie. Z pewnością ten brak koncentracji, który zwykle zdarzał mu się niezmiernie rzadko, mimo wszystko miał mało wspólnego z nieustającą obserwacją Okularnika. Był świadomy, że im dłużej posiedzi przy stoliku restauracji Bekhira, tym mniej snu zazna tej szybko mijającej nocy, a pracę jutro zaczynał już o piątej rano.

Podczas ostatnich dwóch dni w nieruchomej dotychczas rezydencji Okularnika w końcu zaczęło się coś dziać. Skrzętnie odnotowywali każdy ruch. Odnotowywali każdą tablicę rejestracyjną bardzo luksusowych limuzyn nawiedzających i opuszczających z pewnością imponująco uzbrojoną i opancerzoną twierdzę guru przestępczego świata.

Czuł zmęczenie, ale teraz, kiedy miał obok siebie Sarę, sen nie był ważny. Odpoczynek się nie liczył. Mógł stąd wyjść nad ranem, a mieszkanie odwiedzić tylko w celach higienicznych. Był gotów się tylko wykąpać, ogolić, przebrać i znów pojawić na swym obecnym posterunku, by z ogromną odpowiedzialnością towarzyszyć Korkociągowi. Wiedział, że jego partner, choć był profesjonalistą w każdym calu, miał osobisty stosunek do sprawy, która, jak się okazywało, ciągnęła się już ponad dekadę, nie ulegając przedawnieniu. Maks miał świadomość, że tacy ludzie jak Okularnik nigdy nie potrafią powiedzieć sobie „dość". Tacy jak Okularnik potrzebują wciąż nowej adrenaliny i niestety wciąż świeżej krwi. Bez tego wydaje im się, że nie istnieją.

Był szczerze zdziwiony faktem, że Stary, wiedząc o osobistym zaangażowaniu Korkociąga, i tak to między innymi ich przydzielił do prowadzenia tego nadzwyczaj priorytetowego śledztwa. Oprócz nich zajmowali się tym chyba prawie wszyscy, co prawda w różnym zakresie. Jeszcze nigdy nie słyszał, żeby Stary użył sformułowania „wszystkie ręce na pokład". Tym razem użył go, i to z pełną premedytacją. Po ostatniej rozmowie z Korkociągiem Maks wiedział, że osoba Okularnika z pewnością od lat spędzała Staremu sen z powiek.

Był koszmarnie zmęczony. Ale nie zamieniłby obecnej chwili na żadną inną, zwłaszcza że Sara z Bekhirem złapali doskonały kontakt. Rozmawiali ze sobą jak starzy dobrzy znajomi, i to już od początku spotkania. Nawet nie podejrzewał, że mogłoby być inaczej. Przecież oboje byli prostolinijni, bezceremonialni i bardzo sympatyczni. Zerkał co chwilę na uśmiechające się usta Sary. Patrzył w jej wesołe oczy i czuł, że znajdowała się teraz w dobrym i odradzającym momencie życia, jednak był świadomy, że demony tego, co przeszła w swoim nieudanym małżeństwie, wciąż bezkarnie przekraczały granice jej bezpieczeństwa. Chciał strzec i pilnować Sary. Wierzył, że uda mu się wyrugować zło z jej życia. Wiedział, że był dobry, sprawdzał się w walce ze złem. Wiedział, jak je przechytrzyć, w dodatku dopuszczalnymi metodami. Patrzył na Sarę i marzył, by sprostać zadaniu, ponieważ trudno byłoby mu żyć z dala od spojrzeń tej kobiety. Już nie potrafił żyć bez jej widoku, jej ust, a także dotyku. Wiedział, że czuła to samo co on. Był pewien, bo oddawała mu pocałunki i robiła to w taki sposób, że nie pozostawiała mu żadnych wątpliwości. Natomiast dotykała go tak, że nie robiąc wiele, i tak doprowadzała go do szaleństwa.

– Sądząc po tym, jak wyglądasz i ile razy się do mnie odezwałeś w tym tygodniu, to dzieje się coś niedobrego w przestępczym świecie – stwierdził Bekhir.

Uśmiechnął się do przyjaciela i przeciągnął dłonią po nieogolonym policzku.

– No chyba nie jest aż tak bardzo źle? – zapytał Bekhira, ale spojrzał na Sarę.

– Źle byłoby, gdybyś miał brodę jak pop – skomentowała od razu. – A teraz jest nawet dość interesująco.

Spojrzał jej w oczy, bardzo ciesząc się z tego, co właśnie usłyszał, ponieważ Sara odniosła się do jego wyglądu właśnie tak, jak tego oczekiwał. Był zadowolony, że miała podobne zdanie na temat jego kilkudniowego zarostu jak Patrycja, która powiedziała mu kiedyś i to wprost: „Nie gol się codziennie, bo taki gładziuchny wyglądasz jak pedancik, a z zarostem od razu kojarzysz mi się z rasowym gliniarzem".

– Może chcecie, żebym zostawił was samych? – zapytał nagle Bekhir.

Przyjaciel z pewnością wyczuwał zmysłowe napięcie towarzyszące im, odkąd się dziś spotkali albo raczej dotknęli.

– Nie! – zaprzeczyli jednocześnie.

Z tym że on zrobił to dużo ciszej niż Sara. Czuł, że towarzystwo Bekhira było teraz czymś, czego potrzebowali oboje. Przypominało chłodny kompres dotykający rozgorączkowanego czoła.

– Dobrze, dobrze… – Bekhir uniósł ręce do góry. – Zostanę, skoro tak grzecznie prosicie.

Uśmiechnęli się do siebie jednocześnie. Uwielbiał te momenty, w których rozumieli się bez słów. Bardzo podobał mu się ten stan. Dostrzegał we wzroku Sary chyba to, co sam czuł od chwili, w której ją dziś zobaczył. Wcale nie chciał być tej nocy ani spokojny, ani grzeczny. Natomiast Sara z pewnością chciałaby skorzystać z pokładów niegrzeczności, które też w sobie skrywała. Widział je w tej chwili w jej czarnych oczach o figlarnym spojrzeniu. Jednak odpowiedzialność nakazywała im obojgu przeczekać tę skłonność do cielesnej słabości, którą wciąż odczuwał, a która akurat mu dawała o sobie znać bolesnym napięciem mięśni.

– Czyżby do ciebie się też w tym tygodniu nie odezwał? – wywnioskowała Sara.

– Ani słowem. Telefonów nie odbierał, nie oddzwaniał... – z miejsca poinformował Bekhir.

– Przecież odezwałeś się tylko raz – Maks ofuknął przyjaciela.

– Bo wiedziałem, że skoro nie odbierasz, to nie mam co głowy ci zawracać.

– Dobrze wiedzieć, że nie jestem sama.

– Przyzwyczaisz się. – Bekhir usiłował roztoczyć wokół nich optymistyczną perspektywę.

– Tak myślisz? – zapytała Sara bez przekonania w głosie.

Maksowi spodobał się sposób, w jaki Sara i Bekhir ze sobą rozmawiali.

– Nie będzie to łatwe, ale nie wyglądasz na kobietę, która sobie z tym nie poradzi. Powinnaś po prostu wiedzieć, że jak ten się nie odzywa, to znaczy, że… – nagle Bekhir przerwał, szukając chyba odpowiednich słów.

– Że co? – Sara nie mogła doczekać się konkluzji.

– Że jest zajęty – skończył wymijająco Bekhir.

Sara wpatrywała się w niego bez słów. Miała nieodgadniony wyraz twarzy.

– Skoro wyglądam na kobietę potrafiącą poradzić sobie z tymi, nazwijmy to, specyficznymi warunkami pracy, czy to znaczy, że wcześniej Maks przyprowadzał tu takie, którym nie udało się podołać temu zadaniu?

Zadane przez Sarę pytanie skierowane tylko do Bekhira sprawiło, iż Maks musiał przestać udawać, że go tu nie ma i jednak zaznaczyć swą obecność.

– Chciałbym tylko przypomnieć, że tu jestem – odezwał się i powiódł wzrokiem po twarzach tych, którzy zawiązali przeciwko niemu sojusz.

Wodzenie oczami nie przyniosło jednak oczekiwanych rezultatów, gdyż rozmowa toczyła się dalej.

– Nie. Kiedy pierwszy raz cię tu przyprowadził, to zbaraniałem.

– Może stałeś za blisko baraniny? – Robił wszystko, co mógł, by włączyć się do rozmowy.

– I chyba nie ma się co dziwić. Kobiety nie lubią przegrywać z pracą. – Sara zamyśliła się.

– Myślę, że w tym przypadku nie chodzi o kobiety, tylko o Maksa – stwierdził poważnie Bekhir.

– Czyli... – odezwała się Sara, widocznie mając kłopot z odnalezieniem sensu w jego rozumowaniu.

– Maks jest wymagający – wypalił w końcu Bekhir. – W dodatku to chyba romantyk. Na co dzień widzi tyle złych rzeczy, że chciałby w życiu prywatnym mieć jakąś przeciwwagę.

Słuchał przyjaciela i nie mógł uwierzyć w to, co właśnie słyszał. Tego po Bekhirze się nie spodziewał.

– Możesz przestać ją straszyć?! – zapytał głośno i zdecydowanie.

– Uspokój się – Sara zareagowała natychmiast.

W końcu oderwała wzrok od bardzo poważnej w tej chwili twarzy Bekhira i zerknęła w jego stronę. O dziwo, było to spojrzenie zupełnie odmienne od tego, którego się spodziewał. Sara patrzyła spokojnie i bardzo łagodnie. Zaimponowała mu w tej chwili.

– Chyba nie wyglądam ci na taką, która wystraszy się byle czym? – zapytała z uśmiechem.

– Ma rację dziewczyna! – Bekhir znów stanął za Sarą murem. – Przypomnij sobie, jak się poznaliście.

– Właśnie! – podchwyciła Sara.

– Macie szczęście, że was lubię – odgryzł się i westchnął, czując, że zmęczenie zaczyna brać nad nim górę.

– Nie, to my mamy szczęście, że ciebie znamy – podsumował Bekhir.

– To fakt! – Sara z promiennym uśmiechem zgodziła się ze swym przedmówcą i pogładziła go po szorstkim policzku. – Ale teraz musimy już iść – zaproponowała troskliwie. – Chyba powinieneś się trochę przespać...

– Zwłaszcza że, jak znam twoją robotę, to w najbliższym tygodniu też nie planujesz udzielać się towarzysko.

Nie zdążył się odezwać, a przyjaciel znów skoncentrował się na rozmowie z Sarą.

– Powinnaś wiedzieć, że praca Maksa ma naturę falową.

– Są tacy, którzy uważają, że wszystko w świecie ma naturę falową. – Znów udało mu się wtrącić do rozmowy swe trzy grosze.

– Proszę... jaka wiedza z fizyki! – Sara spojrzała na niego i szczerze się roześmiała.

Obserwując jej drobne, seksowne ciało, pomyślał, że teraz nie interesowała go fizyka, tylko fizyczność kobiety, która siedziała tuż obok. Chciałby jej dotykać, wszędzie. Wiedział, że Bekhir wnikliwie śledził jego głodny wzrok wędrujący po ciele Sary, ale w tej chwili nie robiło to na nim najmniejszego wrażenia, ponieważ przyjaciel od zawsze był doskonałym obserwatorem. Zresztą on sam miał w tej materii zdolności poparte dochodzeniowym doświadczeniem. Tyle że w pracy zmuszony był skupiać się na faktach, a teraz, kiedy patrzył na dekolt Sary, musiały mu wystarczyć póki co tylko wyobrażenia, w jego profesji zupełnie nieistotne, a w życiu prywatnym kluczowe, odkąd poznał Sarę. Jego wszystkie domysły były konkretnym powodem do radości. W przyszłości i teraz.

Kończy się dzień. Chociaż był piękny, to jakoś dziwnie mi go nie żal. Świeciło słońce, na niebie nie było ani jednej chmurki. Ale nie potrafiłam się niczym cieszyć. Smutna jestem. Maksa nie widziałam już ponad tydzień. Przestałam zliczać dni bez jego odwiedzin, żeby się w depresję nie wpędzać. Wczoraj zaniosłam Kwietniowej pół garnka gołąbków, bo już miałam ich dość... Smucę się i martwię. Beatka miała mi Zosieńkę przywieźć i to też nie wyszło, bo małą gorączka złożyła. Chciałam pojechać do nich i pomóc, przynajmniej trochę, a Beatka na to: „Nie ma mowy, mamo, to pewnie jakaś wirusówka parszywa i nie dosyć, że się o Zosię martwię, to za dwa dni będę miała na głowie jeszcze twoją chorobę".

Czuję się bardzo samotna. Na spacer dziś poszłam. Aż trzy razy. Raz z Kwietniową, ale nawet mi się jej słuchać nie chciało. Nic mi te przechadzki nie pomogły. Chociaż pamiętam, jak siostra Józefa zawsze mi i innym dzieciom w naszym domu mówiła: „Zostawmy wszystko i idźmy na spacer. Potrzebujemy powietrza".

Nawet spać nie mogę przez to bezustanne myślenie o Maksie. Zamiast zasnąć, zastanawiam się, gdzie teraz jest i co robi. Nie pomaga mi nawet wiedza, że sen jest najlepszym przyjacielem człowieka. Jest tak dobry jak pies, jak moja Nutka, która nigdy nie budzi się przede mną. Modlę się, bo źle znoszę te ciągnące się w nieskończoność nieobecności Maksa. Są dla mnie nie do wytrzymania. Modlę się i proszę Pana, by opiekował się moim chłopcem. Błagam, by o nas pamiętał. Gdy mam w sobie tak dużo niepokoju jak teraz, to zawsze ku pocieszeniu swego serca odszukuję w pamięci mądrości siostry Józefy. Dziś przypomniało mi się, że gdy miałam kłopoty w szkole, bo przyznać muszę, do orłów nigdy nie należałam, i jakiś taki trudny czas mi się zdarzył, to siostra Józefa poprosiła mnie, żebym mimo wszystko zawsze starała się zachować spokój ducha, ponieważ Bóg troszczy się o mnie nieustannie. Robi to nawet wtedy, gdy mi się wydaje, że stracił mnie z oczu. To żeby nasz Pan tracił nas z oczu, jest niemożliwe, więc nie ma się czego bać.

Myślę więc o moim chłopcu i o słowach siostry Józefy i przekonuję swą duszę, że wszystko będzie dobrze. W oknie długie minuty wystaję, oczy wypatruję. Sąsiadów przez to oglądam. Za szybą widzę dzieci, które z dnia na dzień coraz większe się robią. Matkom, które w wózkach pociechy wożą, zazdroszczę najbardziej.

Przecież to dla kobiety najszczęśliwszy okres w życiu, jak maluchy są wciąż przy niej. Nie musi się martwić, że pójdą gdzieś, że w złe towarzystwo wpadną. Szkoda tylko, że gdy się takie małe dzieci ma, to się wcale tak nie myśli. Dopiero jak powoli zaczynają z gniazda wyfruwać, to się inaczej na to wszystko zaczyna patrzeć. I to święte słowa, że małe dzieci – mały kłopot, duże dzieci – duży kłopot. Za chwilę kolację będę jadła. Znowu sama jak palec. Nic na to nie poradzę, że Maks taką sobie profesję wybrał, że znika z życia od czasu do czasu. Jaką to trzeba być kobietą, by coś takiego znieść. Sama byłam żoną policjanta, ale wtedy świat wyglądał inaczej. Chyba spokojniejszy, nieco rozsądniejszy. Ale cóż... Mogę sobie ponarzekać i czekać muszę. Może to już jutro będzie ten dzień... Może Panazajutrz w końcu usłyszę: „Cześć, mamuś". Daj, Panie Boże...

Weszła do domu. Z głębi dochodziły jak zwykle telewizyjne dialogi. Rozebrała się po cichu i weszła do salonu. Uśmiechnęła się. Dziś Dziadek przysypiał na tak zwaną popielniczkę. Tak mawiał Wojtek. „Na popielniczkę", czyli z głową uniesioną do góry i lekko rozchylonymi ustami. Inną pozycję snu Dziadka Wojtek określał „na dziobaka". Czyli Dziadek ostatkiem świadomości, gdzieś na pograniczu jawy i snu, udawał, że nie śpi, usiłując utrzymać głowę prosto, a gdy mu się to nie udawało, bo sen wygrywał z jawą, wtedy nagle opadała mu głowa, ale na krótko, ponieważ zaraz się krygował i udawał, że wcale nie śpi.

Kiedy leżał tak jak dziś, czyli „na popielniczkę", wtedy nie musiała się obawiać, że byle szmer go zbudzi, ponieważ ta pozycja oznaczała porządny wypoczynek, a nie byle jaką drzemkę.

Patrzyła na Dziadka, ale jednym okiem zerkała w stronę kuchni, mając świadomość, że powinna zakasać rękawy i ugotować coś ciepłego. Jednak przedtem zapragnęła odpocząć po pracy, chociaż krótką chwilę.

Dzieci w przedszkolu były dziś wyjątkowo podekscytowane, żeby nie powiedzieć niegrzeczne. Dyrektorka kilka dni temu przyjęła do jej grupy chłopca z orzeczeniem o nadpobudliwości psychoruchowej i miały teraz z Karoliną i pozostałymi dziewczynami taką perełeczkę w grupie, że jak kończyły pracę, to często dla żartu przypominały sobie nawzajem, jak się nazywają. Chłopiec miał na imię Fryderyk. Na głowie nosił burzę włosów, niczym narodowy kompozytor, do tego koloru ognistego. Wszystko robił bardzo szybko. Mówił szybko, bawił się jeszcze szybciej, a najszybciej zjadał posiłki. Po prostu szatan, szatan nie dziecko – tak określała go Karolina. Ale polubiły go. Zarówno wychowawczynie, jak i dzieci z grupy rówieśniczej. Osobiście również miała słabość do tego malca. Chociaż obczytała się w literaturze przedmiotu, że nadpobudliwości często towarzyszą zachowania agresywne, to u tego chłopca agresja najwyraźniej zamieniała się w ataki błazenady, dzięki którym szybko stał się przewodnikiem przedszkolnego stada. Poza tym odkąd się pojawił, było nie tylko dynamiczniej, ale także bardzo wesoło. Kolor włosów Fryderyka, jego nakrapiany złotymi piegami nos przywodziły jej na myśl Pipi Langstrumpf. Zresztą charakterystyczny dla niej ciągły uśmieszek towarzyszył również małemu, a błysk w jego błękitnych oczach sprawiał, że gdyby Pipi nie była jedynaczką, a miała brata, ten z pewnością byłby kopią Fryderyka.

Myśląc o chłopcu, usiadła obok Dziadka, który posapywał zabawnie. Odwiązała z szyi apaszkę, tę od mamy Maksa. Zerknęła za okno. Słoneczny dzień przeszedł już całkowicie na stronę cienia. Ściszyła telewizor. Tylko nieznacznie, żeby nagła cisza nie zbudziła śpiącego. Podobnie jak on oparła głowę o zagłówek miękkiego fotela. Uwielbiała domowy spokój, był doskonałym antidotum na przedszkolną wrzawę, która tylko podczas leżakowania zamieniała się w krótkotrwały odpoczynek dla uszu, i to nie zawsze.

Zamknęła oczy. Gdzieś pod przymkniętymi powiekami znów zamajaczyła jej twarz małego Fryderyka. Jego zawadiacki uśmiech, a przede wszystkim wiecznie roześmiane błękitne oczka. Maks też miał błękitne, ale całkiem inne. Jego oczy były bardzo jasne, ale miały prawie granatowe obwódki. Poza tym idealnie komponowała się z nimi bardzo ciemna oprawa oczu. Maks był brunetem, bardzo przystojnym i wysportowanym, ale nie atletycznym. Od czasu gdy ostatnio namiętnie całował ją przy furtce jej domu, minął już tydzień. Kolejny tydzień bez informacji. Nie wiedziała, gdzie jest, co robi, jak żyje. Nie wiedziała nic. Było jej bardzo ciężko. Wierzyła jednak, że chociaż nie dawał znaku życia, to nic mu się nie stało i myślał o niej. Sama rozmyślała o nim bezustannie. Po prostu nie potrafiła przestać. Całkowicie zawrócił jej w głowie. Dziś wydawało jej się, że nawet bardziej niż kiedyś Robert, który już od momentu kiedy się poznali, osaczał ją swoją osobą. Teraz, z Maksem, było całkiem inaczej. Pojawiał się i znikał. Gdy się pojawiał, było jej tak jak nigdy dotychczas. Nie myślała o niczym innym, tylko o nim. Kiedy był przy niej, chłonęła jego wzrok, dotyk, pocałunki, które za każdym razem różniły się od siebie. Miała wrażenie, że jej ciało tęskniło za nim nawet wtedy, gdy je dotykał. Teraz, kiedy o nim rozmyślała, było jej przyjemnie nawet w trapiącej ją niepewności. Muskała swój policzek dłonią, a przypominała sobie dotyk twarzy Maksa pokrytej ostatnio kilkudniowym zarostem. Najprawdopodobniej nie zapanowała nad swymi westchnieniami, gdyż nagle dotarło do niej, że nie tkwi w ramionach mężczyzny, tylko siedzi w fotelu przed telewizorem, zamiast grzecznie krzątać się po kuchni i przygotowywać ciepłą obiadokolację.

– O! Jesteś już, moja Sarenko! – Dziadek ucieszył się na jej widok i westchnął bardzo głośno, zupełnie jakby sen zamiast go zrelaksować, zmęczył aż nadto.

– Jestem – odparła z uśmiechem – i zamiast wziąć się do kolacji, to sobie tu przysiadłam na moment obok ciebie.

– I bardzo dobrze. – Uśmiechnął się Dziadek, delikatnie się przeciągając.

– Ale już się biorę do pracy, bo na pewno jesteś bardzo...

Nie zdążyła wypowiedzieć słowa „głodny", bo zadzwonił dzwonek do drzwi.

– Spodziewamy się kogoś? – Dziadek zatkał uszy, gdyż częstotliwość dźwięku wydawanego przez dzwonek od lat go drażniła i zawsze identycznie na niego reagował.

– Raczej nie.

Szybko podniosła się z fotela i skierowała się do wejścia. Otworzyła i ku swej radości zobaczyła Wojtka trzymającego przed sobą ogromną torbę wypełnioną po same brzegi.

Widok przyjaciela ucieszył ją niezmiernie. Lubiła takie niespodzianki. Zwłaszcza że nie przypuszczała, iż dzień tak miło się skończy. Zapowiadał się fajny wieczór. Bardzo takiego potrzebowała. Musiała się czymś zająć. Nie miała już siły na domysły i tęsknotę. Pozbawiały ją sił i optymizmu. Przeszkadzały jej bardzo, ponieważ odkąd poznała Maksa, chciała być tylko dobrej myśli.

– Ty tutaj? – zapytała z ogromną radością.

– A jakże! – odpowiedział Wojtek i odwzajemnił uśmiech. – Ale uprzedzam, mam na sobie jeszcze afrykański brud, ale za to przy sobie mnóstwo dobrego żarcia.

– To dawaj! – Przejęła z rąk przyjaciela wielką torbę upstrzoną jakimiś bazgrołami.

Wchodząc do kuchni, natknęła się na uśmiechającego się Dziadka.

– Zobacz, kolacja zapukała do naszych drzwi! Za chwilę zjemy coś super! Cieszysz się?

– Cieszę się, że ty się cieszysz – odparł z rozbrajającą szczerością Dziadek i z taką samą albo nawet jeszcze większą dodał: – I oczywiście przede wszystkim z tego, że moje oczy znowu tego chłopaka widzą.

Wojtek uściskał Dziadka serdecznie, jak zwykle bez słów. Po czym, też jak zwykle, przystąpił do prezentacji darów losu, które ze sobą przyniósł.

– Zobaczcie, co tu ze sobą przytachałem. Tylko się nie bójcie, nie będzie kuchni afrykańskiej, tylko włoska, bo po

Afryce spędziłem dwa dni w Mediolanie, dlatego patrzcie, co mam. Makaron, parmezan, nie jakiś tarty chłam, tylko kulturka, w kawałku. Pachnie tak, że klękajcie narody. Sos do makaronu, co prawda gotowy, ale mam też połówki pomidorów sycylijskich, to go trochę podrasujemy i będzie mistrzostwo świata. Bazylia, niestety suszona, ale jest szansa, że na włoskim słońcu. – Wojtek puścił oczko.

Obserwowała przyjaciela, który był w swoim żywiole, ale znała go na tyle, że nie dała się zwieść. Zauroczenie, o którym jej ostatnio opowiadał, chyba nie skończyło się niczym poważnym. Wiedziała, że miłość raczej zmieniała Wojtka w rozmarzonego milczka, a nie w wulkan energii doskonale obrazujący południowy temperament.

– A na deser cantuccini! – Przyjaciel domu zakończył prezentację z przytupem.

– Widzisz, Sarenko, jak się dobrze złożyło, że nie zaczęłaś gotować – zauważył Dziadek siedzący już od jakiegoś czasu przy kuchennym stole.

Z ogromną chęcią do niego dołączyła i razem obserwowali, z jaką gracją i jak szybko Wojtek wchodził w rolę rodzinnego kuchty i myszkował po szafkach w poszukiwaniu tego, co będzie mu potrzebne.

– Co mam robić? – zainteresowała się Sara.

– Nakryj do stołu.

– A ja? – Dziadek też chciał się do czegoś przydać.

Lubił pomagać w kuchni, lubił czuć się potrzebny. Gdy żyła Babcia, zawsze dawała Dziadkowi coś do pracy, żeby mu się stawy w rękach nie zastały. Tak zawsze mówiła i w ten sposób zapracował na status kuchennego obieracza.

– A Dziadzio... – Wojtek zrobił skupioną minę – ... a Dziadzio goni do łazienki, żeby ręce umyć, a jak wróci, to dostanie parmezan do starcia. Czy takie zadanie jest do zaakceptowania?

– A jakżeby inaczej – odpowiedział Dziadek już w drodze do łazienki.

– Tarka! Potrzebna mi tarka! – Wojtek podniósł głos.

– Trzecia szuflada pod piekarnikiem, po prawej stronie.

– Musisz kupić sól, bo się kończy – poinformował Wojtek, nie patrząc w jej stronę.

– Wiem, byłam wczoraj na zakupach, ale znowu zapomniałam.

– Kochana, jak masz w głowie tylko namiętność, to po prostu zrób sobie listę zakupów – zaproponował konstruktywnie, wsypując makaron do już gotującej się wody.

Nie przyznała przyjacielowi racji, nie nawiązała do insynuowanej przez niego namiętności nie dlatego, że nie chciała podzielić się z nim własnymi myślami i przeżyciami, chociażby tymi sprzed tygodnia, ale dlatego, że czekała na odpowiedni moment. Miała pewność, że nadejdzie on po kolacji osłodzonej ciasteczkami cantuccini maczanymi w gorącej herbacie.

– Dlaczego nic nie mówisz? – Wojtek oderwał wzrok od sosu pomidorowego, który zawzięcie mieszał, by ten nie przywierał do dna garnka.

– A co mam mówić?

– Jak to, co masz mówić? Cokolwiek... – zasugerował, po czym szybko dodał: – ... byleby to dotyczyło przystojnego gliniarza.

– To może po kolacji...

– Jest aż tak dobrze czy aż tak źle?

– Jestem gotowy! Rączki umyte! – Dziadek zameldował swą gotowość do operacji „parmezan".

– To zapraszam, Dziadziu, tu do mnie i proszę. Wszystko przygotowane. Ser, micha, tara i do roboty! Do roboty!

Cieszyła się, że humor Wojtkowi dopisywał. Zachowywał się w tej chwili jak prawdziwy mistrz kuchni. Mieszał w dwóch garnkach naraz. Pilnował jednocześnie pyrkających na gazie sosu i makaronu. Pasta z pewnością potrzebowała jeszcze trochę czasu.

– Makaron gotujemy po polsku czy po włosku? – zapytał mistrz kuchni.

– Po polsku. Nie położyłam na stole toporów, tylko sztućce – zażartowała, nawiązując do tego, że w ich rodzinie nikt nie przepadał za makaronem *al dente*.

– Super, super – poparł ją Dziadek. – Chcemy przecież to zjeść, a nie połamać sobie zęby.

Prawie w tym samym momencie wybuchli śmiechem, ponieważ wszyscy troje świetnie pamiętali, jak Wojtek pierwszy raz zaserwował im makaron ugotowany po włosku i rzeczywiście był tak twardy, że jak to wówczas skwitował Dziadek, nadawał się do rzucania po ścianach.

– Mówisz, masz! – podsumował z wesołością w głosie Wojtek. – Makaroniarze napisali na pudełku osiem minut, to dodamy do tego jeszcze pięć albo nawet siedem dla równego rachunku i będzie cud, miód, palce lizać. A serek jak? Dobrze się trze?

– A jakże – odpowiedział Dziadek, zerkając przez ramię w stronę telewizora.

Do kuchni, gdzie prace kulinarne szły pełną parą, właśnie docierała melodia, którą rozpoczynało się wieczorne wydanie *Wiadomości*, czyli ulubiony program Dziadka. Lubiła w nim to, że zawsze interesował się tym, co się działo na świecie. Jednak bywały momenty, kiedy się trochę martwiła, ponieważ informacje ze świata naszpikowane były tragediami dotykającymi ludzkość, a Dziadek zawsze się nimi przejmował i bardzo je przeżywał. Sama nigdy nie oglądała *Wiadomości*, żeby nie wiedzieć o panoszącym się złu. Nie chciała słuchać o dramatach, wojnach, okrucieństwie ani innych strasznych rzeczach mających swe źródło w najciemniejszych stronach ludzkiej natury. Jeśli natomiast zdarzały się jakieś dobre wiadomości, to i tak zwykle o nich wiedziała, ponieważ Dziadek takimi dzielił się z nią z ogromną ochotą. Z uśmiechem i zaangażowaniem opowiadał, w którym zoo urodziła się panda, w którym na świat przyszedł biały tygrys, a gdzie na świecie pojawiły się czworaczki, w dodatku wszystkie zdrowe.

Teraz widziała, z jakim całkiem młodzieńczym zapałem, oddelegowany do tego zadania, trze parmezan i z jaką iście saperską uwagą wsłuchuje się w informacje wydobywające się z szepczącego dziś telewizora. Wojtek zaczął nucić, zatem postanowiła zrobić Dziadkowi przyjemność. Podeszła do jego fotela, na podłokietniku zwykle leżał pilot. Zrobiła trochę głośniej. Dziadek od razu w podzięce ofiarował jej piękny uśmiech.

– Dziękuję ci, Sarenko – odezwał się bardzo życzliwym tonem. – Jesteś jak twoja Babcia. Jej też nie musiałem o nic prosić, bo jak tylko czegoś chciałem, to ona od razu umiała spełniać moje niewypowiedziane prośby.

– Ludzie! Ale się zrobiło romantycznie – odezwał się znad kuchenki Wojtek.

– Raczej wspomnieniowo – podsumowała, siadając przy już nakrytym stole. – Długo jeszcze? – zapytała tonem dziecka znudzonego przydługą podróżą.

– Nie marudź! Czekaj! – zdyscyplinował ją Wojtek.

– Nie marudzę... Czekam... – odparła grzecznie i pokornie.

Siedziała przy stole i patrzyła na nachylone nad tarką plecy Dziadka i wyprostowane nad kuchenką plecy Wojtka, ale myślała o tych Maksa. Prostych i pewnie bardzo wysportowanych. Myślała o nim, a myślom tym wciąż towarzyszył ogromny lęk. Tak bardzo się o niego bała. Zupełnie nie pomagał jej fakt, że jego nieobecność i przedłużające się milczenie były spowodowane sprawami zawodowymi. Chciała, żeby był przy niej. Marzyła o tym. Nie wymagała od życia, by był blisko niej przez cały czas, ale myślała o luksusie, który stanowiła dla niej możliwość spotkania się z nim choćby na krótko. Westchnęła z powodu duszącej ją tęsknoty. Oczywiście zrobiła to nieco za głośno.

– Wzdychanie ci nie pomoże – szepnął w jej kierunku Wojtek.

– Wiem... – powiedziała wcale nie do Wojtka, tylko do siebie.

Wiedziała, że mogła wzdychać do woli, ale nic nie poradzi na to, że odkąd poznała Maksa, a może nawet odkąd zobaczyła go po raz pierwszy, krwawiącego na chodniku, chciała być w jego pobliżu. Niestety nie była. Chciała wiedzieć o nim wszystko. Niestety nie wiedziała. Pragnęła poznać go lepiej, wciąż wydawało jej się, że zna go bardzo mało. Chciała coś z tym wszystkim zrobić, ale nie wiedziała co ani jak. Niemoc, którą odczuwała, nie związywała jej rąk, tylko bardzo mocno ją denerwowała. Wprost wkurzała. Jednak paradoksalne było to, że owe zdenerwowanie i wkurzenie wyzwalały w niej dość pozytywną energię. Miała świadomość, że teraz musiała tylko wyczekać na odpowiedni moment, by skorzystać z tej energii. Wierzyła, że chwila nadejdzie. Pragnęła, by nadeszła tak szybko, jak to tylko możliwe.

– Gotowe! – obwieścił w końcu Wojtek, odcedzając makaron.

– Ja też już skończyłem – pochwalił się Dziadek.

Cieszyła się z jego zadowolonego uśmiechu.

– Zapraszam do stołu! – wrzasnął Wojtek.

Przyjaciel szarogęsił się i w kuchni, i przy stole. Im jednak nie przeszkadzało to wcale. Ani jej, ani tym bardziej Dziadkowi. Była tego pewna. Wprost przeciwnie, oboje byli zadowoleni i szczęśliwi, że mają obok siebie kogoś, kto o nich dba, pamięta nawet wtedy, gdy jest daleko, i lubi robić to, co sprawia im ogromną przyjemność.

– Pachnie wybornie! – rozanielił się Dziadek, zajmując miejsce przy stole.

– Smakuje dużo lepiej, niż pachnie – pochwalił się Wojtek.

– Uwielbiam cię – szepnęła Sara.

– A spróbowałabyś nie! – Uśmiechnął się przyjaciel i puścił do niej oko. – Smacznego, kochani! Jedzmy! Nie ma na co czekać! Niech nie stygnie.

Najedzeni do granic możliwości zajęli swoje ulubione pozycje w jej pokoju. Wojtek rozciągnął się na łóżku, natomiast ona usiadła na biurku. Jej pozycja wskazywała na to, że szykował im się wieczór zwierzeń. Gdyby szykował im się moment słodkiego lenistwa, leżałaby teraz obok Wojtka i dołączyłaby do jego stękań, wśród których wciąż królowała kwestia: „normalni ludzie tyle nie jedzą".

Chociaż była utrudzona dniem, a przede wszystkim już chyba chorobliwym niepokojem o Maksa, to i tak chciała namówić Wojtka na wyznania. Znała go, więc wiedziała, że doskonałym humorem usiłował zamaskować w istocie podły nastrój.

– Nie chcesz się położyć? – Wojtek spojrzał na nią podejrzliwie, gdyż już wyczuwał pismo nosem.

Doceniała zdolności aktorskie przyjaciela, jednak znali się tak długo i tak dobrze, że oboje wiedzieli, iż nie mogli niczego przed sobą ukryć, a zwłaszcza czegoś związanego z ich życiowymi utrapieniami.

– Chyba musimy pogadać – zaproponowała, siląc się na uśmiech, bo prawdziwych przesłanek do radości niestety nie znajdowała.

– Makaron zjedzony, to o czym tu jeszcze gadać?

Tym pytaniem Wojtek utwierdził ją w przekonaniu, że zajęta przez nią biurkowa pozycja była najodpowiedniejszą na dzisiejszy wieczór. Skrzyżowała zwisające z biurka nogi i zaczęła rytmicznie nimi huśtać.

– Jak było w Mediolanie i w tej całej Afryce? – zapytała niby od niechcenia.

– Dużo roboty. Jak zwykle.

Patrzyli na siebie. Wiedziała, że był całkowicie świadom, iż oczekiwała całkiem innej odpowiedzi, bo nie o pracę pytała. Jeśli w ogóle w ich rozmowach zdarzały się takie pytania, to zwykle na szarym końcu. Wpatrywała się zatem w Wojtka wyczekująco, ciesząc się, że był tak blisko.

– Musisz mnie tak świdrować tym diabelskim spojrzeniem? – zapytał w końcu.

– Diabelskim spojrzeniem? – powtórzyła po nim, krzywiąc się, gdyż porównanie do diabła nie spodobało jej się ani trochę.

– Skoro anioły mają błękitne oczy, to diabły na pewno takie jak ty – przyjaciel nie zwlekał z wyjaśnieniami.

– Ciekawa jestem, czy anioły boją się diabłów. – Przybrała uśmiech Mefista.

– Są za mądre – odpalił jej z anielskim spokojem.

Wojtek grał na czas. Oczywiście, że to czuła. Oboje wiedzieli doskonale, że nie znosiła takiej gry. Tolerowała ją tylko wtedy, gdy posługiwały się nią dzieci w przedszkolu, robiąc wszystko, co tylko możliwe, by przedłużyć czas kończących się tak zwanych spontanicznych zabaw. Była to ich ulubiona forma spędzania czasu w przedszkolu. Teraz, gdy wpatrywała się w Wojtka, była pewna, że na jego spontaniczność nie miała co liczyć w tej chwili. Żeby się czegoś dowiedzieć, musiała stawiać na konkret. Dlatego nie zamierzała w dalszym ciągu uprawiać anielsko-diabelskiej dialektyki, tylko musiała przystąpić do celowego ataku.

– Jak twoja miłość?

– A twoja? – sprytnie odbił piłeczkę Wojtek.

– Nie odzywa się od ponad tygodnia – uprościła sytuację ostatnio komplikującą i bardzo utrudniającą jej życie.

– Czyli kiedyś się do ciebie odzywała – zauważył Wojtek, którego głos niestety brzmiał bardzo gorzko.

Wolała nie komentować słów przyjaciela, aby nie ranić ani jego, ani siebie.

– I było wam fajnie? – tym razem to on zadał konkretne pytanie, zatem musiała odpowiedzieć.

– Bardzo – wyznała cicho, szczerze i tęsknie.

– To przynajmniej masz co wspominać, bo ta moja, pożal się Boże, miłość patrzy na mnie tak, że już od tego dobrze mi się robi. Tylko że poza tym patrzeniem nie daje mi nic. Nie! Skłamałem! To nie jest nic! To jest jedno wielkie upokorzenie! Ten facet jest trudny do zdobycia i jeszcze trudniejszy do zrozumienia. Rozumiesz?

Patrzyła na Wojtka i wiedziała, że tak bardzo przeżywał to, co go spotykało, nie tylko z powodu nieodwzajemnionej miłości albo miłości udającej brak odwzajemnienia. Wojtek to odrzucenie przeżywał w dwójnasób, ponieważ był bardzo szczery i brzydził się udawaniem. To właśnie z tego powodu zerwał kontakty z najbliższą rodziną. Nie chciał udawać, a jego bliscy ależ owszem. Rodzice Wojtka woleli grać, a nie zrozumieć, że ich syn, młodszy syn, kocha inaczej. Pogodzili się z tym, że ten urodzony w zacnej lekarskiej rodzinie, majętnej i znanej w stołecznych kręgach, jest wykształcony w artystycznej dziedzinie, choć już to im do końca nie odpowiadało, ale było do przełknięcia. Natomiast to, że wizji żeniaczki kawalera z jakąś odpowiednią, czyli pasującą do rodziny panną brakowało, według nich było nie do przyjęcia. Wojtek po prostu w pewnym momencie swego życia, a dokładnie rzecz ujmując, w pewnym momencie własnej szczerości zaczął odstawać od tej porządnej rodziny. A skoro tak się stało, to został z niej wygnany. To znaczy, chyba nawet wygnał się z niej sam. Wojtek od dawna nie utrzymywał żadnych kontaktów z bliskimi.

Ani z rodzicami, ani z bratem. Obraził się na nich. Nawet ona nie znała szczegółów związanych z tą rodzinną banicją. Gdy tylko kierowała rozmowę na kwestie rodzinne, Wojtek nabierał wody w usta. Kilkakrotnie usiłowała się czegoś dowiedzieć, ale bezskutecznie. Dostrzegała natomiast, że poruszanie tego tematu było dla przyjaciela bardzo bolesne. Zatem po kilku nieudanych próbach przestała podejmować wątek. Omijała go celowo i rozważnie. Najtrudniej było jej wtedy, gdy zdarzały się różne święta. Było to tym trudniejsze, że o ile na co dzień udawało jej się przyszywać Wojtka do swej nielicznej rodziny, o tyle w czasie uroczystości od lat jej to nie wychodziło. Wojtek każde święta spędzał samotnie, i to z dala od świątecznej zawieruchy. Pakował plecak i jak on to mówił: „fruuu...". Nigdy nie wiedziała, w jakiej części globu podziewa się jej przyjaciel, jakie piękne miejsca uwiecznia za pomocą swojego obiektywu, podczas gdy w Polsce rozbrzmiewało wielkanocne Alleluja bądź bożonarodzeniowe „Lulajże, Jezuniu".

W tej chwili, gdy patrzyła na niego, widziała żal i rozgoryczenie. Nawet chyba nie do końca wynikające z tego, że obiekt westchnień odrzucał jego uczucie, ale dlatego, że udawał, iż nie dostrzega zainteresowania, choć widział je na pewno. Znała Wojtka doskonale i wierzyła w jego przeczucia. Oprócz tego, że był utalentowanym fotografem, bywał jeszcze bardzo dobrym psychologiem. Potrafił doskonale nawiązywać niewerbalny kontakt z modelkami, które fotografował, i to przede wszystkim w tym tkwiło źródło jego zawodowego sukcesu. Na swych zdjęciach uwieczniał nie tylko ludzi pięknych, ubranych w najmodniejsze i najdroższe tkaniny. Jego zdjęcia zawierały coś jeszcze. Przedstawiały historie ludzi, a także miejsc, w których zostały zrobione. Te fotografie miały w sobie to „coś", czego nie potrafiła nazwać, ale dzięki czemu efekty pracy Wojtka cenione były na całym świecie. A żeby nie miał w swym życiu zbyt wielu powodów do radości, to wcześniej przydarzyła mu się rodzinna banicja, a teraz uczuciowe lekceważenie – dużo gorsze od braku wzajemności, ponieważ przypominające o powodach rodzinnego wykluczenia.

Myślała o przyjacielu i od dłuższego czasu wlepiała w niego spojrzenie, jednak zupełnie nie wiedziała, co zrobić. Jak go pocieszyć? Zastanawiała się, czy w ogóle powinna wchodzić w rolę pocieszycielki.

– Nie wiem, co powiedzieć... – przyznała się w końcu.

– Jeśli nie wiesz, co powiedzieć, to po prostu nic nie mów. – Wzruszył ramionami.

Nie był to jednak gest nonszalancki, ale jedynie obrazujący życiowe zagubienie. Wojtek patrzył na nią i chyba miał ochotę jeszcze coś dodać.

– O ile życie byłoby łatwiejsze i przyjemniejsze, gdyby ludzie przynajmniej trochę ograniczyli swoją potrzebę komentowania wszystkiego, co się dzieje, i wszystkich, którzy biorą udział w tych wydarzeniach.

Słysząc to, uśmiechnęła się do niego. Po pierwsze, zgadzała się z nim całkowicie, a po drugie, gdzieś w głębi świadomości zagościła jej teraz myśl, o której nie chciała zapomnieć. Owa myśl dotyczyła tego, że Wojtek ze swoimi poglądami był z pewnością ewenementem w branży, w której pracował. To przecież właśnie tam odbywało się współczesne targowisko próżności i kryło gniazdo os. Każdy czuł się w obowiązku tę właśnie próżność komentować ze wszystkich sił. Wojtek jednak wykonywał swą pracę najlepiej, jak potrafił, a od tego równoległego świata odcinał się skutecznie. Tak samo jak od swojej rodziny. Miał bardzo cenną umiejętność skupiania się tylko na tym, co ważne i istotne. Reszta go nie interesowała i nie zaprzątał sobie tym głowy, a raczej nad wyraz artystycznie skonstruowanej psychiki.

– To prawda – zgodziła się.

Jednak wiedziała, że uwagi, jakie miał do życia przyjaciel, nigdy nie zamienią się w czyny, ponieważ jak kiedyś zwykła powtarzać Babcia: „Ludzie od zawsze gadali, gadają i gadać będą, i to czy trzeba, czy nie trzeba".

– A ty jak? – zapytał Wojtek, wpatrując się w nią wyczekująco. – Powiedz mi, proszę, że nie wpadłaś z deszczu pod rynnę.

Wiedziała, że już samym brzmieniem głosu sugerował jej, iż chciałby teraz usłyszeć coś optymistycznego.

– Ja? – zamiast odpowiedzieć, zadała pytanie...

Wojtek nic nie mówił. Czekał. Ona natomiast myślała intensywnie, ale nic sensownego nie przychodziło jej do głowy.

– Po prostu strasznie za nim tęsknię...

Wpatrywał się w nią w uważnym milczeniu. Nie zamierzał się odezwać. To jej oddawał pole do popisu.

– Trudno być kobietą – odezwała się w końcu i spojrzała na swą bratnią duszę z wielką nadzieją na zrozumienie.

– To przez to, że życie kobiet polega na zadawaniu się z mężczyznami – oświecił ją.

– Dobre... genialne... – rozpłynęła się w powolnej pochwale. – Jeżeli sam to wymyśliłeś, to jesteś geniuszem.

– To niestety nie mój geniusz, ale Josepha Conrada.

– I tak cię kocham. Uwielbiam cię za to, że tak dobrze rozumiesz, co siedzi w kobiecie.

– Skoro nie potrafię kobiet kochać, to przynajmniej staram się je zrozumieć. – Uśmiechnął się.

Otworzyła usta, by poinformować go, że jego starania przynoszą oczekiwany skutek, jednak zamiast swego głosu usłyszała bardzo ciche pukanie do drzwi.

– Tak? – zapytała ledwie słyszalnie.

Drzwi się otworzyły, zobaczyła twarz Dziadka i od razu wiedziała, że coś się stało. Był bardzo poruszony.

– Źle się czujesz? – Błyskawicznie zeskoczyła z biurka, by natychmiast znaleźć się przy nim.

– Co się stało...?

– W telewizji właśnie podają, że...

Dziadek zwykle mówił niespiesznie, ale widziała, że w tej chwili poruszenie i zdenerwowanie nie pozwalały mu się normalnie wysłowić.

– Że co? – dołączył Wojtek.

– Że zakończyła się spektakularna akcja policji i jakiś bardzo groźny przestępca został ujęty, ale w akcji zginęło dwóch policjantów, a kilku…

Już nic nie słyszała. Sylwetka Dziadka zawirowała jej przed oczami. Musiała usiąść. Natychmiast. Na podłodze. W dłoniach ukryła twarz. Brakowało jej powietrza. A serce puchło, by za chwilę pęknąć.

– Uspokój się! – wrzasnął jeszcze z góry Wojtek.

Natychmiast zniżył się do jej poziomu, na szczęście nie emocjonalnego. Już ją obejmował. Przytulał i przekazywał siły, których nie miała ani trochę. Zmienił ton.

– Kochana, uspokój się, przecież nie wiemy, czy Maks brał udział akurat w tej akcji.

– Na pewno w tej. – Była załamana.

– Sarenko… Wstań, proszę…

Oderwała dłonie od twarzy i zobaczyła nad sobą trzęsącą się z nerwów dłoń Dziadka, który chciał ułatwić jej powstanie z podłogi. Wystraszyła się, że czuł teraz to, co ona. Chciała wstać, ale nie mogła. Ręka wciąż tkwiła gdzieś nad jej głową, a ona, zamiast skorzystać z pomocy, znów schowała twarz w dłoniach. To strach ją sparaliżował. To on z powrotem zamieniał jej życie w koszmar.

– Wstawaj! – Wojtek znowu podniósł głos.

Poczuła na ramionach zdecydowany uścisk przyjaciela. Nie reagowała ani na słowa, ani na mocny dotyk.

– Popatrz na mnie.

Do dyktatorskiego tonu przyjaciela zakradały się troskliwe nuty. To dzięki temu udało jej się podnieść głowę. Spojrzała w górę.

– Możesz nie zakładać najgorszego? – poprosił Wojtek.

– To zrób coś, proszę cię…

Racjonalny ton przyjaciela przywracał jej wiarę w rzeczywistość. Życie jak zwykle postanowiło przywalić jej obuchem w głowę, i to bez ostrzeżenia.

– Co mam zrobić? Powiedz…

– Nie wiem – odparła bezradnie. – Nie wiem… Może pojedź tam, dowiedz się czegoś… – W stresie generowała idiotyzmy, nie zdając sobie sprawy, jakie bzdury wygaduje.

– Nie wiesz, co mówisz. Pomyśl chwilę. Gdzie mam jechać? Kogo pytać, kogo szukać?

– Sarenko, wstań z podłogi. Proszę cię… – Dziadkowi kolejny raz udało się dojść do głosu.

Spojrzała na niego i zobaczyła dobrotliwy uśmiech. Zaskoczył ją i dał jej siłę.

– Wstań, proszę… – Dziadek znów prosił, nie rezygnując z uśmiechu.

– Właśnie. Wstawaj, usiądźmy i na spokojnie zastanówmy się, co zrobić.

Wciąż siedząc na podłodze, wodziła wzrokiem między stojącymi nad nią mężczyznami. Miała świadomość, że obaj chcieli jej pomóc. Widziała spokojne oczy Dziadka. Były wypełnione wiarą w to, że Maksowi na pewno nic się nie stało. Oczy Wojtka były inne. Czujne, rozkazujące i przywołujące ją do porządku. Niestety widziała gdzieś tam, jakby daleko od siebie, majaczące w oddali oczy Maksa. Błękitne i zachodzące trupią mgłą. Nie mogła znieść tego obrazu wyraźnie zapisanego w pamięci. Nie potrafiła...

– Dobra! Koniec tego cackania się! – Wojtek chwycił ją za rękę i szarpnął ku górze zdecydowanym i silnym ruchem, któremu nie była w stanie się przeciwstawić. – Idziemy do stołu. Już! – zarządził i pociągnął ją za sobą.

Gdy usiedli przy stole, Dziadek zaproponował herbatę.

– Ja dziękuję. Nie mogę. Nic nie przełknę.

– Jak myślisz, kto może coś wiedzieć na tym etapie?

Wojtek wpatrywał się w nią badawczo, oczekując jakichś mądrości, na które niestety nie mogła się zdobyć. Miała pustkę w głowie.

– Nie mam pojęcia – przyznała bezradnie, nie wysilając się ani trochę.

– No przecież ten twój Maks chyba ma jakąś rodzinę, prawda? – Wpatrywał się w nią wyczekująco.

– Mamę i siostrę – tym razem odpowiedziała szybko, przynajmniej tak mogła pomóc.

– Wiesz, gdzie mieszkają?

– Nie.

Właśnie dotarło do niej, jak mało wiedziała o mężczyźnie, dla którego była w stanie zrobić wszystko. Dla którego w jednej sekundzie zmieniła wszystkie swe życiowe postanowienia wywołane małżeńską traumą.

– To może przynajmniej wiesz, gdzie mieszka? – drążył temat.

Wojtek nie zdawał sobie sprawy, że każdym kolejnym pytaniem pogrążał ją w niemocy i utwierdzał w przekonaniu, że sytuacja, w której się znalazła, była skrajnie rozpaczliwa.

– Jestem beznadziejna. – Była bliska płaczu. – I głupia, przecież ja nic o nim nie wiem.

– A telefon?

– Przecież przez tę akcję nie odbiera ode... – Nie skończyła zdania, załamał jej się głos.

– Tylko mi tu nie rycz! To może przynajmniej wiesz, kto może coś o nim wiedzieć? Oczywiście oprócz matki i siostry.

– Nie wiem – odpowiedziała, dając się zalać fali wzbierającej beznadziei.

Przyjaciel, wpatrując się w nią wyczekująco, głośno westchnął. Patrzył i czekał. I stał się cud! Intensywne spojrzenie, spojrzenie dotykające jej duszy, w końcu pomogło. Przypomniała sobie.

– Poczekaj! Wiem! Bekhir!

– Kto?!

– Która godzina?!

– Kwadrans po dwudziestej drugiej – poinformował Dziadek.

– Chodź! Pojedziemy do niego! – zaproponowała Wojtkowi.

Zerwała się od stołu. Była gotowa do działania. Pragnęła, by ktoś udzielił jej dobrych informacji o Maksie. Musiała go zobaczyć, dotknąć, usłyszeć. Żeby życie miało sens, musiała się o nim czegoś dowiedzieć. Natychmiast. Nie mogła czekać. Musiała działać.

– Dokąd? – zapytał Wojtek, nie stawiając żadnego oporu.

– Kiedy wrócicie? – zapytał Dziadek.

– Nie wiem, obiecuję, że jak się tylko czegoś dowiemy, to od razu się odezwę. Ale najlepiej będzie, jeśli się położysz i odpoczniesz.

– Sarenko, przecież ja oka teraz nie zmrużę.

– Postaraj się... Albo najlepiej oglądaj telewizję i jakbyś usłyszał coś nowego, to też się odzywaj. Dobrze?

Zarzucając na siebie pierwszą lepszą, zdjętą z wieszaka kurtkę, spojrzała na Dziadka i zobaczyła, że musi go natychmiast przytulić. Stał przed nią jakiś taki malutki, wymizerowany, skurczony od nagłego zmartwienia. W dodatku miała świadomość, że tak wyglądał, bo chodziło o jej przeżycia i jej zmartwienia. Objęła zatem najbliższego sobie człowieka. Mocno i jeszcze mocniej. Przytuliła do siebie. Okrutnie bała się tego, co miało się wydarzyć, czego miała się dowiedzieć.

– Nie martw się, Sarenko, nie martw... Wszystko będzie dobrze... Zobaczysz... – Tuż przy uchu usłyszała pokrzepiający szept.

Chciała odpowiedzieć, że wie, że w to wierzy, ale głos ugrzązł jej w wysuszonym od stresu gardle.

– No jasne, że wszystko będzie dobrze – powtórzył za Dziadziem głośno Wojtek i chwycił ją za rękę. – Gotowa? – zapytał, mocno ściskając jej dłoń.

– Gotowa – skłamała gładko.

Już stojąc w drzwiach, odwróciła się jeszcze, by uśmiechnąć się do Dziadka. Przecież zawsze się żegnali uśmiechem, niezależnie od tego, jak długo mieli się nie widzieć.

„Uśmiech to najlepszy początek powitania i najlepszy koniec pożegnania", usłyszała w myślach głos Babci.

– Kebab?! – zagrzmiał Wojtek, gdy parkowali. – To ma być, za przeproszeniem, restauracja?

– Nie zachowuj się jak zblazowany artysta! Błagam!

– Sorry.

– Czy to jest teraz najważniejsze? – zapytała tym razem całkiem bezradnie.

– Sorry, naprawdę. Wiem, nie popisałem się. – Wojtek otworzył drzwi samochodu.

Wysiadła z Jaguara i podeszła do drzwi lokalu. Nacisnęła klamkę. Nie zdążyła jeszcze całkiem otworzyć, a od razu usłyszała informację.

– Przepraszamy, ale mamy już dziś zamknięte.

Młoda dziewczyna zmywająca właśnie podłogę, mówiąc to, uśmiechnęła się bardzo serdecznie, chociaż na jej twarzy widoczne było ogromne zmęczenie.

– Przepraszam bardzo, że przeszkadzam, ale nie chcemy jeść. Chciałabym tylko zapytać, czy zastałam może pana Bekhira?

Wymawiając imię najlepszego przyjaciela Maksa, poczuła, jak mocno drżało jej serce. Jej wewnętrzny głos już podpowiadał, że to, iż w knajpie o tej porze nie ma Bekhira, było bardzo złym znakiem.

Dziewczyna, usłyszawszy imię swego szefa, znieruchomiała, ale tylko na chwilę.

– Szef jest na tyłach – poinformowała tym razem bez uśmiechu.

– A czy moglibyśmy się z nim zobaczyć? – Walczyła z nerwowymi mdłościami.

– Oczywiście, proszę bardzo – pracownica wskazała im znajdujące się za barem drzwi. – Proszę przejść tędy, a na zapleczu od razu skręcić w lewo i jeszcze raz w lewo, potem od razu zobaczą państwo szefa.

Wciąż stali w progu restauracji. Dopiero w tej chwili Wojtek zamknął za sobą drzwi.

– Na pewno możemy? – zapytała jeszcze kontrolnie, gdyż droga wskazana przez dziewczynę biegła przez świeżo wytartą podłogę.

– Oczywiście, proszę się nie krępować. Ja i tak muszę to zmyć jeszcze raz.

– Dziękujemy bardzo – powiedziała szybko i tak zachęcona ruszyła przed siebie.

Na plecach czuła spojrzenie Wojtka, a na ramieniu ciężar swej duszy. Na zapleczu restauracji panowały wprost wzorcowe ład i porządek. Szybko pokonali opisaną trasę i rzeczywiście na jej końcu od razu dojrzała Bekhira. Wystarczyło jej jedno spojrzenie, by na nowo się przerazić. Bekhir w swoim śnieżnobiałym fartuchu szefa kuchni siedział na zewnątrz, na wyłożonym kostką małym placyku. Plecami opierał się o ścianę, po której piął się zimnolubny bluszcz. Mężczyzna tępo patrzył przed siebie i palił papierosa. Był pochłonięty własnymi myślami. Nawet nie zauważył, kiedy otworzyli szklane drzwi prowadzące na patio.

– Cześć. – Podeszła i szybko usiadła obok.

Wojtek mruknął pod nosem słowo powitania i poszedł w jej ślady. Nie wiedziała, co powiedzieć, jak zacząć rozmowę. Kolejny raz dzisiejszego wieczoru obleciał ją strach, ponieważ Bekhir przywitał ją bardzo cicho, po czym od razu wrócił do milczącego palenia.

– Powiedz, że nic mu się nie stało – szepnęła błagalnie.

Bekhir niestety wciąż milczał.

– No powiedz coś – odezwał się Wojtek takim tonem, jakby Bekhir był jego dobrym znajomym, a nie człowiekiem, którego widział pierwszy raz w życiu.

– Wiem tyle co wy, czyli nic – odpowiedział Bekhir, rzucając okiem na Wojtka.

– To co możemy zrobić? – zapytała z bezradnością dziecka.

– Czekać – spojrzał jej prosto w oczy.

– A jest ktoś, kto może coś wiedzieć? – drążyła temat.

Pewnie robiła to dlatego, że nie chciała czekać. Nie potrafiła. Pragnęła zobaczyć Maksa. Coraz bardziej chciała go przytulić.

– Gdyby coś się stało... To chyba bym już wiedział... – wydusił z siebie po dłuższej chwili Bekhir.

Nie odrywała od niego oczu. Dlatego dostrzegła jego wielką niepewność, gdy wymawiał słowo „chyba".

– Naprawdę pozostaje tylko czekanie? – nie dowierzał Wojtek.

Widziała, że podobnie jak ona wpatrywał się w Bekhira, pochylając głowę, by móc go widzieć, ponieważ siedziała między mężczyznami.

– Nic innego – odparł zapytany.

Widziała, jak wychylił się, podobnie jak jej przyjaciel przed chwilą, i zaszczycił Wojtka bacznym spojrzeniem. Przynajmniej tak się jej wydawało. Nagle zobaczyła przed sobą wyciągniętą dłoń Bekhira.

– Mam na imię Bekhir.

– Wojtek.

Panowie podali sobie ręce.

– Gdyby nie okoliczności, to powiedziałbym, że miło mi cię poznać – Wojtek.

Bekhir skończył palić papierosa. Zgasił go w stojącej obok popielniczce, wypełnionej prawie całkowicie niedopałkami. Po czym wstał i podał Sarze rękę. Złapała ją, drugą dłoń podała Wojtkowi. Podniosła się.

Bekhir zerknął na duży zegarek, który miał na ręce.

– Dochodzi jedenasta – powiedział powoli. – Myślę, że jedyna rzecz, jaką mogę teraz zrobić, to zamiast podpierać tu ścianę, pojechać i podpierać ją przed mieszkaniem Maksa i po prostu na niego poczekać.

– Chcę jechać z tobą – zadecydowała.

– Coś ty... Wracajcie do domu... Zostaw mi tylko swój numer. Jak Maks wróci do domu albo się czegoś dowiem, to od razu zadzwonię.

– Nie ma mowy – zdecydowanie zaoponowała. – Jadę z tobą. Ale ty, Wojtek, jak chcesz, to możesz wracać do siebie albo lepiej do Dziadka.

Jednak wystarczyło jedno spojrzenie przyjaciela, by wiedziała, że bardzo nie spodobała mu się jej propozycja.

– Chyba nie myślisz, że zostawię cię samą w środku nocy z jakimś obcym facetem – prychnął Wojtek.

– Udam, że tego nie słyszałem.

Widziała, jaką Bekhir miał minę, gdy to mówił. W dodatku spojrzał na Wojtka tak kamiennym wzrokiem, że od razu pomyślała, iż znajomość obu panów nie ma szans na udaną kontynuację.

– Możecie przestać? – poprosiła. – Idźmy już, zróbmy coś, tylko nie siedźmy tu bezczynnie, bo jeśli zaraz się czegoś nie dowiem, to zwariuję.

– Daj mi chwilę, tylko się przebiorę i zamienię kilka słów z moimi ludźmi.

Bekhir zwracał się tylko do niej. Widocznie był wciąż zniesmaczony, a może nawet urażony słowami Wojtka. Mężczyzna zaczął odchodzić, a ona dostrzegła, że Wojtek nie mógł oderwać od niego wzroku do chwili, aż zniknął za drzwiami. Przyjaciel skierował na nią zdegustowane spojrzenie.

– Co to za palant! Słyszałaś to: „Przebiorę się… Zamienię kilka słów z moimi ludźmi" – Wojtek z wrednym akcentem zacytował ostatnie słowa Bekhira, przedrzeźniając go.

– Uspokój się! – usiłowała przywołać go do porządku. – Jesteś niesprawiedliwy i nie zapominaj, że ten „palant" – teraz sama zacytowała swojego rozmówcę, którego nie poznawała w tej chwili, gdyż zwykle nie reagował tak na ludzi – jest jedyną osobą, dzięki której dowiem się czegoś o Maksie, więc albo spuścisz z tonu, albo to tylko z nim pojadę podpierać ścianę przed mieszkaniem Maksa.

– Dobra! Już dobra! – Wywołany do tablicy szybko zrozumiał swój nietakt. – Przepraszam, też jestem zdenerwowany – tłumaczył się niezbyt przekonująco.

– Mnie nie musisz przepraszać, ale temu facetowi na pewno przydałoby się jakieś ludzkie słowo z twoich ust…

Chciała jeszcze coś dodać, jednak na horyzoncie pojawił się Bekhir, zatem zamilkła. Zupełnie nie spodziewała się, że Wojtek jej posłucha, bo potrafił być zaprzysiężonym uparciuchem. Dziś jednak dość mile ją zaskoczył, zaczynając, co prawda niemrawo, zasugerowane przez nią przeprosiny.

– Posłuchaj…

– Daj spokój! Nie ma o czym mówić, wszyscy jesteśmy zdenerwowani…

Widziała, jakim nieznoszącym sprzeciwu spojrzeniem Bekhir obdarzył jej przyjaciela. Nerwy wszystkim puszczały. Bardzo starała się uspokoić i nie tracić panowania nad sobą z powodu bzdur.

– Jak jedziemy? – Wojtek dawał do zrozumienia, że nie wystarczy na niego spojrzeć krzywo, by się wystraszył i przestał odzywać.

– Moim samochodem – odpowiedział Bekhir znów tonem, z którym lepiej było nie dyskutować.

Dostrzegła, że w przyjacielu znów się zagotowało, ale tym razem ugryzł się w język i zrobił to tylko dla niej. W tym momencie wydało jej się, że znała go nawet lepiej niż siebie. Miała już dosyć wszystkiego, a zwłaszcza niepokoju i tej idiotycznej walki kogutów między mężczyznami, których obu lubiła. Poza tym czas uciekał, a ona chciała jak najszybciej zobaczyć Maksa.

– Jedźmy już, proszę... – odezwała się płaczliwym tonem.

– Chodźcie. – Rzucił komendę Bekhir, co znów nie spodobało się Wojtkowi.

Nie miała innego wyjścia, jak chwycić przyjaciela za łokieć i pociągnąć za sobą.

– Chodź i już nic nie mów. Proszę.

Ściskała jego dłoń i podążali krok w krok za przyjacielem Maksa, który w pewnym momencie otworzył przed nimi tylne drzwi bardzo luksusowego samochodu. Wsiadając do niego, usłyszała ciche słowa przyjaciela:

– Nie dosyć, że palant, to jeszcze snob.

– Zamknij się już – syknęła najciszej, jak potrafiła.

Na Wojtku jej słowa nie zrobiły oczywiście żadnego wrażenia, gdyż już niejednokrotnie je słyszał w momentach, w których w tak specyficzny sposób prosiła go o ciszę lub o wstrzymanie się od wydawania niepotrzebnych jej do niczego opinii albo komentarzy.

Gdy ruszyli, zauważyła, że Bekhir zerkał w górne lusterko, w którym z pewnością widział twarz jej przyjaciela. Po chwili spojrzał również na nią. Spotkali się wzrokiem. Jego wzrok był przerażony. Wpadła w panikę. Dotarło do niej, że nie zniesie tego, nie przeżyje, jeżeli Maksowi coś się stało.

Zaczęła płakać. Nie mogła poradzić sobie z emocjami, które przecież przy Robercie wytresowała do perfekcji. Przy nim nauczyła się panować nad płaczem, ponieważ on na widok jej łez dostawał białej gorączki. Schowała twarz w dłoniach, zdając sobie sprawę, że wolałaby teraz znów przeżywać atak białej gorączki w jego wykonaniu niż lęku, który miała w tej chwili w swym sercu. Kiedyś bała się o siebie. O byłego męża nigdy. Przenigdy. Może dlatego, że w powiedzeniu „złego diabli nie biorą" doszukiwała się prawdy codziennie. Teraz drżała o Maksa. Strach o niego był dla niej makabrycznym przeżyciem.

– Proszę cię… Nie płacz… – usłyszała za plecami łagodny głos przyjaciela.

Zauważyła, że Bekhir znów spojrzał w lusterko. Musiał napotkać wzrokiem spojrzenie Wojtka.

– Daleko jeszcze? – zapytał ten w miarę spokojnie.

– Jeszcze trochę.

Niestety nie mogła odetchnąć. Musiała zobaczyć Maksa. Musiała, żeby nie zwariować.

Maks mieszkał w ładnym apartamentowcu na Powiślu. Na ostatnim, szóstym piętrze. Bekhir był teraz nieoceniony. Znał kod do domofonu budynku, dzięki czemu mimo już bardzo późnej pory mogli wejść. Dochodziła północ. To była bardzo chłodna noc. Ciemna, bez gwiazd i księżyca. Wiał bardzo silny wiatr, a i tak chyba nie mógł sobie poradzić z czarnymi chmurami, które zebrały się nad Warszawą. Zresztą nad nimi wszystkimi również.

Spędzili tę noc, siedząc na schodach prowadzących do mieszkania Maksa. Była wykończona. Pomimo zestresowania momentami przysypiała, opierając się o ramię przyklejonego do ściany Wojtka. Bekhir siedział kilka stopni niżej i jego wzorem przytulał się do betonowego oparcia. Znaki dróg ewakuacyjnych na klatce schodowej były podświetlone i sprawiały wrażenie, jakby otaczała ich wszystkich zielona poświata, choć wcale nie uspokajająca.

Przysypiała, a gdy co chwilę otwierała oczy, widziała wokół siebie tę dziwną zieleń. W końcu osobliwa barwa zniknęła. To dlatego, że spora powierzchnia jednej ze ścian zbudowana była z luksferów, które zaczęły wpuszczać coraz więcej światła rodzącego się poranka. Zerknęła na zegarek. Do szóstej brakowało trochę więcej niż kwadrans. Wojtek pomimo niewygody spał snem sprawiedliwego. Jego regularny oddech był jedynym odgłosem we wciąż cichym i pogrążonym w śnie budynku. Bolały ją plecy. Wszystko ją bolało. A najbardziej strach, który wciąż był jej wiernym towarzyszem. Jaśniejący poranek nie przynosił ani ukojenia, ani optymizmu, na co zwykle czekała po złych i trudnych nocach. Bekhir nie spał. Gdy nocą przebudzała się na krótko, za każdym razem widziała, że przyjaciel Maksa czuwał. Albo siedział tam gdzie teraz, albo stał oparty o ścianę wpuszczającą światło do wnętrza. Od czasu do czasu wychodził, żeby zapalić papierosa. Powinna myśleć o rozpoczynającym się właśnie dniu. Pracę w przedszkolu zaczynała dziś o godzinie czternastej. Nie zamierzała jednak ruszyć się na krok spod drzwi mieszkania Maksa do momentu, aż go nie zobaczy. Innej możliwości nie brała pod uwagę. Innej możliwości po prostu nie było. Nagle Bekhir podniósł wzrok. Najpierw spojrzał na śpiącego Wojtka, a później na nią.

– I co? – szepnęła pytająco.

– Nic. Czekamy – odpowiedział bardzo spokojnym szeptem.

Znów zapadła cisza. Czuła się tak, jakby miała zdrewniałe ciało. Musiała rozprostować kości. Wyplątała swą rękę spod ramienia Wojtka i wstała. Ból ciała, zamiast ustąpić, nasilił się. Przyjaciel nawet nie drgnął. Był przyzwyczajony do spania w niewygodzie, ponieważ bardzo dużo podróżował i niejedną noc w swoim życiu spędził w samolocie albo w lotniskowej poczekalni.

Bekhir znowu najpierw spojrzał na Wojtka, a później na nią.

– Obolała? – zapytał, zauważywszy wyraz jej twarzy.

– Koszmar – przyznała.

Zeszła kilka stopni i przytuliła zbolałe i trochę zmarznięte plecy do zimnych, ale za to prostych luksferów. Gdy to zrobiła, gdzieś na dole trzasnęły drzwi. Przyjaciel Maksa natychmiast poderwał się ze schodów.

– Idzie – powiedział szybko.

– Skąd wiesz? – nie mogła uwierzyć i uspokoić serca.

– Wiem – powiedział z ulgą i uśmiechem na twarzy. – Słyszę, że to on.

Gdy to mówił, już szumiała winda. Nie mylił się. Na szczęście się nie pomylił. Za moment zobaczyła Maksa. Wyglądał strasznie. Kilkudniowy zarost zakrywał tym razem zapadnięte policzki i ziemistą cerę. Czarnych cieni pod oczami niestety nie zakrywało nic. Miała przed sobą mężczyznę w niczym nie przypominającego tego, który pierwszy raz pocałował ją w Kazimierzu.

Dostrzegł ją i znieruchomiał.

– Co ty tu robisz? – zapytał tak, jakby nie zauważał, iż nie była sama.

– Tęsknię – odpowiedziała jednym słowem, za to najodpowiedniejszym.

Przylgnęła do niego całym ciałem i już tylko w myślach kontynuowała swą odpowiedź: „umieram ze strachu, czekam na ciebie, wariuję bez ciebie".

Maks ją przytulał. Tak mocno, że nie mogła myśleć, iż jej się to śni. Po chwili poczuła na sobie dotyk jeszcze kogoś. To były dłonie Bekhira, który zbliżył się do pleców Maksa i jedną ręką dotykał jej ręki, a drugą klepał Maksa po ramieniu.

– Ładny przygotowałem ci komitet powitalny, co? – zapytał z uśmiechem.

– Najpiękniejszy i najlepszy – odpowiedział Maks i oddalił się trochę, ale tylko po to, by spojrzeć jej w oczy. Wciąż trzymał ją w ramionach.

– Boże! Jak dobrze cię widzieć – szepnęła coraz bardziej wzruszona.

– Dzień dobry – usłyszeli za sobą.

Donośny głos Wojtka sprawił, że Bekhir odkleił się od Maksa, a Maks od niej. Pełna magii chwila skończyła się za szybko. Już za nią tęskniła. Tęskniła za Maksem. Ale jej tęsknota stała się teraz całkiem nieważna. Najważniejsze było to, że Maks był cały i zdrowy. Zmęczony, a raczej wymęczony, ale stał przy niej. Był bezpieczny, a ona gotowa na to, by powiedzieć mu choćby zaraz, że jej życie bez niego nie ma sensu.

– Dzień dobry – Maks jako jedyny odpowiedział na powitanie.

Ona nie miała teraz głowy do kurtuazji, a Bekhir nie zapałał do jej przyjaciela sympatią, za co całą winę ponosił sam Wojtek. Nikt inny.

– Wojtek. – Wyciągnął dłoń w kierunku Maksa. – Bo nie mieliśmy jeszcze okazji.

Maks po męsku uścisnął wyciągniętą w jego kierunku rękę i szybko wymówił swoje imię. Miała wrażenie, że nawet się uśmiechnął.

– To co robimy, skoro bohater jest cały i zdrowy? – zapytał Wojtek trzeźwym tonem.

Jego głos wyraźnie wskazywał na to, że był a – wyspany, b – miniona noc kosztowała go mniej emocji niż pozostałych oczekujących na powrót Maksa.

– Może wejdziecie na poranną kawę? – zaproponował słaniający się na nogach Maks.

– Chyba żartujesz?! – zgromił go od razu Bekhir. – Nawet się nie waż teraz pić kawy! Masz iść spać, a wstać możesz dopiero jutro o tej porze. Poza tym przed snem lepiej nie patrz w lustro, bo będziesz miał kłopoty z zaśnięciem.

Maks w odpowiedzi głośno westchnął. Oparł się o szklaną ścianę. Ten ruch wywołał dziwny hałas. Wszyscy, którzy na niego patrzyli, zdali sobie sprawę, że wciąż był uzbrojony. Znów głośno westchnął. Włożył ręce do kieszeni i wlepił wzrok w podłogę. Nie wiedziała, jak się zachować. To znaczy wiedziała. Chciała go przytulić i nie przestawać tego robić przynajmniej do jutra. Jednak moment na takie zachowanie był nieodpowiedni. Na szczęście Bekhir jako jedyny wiedział, jak się zachować i co powiedzieć. W końcu miał doświadczenie. Domyśliła się, że to nie była pierwsza taka noc w jego życiu.

– Jak reszta?

– U nas dwóch – odpowiedział bardzo cicho Maks.

– A u nich? – zapytał Bekhir, doskonale odnajdując się w dramatycznym temacie.

– Sześciu – z bladych ust Maksa padła konkretna odpowiedź.

Była przerażona, słysząc tę rozmowę. Wiedziała, że nie dotyczyła ona prostej matematyki, tylko makabrycznych rachunków, a raczej porachunków dobra ze złem.

– A najważniejszy? – szyfrował Bekhir, imponując jej wiedzą w kwestii, która bez dwóch zdań należała do ściśle tajnych.

– Żyje. Podziurawiony, ale wyliże się – stwierdził Maks głosem wyzutym z emocji.

– Jest coś jeszcze, prawda? – Wtajemniczony w sprawę bardzo ściszył głos.

Zaschło jej w ustach. Była poruszona. Miała wrażenie, że serce biło jej nie w piersi, tylko gdzieś dużo wyżej. Widziała, że Wojtek też był pod wrażeniem świata, który do tej pory chyba dla niego nie istniał. Obserwowała, jak przyjaciel nie spuszczał Bekhira z oczu, a Maksowi rzucał tylko od czasu do czasu ukradkowe spojrzenia. Dostrzegała w jego wzroku podziw. Zauważyła też żal. Miała świadomość, że żałował, iż nie miał przy sobie aparatu fotograficznego. Nie zdołał uwiecznić przejmującego obrazu rozmawiających ze sobą mężczyzn. Gdyby mógł teraz sfotografować Maksa i Bekhira, zrobiłby to tak, że przedstawiające ich zdjęcie byłoby jednym z jego najlepszych. Ujęcie tajemnicze, wypełnione skrajnymi emocjami i intrygującym światłem.

– Korkociąg – odpowiedział po upływie długiej chwili Maks.

Odezwał się i w końcu oderwał wzrok od podłogi. Zobaczyła jego przepełnioną bólem twarz i się przeraziła.

– Nie żyje? – zapytał Bekhir.

– Stan krytyczny. Osłaniał mnie.

– Będzie dobrze... Zobaczysz... Korkociąg to twardziel, poradzi sobie.

Głos Bekhira był silny i pewny siebie. Miała ochotę paść temu mężczyźnie do stóp tylko po to, by mu za to podziękować.

Maks niestety chyba był innego zdania, bo odezwał się z rezygnacją:

– Jak sobie nie poradzi, to chyba strzelę sobie w łeb.

– Co ty mówisz? – W końcu odzyskała głos.

– Musisz iść spać! Natychmiast! – Bekhir już zdążał z pomocą.

Mówił tak, jak nie znosił tego Wojtek. Już o tym wiedziała, dowiedziała się wczoraj. Taki ton był teraz jednak niezbędny. Dobrze działał na Maksa, a jeśli chodziło o Wojtka, to chciała tylko, żeby był cicho. By nie przyszło mu do głowy, żeby się odzywać. Zależało jej, aby nabrał szacunku do poznanego wczoraj „palanta", by zrozumiał, że bardzo krzywdząco go ocenił.

– To może już pójdziemy? – Wojtek niestety się odezwał.

Spojrzał na nią w tym samym momencie, gdy na niego spojrzał Bekhir.

Nie chciała nigdzie iść. Chciała być blisko Maksa. Chciała zostać z nim sama. Jednak skoro tego nie proponował, to pomyślała, że może to nie jest najlepszy moment na to, by przekroczyć próg jego mieszkania.

– Tak, to dobry pomysł. – Bekhir przyklasnął pomysłowi Wojtka.

Chciało jej się płakać.

– To my idziemy. – Teraz Bekhir patrzył tylko na jej przyjaciela. – Oni zostają.

Myślała, że się przesłyszała. Ale nie. Popatrzył najpierw na nią, a potem na Maksa. Znów zapragnęła paść mu do stóp, by podziękować za przysługę.

– Co? – zaperzył się Wojtek.

Wiedziała, że tak będzie, że jej przyjaciel właśnie tak zareaguje, gdyż nie znosił, gdy ktoś jemu – artyście – wydawał polecenia, w dodatku wyraźnie autorytarnym tonem.

– To, co słyszałeś – rzucił Bekhir. Trwał przy swoim pomyśle i nie zamierzał wprowadzać w nim żadnych, nawet minimalnych zmian. Zerknęła w kierunku Wojtka i już wiedziała, że był gotowy do walki kogutów, na szczęście jedno ukradkowe spojrzenie na przyjaciela Maksa wystarczyło, by zrozumiała, iż ten zamierzał jego gotowość stanowczo zlekceważyć. Nadszedł czas, aby to ona wzięła sprawy w swoje ręce i pomogła przede wszystkim sobie, bo akurat Bekhir zupełnie nie potrzebował pomocy. Doskonale radził sobie sam.

– Wojtku... Proszę cię... – zaczęła delikatnie.

Miała ogromną nadzieję, że ten zrozumie ją bez żadnych tłumaczeń. Już otwierał usta, jednak Maks, pomimo koszmarnego zmęczenia, okazał się od niego szybszy.

– Ja też cię proszę. – Podszedł bliżej i objął ją ramieniem, a raczej przygarnął do siebie.

Wojtek stał naprzeciwko nich. Tworzyli trójkąt. Widziała w oczach przyjaciela, że poczuł się zbędny. Wiedziała, że nie znosił tak się czuć. Zresztą przecież nikt tego nie lubił. Dlatego nie dziwiła mu się ani trochę, ale marzyła o tym, żeby spędzić chociaż trochę czasu z mężczyzną, którego dłoń dotykała jakby trochę bez czucia jej lewe ramię.

– Idziemy? – Bekhir był zniecierpliwiony.

– To do zobaczenia – poczuła na policzku dwa pocałunki.

– Trzymajcie się – Bekhir pożegnał się szybko.

Od razu ruszył schodami w dół, a kiedy Wojtek do niego nie dołączył, szybko obejrzał się i spiorunował go wzrokiem, któremu towarzyszył spokojny ton.

– Specjalne zaproszenie potrzebne?

Wojtek już chciał pogonić kota Bekhirowi, ale utkwiła w nim swój nie proszący, lecz błagalny wzrok, zatem nie miał wyboru, musiał zmilczeć słowa cisnące mu się na usta.

– Idę! – odezwał się głośniej, niż wymagała tego sytuacja.

Widziała, jak spoglądał w kierunku szybko oddalającego się mężczyzny. Na jego twarzy rysowała się niechęć, a nawet furia. Jednak zmienił minę tylko po to, by się z nimi pożegnać mile brzmiącymi słowami „do zobaczenia".

– Do zobaczenia – odpowiedzieli prawie równocześnie.

Spojrzała na Maksa. Ich spojrzenia się spotkały.

– Mam nadzieję, że się nie pozabijają – szepnęła, patrząc w bardzo smutne i zmęczone oczy.

– Nie ma obawy. Bekhir to najspokojniejszy człowiek, jakiego znam.

– Za to Wojtek to najbardziej nieprzewidywalny człowiek, jakiego ja znam.

– Nie martw się, to dorośli faceci, poradzą sobie. – Uśmiechnął się Maks. – Zmęczona?

– Bardzo. Ale na pewno nie tak jak ty, wyglądasz koszmarnie. – Nie udało jej się zapanować nad szczerością.

– A ty jak zwykle pięknie. – Maks przyciągnął ją do siebie i delikatnie musnął ustami jej czoło. – Chodź... Może napijemy się razem porannej kawy...

Posłusznie ruszyła za Maksem, który z kieszeni swojej czarnej zamszowej kurtki wyjął klucz do mieszkania. Otworzył drzwi i nad wyraz mile brzmiącym „zapraszam" zachęcił, by to ona pierwsza przekroczyła próg jego domu. Zrobiła to z lekkim, acz bardzo przyjemnym drżeniem serca. Przepełniało ją szczęście zarówno z tego powodu, że Maks był przy niej, jak i dlatego, że właśnie spoglądał na nią tak, jakby zapraszał ją nie tylko do swego mieszkania, ale również do swego życia.

Weszli do środka. Zaczęła rozbierać się z kurtki i przyglądała się Maksowi. Patrzyli na siebie. Czuła, że chcieli teraz tego samego.

– Czego się napijesz? – zapytał Maks i ziewnął.

Uśmiechnęła się, zamiast odpowiedzieć. Nie wiedziała, czy zażyczyć sobie kawy, herbaty czy miłości...

– Śniadania nie mogę ci zaproponować, bo tu rzadko jest coś do jedzenia, chyba że mama mi coś przyniesie albo ugotuje.

– Nie martw się. Nie jestem w ogóle głodna. Poza tym byłoby głupio, gdybym jadła u ciebie śniadanie, skoro nie było kolacji – stwierdziła dwuznacznie.

Cieszyła się, że Maks w końcu zaczął mieć lepszy nastrój, a w duchu gratulowała sobie tego, że z pewnością udało jej się skierować myśli Maksa na tory, które intrygowały ją od czasu ich pierwszego nadwiślańskiego pocałunku.

– To jakaś sugestia?

Patrzył na nią tak, że miała pewność, iż mimo zmęczenia był gotów podjąć każde wyzwanie, które zachciałaby teraz mu rzucić.

– Nie... – Jednak się nie odważyła. – Skąd... To tylko najzwyklejsze spostrzeżenie. Nie było kolacji, nie ma śniadania – podkreśliła tym razem jednoznacznie.

Maks jednak nie zareagował, ponieważ akurat zerkał na zegarek.

– Przepraszam, ale muszę zadzwonić do mamy.

– A ja do Dziadka – wróciła do rzeczywistości, opuszczając świat marzeń.

Maks wyjął z kieszeni czarnych dżinsów telefon, wybrał numer i przytknął komórkę do ucha.

– Zrobię herbatę – szepnął. – Wejdź, proszę. – Spontanicznie wskazał jej salon. – Cześć, mamuś...

Usłyszała miły głos doskonale udający beztroskę i brak zmęczenia. Weszła do salonu, gdzie w oknach zamiast firanek były zaciągnięte do połowy rolety weneckie w ładnym jasnoszarym kolorze, świetnie pasowały do dużej ciemnoszarej kanapy. Usiadła, ciesząc się, że u Maksa panowała atmosfera raczej hotelowa. Były tu tylko potrzebne sprzęty. Żadnych bibelotów i durnostojek. Zero kwiatów. Przy kanapie mały stolik. Bardzo duży telewizor wkomponowany w regał z książkami, tytułów nie chciało jej się teraz czytać. Ku swej wielkiej radości znalazła się w męskiej przestrzeni nieskażonej kobiecą ręką. Sądząc po rozmiarze salonu, oceniła, że mieszkanie nie było małe. Dopiero po chwili zauważyła oryginalną lampę. Jej cienki stojak na górze rozwidlał się na kilkanaście gałęzi, każda z nich zakończona była małą żaróweczką. Z kuchni dobiegały strzępki rozmowy, którą Maks prowadził z mamą. Słyszała też szum czajnika i jakieś pobrzękiwania.

Wyjęła z torebki telefon i wybrała numer do domu, wiedząc, że Dziadek z pewnością już nie spał. Odebrał od razu.

– Dzień dobry – przywitała się radośnie.

– Dzień dobry, Sarenko.

Usłyszała w słuchawce głos pełen ulgi i wiedziała, że już nic nie musi mówić ani tłumaczyć. Nawet dobrze się złożyło, ponieważ w drzwiach salonu stanął Maks z dwoma dużymi białymi kubkami w dłoniach.

– Dziadku, już wszystko dobrze. Maks jest w domu. Nic mu się nie stało. Jestem teraz u niego. Nie martw się o mnie. Zresztą niebawem wrócę. To pa...

– Pa, Sarenko – usłyszała pełen ulgi głos i rozłączyła się.

Maks wpatrywał się w nią, a ona w niego. Dopiero teraz zwróciła uwagę, że miał na sobie czarną koszulkę, a raczej bluzkę z długimi rękawami, chyba elastyczną, bo dość ściśle przylegającą do ciała. Jego wysportowana sylwetka sprawiła, że trochę się zdenerwowała. Zupełnie nie rozumiała swej reakcji.

– Może być owocowa? – zapytał. – Innej niestety nie mam.

– To dobrze się składa, bo nie przepadam za czarną.

– Ja też – przyznał się, podając jej kubek.

Usiadł obok, zachowując pewną odległość.

– Ładnie tu – skomplementowała ascetyczne wnętrze.

– Jesteś pierwszą kobietą, której się tu podoba.

Od razu zrzedła jej mina, choć miała nadzieję, że tego nie zauważył.

– Ale to zabrzmiało... To może przyznasz się, ile kobiet już tu przyprowadziłeś. Pochwal się.

Udawanie beztroski wychodziło jej doskonale, jednak w istocie bardzo obawiała się tego, co mogła za chwilę usłyszeć.

– Trzy – poinformował ją.

Pomyślała, że mogło być gorzej. Dużo gorzej. Trzy przed nią to przecież ani żadna tragedia, ani żaden rekord.

– Ale śmiem przypuszczać, że ani jedna nie zatrzymała się tu na dłużej – zauważyła dość odważnie.

– A skąd to przypuszczenie?

– Trochę tu pusto, żadnych kwiatów, poduszek, zdjęć, pamiątek...

– Normalnie jakbym słuchał mojej mamy.

– To może powiesz, dlaczego żadna z tych trzech się tu nie uchowała?– Wciąż udawała beztroskę.

– Chcesz poznać moje wady.

– A masz jakieś?

– Jedną. Wielką. Ciekawe, czy zgadniesz...

Patrzył jej prosto w oczy. Ależ jej się podobał w tej chwili. Wpatrywała się w niego z nieopisaną wprost przyjemnością.

Chociaż wiedziała i widziała, że gdyby miała choć trochę serca, to powinna czym prędzej wypić herbatę i pójść sobie z tego męskiego mieszkania, żeby mężczyzna, na którego miała ogromny apetyt, mógł się w końcu wyspać.

Chociaż Maks robił, co mógł, to i tak nie był w stanie ukryć swego pogłębiającego się wciąż zmęczenia.

– Nie zgadnę – poddała się. – Nawet nie próbuję.

Spojrzał na nią pytająco.

– Mam za sobą ciężką noc – wytłumaczyła – a przed sobą dzień pracy, drugą zmianę, zaczynam o czternastej i będę tam siedziała do nocy...

– Szkoda, że jest rano, a nie wieczór – stwierdził gorzko. – Wtedy moglibyśmy zacząć kolacją...

Bardzo podobał jej się sposób myślenia Maksa, a jeszcze bardziej ton, którym to powiedział, ponieważ był bardzo obiecujący.

– Mam nadzieję, że jeszcze kiedyś zdarzy nam się jakaś kolacja. Chociaż jedna – zasugerowała i zamiast poszukać odpowiedzi w jego oczach, skupiła się na kolorze herbaty.

– A ja mam nadzieję, że niejedna... – Odstawił herbatę na stolik i oparł głowę o wysoki zagłówek kanapy.

– I w ten sposób od twojej głównej wady przeszliśmy do kolacji. – Umiejętnie wróciła do rozpoczętego wcześniej tematu.

– Naprawdę się nie domyślasz? – zapytał z wyraźnym zdziwieniem w głosie.

– Myślisz, że udaję?

– O to akurat cię nie podejrzewam.

– To zdradź mi tę wadę i miejmy to raz na zawsze za sobą.

– Dobrze... ale pod warunkiem... – Maks zaczął cedzić słowa – ... że ty mi zdradzisz jakąś swoją. Przynajmniej jedną... – Uśmiechnął się i ziewnął ukradkiem.

– Rozumiem, że wyglądam na kogoś, kto ma ich mnóstwo!

– Nie. Źle mnie zrozumiałaś. Wprost przeciwnie, wyglądasz mi na kogoś, w kim wad można doszukiwać się długo.

– Wydaje mi się, że skoro pracujesz w dochodzeniówce, to akurat ze mną nie powinieneś mieć żadnego problemu – zażartowała.

– To kto pierwszy?

– Ty – podjęła natychmiastową decyzję.

– Moją największą wadą jest moja praca. – Odwrócił w jej kierunku głowę wciąż spoczywającą na zagłówku kanapy.

– Ale jednak nie możemy o tym zapomnieć, że gdyby nie twoja praca, to nie wiadomo, czy byśmy się kiedyś spotkali. – Wykorzystała metodę Babci i poszukała plusów.

– Tak... to prawda... – Maks znów się zamyślił i znowu wbił wzrok w sufit, na którym wisiał żyrandol, taki sam jak rozgałęziona lampa stojąca tuż za nimi.

– Czyli rozumiem, że żadna z tych trzech kobiet nie zagrzała tu miejsca i nie zaprowadziła tu swoich porządków, bo nie zaakceptowała do końca warunków, jakie dyktuje twoja praca – stwierdziła z przekonaniem, choć pytająco.

– To nie jest do końca tak, jak myślisz.

– A jak jest?

– Jest tak!

Zdziwiła się, ponieważ od razu był gotów udzielić odpowiedzi. Nie przypuszczała, że to okaże się tak łatwe.

– Pierwsza z tych kobiet to moja mama. Druga to moja siostra, która oczywiście chciała się tu porządzić, ale jej na to nie pozwoliłem. A trzecia to... – tu zrobił wymowną pauzę, po czym dodał cichym głosem – ... Patrycja.

– Patrycja... czyli...?

Chciała zachęcić go do zwierzeń. Jednak czuła, że takie zachowanie z jej strony było chyba nie do końca w porządku. Może powinna zmilczeć swą ciekawość.

– Była moją partnerką...

Maks wypowiedział słowo „była" w szczególny sposób. Miała pewność, że jej dalsze pytania dowiodłyby, iż brakuje jej serca. Umilkła więc. Odstawiła kubek na stolik. Przysiadła się do Maksa. Blisko. Wplotła swe ramię pod jego i oparła się o ukochanego policzkiem. Poczuła biceps twardy jak kamień. Siedzieli bez słów. Wsłuchiwała się w regularny oddech mężczyzny, ciesząc się, że właśnie spełniało się marzenie towarzyszące jej od wielu dni. Gdy była już całkiem pewna, że zasnął, usłyszała ciche stwierdzenie.

– To teraz twoja kolej.

– Moja?

– Jaka jest twoja wada?

Zastanowiła się przez chwilę, chociaż wcale nie musiała tego robić. Odpowiedź była i prosta, i skomplikowana.

– Strach – wypowiedziała to słowo, utwierdzając się w przekonaniu, że to może teraz nie wystarczy.

– Strach? – powtórzył Maks, zupełnie nie rozumiejąc.

Jego reakcja nie zdziwiła jej wcale. Musiała mu wszystko szybko wytłumaczyć.

– Tak – potwierdziła. – Strach. To dość skomplikowane...

– Spróbuj mi to wytłumaczyć.

– Mam nadzieję, że zrozumiesz... Nigdy niczego się nie bałam. Zawsze szłam przez życie bez lęku. Aż do czasu kiedy pojawił się Robert. To znaczy do ślubu. Często się słyszy, że zawiera się małżeństwo po to, by dostać jakiś idiotyczny skrawek papieru, który tak naprawdę jest ludziom do niczego niepotrzebny. Są też tacy, co mówią, że po wielkim dniu wszystko się zmienia i już nigdy nie jest tak dobrze jak przedtem. U mnie właśnie tak było. Wszystko zmieniło się po ślubie. A już rok po nim żyłam w koszmarze. I to wtedy w moim świecie pierwsze skrzypce zaczął grać strach. Na początku bałam się Roberta, a już pod koniec bałam się tylko o siebie... – Zastanowiła się, czy aby na pewno dobrze robi, zwierzając się.

Zerknęła na Maksa i przeżyła miłe zaskoczenie. Choć wykończony, słuchał jej z uwagą. Czuła, jak bardzo był skupiony. Zresztą miała na to dowód, ponieważ właśnie odszukał jej dłoń i wplótł w nią swe palce. To dodało jej odwagi, by opowiedzieć mu o swojej nowej obawie.

– Przez te ostatnie dni, kiedy się nie odzywałeś, znów poczułam strach. Tak mocno nasilony jak kiedyś, a może nawet mocniej. Zdaję sobie sprawę, że po moim małżeństwie zostało we mnie bardzo dużo złych emocji. Mam w sobie też mnóstwo deficytów, które utrudniają mi i będą utrudniać relację z tobą. Doskonale wiem, że muszę nad sobą pracować. Muszę przegrupowywać siły i energię, które do tej pory inwestowałam tylko w lęk. Powinnam zacząć lokować je gdzie indziej. Tylko żeby zacząć tak robić, muszę mieć do tego podstawy. Nie chcę, żebyś mnie źle zrozumiał. Nie oczekuję od życia nie wiadomo czego. Zresztą od ciebie też nie. Nie chcę fajerwerków ani latania ponad chmurami. Żadnych obietnic, żadnego planowania przyszłości. Chcę żyć tak, bym czuła, że ważne jest tylko dziś. I dzisiejsza bliskość. Właśnie taka, jaką czułam, a mam nadzieję, że czuliśmy ją oboje, w Kazimierzu. Pamiętasz…?

– Chyba w to nie wątpisz – stwierdził głosem nie pozostawiającym miejsca na jakiekolwiek wątpliwości.

– Wiedz, że chcę być przy tobie nawet bardziej wtedy, kiedy jesteś samotny i świat wali ci się na głowę, niż gdy jesteś uśmiechnięty, bo spacerujemy beztrosko po Kazimierzu i uciekamy przed natarczywością Cyganki. Czułam się tak cudownie, byliśmy ze sobą tak blisko, a potem zniknąłeś i nic. Zero kontaktu. Cisza. A ja znowu wpadłam w czarną dziurę strachu. Jak w moim strasznym małżeństwie. W nocy, kiedy siedzieliśmy na schodach przed twoim mieszkaniem z Bekhirem i Wojtkiem, którzy niestety nie przypadli sobie do gustu, dotarło do mnie, że mój strach w małżeństwie był chyba dużo łatwiejszy niż ten o ciebie…

– Wiem… – westchnął Maks. – Wiem… – powtórzył znów cicho. – Kiedy byłem mały, a mój tato wychodził do pracy, to w oczach mojej mamy zawsze czaił się strach. Teraz też się boi, gdy od czasu do czasu muszę zniknąć. Ale nic na to nie mogę poradzić. To jest taka praca. Czasem bezpieczniej, jeśli nie kontaktuję się z bliskimi. Chcę też, żebyś wiedziała, iż takie akcje jak ta ostatnia zdarzają się rzadko. Jednak jest to zawód, w którym niczego nie da się zaplanować. Nie można o szesnastej wrzucić długopisu do pojemnika na biurku i oddalić się do rozkoszy życia prywatnego. Przestępcy mają nienormowany czas pracy, a my musimy się do nich dostosowywać.

Podobało jej się, i to bardzo, wszystko, co do niej mówił. Nie tłumaczył się teraz z ponad tygodniowej nieobecności, on po prostu opowiadał jej o swojej codzienności i robił to bardzo naturalnie. Było jej przy nim bardzo dobrze. Czuła, że miała przy sobie miłość. Taką, na której zależało jej najbardziej. Nie potrzebowała już więcej słów, te, które usłyszała, wystarczały jej aż nadto. Zamknęła oczy i jeszcze mocniej przylgnęła do ramienia, którego ciepło promieniowało na nią całą. Znów wsłuchała się w oddech Maksa. Wiedziała, że nie spał, bo sporadycznie słyszała przeciągłe ziewnięcia. Chciała poczekać, aż zaśnie. Miała ochotę też na to, by do niego mówić, mówić i mówić. Jednak siedziała cicho, bo teraz potrzebował snu, a nie słów. Milczała zatem i czekała dość długo.

Od razu poczuła, kiedy zasnął, bo jego dłoń, trzymająca ją dotychczas bardzo zdecydowanie, zaczęła wiotczeć. Posiedziała przy nim jeszcze chwilę. Była pewna, że już spał. Nie wiedziała, czy postarać się go położyć na kanapie, czy lepiej go nie ruszać. Wstała. Nie musiała nawet wyplątywać swej dłoni, ponieważ on sam wypuścił ją z rąk. Rozejrzała się po salonie, w którym nie znalazła niczego, czym mogłaby go przykryć. Postanowiła poszukać jakiegoś nakrycia. Najpierw weszła do kuchni znajdującej się najbliżej. Były w niej nowoczesne białe meble i z pewnością nie miały szans zdobyć kulinarnych zabrudzeń, ponieważ sprzęty, na które patrzyła, wyglądały na nieużywane zbyt często. Przeszła zatem do kolejnego pomieszczenia. Mieściła się tam bardzo mała w porównaniu z salonem sypialnia, a raczej sypialenka. Stojące pod oknem duże łóżko zajmowało prawie całą przestrzeń, tak że dało się podejść do niego tylko z jednej strony, stamtąd, gdzie była szafa wnękowa zajmująca całą ścianę. Jedna jej część przedstawiała widok na nowojorskie wieżowce utrwalone na czarno-białej fotografii. Drugą część szafy, czyli drugie jej bardzo duże drzwi, stanowiło przyciemniane lustro, optycznie bardzo powiększające małe pomieszczenie. Poczuła się, jakby była tu nie pierwszy raz. A wszystko za sprawą nowojorskiej panoramy, której zdjęcie, również czarno-białe, zajmowało ścianę w salonie Wojtka. Pomyślała, że świat jest taki mały, powtarzalny, ale też bardzo zaskakujący. Dotknęła kołdry leżącej na łóżku. Jej powłoka kolorystycznie idealnie pasowała do fotografii. Była po prostu szara. Trochę bardziej od rolety weneckiej w oknie, takiej samej jak te w salonie. Parapetu nic nie zajmowało. Może cienka warstwa kurzu. Wzięła do ręki kołdrę. Wiedziała, że musi już iść. Wrócić do domu, zamienić z Dziadkiem kilka słów, wykąpać się i ruszyć do pracy. Wychodząc z sypialni, zobaczyła jednak coś, co zupełnie nie pasowało do wystroju. Na ścianie naprzeciwko łóżka obok drzwi dostrzegła zdjęcie. Było małe, dlatego podeszła całkiem blisko, by przyjrzeć mu się dokładniej. Nerwowo zwinęła trzymane w rękach przykrycie. Kadr przedstawiał Maksa i niezwykle ładną, uśmiechniętą dziewczynę o rudych włosach spiętych wysoko w kucyk i bardzo wesołych zielonych oczach. W policzkach miała urokliwe dołeczki. Maks i ona stali tyłem do siebie. Ich plecy stykały się ze sobą. Oboje mieli na sobie mundury. Pierwszy raz widziała Maksa umundurowanego i teraz nie dziwiła się ani trochę powiedzeniu, że „za mundurem panny sznurem". „Nie tylko panny" – pomyślała, patrząc w niebieskie oczy Maksa na zdjęciu. Przeniosła wzrok na zielone spojrzenie urodziwej dziewczyny i pomyślała, że była to z pewnością Patrycja, którą dziś wspominał. I Maks, i Patrycja patrzyli prosto w obiektyw aparatu. Każde z nich unosiło przed sobą pistolet zwrócony lufą do góry. Maks był poważny, a Patrycja miała na twarzy bardzo szczery uśmiech. W głowie jej się nie mieściło, że taka piękna kobieta, mająca w oczach tak wesołe chochliki, już nie żyła. Chyba nie żyła. Maks był na zdjęciu tak poważny, zupełnie jakby przeczuwał, co stanie się z Patrycją. Oderwała wzrok od fotografii i zerknęła na stojący na małej półeczce zegarek. Zdała sobie sprawę, że jeśli nie zacznie się spieszyć, to jak nic spóźni się do pracy, dając swej dyrektorce ogromną radość i satysfakcję płynące z możliwości wygłoszenia mowy dyscyplinującej, a tego nie chciała. Bardzo szybko, ale na paluszkach, wróciła do salonu. Ucieszyła się, że ukochany leżał już wtulony w oparcie kanapy. Był tak wysoki, że jego nogi wystawały poza skraj leżanki. Przykryła go delikatnie i uważnie przyniesioną kołdrą, której ledwo starczyło na zakrycie stóp.

Uśmiechnęła się, ponieważ przypomniały jej się słowa Babci: „Pamiętaj, Sarenko, mężczyzna nie musi być piękny. Musi być wysoki. Im wyższy, tym lepiej, bo przecież z góry lepiej widać świat. A skoro mężczyźni widzą mniej od kobiet, tego jestem akurat pewna, zatem ten, który jest wyższy, na pewno widzi więcej, więc lepiej zrozumie kobietę. I wtedy łatwiej będzie im się dogadać. Przecież to takie proste...".

Patrzyła na Maksa. Nie chciało jej się wychodzić. Najbardziej chciałaby zostać, przytulić się do jego pleców i zasnąć. Niestety musiała już iść. Miała świadomość, że zmęczenie, które czuła, będzie towarzyszyć jej do końca dnia, na szczęście radość również jej nie opuści. Maks znów był obecny w jej życiu. Może i dobrze, że musiała się zbierać, bo potrzebował teraz tylko odpoczynku, niczego więcej. Miała nadzieję, że będzie bardzo długo spał. Tak długo, że w końcu, jak się obudzi, to okaże się, że stan jego partnera bardzo się poprawił. Z mieszkania wychodziła po cichutku i z lekkością serca. Choć chciała zostać, to opuszczała to miejsce z uśmiechem. Maks był bezpieczny, odpoczywał, nic mu się nie stało. I co najważniejsze, nie była mu obojętna, przecież tak pięknie trzymał ją za rękę. Niby zwyczajnie, a jednak nadzwyczajnie.

Serce mi dziś bije dużo szybciej niż zwykle. Ma wiele powodów do takiej przyspieszonej akcji. Z moją skłonnością do niskiego ciśnienia to jest najlepsza kuracja, skuteczniejsza od lekarstw. Z Maksem wszystko dobrze. Telefonował do mnie dziś rano. Nareszcie. W końcu. Już myślałam, że się nie doczekam tej rozmowy. Spać nie mogłam, żadna praca mi nie wychodziła. A jak wczoraj listonosz domofonem zadzwonił, i to w dodatku przez pomyłkę, to o mało zawału nie dostałam. Od razu o najgorszym pomyślałam. Niepotrzebnie Beatce się przyznałam, że mam kłopoty ze snem, bo jak to usłyszała, to i mnie, i Maksowi się dostało. Panie Boże, jaka ta moja Beatka jest nerwowa. Od małego taka. Co w sercu, to na języku. Dobrze, że męża ma spokojniejszego od oazy spokoju, bo gdyby furiata poszukała równego sobie, to zamiast małżeństwa byłby ciągły stan wojenny, którego końca nie widać. Ale nie o Beatce teraz. Niech sobie żyje, jak jej wygodnie, byleby tylko zdrowa i szczęśliwa była. Nie zamierzam się do jej życia mieszać. Co z nią miałam przejść, to przeszłam, i Bogu dziękuję, że mi się ją jako tako wychować udało. Przecież, jakkolwiek by patrzeć, rodzinę założyła, dziecko urodziła, pracuje i daje sobie radę. Oby tak dalej, byle nie gorzej.

Panie Boże, dziękuję Ci za to, że Maks przeżył kolejną policyjną rzeźnię. Ku mojej wielkiej radości cały z niej wyszedł, nawet nie draśnięty. Zmęczony tylko nieludzko. Ale to akurat jest dla niego normalne. To taka praca. Już ja go znam, teraz dwa dni prześpi. Jak to mój Maks. On nawet kiedy przemęczony nie jest, to ma taką melodię do spania jak nikt inny. Od małego. Beatka jako maluszek to potrafiła mi życie organizować przez całe dnie, a nawet noce. A gdy w naszej rodzinie pojawił się Maks, to byłam gotowa na najgorsze po tym, co Beatka jako niemowlę wyprawiała. I okazało się, że wcale nie musiałam się wykazywać, bo Maks to był anioł, a nie małe dziecko. Jadł i spał. I do dziś lubi jeść i spać, więc jak do mnie dziś z samego rana zadzwonił, by powiedzieć mi, że już jest po wszystkim i wrócił do swojego domu, to od razu wiedziałam, co muszę zrobić. Nutkę co prędzej na poranny spacer wyprowadziłam. Później szybkie zakupy w moim osiedlowym sklepiku zrobiłam i wsiadłam w autobus, który mnie prosto na Powiśle zawiózł. Kupiłam wszystko na krupnik i na zrazy wołowe, bo Maks je uwielbia. I taka obładowana przed jego budynkiem się znalazłam. Przed domofonem stanęłam i już gotowa byłam, żeby siatki na ziemi postawić i klucza poszukać. Aż tu nagle drzwi otwierają się same. A w nich nikt inny tylko ta dziewczyna, którą z daleka przy topolach widziałam. Jaka to kruszyna. Malutka, ale za to śliczna, a jaki miała miły głos. Dzień dobry mi powiedziała, chociaż przecież mnie nie zna. Drzwi przytrzymała z miłym uśmiechem, choć to ona miała pierwszeństwo, bo wychodziła. Weszłam więc i kiedy jej dziękowałam, spojrzałyśmy sobie w oczy. To była chwila, a do teraz jej nie mogę zapomnieć. Popatrzyła na mnie, zupełnie nie zdając sobie sprawy z tego, że to matkę Maksa tak miło traktuje. Po prostu uśmiechnęła się do starszej kobiety. Drzwi mi przytrzymała, tak długo jak było trzeba. Na zakończenie tego krótkiego spotkania nawet do widzenia powiedziała, mimo że wcale nie musiała. I poszła, a ja zamiast windę przywołać, siatki obok nóg jednak położyłam i patrzyłam za nią tak długo, aż jej postać oddaliła się. Gdy zniknęła mi z oczu, wcale mi się tych siat z podłogi nie chciało zbierać. Nie mogłam o niej przestać myśleć. O niej, a przede wszystkim o jej oczach, które obudziły we mnie wspomnienia. Takie szczególne, wciąż odświeżane we śnie powtarzającym mi się bardzo często od wielu lat. Już nieraz pisałam, że widzę w nim oczy mojej Mamy. Oczywiście dostrzegam też jej twarz, tylko całkiem niewyraźną. Jakbym ją bez okularów oglądała. Za to oczy... Je widzę tak dokładnie, jakbym na nie spoglądała moim wzrokiem sprzed lat wielu, jak gdybym zupełnie nie potrzebowała okularów. Oczy mojej Mamy w tym śnie tak doskonale widzę, jakbym znowu dzieckiem była. Małą dziewczynką, która jest oczkiem w głowie swojej mamy. I dzisiaj wystarczyła chwila, a raczej jedno spojrzenie, abym ten sen, powracający do mnie z lubością i ku mej wielkiej radości, na jawie przeżyć mogła. Wystarczył moment i cofnął się czas. Oczy mojej Mamy zobaczyłam w twarzy znajomej Maksa. Ten sam kolor, tak ciemny, że aż niespotykany. Taki sam kształt, wprost identyczny. I to, co wprawiło mnie w największy zachwyt, taki całkiem dziecięcy wyraz, ten sam błysk w oku. To coś... nieopisanego, ulotnego, a jednak łatwego do zapamiętania. Coś, czego nie sposób zapomnieć...

To ta dziewczyna, młoda i piękna, która mnie w jednej minucie zdążyła powitać i pożegnać, popatrzyła na mnie wyśnionymi oczami mojej Mamy ukochanej. Najukochańszej. Spojrzenie przypadkowo spotkanej osoby sprawiło, że niemożliwe stało się możliwym. Nigdy nie myślałam, że będzie mi jeszcze dana w życiu taka chwila, która sprawi, że cofnie się czas. Że zobaczę coś, z czym zdążyłam się już pożegnać. Nie dosyć, że bardzo dawno temu, to w dodatku na zawsze.

Człowiek myśli, że już nic go nie zaskoczy, a tu proszę... Niespodzianka. I to jaka! Nawet nie wymarzona, bo któż by miał odwagę roić, by ziściło się to, co musi już na zawsze tylko marzeniem pozostać. Niektóre sny muszą tylko życzeniami pozostać. One też mają swój urok i sens. Nawet marzenia senne. One dopiero mają sens. Już ci się wydaje, że możesz czegoś dotknąć, zobaczyć coś, a tu nagle i nieoczekiwanie przychodzi świt i człowiek sam nie wie, nie może się zdecydować, czy ten świt dobrze zrobił, że nadszedł, czy byłoby lepiej, żeby się więcej już nigdy nie obudził...

I już wiem, kiedy minął cały ten dzień, że obraz oczu znajomej Maksa będzie mi towarzyszył na jawie, tak samo jak obraz oczu mojej Mamy w snach. Niesamowite jest też to, że tak jak nie potrafię dojrzeć twarzy mej rodzicielki we śnie, choć jarzą mi się jej oczy jak węgle, tak teraz zupełnie nie mogę przypomnieć sobie twarzy tej dziewczyny, kobiety raczej. Pamiętam tylko, że wydała mi się bardzo piękna, ale gdy zobaczyłam jej wzrok, to już na niczym innym nie mogłam się skupić.

I cieszę się dziś bardzo. Jak matka, która dla dziecka chce tylko dobra, która gdyby mogła, to nieba by mu przychyliła. Już pragnę, by młodzi razem byli. Skoro się w takich, a nie innych okolicznościach poznali, skoro jedno drugiemu życie uratowało.

Gdy weszłam do mieszkania Maksa, to pomyślałam od razu, że dobrze, że przyszłam, bo klucza nawet używać nie musiałam, drzwi zastałam otwarte. Syn spał na kanapie w salonie. Popatrzyłam na niego i momentalnie stwierdziłam, że ta para do siebie pasuje. W naturze przecież też przeciwieństwa się przyciągają. Sara, bo tak ma przecież na imię, jest maleństwem przy moim Maksie, bo on przecież postawny jest po swoim ojcu. Ona oczy jak węgle, on jak dwa jeziora. On nie mówiący zbyt dużo, a ona jak nic szczebiotka. On serce dobre, a ona też na pewno nie skażone złem, bo przecież w takich oczach to jak w lustrze się dobroć odbija. Przecież moja Mama też miała takie oczy i była bardzo dobra. Najlepsza. Wciąż nie mogę uwierzyć w to, co się dziś stało. Coś dziś zobaczyłam i przeżyłam. Komuś, kto zobaczyłby nas przez przypadek, to nasze dzisiejsze spotkanie nie wydałoby się pewnie niczym nadzwyczajnym. Po prostu zwykła chwila. Dwie kobiety mijające się w otwartych na oścież drzwiach. Nawet dla Sary to nasza scena nie była pewnie godna zapamiętania. Ale dla mnie to był cud, wiem, powtarzam się, ale robię to dlatego, żeby Tobie, Panie, za ten cud podziękować. Z całego serca. Z całej duszy…

O i proszę. Skoro się powtarzam, to znak, że już kończyć muszę, bo mnie Nutka swoim chłodnym nosem trąca i choć pora jest już późna, to wyjdę z nią.

Przespaceruję się i pod gołym niebem, bo zawsze wydaje mi się, że wtedy bardziej słyszalna jestem, poproszę Pana mojego o zdrowie dla tych, co przy mnie są zawsze. Poproszę też oczywiście o to, by ta, którą dziś oko w oko spotkałam, zechciała zamieszkać w mym sercu tuż obok mojego błękitnookiego chłopca. To przecież dzięki niemu zrozumiałam, że w życiu ważna jest nie tylko dobroć serca, ale też jego hojność. Kiedy Maks pojawił się w moim życiu, pojęłam, że sercem trzeba się dzielić. Należy ofiarowywać je wszystkim i nie bać się, że może go zabraknąć. Nigdy go nie braknie, bo ono jest nieskończone. Jak Bóg i jak miłość…

I koniec na dziś tych mądrości starej kobiety. Koniec, bo jeśli zaraz nie wstanę, to jak nic Nutce się ogon zwichnie od tego bezustannego merdania i co wtedy poczniemy? I Nutka, i ja.

– Co za spotkanie!

Zabrakło jej tchu. Stanęła oko w oko z byłą asystentką Roberta. Poczuła się wyjątkowo niekomfortowo, nieswojo. Znały się trochę, ponieważ od czasu do czasu to przez stojącą właśnie przed nią kobietę Robert komunikował się z nią, kiedy miał nadmiar obowiązków zawodowych.

– Dzień dobry – przywitała się Sara z rezerwą w głosie.

Stała przed kinem przy ulicy Chmielnej i czekała na Wojtka, który nie wiedzieć czemu się spóźniał.

– Idziesz do kina czy wyszłaś z niego? – zapytała Dagmara.

Tak miała na imię stojąca przed nią doskonale się prezentująca kobieta w średnim wieku. Była bardzo inteligentna, przynajmniej zawsze w ten sposób opisywał ją Robert, zachwycając się jej profesjonalizmem i czymś, co zwykł nazywać korporacyjną dyskrecją.

– Idę... Przynajmniej taki miałam plan, tylko że mój przyjaciel się spóźnia, a film właśnie się zaczyna.

– Ale co ty tutaj robisz? Nie wyjechałaś z Robertem? – Dagmara spoglądała na nią, nie kryjąc zdziwienia.

Nie miała pewności, czy dawna asystentka Roberta była tak niedoinformowana, czy tylko taką udawała. Miała jednak nadzieję, że w grę wchodziła opcja pierwsza.

– Rozwiodłam się z Robertem – poinformowała bez ceregieli, kolejny raz ciesząc się, że udało jej się to zrobić.

– Co?

Dagmara spojrzała na nią tak wielkimi oczami, iż nie było wątpliwości, że o rozwodzie swojego poprzedniego szefa dowiedziała się właśnie w tej chwili.

– Rozwiedliśmy się. Naprawdę... – mówiąc to, chyba przekonywała nie tylko Dagmarę.

– Boże... Aż trudno uwierzyć... Przecież Robert świata poza tobą nie widział...

Uśmiechnęła się gorzko. Nie chciała w żaden sposób komentować tego, co przed chwilą usłyszała. Jednak Dagmara wpatrywała się w nią wciąż bardzo zdziwionym, w dodatku natarczywym wzrokiem. Musiała zatem wysilić się i powiedzieć kilka słów.

– Widocznie jednak nie – stwierdziła z ulgą, po czym szybko dodała: – Poza tym to chyba żadna nowość, że pozory mylą.

– To akurat prawda – przyznała Dagmara.

– A co u ciebie?

Wolała, żeby to rozmówczyni opowiedziała jej o swoim aktualnym życiu. Sama nie miała ochoty wracać do tego, co było, a w to, co się działo u niej obecnie, nie chciała wtajemniczać obcych. Jej życie było tylko jej sprawą. Już to wiedziała.

– U mnie jak zwykle dużo się dzieje. Odkąd przenieśli Roberta, mam nowego szefa, ale kulturą i osobowością nie dorasta Robertowi do pięt, więc i w pracy, i w domu z dziećmi mam nadmiar emocji.

– A jak mają się twoje dzieciaki? – zapytała oględnie, gdyż nie pamiętała nawet, ile pociech ma Dagmara.

– Jak to dzieci… Rosną i dają popalić. Poza tym im są większe, tym częściej myślę o tym, żeby zostawić tę pracę, bo czuję, że już dłużej tak nie mogę. Normalnie etat mi się nie kończy. Zobacz… Na przykład dziś jest sobota, wczesne popołudnie, a ja nie mam chwili dla siebie, tylko jeżdżę jak opętana. Antka zawiozłam na karate, Julitę za chwilę odbieram z urodzin, na szczęście niedaleko. W pracy korporacyjne procedury, a w domu jeszcze większe. Zresztą co ci będę opowiadać, jeszcze cię zniechęcę do życia rodzinnego.

– Spokojnie… Nie martw się…

– A co u ciebie? – Niestety Dagmara zadała to pytanie, którego obawiała się chyba najbardziej. Dopiero gdy je usłyszała, zrozumiała, że przecież może na nie spokojnie odpowiedzieć. W sumie jej życie teraz tak wyglądało, że mogła podać kilka pozytywnych informacji.

– Pracuję dalej w przedszkolu, robię to, co lubię. Po rozwodzie przeniosłam się z powrotem do mojego rodzinnego domu. Mieszkam w nim z Dziadkiem.

– A utrzymujesz kontakt z Robertem, bo chciałabym mu…

– Nie! – weszła Dagmarze w słowo zdecydowanym, może nawet nazbyt zdecydowanym tonem.

– Cześć! Przepraszam! Przepraszam! Przepraszam! – nagle usłyszała za sobą mocno zdyszany głos Wojtka. – Utknąłem w redakcji. Musiałem walczyć o dobre zdjęcia. – Pocałował ją dwa razy w policzek, zupełnie nie zauważając, że nie była sama.

– To ja już lecę, nie będę przeszkadzać – zreflektowała się Dagmara.

Dostrzegła we wzroku asystentki Roberta ogromne zdziwienie. Była pewna, że ta dokonywała teraz w pamięci idiotycznego porównania. Wojtek *versus* Robert. Zamszowe, lekko podniszczone mokasyny kontra eleganckie pantofle z najlepszej skóry; szare dżinsy i artystycznie rozciągnięty sweter tego samego koloru co spodnie kontra doskonale skrojony, uszyty na miarę garnitur; artystycznie założony białoszary szalik kontra krawat, koniecznie o dwa tony jaśniejszy od garnituru. Zachciało jej się śmiać. Po prostu śmiać. Na szczęście udało jej się powstrzymać.

– To ucałuj ode mnie dzieci i życzę wszystkiego dobrego. Do zobaczenia – pożegnała się szybko.

Wojtek, całkowicie ignorując niedawną obecność Dagmary, szukał czegoś w swej przerzuconej przez ramię płóciennej torbie z napisem: „Paris – Tokio – New York".

– Do widzenia, do zobaczenia – pożegnała się asystentka i ruszyła w swoją stronę.

– Kto to był? – zapytał przyjaciel, w końcu podnosząc wzrok. W dłoni trzymał małe opakowanie gum do żucia, przez które przed momentem o mało nie utopił się w swojej międzykontynentalnej torbie.

– Nie zgadniesz – odpowiedziała.

Minę miała z pewnością nietęgą, ponieważ mówiąc o Dagmarze, przywołała paskudne wspomnienia o Robercie.

– A kto ci powiedział, że będzie mi się chciało w ogóle zgadywać?! – ofuknął ją Wojtek, nie wysilając się ani trochę, by zamaskować w jakikolwiek sposób swój aktualnie bardzo podły nastrój.

– To zmieniamy temat?

Zapytała dość uszczypliwym tonem, ponieważ też była podenerwowana. Nie miała ochoty na nic.

– To mów, kto to był, i zastanowimy się, co robimy dalej z tym niemile rozpoczętym spotkaniem. Bilety kupiłaś?

– Nauczona doświadczeniem wolałam nie inwestować w ciemno. – Nawiązywała do kinowych sytuacji, które miały miejsce w przeszłości, choć co prawda nie dotyczyły Wojtka, tylko Roberta.

– Przynajmniej czegoś cię ten palant nauczył – palnął przyjaciel.

Kolejny raz się zdenerwowała, zdając sobie sprawę z tego, iż Wojtek nie mógł nawet przypuszczać, że właśnie w tej chwili borykała się w pamięci ze spojrzeniem Roberta, które w niczym nie przypominało rozkochanego.

– Mógłbyś przestać?! – Podniosła głos.

Nie musiała już dodawać ani słowa, zreflektował się od razu.

– Przepraszam. Bardzo cię przepraszam. Tak mi się jakoś powiedziało. Wszystko przez to, że na redakcyjnym musiałem dać im popalić i dopiero teraz schodzi ze mnie napięcie.

– Tylko dlaczego prosto na mnie! – warknęła bezlitośnie.

– Ale nie przesadzaj! Przecież przeprosiłem.

Patrzyli na siebie. Wiedziała, że Wojtek nie miał zamiaru powtarzać przeprosin. Musiała mu szybko wytłumaczyć, że to nie tylko jego nieopatrzne stwierdzenie było przyczyną jej zdenerwowania.

– Ta kobieta, z którą rozmawiałam, kiedy przyszedłeś, to Dagmara.

– Ta Dagmara?

– Ta sama. – Nie mogła zdecydować się, czy śmiać się, czy płakać.

– To nie kazał jej spakować walizek i nie zabrał jej ze sobą?

Wojtek kpił w żywe oczy z charakteru jej byłego męża. Wcale nie miała mu tego za złe. Chyba nawet cieszyła się, że to robił, ponieważ wciąż od nowa mogła dystansować się wobec swego małżeństwa z Robertem. Proces ten nie należał do łatwych, chociaż miała pełną świadomość, że upływający czas trzymał jej stronę i działał na jej korzyść.

– To normalna babka. Ma męża, dzieci... – zaczęła, ale nie dane jej było dokończyć.

– Dobra, nie rozmawiajmy już o tym. – Wojtek zdecydowanie zakończył temat. – Skoro nie udało się z kinem, to może przynajmniej chodźmy gdzieś i zjedzmy coś dobrego.

– Może kebab? – zaproponowała z uśmiechem.

– To ci się wydaje śmieszne?!

Nastroszył piórka. Przypuszczała, że może nawet bardziej niż na zebraniu redakcyjnym.

– Nie śmieszne, tylko pyszne.

– Widzę, że dzisiejszy dzień powinienem jednak spędzić w samotności – stwierdził przyjaciel i nie słuchając tego, co mogła mu powiedzieć, odwrócił się na pięcie i szybkim krokiem zaczął się oddalać.

Jego zachowanie zdziwiło ją. Nawet bardzo. Wiedziała, że nieprzewidywalność była główną cechą jego mocno artystycznej duszy. Jednak żywiła przekonanie, że na jej dzisiejsze słowa, wypowiedziane może nazbyt sugestywnie, zareagował przesadnie. Dlatego wrzasnęła:

– Wojtek! Wracaj! – Starała się przywołać przyjaciela do porządku.

Bez skutku. Wojtek, zamiast zatrzymać się i wrócić, przyspieszał kroku, wprawiając ją swym postępowaniem we wściekłość.

– Oszalał! – szepnęła sama do siebie. – Normalnie oszalał! – powiedziała już całkiem głośno i zaczęła biec za oszalałym, za nic mając spojrzenia mijanych ludzi.

Szybko dogoniła uciekiniera i szarpnęła go za ramię, by spowolnić jego ucieczkę.

– Możesz się uspokoić i skończyć z tymi babskimi fochami?

– A ty możesz skończyć z tymi idiotycznymi insynuacjami? – wrzasnął, ale na szczęście się zatrzymał i wbił w nią ostre spojrzenie.

– Myślałam, że to będzie zabawne.

– To przekombinowałaś! – Jego ton wciąż był wściekły, ale stracił nieco na sile.

– To przepraszam, wybacz mi. – Chwyciła dłoń przyjaciela, po czym uniosła ją do ust i demonstracyjnie ucałowała nie jego rękę, lecz własny kciuk.

Wojtek wpatrywał się w nią i chyba nie wiedział, co powiedzieć.

– No jak ci teraz nie wybaczę, to będę się musiał utopić w Wiśle – odezwał się w końcu. – A skoro tak się stanie, to nie pojadę na sesję do Mediolanu, żeby tym pajacom, artystom z bożej łaski z dzisiejszego zebrania, udowodnić, że w czerni i bieli z powodzeniem można osadzić modowy format. Debile! Idioci! Kretyni!

Wpatrywała się w przyjaciela i dostrzegała, że ten wciąż wyrzucał z siebie nadmiar złych emocji, a tym samym zbliżał się do normalności i spokoju. Ogromnie się z tego cieszyła. Przecież na tym polegała ich przyjaźń. Oczywiście między innymi na tym, że on opowiadał jej o tym, co go boli, a ona właśnie jemu spowiadała się ze swych bolączek, i to takich, o których z nikim innym nie potrafiłaby porozmawiać.

– Czyli poszło o czerń i biel – skonstatowała spokojnie.

Zrobiła to, by stworzyć Wojtkowi doskonałe warunki do wygadania się na temat niezrozumienia jego sztuki przez marketingowych fachowców, a jednocześnie dyletantów w dziedzinie fotografiki.

– To ja przychodzę do nich z materiałem przygotowanym tak, że łeb urywa, a oni mi na to, że to się nie sprzeda, że to jest zbyt artystyczne, że za dużo cienia, że powinno walić światłem po oczach! Rozumiesz to? No, pajac na pajacu pajacem pogania!

– To gdzie przysiądziemy?

– Tutaj! – Wskazał stojącą nieopodal ławkę.

Nie pytając jej o zdanie, nie czekając na jej zgodę, znów ruszył przed siebie. Nie pozostawił jej wyboru, zatem posłusznie ruszyła jego śladem. Usiedli. Gdy tylko to zrobili, zza chmur wyłoniło się słońce, zupełnie jakby zrobiło to specjalnie dla nich. Szary do tej pory świat zamienił się w kolorowy, będący odwzorowaniem tego, co można było zwykle oglądać w kolorowych magazynach traktujących o modzie.

Spojrzała nad siebie.

– Musimy cieszyć się tymi promieniami, bo jak znam życie, zaraz przepędzi nas stąd deszcz. Zerknij tam – poprosiła.

Wojtek powiódł wzrokiem do miejsca, które wskazała mu spojrzeniem. Na odległym horyzoncie majaczyły chmury w kolorze ciemnej, ale to bardzo ciemnej szarości. Na widok tychże chmur nieoczekiwanie roześmiał się, i to w głos. Wbiła w niego oczy bardzo zdziwiona jego reakcją.

– Nie patrz na mnie jak na wariata. – Spiorunował ją wzrokiem.

– Wcale tak nie patrzę – usprawiedliwiła się. – Patrzę na ciebie jak na artystę.

– Zatem zobacz! Co my tu mamy? Światło – Wojtek uniósł rękę i wskazał dłonią na wiosenne słońce. – A tu cień. – Tym razem pokazał na gradowe chmury zbliżające się z oddali. – Popatrz, tkwi tu rozwiązanie zagadki geniuszu najlepszych na świecie zdjęć. Światłocień. Światłocień to jest to! Zresztą nie tylko na zdjęciach, ale i w życiu. Żeby być mądrym, trzeba dostrzegać i światło, i cień. Każdy chciałby żyć mądrze, ale różnie to ludziom wychodzi. Tak samo jest w fotografice. Tyle że tutaj najważniejsze jest jedno. Żeby zrobić dobre i intrygujące zdjęcie, nie zawsze ważne jest odpowiednie światło. Czasami jest tak, że na przekór wszystkim ważnym fotograficznym zasadom to cień sprawia, że ujęcie nabiera niepowtarzalnego klimatu. Przecież w życiu jest identycznie!

Widziała, jak Wojtek wodził oczami między rozciągającą się na niebie aktualną pogodą a zbliżającą się niepogodą. Wiedziała, że poruszony tym, co właśnie obserwował, bez reszty oddawał się fotograficzno-życiowym dywagacjom.

– W życiu też oprócz światła jest cień. Inaczej myśli się w słońcu, a inaczej w cieniu. Poza tym, kiedy stoisz w cieniu, to nie możesz zapominać o słońcu. I na odwrót, jak padają na ciebie promienie, to też powinnaś mieć świadomość, że cień jest niczym innym jak ich następstwem. Bez światła nie ma cienia. I już. Przecież to jest filozofia mająca swe zastosowanie nie tylko w fotografice! Mam rację?

– Masz – przyznała natychmiast, będąc pod wrażeniem artystycznego uniesienia przyjaciela.

– I właśnie do tego chciałem przekonać tych bubków z redakcji. Tylko co z tego, skoro oni idą w zaparte. Ale ja im zrobię koło pióra i urządzę w Mediolanie podwójną sesję. Jedną według ich oczekiwań, ale drugą taką, jak sam uważam. Później pokażę im obie i jak wybiorą tę czarno-białą, to im taką cenę zaśpiewam, że następnym razem, zanim jeden pajac z drugim zaczną się wymądrzać, to się tysiąc razy zastanowią.

– Lubię cię takiego. – Uśmiechnęła się.

– To znaczy jakiego?

– Takiego pewnego siebie i czupurnego.

– To taka branża. Albo ja ich, albo oni mnie. Tu nie ma nic pomiędzy.

– Takie chyba jest też życie... – dodała filozoficznie i spojrzała w niebo.

– Aż trudno uwierzyć, że przed chwilą było tu słońce – zauważył z żalem w głosie Wojtek, jej przykładem zadzierając głowę.

Ciemne, już prawie czarne chmury płynęły tuż nad nimi. Patrzyła w nieboskłon, zastanawiając się, kiedy na ich twarze spadną pierwsze krople z pewnością nieuniknionego deszczu.

– A wiesz, co mi rano mówi Dziadek, jak jest szaro albo pada deszcz i nie chce mi się iść do pracy? – zapytała w momencie, w którym nagle zaczął bardzo mocno wiać wiatr.

– Co?

– „Pamiętaj, moja kochana Sarenko, gdy dzień się budzi bez słońca, wtedy po prostu powinnaś sobie wyobrazić, że jest słonecznie". – Z powodzeniem udało jej się oddać spokój głosu ukochanego staruszka.

– Jest w tym jakaś logika – podsumował Wojtek w chwili, kiedy na jej czoło spadły pierwsze krople.

– To gdzie teraz? – zapytała, wiedząc, że powinni czym prędzej poszukać jakiegoś schronienia.

– Pobiegnijmy do najbliższego spożywczaka, zróbmy jakieś zakupy i pojedźmy do Dziadzia. Ugotujemy sobie jakieś super żarełko, najemy się, a później będziemy grać w remika i wyobrażać sobie, że świeci słońce. A ja narobię wam super zdjęć, chociaż światło będzie do du...szy!

– Czasami to ty nawet nieźle główkujesz – podsumowała z uciechą w głosie.

Rozmowa z przyjacielem okazała się doskonałym panaceum na spotkanie z Dagmarą, a raczej na wspomnienia, które owo zdarzenie odświeżyło. Poczuła ulgę i jednocześnie się wystraszyła, gdyż nad ich głowami granatowe niebo zaczęło niebezpiecznie pomrukiwać.

– A jak się miewa twój kochaś? – zapytał Wojtek, gdy zaczęli szybkim krokiem kierować się do sklepu spożywczego.

Już nie padało, już lało jak z cebra.

– Odpoczywa – odpowiedziała, dodając szybko: – ale to jeszcze nie jest mój kochaś.

– A to szkoda, bo jest na pewno bardzo fotogeniczny, w dodatku taki cudnie foremny.

– Też żałuję – przyznała rozmarzonym głosem.

– A pamiętasz, jak się zaklinałaś, że już żadnych facetów?

– Pamiętam doskonale – odparła, gdy runęła na nich ściana deszczu.

– I co zamierzasz zrobić z tym postanowieniem? – Drążył temat, gdy na szczęście znaleźli się już pod zadaszeniem, gdzie stały w rzędzie połączone metalowe wózki na zakupy.

– Nie wiem i nie mam zamiaru się nad tym zastanawiać, mój ty mistrzu światła i cienia. – Uśmiechnęła się do Wojtka, który przetrząsał właśnie kieszenie swojej bardzo modnej w tym sezonie kurtki.

– Czego szukasz? – zapytała, wystraszywszy się, że Wojtek coś zgubił.

Widok przyjaciela oklepującego swe wszystkie możliwe kieszenie nie należał do rzadkości.

– Pieniążka. O! Mam!

Przyjaciel pokazał jej trzymaną w dwóch palcach monetę. Po czym przy akompaniamencie grzmotów użył jej, by uwolnić jeden z wózków z łańcuchowej niewoli, a na nią spojrzał bardzo wymownym wzrokiem. W lot pojęła, o co chodziło.

– O nie!!! – zaprotestowała bardzo zdecydowanie.

– Wskakuj, nie marudź! – grzmotnął głośnym nakazem.

– Tym się nie wozi ludzi – podjęła dyskusję.

– Ale można nim przewozić towary. – Uśmiechał się do niej podejrzanie.

– Jak sama nazwa wskazuje… – Tym razem zabrzmiała tak, jakby rozpoczynała naukową rozprawę.

Niestety nie było dane jej dokończyć. Może i dobrze, bo i tak nie wystarczyłoby jej argumentów, by odwieść Wojtka od tego idiotycznego pomysłu.

– Wskakuj! Nie gadaj! Nadajesz się do tego wózka jak mało kto! Niezły z ciebie towar! Mały i ładny!

Popatrzyła na artystę przychylniejszym wzrokiem. Jego słowa, a przede wszystkim uśmiech wystarczyły, by zrealizowała niedorzeczny pomysł i już po chwili jechała jak wielka pani dość specyficzną rykszą pchaną przez całkiem przemoczonego fotografa. Sama też zdążyła zmoknąć do suchej nitki.

– A jeśli to jest zabronione? – krzyknęła, mając jeszcze ostatki obiekcji.

– Co się przejmujesz?! – Wojtek bawił się doskonale. – Jakby co, to przecież mamy znajomości w policji!

Słysząc to, uśmiechnęła się. Mimo przemoczenia bardzo zimnym deszczem poczuła w sobie ciepło. Czuła również to, że bardzo się stęskniła za tymi szczególnymi znajomościami.

– Może odezwie się jutro – szepnęła do siebie z nadzieją.

– Przestań mamrotać! Wysiadaj! – krzyknął znów przyjaciel.

Zdążyli już wjechać do sklepu. Bezdeszczowa strefa wydała się jej bardzo przyjemna, choć zauważyła, że swym wejściem wywołali pewną konsternację u kilku klientów sklepu. Ale w tym momencie było to dla nich zupełnie nieważne. Wcale a wcale.

Nie mogła w to uwierzyć. Marzenia się jednak spełniały. Stało się to, o czym wciąż marzyła. To dziś rano w rozmowie telefonicznej padło słowo „randka", co więcej, już za kilka godzin zamieniło się w rzeczywistość, oczekiwaną i nad wyraz przyjemną.

Wtulała się w ramię Maksa. Uwielbiała to. Siedzieli na maleńkiej ławeczce przeznaczonej chyba tylko i wyłącznie dla zakochanych, ponieważ oprócz nich nikt nie mógłby na niej przycupnąć. Na szczęście. Za plecami mieli Pałac na Wyspie, przed sobą spory tłumek głównie rozbieganych dzieci.

Gdy Maks zaproponował jej dziś spacer w Łazienkach Królewskich, bardzo się ucieszyła, ponieważ bardzo dawno nie postawiła tam nogi. Jako dziecko często odwiedzała je podczas spacerów z Mamą, która bardzo lubiła Łazienki. To był jej świat. Królewski. Kiedy pracowała w Warszawie, a nie gdzieś tam... nie wiadomo gdzie – za górami, za lasami – pracę zaczynała zwykle wczesnym popołudniem. Do domu wracała po przedstawieniach, czyli bardzo późnym wieczorem. W związku z tym tylko ranki mogła poświęcić córce. I to właśnie je spędzały razem w Łazienkach. Wtedy wszystko wyglądało inaczej, inaczej niż teraz. Królewski ogród był cichy i pusty. Teraz trochę tęskniła za tamtą, wspominaną właśnie spokojną atmosferą. Pamiętała wszystko doskonale. Podczas tamtych porannych spacerów karmiła wszystkie rude wiewiórki, bo nie miała żadnej konkurencji. Mogły z Mamą przyglądać się bez końca rozłożystym pawim ogonom. Miała też marzenie, żeby kiedyś znaleźć takie pióro, ale może i dobrze, że tak się nie stało, bo i tak z pewnością Mama nie pozwoliłaby wziąć go do domu, gdyż twierdziła, że mogą one sprowadzić na człowieka nieszczęście. Karmiły nie tylko wiewiórki – słynne Basie z Łazienek. Dokarmiały również karpie królewskie o imponujących rozmiarach. Babcia zawsze przed takim spacerem mówiła do niej: „Proszę, weź, Sarenko, orzeszki dla Basiek i okruchy chleba dla rybek". Pamiętała, że do ogrodu wchodziła zawsze z dwoma woreczkami w dłoniach. Lubiła te królewskie poranki. Stanowiły dla niej coś w rodzaju magii wprowadzanej do jej dziecięcego świata, w którym zwykle Mama była wielką nieobecną. Na koniec tych spacerów zazwyczaj przyjeżdżał po nie Tato i już razem spacerowali jeszcze jakiś czas. Później odwozili Mamę na próbę i już tylko we dwoje wracali do domu. Zawsze czekał na nich pyszny obiad przygotowany przez Babcię.

– O czym myślisz? – zapytał cicho Maks.

Dziś wyglądał o niebo lepiej niż wtedy, kiedy widziała go ostatnio. Prezentował się doskonale. Był ogolony, pachnący, pociągający. To dlatego patrzyła na niego z wielką przyjemnością. O ile w ogóle można ująć w ten sposób to, co aktualnie odczuwała.

– O swoim dzieciństwie – odparła zgodnie z prawdą.

– I jakie było? Dobre?

– Takie niezbyt typowe, ale dobre. Czułam się bardzo kochana. Przez Dziadków chyba nawet bardziej niż przez totalnie zapracowanych rodziców. Ale to były piękne czasy… – opisała to, o czym myślała z rozmarzeniem i lekką nostalgią.

– Popatrz! Młoda para! – powiedział nagle Maks i spojrzał w bok.

Również powędrowała wzrokiem w tamtym kierunku.

– Boże, jaki uroczy obrazek – zachwyciła się.

Urodziwi państwo młodzi wychylali się zza bardzo grubego pnia dębu, każde po innej stronie. Byli młodzieńczo roześmiani. Szykowała się zatem piękna i bardzo klimatyczna fotografia.

– Ładną mają pogodę na ślub – zauważył Maks.

– Chyba na poprawiny. Przypominam ci, że w dniu ich zaślubin, czyli wczoraj, waliły pioruny. Przez Wojtka zmokłam do suchej nitki.

– Charakterny ten twój Wojtek.

Maks dokonał bardzo trafnej charakterystyki jej przyjaciela, chociaż dobrze go nie znał.

– No wiesz… artysta… – wzięła przyjaciela w obronę.

– Pewnie był świadkiem na twoim ślubie.

– Oczywiście. Nie wyobrażałam sobie, że mógłby to być ktoś inny.

Nie chciała wracać myślami do dnia uroczystości ślubnej z Robertem. Miała świadomość, że Maks myślał teraz o tym, o czym ona myśleć nie chciała. To pewnie dlatego zapadło między nimi milczenie. Dla niej dość niezręczne. Nie miała pojęcia, jak na nie zareagować. Zastanawiała się, czy coś powiedzieć, czy lepiej wcale nie podejmować tematu.

– Przepraszam… Nie chciałem… – Maks zreflektował się po chwili.

– Nic się nie stało. To już przeszłość – dodała, udając, że bagatelizuje nie tylko zagadnienie, ale również własne uczucia. Jednak wystarczyło jedno spojrzenie Maksa i już wiedziała, że był doskonałym psychologiem. Nie nabierał się na jej oszukańczy przekaz. Chyba powinna wrócić do przeszłości, choćby na chwilę, i to tylko dla niego.

– Wzięliśmy z Robertem tylko ślub cywilny. Jest ateistą, więc przynajmniej obyło się bez religijnych emocji. Nie chciał wziąć ślubu w kościele… Wtedy tylko ja mogłabym złożyć przysięgę… – dodała jakby na swe usprawiedliwienie.

Nagle usłyszeli donośny płacz dziecka. Nieopodal ławki, na której siedzieli, przewróciła się mała dziewczynka i skaleczyła w kolanko. Jej lament był tak głośny, że z pewnością niósł się po całych Łazienkach.

– Bieeedna… – stwierdziła empatycznie.

– Lubisz dzieci?

– Bardzo. Nie zapominaj, że z nimi pracuję – podkreśliła i postanowiła skorzystać z nadarzającej się okazji, by przeprowadzić sondę prorodzinną, dlatego od razu zapytała: – A ty? Lubisz dzieci?

– Ja?

Maks chyba się zdziwił i nie był gotowy na udział w takim badaniu.

– Ty.

– Chyba lubię – odpowiedział po chwili zawahania. – Czasem bawię się z moją siostrzenicą. Lubię te momenty, ona zresztą chyba też.

– Ile ma lat?

– Trzy. Ma na imię Zosia, a moja mama ma na jej punkcie... – nie skończył rozpoczętego zdania, tylko wymownie spojrzał gdzieś do góry.

– To normalne – orzekła. – Siostra jest od ciebie starsza?

– O dwa lata. Niecałe.

– Dobrze ze sobą żyjecie? – Zastanawiała się, czy aby nie przesadza z ciekawością.

– Dobrze. Chociaż kiedyś różnie bywało. Beata jest bardzo dominująca. Lubi rządzić. Jej zdanie musi być najważniejsze. Jej opinie... jej pomysły... Jest hałaśliwa i niepokorna. Totalnie niesterowna. Dała rodzicom w życiu popalić.

– A ty? – Kolejny raz wykorzystała sytuację, by skłonić Maksa do opowieści na swój temat.

– Ja należałem raczej do spokojnych. Nie wydzierałem się, nie trzaskałem drzwiami. Nie byłem typem walczącym jak nasza Beatka – powiedział z sympatycznym przekąsem.

– A teraz jaki jesteś?

– Chyba taki sam. Zawsze staram się nie męczyć ludzi swoją osobą. Mam też taki zawód, że lepiej wykonywać go po cichu. Rzucanie się ludziom w oczy w niczym nie pomaga. I to jaki jestem w pracy, chyba tak trochę automatycznie przenosi się na życie prywatne.

Ależ jej się podobało to, co mówił. Jeszcze bardziej przypadło jej do gustu to, jak się wyrażał. W tej chwili nie mogła się wprost nacieszyć, że udało im się spotkać. Wtulała się w ramię Maksa coraz mocniej i nie chciała nigdzie odchodzić. Pragnęła mieć go wciąż przy sobie i chłonąć każde jego słowo, każdy oddech i w ogóle wszystko, co było z nim związane.

Milczeli przez chwilę, patrząc przed siebie. Oddawali się obserwacji niedzielnych rodzinnych spacerów.

– A ty... jaka jesteś? – To Maks po jakimś czasie przerwał milczenie.

Z jednej strony zadziwił ją tym pytaniem, z drugiej zaś chyba nie do końca, ponieważ ciekawość była przecież pewną konsekwencją ich dotychczasowej, toczącej się niespiesznie rozmowy.

– Ja...? – Zastanowiła się przez chwilę. – Chyba bardzo różna... Raczej nie jestem taka jak ty...

– To znaczy?

– To znaczy, że nie jestem wciąż taka sama. Jestem inna w domu z Dziadkiem, całkiem inna w pracy, jeszcze inna, kiedy jestem z Wojtkiem...

– A kiedy jesteś ze mną? – Maks wszedł jej w słowo, a popatrzył na nią tak, że miała ochotę rozpłynąć się w zachwycie.

– Z tobą to już w ogóle całkiem różnię się od tych Sar, o których ci właśnie opowiedziałam.

– Czyli jaka jesteś? – Drążył temat, i to z widoczną jak na dłoni przyjemnością.

– Dobrze się przy tobie czuję. Jestem spokojna. Wiem, że nic mi nie grozi. Cieszę się, że dzięki znajomości z tobą w moim życiu stało się coś niemożliwego...

Maks patrzył na nią z uwagą i w ogromnym skupieniu. Podobało się jej to skupienie i ten wzrok. Zresztą każde spojrzenie Maksa lubiła, mimo że zawsze patrzył na nią trochę inaczej. Jego spojrzenia rozgrzewały ją bardziej od dzisiejszego słońca. Chyba nawet bardziej od gorącego letniego słońca, na które świat musiał jeszcze wciąż czekać.

– Nie wiem, czy powinienem pytać o tę niemożliwość, czy może będzie lepiej, jeśli nie dowiem się niczego na jej temat.

– To proste. Jeśli nie zapytasz, to nie będziesz wiedział.

– Zwykle lubię być dobrze poinformowany. Wiesz... takie skrzywienie zawodowe – skonstatował szybko i jeszcze szybciej zapytał: – Co to za niemożliwość się wydarzyła?

– Złamałam przysięgę, którą złożyłam sobie samej. Zainteresowałam się facetem, chociaż miałam tego już w życiu nie zrobić – stwierdziła trochę słodko-gorzkim tonem.

– To chyba nie jest do końca tak, jak ci się wydaje – stwierdził z przekonaniem, chociaż w jego wypowiedzi pojawiło się słowo „chyba".

– A jak? – zapytała z nieukrywaną ciekawością.

– Myślę, że twoje zainteresowanie było odpowiedzią na moje.

Spojrzała na Maksa i uśmiechnęła się zagadkowo.

– Chcesz powiedzieć, że to ty byłeś pierwszy?

– Oczywiście – odpowiedział z radością.

Celowo zrobiła minę, którą chciała zobrazować swe wątpliwości.

– Mam na to dowody.

– Jakie? – Zrobiła wielkie oczy.

– To ja obserwowałem cię, kiedy nie zdawałaś sobie z tego sprawy. Już wtedy się tobą zainteresowałem.

– Halo! Halo! Przecież to było zainteresowanie zawodowe – przypomniała mu szybko.

– Nie tak całkowicie…

Spojrzała na niego z uwagą. Maks też na nią patrzył. Jego wzrok intrygował ją bardziej niż wszystko, co do tej pory usłyszała.

– Co chcesz przez to powiedzieć?

– Jak wydobrzałem, to pierwszą sprawą, do której przydzielił mnie Stary, to znaczy mój szef, była pomoc chłopakom i Korkociągowi w obserwacji, bo to wiesz… jest takie dość bezpieczne zadanie.

Na ksywę „Korkociąg" zareagowała od razu.

– A właśnie, jak czuje się Korkociąg? – zapytała, ganiąc się w myślach za to, że nie zrobiła tego wcześniej.

– Ze stanu krytycznego przeszedł w stabilny – poinformował ją głosem niepozbawionym niepokoju.

– Nie martw się. Będzie dobrze. – Z czułością wplotła swe palce w jego ciepłą dłoń.

Głęboko wierzyła, że stan stabilny, o którym wspomniał Maks, zwiastował powrót jego partnera do całkowitego zdrowia.

– Chcę w to wierzyć. Bardzo chcę w to wierzyć – odparł i znów zamilkł.

Postanowiła nie przeszkadzać mu w milczeniu. Czuła, że jest mu ono niezbędne, bo właśnie w nim szukał nadziei na lepsze jutro.

– To głównie Korkociąg miał cię na oku, kiedy ja dochodziłem do siebie.

Uśmiechnęła się. Cierpliwość jak zwykle się opłacała, ponieważ Maks sam wrócił do tematu.

– W ostatnim tygodniu obserwacji zmieniłem gościa, z którym obserwował cię Korkociąg, i on prawie od razu zauważył, że mam, cytuję: „słabość do obiektu".

– Obiektu? – powtórzyła za nim z dozą rozczarowania w głosie.

– To określenie Korkociąga – usprawiedliwił się.

– A na czym ta słabość polegała?

– Na tym, że zamiast skupiać się na obserwacji świata wokół, widziałem tylko i wyłącznie ciebie. Zamiast obserwować tych, którzy zbliżali się do twoich domu i pracy, tylko wgapiałem się w ciebie. Korkociąg był o to nawet na mnie zły. Wiedział doskonale, że przez takie zachowanie tracę czujność i mogę zaniedbać dozór.

– Ale to wszystko profesjonalnie brzmi.

Była nie tylko zaintrygowana, ale też zachwycona tym, co słyszała.

– No cóż... Wiem, że może nie wyglądam, ale w swojej pracy naprawdę staram się być profesjonalistą.

– Wyglądasz – stwierdziła.

Wolała nie rozwijać tematu. Wystarczyło jej obserwowanie spojrzeń kobiet, które mijając ich, niezależnie od tego, czy spacerowały same, czy w towarzystwie mężczyzn, kierowały wzrok na Maksa. Maks, usłyszawszy to, co do niego powiedziała, podniósł ich złączone dłonie i pocałował jej nadgarstek. Zrobił to i nagle wszyscy, którzy ich otaczali, zaczęli jej przeszkadzać. Chciała zostać z nim sama. Bez świadków. Pragnęła go dotykać. Wszędzie. W dodatku marzyła, żeby on oddawał jej każdy dotyk. W tej chwili patrzył na nią tak, jakby dokładnie wiedział, o czym właśnie myślała. Patrzył i swym spojrzeniem jeszcze bardziej mieszał w jej głowie i w uczuciach. Rozpoznawał jej pragnienia i od razu ją rozbudzał.

– Pocałuj mnie – poprosiła cicho.

Nie musiała czekać ani chwili na spełnienie swej prośby, która stała się hasłem, a pocałunek Maksa odzewem. Złączenie warg było przyjemne, delikatne i na wskroś erotyczne. Takie, że gdyby przydarzyło im się w samotności, to stanowiłoby idealny przedsmak miłosnego dalszego ciągu. Na ławce, na której teraz siedzieli, a raczej wciskali się w siebie, nie było mowy o tym, by stało się to, czego w tej chwili pragnęła całą sobą. Ale dzień się przecież dopiero zaczynał, zatem wiedziała, że jeszcze nic straconego.

– Pojedźmy do mnie – zaproponował bardzo gardłowym tonem.

Otworzyła oczy. Radość odebrała jej głos.

– Chyba że nie chcesz…

Maks skorygował swą propozycję, a raczej swoje pragnienia, ale zrobił to z wyraźną niechęcią.

– Seks na pierwszej randce? Jeszcze o mnie źle pomyślisz.

Patrzył na nią tak, że wiedziała, iż ta rozmowa jest tylko i wyłącznie odwlekaniem przyjemności w czasie. To zwlekanie podobało jej się póki co tak bardzo jak perspektywa wszystkiego, co miała nadzieję dziś przeżyć.

– Równie dobrze możemy pójść gdzieś na obiad, żebyś nie czuła z mojej strony żadnej presji. – Spoglądał na nią wyczekująco.

– Nie jestem głodna – skwitowała.

– W takim razie jedziemy do mnie.

Podjął taką, a nie inną decyzję, po czym wstał z ławki i pociągnął ją za sobą. To znaczy, wcale nie musiał jej ciągnąć, ponieważ do głowy by jej nie przyszło, by mu się opierać. Ani teraz, ani później. Przecież była gotowa na miłość. Ba! Bardzo jej pragnęła.

Niestety już z daleka zauważył uchylone okno w kuchni. Zamiast się wściec, roześmiał się, ponieważ poczuł się jak małolat przyłapany na jakichś zdrożnych praktykach.

– Nawet nie przypuszczałam, że aż tak cię to ucieszy – stwierdziła Sara, przyglądając mu się dość badawczo.

Zatrzymał się. Postanowił wytłumaczyć jej, skąd wzięło się jego rzeczywiście dość nagłe rozbawienie.

– Coś ci pokażę. – Specjalnie mówił głosem zabarwionym konspiracyjnym brzmieniem. – Widzisz na piątym piętrze okno zaciągnięte szarą antywłamaniową roletą?

– Widzę.

– A widzisz okno tuż nad nim, na szóstym?

– Sprawdzasz, czy nadaję się do pracy w policji?

Słowa Sary przekonały go, że zupełnie nie domyślała się, do czego teraz zmierzał. Wyglądała na trochę zagubioną, ale taka podobała mu się nawet bardziej niż wtedy, gdy była pewna siebie.

– Nie pozwoliłbym ci na taką pracę – poinformował szybko. – Powiedz tylko, czy widzisz.

– Widzę.

– I co? – zapytał z uśmiechem.

– Właśnie wydaje mi się, że nie ma nic podejrzanego. Po prostu okno. Takie samo jak to niżej.

– Ale przecież jest otwarte.

– Nie otwarte, tylko uchylone – uściśliła Sara. – I co w tym dziwnego? Jest przecież w miarę ciepło. Ludzie otwierają okna, żeby nie kisić się w dusznych mieszkaniach. To normalne.

– Ale to jest okno kuchenne – postanowił ją naprowadzić.

– Tym bardziej powinno być uchylone w taką pogodę.

– Ale to jest okno w mojej kuchni.

– I co z tego?

– To, że teraz w tej kuchni jest moja mama i jak znam życie, gotuje mi obiad.

Spojrzał na Sarę tak, by dać jej do zrozumienia, że brak tak zwanej wolnej chaty zmusza ich do zmiany ambitnego miłosnego planu.

– I co teraz? – zapytała.

Patrzyła na niego w taki sposób, że zaczynał być wściekły na mamę, a nie zdarzało mu się to często. Zerknął na zegarek. Nie znosił, gdy ktoś krzyżował mu szyki. Zwłaszcza takie.

– Nie mam pojęcia... Czekamy? – zapytał bez przekonania w głosie.

Sara westchnęła. Zrobiła to tak, że już rozpanoszyło się w nim poczucie straty.

– To zależy...

– Możesz jaśniej... – wyszeptał jej wprost do ucha.

Znów poczuł, jak pięknie pachniała. Zresztą czuł to od pierwszej sekundy spotkania. Widok, zapach i dotyk Sary przyprawiały go o szaleństwo. Musiał coś wymyślić, żeby nie zwariować do końca.

– Nie wiem, jak długo będę musiała czekać, i nie wiem, czy mi się w ogóle opłaca czekać.

Zrobiła to tak samo jak on przed chwilą. Wyszeptała mu wszystkie te słowa wprost do ucha. Jednak uczyniła to dużo umiejętniej niż on. Szepcząc, dotykała ustami jego skóry. Oszalał, oszalał do tego stopnia, że zaczął rozpatrywać opcję zabrania jej do najbliższego hotelu. Po prostu nie mógł już czekać ani chwili dłużej.

– Sam nie wiem. – Bał się przyznać do najprostszego rozwiązania, które miał teraz w głowie.

– Z takim podejściem to daleko nie zawędrujesz.

Chociaż najtrudniejsze sztuki walki miał w małym palcu, uśmiech Sary obezwładniał go całkowicie. Świetliste latarenki w jej czarnych oczach rozkładały go na łopatki. Był bezbronny i bezwolny. Gotowy zrobić wszystko dla patrzącej na niego kobiety. Wszystko.

– Dopóki jesteś przy mnie tak blisko, to żadna wędrówka mnie nie interesuje.

– Żałuję tylko, że na większą bliskość nie mamy warunków.

Patrzyła mu tak intensywnie w oczy, że znów zwariował. Kolejny raz nie wiedział, co powiedzieć. Był wściekły na mamę. Jak nigdy dotąd. Na szczęście to Sara miała coś do powiedzenia.

– Rozumiem, że twoja mama gotuje ci w każdą niedzielę? – stwierdziła z przekąsem.

– Właśnie nie. – Musiał czym prędzej wyprowadzić ją z błędu. – Wprost przeciwnie, przychodzi do mnie bardzo rzadko.

Nie chciał, by Sara źle oceniała, jego, jego mamę i całą tę sytuację, która go teraz bardzo mocno i niemile zaskoczyła.

– No, nie wstydź się. Przyznaj się. Nie wyśmiałam prince polo w Kazimierzu, nie wyśmieję gorącego obiadku w Warszawie ani twojego „synusiostwa".

– Synu... co? – Przyciągnął Sarę do siebie i nie zamierzał rozluźnić zdecydowanego uścisku.

– Chyba nie chcesz, żebym zaczęła krzyczeć?

Spoglądała mu prosto w oczy. Zaczepnie. W taki sposób, że nie mógł odgadnąć, czy swoimi słowami go straszyła, czy raczej naigrawała się z jego wciąż rosnącego podniecenia.

– Nie musisz krzyczeć, bo nic ci nie grozi – zapewnił prawie niesłyszalnie.

– To nie jesteś uzbrojony?

Przybierając minę niewiniątka, włożyła mu dłonie pod kurtkę i zaczęła rewizję osobistą. Dotykała go właśnie tak, jak tego pragnął. Natychmiast musiał jej się do czegoś przyznać.

– Wprost przeciwnie. Przy tobie jestem coraz bardziej rozbrojony...

– Chcesz powiedzieć, że cię rozbrajam?

– Nie chcę, tylko muszę.

Czuł na twarzy ciepło jej oddechu, bo wciąż mocno nachylał się, by widzieć jej oczy z bliska. Zresztą nie tylko oczy. Gdy do niego mówiła, nie potrafił oderwać wzroku od jej ust. Pod palcami wyczuwał szczupłość jej talii i miękkość ciała.

– Tak w sumie to wolałabym, żebyś zamiast rozbrojony był po prostu rozebrany.

Swój szept zakończyła pocałunkiem. Krótkim, takim jakby mimochodem, ale za to bardzo odważnym. Przekazała mu tym samym mnóstwo pewności i odwagi. Dlatego nie musiał już działać ostrożnie. Przecież swym zachowaniem pozwalała mu na wszystko. Nie mógł na nią dłużej czekać. Musiał ją zagarnąć tylko dla siebie. Teraz tylko on miał do niej prawo. Już należała do niego.

– Nie będziemy tu sterczeć – postanowił szybko. – Jedziemy do hotelu.

– A obiad?

Wystraszył się, bo zrobiła to trochę asekuracyjnie. Obawiał się, że ich pragnienia w tej chwili były całkiem inne. Z miejsca pomyślał, że po prostu zabrakło jej odwagi. Jednak jedno spojrzenie w oczy Sary rozwiało wszystkie jego wątpliwości. Po prostu perfidnie się z nim droczyła. Miał ochotę ją udusić. Ale większą miał na to, by się z nią kochać.

– Naprawdę myślisz teraz o jedzeniu? – zapytał z przekąsem.

– Myślę teraz tylko o tobie.

– To nie odkładajmy tego już dłużej. Jedziemy do hotelu – zarządził.

– Nie! – sprzeciwiła się natychmiast.

Nie zdążyła mu nawet zrzednąć mina, bo zaraz usłyszał szept. Bardzo odważny.

– Jedziemy do mnie!

– A Dziadek?

Odezwał się zupełnie tak, jakby mieszkający z Sarą, starszy, bardzo sympatyczny i dystyngowany pan był jego osobistym dziadkiem.

Zerknęła na zegarek.

– Jest teraz na spacerze. Jak wróci, utnie sobie drzemkę w fotelu przed telewizorem. Jeśli będziemy cicho, to nawet nie zorientuje się, że jesteśmy. Poza tym przecież mam na górze odrębne mieszkanie, swoją intymność.

Patrzył na Sarę i z brzmienia jej głosu wnioskował, że już niedługo połączy ich wspólna intymność, w co głęboko wierzył. Taka, do której nikt inny nie ma dostępu. Tylko oni.

Szybko wrócili do samochodu. Kiedy otwierał przed nią drzwi auta, nie mógł uwierzyć, że to, co się dzieje, dzieje się naprawdę. Kiedy ruszył, czuł na sobie jej wzrok. Nie spuszczała go z oczu. Zupełnie nie mógł skupić się na drodze. Na domiar złego ich miejsca zamieszkania dzieliła dość spora odległość. Na szczęście ruch na stołecznych ulicach w wolne dni był trochę mniejszy niż normalnie. W dodatku trafił na „zieloną falę", pewnie dlatego, że za nic miał przepisy ograniczenia prędkości w terenie zabudowanym. Okoliczności im sprzyjały. Chociaż gdzieś tam, jakby to ujął Stary, „pod kopułą" czaiła mu się niepewność, że kiedy dojadą na miejsce, wtedy Sara się rozmyśli. Bał się, że nie pozwoli mu na to, by ją sobie dokładnie obejrzał, by dotykał miejsc, które pragnął poznać. Póki co nie mógł uwierzyć, że była gotowa na miłość. I to z nim. Już wcześniej marzył o tym, żeby ta, którą obserwował od pierwszych chwil z zapartym tchem, stała się kobietą jego życia. Najważniejszą i jedyną. Tą, która sprawia, że patrzenie na inne nie przynosi żadnej przyjemności.

– Jesteśmy – odezwała się ze zdziwieniem w głosie Sara, gdy nie zaparkował przed jej domem rodzinnym, tylko przejechał trochę dalej. – Dlaczego się nie zatrzymałeś? – zapytała zagubiona.

– Z przyzwyczajenia – wybrnął, uśmiechając się.

Uśmiechał się nie tylko do Sary, ale też do przeszłości, kiedy nie mógł z nią rozmawiać i nie mógł mieć jej tak blisko. Jednak były to czasy, które wniosły w jego życie wiele dobrych emocji i nadziei na to, że kiedyś zdarzy się akurat to, co miało wydarzyć się już dziś.

– Nie wygłupiaj się. – Sara parsknęła wdzięcznym śmiechem. – Nie musimy uciekać się do aż takiej konspiracji. Jestem dorosła. Mogę zapraszać do siebie, kogo tylko chcę. Poza tym mój Dziadek jest i zawsze był bardzo gościnny i otwarty na innych ludzi, a w szczególności na moich znajomych. Na ten przykład Wojtka uwielbia.

– No, jak Wojtka uwielbia, to ja chyba też mam u niego jakieś szanse. – Nie zapanował nad kpiną w głosie.

– Jak poznasz Wojtka lepiej, to też się do niego przekonasz. Zobaczysz. To jest człowiek, który bardzo zyskuje przy bliższym poznaniu. Dlaczego nie zawracasz? – zapytała, gdy zaparkował jednak tam, gdzie zamierzał od samego początku.

– Przejdźmy się ten kawałeczek – poprosił.

– A nie boisz się, że się rozmyślę?

Wprawiła go tym pytaniem w osłupienie, gdyż zupełnie nie mógł rozszyfrować, czy mówi poważnie, czy po prostu po kobiecemu sprawdza jego wytrzymałość.

– Jeśli masz się rozmyślić, to proszę cię, zrób to teraz, a nie wtedy, gdy będziemy już o ciebie – powiedział z rozbrajającą szczerością.

Sara się nie odezwała. Szli przed siebie. Trzymali się za ręce.

Nie wiedział, jak się zachować, gdy zamknęły się za nimi drzwi jej domowej siedziby. Stał i obserwował, jak zdejmowała z siebie popielaty prochowiec. Szybko rozejrzał się wokół. Mieszkanie było ładne i dużo większe od tego, które sam zajmował. Całkiem inaczej urządzone. Posiadało mało ścian, za to dużo mebli, a najwięcej książek.

– Ale masz bibliotekę.

Patrzył na ścianę, którą miał przed sobą. Wyglądała jak ogromny regał od góry do dołu wypełniony książkami, starannie, a nawet pedantycznie, ustawionymi.

– Moja Babcia dużo czytała. Mama też, i to może dlatego prawdziwe życie często myliło jej się z fikcją literacką.

– A ty? Dużo czytasz?

Odwrócił wzrok od księgozbioru, spojrzał w stronę Sary i zaniemówił. Była ubrana w jasną sukienkę, doskonale podkreślającą filigranowość i krągłości jej figury.

– Długo zamierzasz tak stać i się gapić? – zapytała, zamiast odpowiedzieć na jego pytanie.

Zbliżyła się do niego na taką odległość, że już któryś raz dzisiaj mógł poczuć wyraźnie zapach jej perfum, odbierający mu możliwość logicznego myślenia. Pewnie dlatego znów nie wiedział, co powiedzieć.

– Przecież mnie obserwowałeś. Chyba wystarczająco długo, by wiedzieć, że codziennie czytam przed zaśnięciem. Zawsze i długo.

Musiał z tym skończyć. Zdjął kurtkę i zamiast powiesić ją na drewnianym, fikuśnie wygiętym wieszaku, cisnął nią w kąt.

– Mam się bać?

– Mnie nie musisz się bać – zapewnił bardzo poważnie.

Chociaż tego nie chciał, i tak przed oczami migały mu zdjęcia stojącej naprzeciwko kobiety. Patrzył na jej uśmiech, a widział ślady uderzeń na jej ciele. Paraliżowały go trochę. Może pojawiły się nieprzypadkowo, by zrozumiał, iż istnieje niebezpieczeństwo, że Sara tym niegasnącym uśmiechem maskowała obawę nie przed nim, ale przed mężczyzną. Pomyślał o tym i poczuł się zagrożony jej przeszłością. Dramatyczną i złą. Nie chciał, żeby się teraz bała. Modlił się w duchu, aby nie myślała teraz o swoim byłym mężu. Jednak najbardziej nie chciał, by to, co miał nadzieję, między nimi się wydarzy, było czymś w rodzaju antidotum na strach.

– Powiedz, że się nie boisz – poprosił najłagodniej, jak potrafił.

Uśmiech Sary należał już do przeszłości. Zniknął, jeszcze zanim skończył mówić, a on poczuł się tak, jakby w tę małą, dzielącą ich teraz przestrzeń jakimś cudem wcisnął się Robert, a przynajmniej wspomnienia z nim związane. Te same, które pewnie nie dawały jej zasnąć długo w nocy, a później doprowadzały do tego, że jeśli już zasypiała, to zawsze robiła to przy zapalonym świetle. Sara patrzyła na niego bardzo poważnym wzrokiem.

– Strach jest przyklejony do mojego życia – odezwała się w końcu. – Ale ciebie nie boję się wcale.

– Nie musisz się bać już niczego i nikogo, bo masz mnie.

Miał świadomość, że niepotrzebnie wyraził uczucia zbyt okrężną drogą. Natychmiast postanowił się poprawić. Musiał jej powiedzieć o tym, co do niej czuł, w najbardziej jasny sposób.

– Kocham cię.

Wyraz twarzy Sary nie zmienił się ani trochę. Wciąż patrzyła na niego bardzo poważnie. Wciąż jej wzrok miał w sobie odrobinę strachu. Musiał coś zrobić, by pożegnała się z tym lękiem. Raz na zawsze.

– Wiem, wiem, pewnie nieraz słyszałaś te słowa.

Jednak sytuacja i spojrzenie Sary zmuszały go do podjęcia niechcianego tematu.

– W życiu nie chodzi o słowa, tylko o to, by stały za nimi określone zachowania. I to właśnie życie nauczyło mnie tego, żeby za szybko nie cieszyć się z niektórych deklaracji. Słowa to jedno, a rzeczywistość to drugie.

– Udowodnię ci, że w moim przypadku nie istnieją rozbieżności między tym, co mówię, a tym, co robię.

– Życzę ci, żeby ci się to udało – odpowiedziała z nadzieją w głosie. – Zresztą sobie też tego życzę. Nawet jeszcze bardziej niż tobie. Chcę, i to bardzo, żebyś mnie teraz kochał, ale marzę… o tym… żebyś nigdy nie przestał…

Intensywnie wpatrywał się w oczy Sary i odnosił wrażenie, że patrzyła na niego w taki sposób, jakby nie dostrzegała tego, iż pojmował jej intencje. A przecież było całkiem odwrotnie. Rozumiał ją doskonale. Dokładnie wiedział, wiedział i czuł, o co jej chodziło i co chciała mu przekazać. Był też całkowicie świadomy tego, że zapewnienia, które miał zamiar za chwilę wypowiedzieć, będą niewystarczające, by usunąć strach z życia Sary. Jednak na razie mógł dać jej jedynie słowne gwarancje, mając przekonanie, że reszta przyjdzie, pojawi się później. Przecież nigdy nie rzucał słów na wiatr. Wiedział, że mają moc. Już nieraz w swojej pracy przekonał się, że słowo wypowiedziane w złej wierze i co najgorsze, w złych okolicznościach, potrafi sprowadzić na ludzi ogromne nieszczęścia. Teraz miał w sobie jednak tylko dobrą i silną wiarę. Taką, jakiej nauczyła go mama. To ona przekazała mu lekcję, że prawda i miłość są najważniejsze. Dlatego teraz musiał powtórzyć swoje wyznanie i dodać do niego element konieczny, niezbędny Sarze.

– Kocham cię i nie zamierzam przestać – powiedział powoli i wyraźnie.

W końcu się uśmiechnęła. Miał nadzieję, że pojęła, iż ją rozumiał. A wydawało mu się, że znał doskonale zarówno jej lęki, jak i nadzieje. Był gotów zmierzyć się ze strachem Sary. Zamierzał podjąć pracę nad nim i nad innymi emocjami, jakie zastał w sercu ukochanej. Chciał rozpocząć to zadanie od zaraz. To znaczy od teraz.

Zrobił krok w kierunku Sary. Znów byli blisko.

– Nie przestanę – powtórzył sugestywnie.

Widział siebie w jej czarnych oczach. Jego twarz odbijała się w nich bardzo wyraźnie.

– Powiedz, że mi wierzysz…

– Żeby przestać… trzeba zacząć… – szepnęła.

Ton jej głosu zabrzmiał tak jednoznacznie, że od razu wiedział, co robić. Musiał działać, nie mówić. Zresztą nie miał już nic do dodania. Najważniejsze słowa już padły. Teraz powinien rozpocząć postępowanie dowodowe. To znaczy, nie musiał, tylko chciał, i to bardzo, bo lubił wyzwania. Niezwykle…

Obawiała się, że to już nigdy się nie wydarzy. Co więcej, w złe dni myślała nawet, że Maks w gruncie rzeczy może nie mieć na nią ochoty. Może wiedząc o tym, co przeszła z Robertem, nie chciał przekroczyć pewnej granicy znajomości. Jednak wszystko, co działo się teraz między nimi, stanowiło doskonały dowód na to, że jej myślenie właśnie okazało się bezsensownym kombinowaniem. Albo nawet udanym przekombinowaniem. Jednak to było silniejsze od niej. Miała skłonność do rozważania każdej sytuacji przez pryzmat słabości swojej postawy i swojego charakteru. Cecha ta, jak zwykł określać to Wojtek, „wryła jej się tak mocno w psychę", że nawet upływający czas nie działał na korzyść, tak jakby sobie tego życzyła, a przecież chciała się zmienić…

Aktualnie wydarzały się w jej życiu dobre i coraz lepsze rzeczy, jednak ona sama zawsze gdzieś tam pod radosną miną…

zawsze gdzieś głęboko czuła się ofiarą. Jeszcze nie zapomniała o poniżeniu, jakiego doznała. Ból puściła w niepamięć. Nawet dość szybko. Ale poniżenie i świadomość osaczenia, które towarzyszyły psychicznemu terrorowi, odnajdywała w sobie podczas bardzo różnych życiowych momentów. W takiej chwili jak obecna również. Niestety. Pewnie dlatego, że wciąż dokuczały jej liczne braki, które zafundował jej mężczyzna z zespołem Otella. Nieustannie nosiła na barkach brzemię po małżeństwie z Robertem, które niektórzy po dziś dzień uważali za bajkowe. A przecież prywatność różnych ludzi za zamkniętymi drzwiami bywa różna...

Teraz, kiedy Maks, zamiast się z nią kochać, najwidoczniej badał grunt, miała ochotę zapytać go wprost, czy jest dla niego problemem to, iż kiedyś należała do innego mężczyzny. W dodatku do takiego, który miał ją za nic. Uważał ją za zero, które można w zależności od własnego humoru traktować jak podejrzanego podczas przesłuchania albo – co gorsza – jak worek treningowy lub po prostu jak rzecz, zabawkę istniejącą na świecie tylko po to, by dawać przyjemność i rozrywkę. Albo jak manekina, na którym można rozładować swe wszystkie frustracje, bo przecież nie można zabrać ich ze sobą do pracy, gdyż tam należy prezentować tylko szlachetną postawę. Żadną inną.

Bała się teraz właśnie tego, że Maks myślał o Robercie. Taka obawa nie sprzyjała ani jej, ani jej pragnieniom, które dawały o sobie znać coraz częściej i coraz dotkliwiej.

Gdy teraz jej ukochany stał tuż przed nią, tak blisko... Wszystko ją bolało. Była obolała od natężenia własnych pragnień. Ale był to ból, jakiego nie znała. Dość przyjemny. Znosiła go doskonale, może dlatego, iż wierzyła, że był drogą do spełnienia jej oczekiwań.

Już zasugerowała Maksowi, że teraz najbardziej potrzebuje początku miłości. Ten jednak stał wciąż i wpatrywał się w nią głodnym wzrokiem.

– Długo jeszcze zamierzasz tak mi się przyglądać?

Swym spojrzeniem błagała go o to, by namiętność czająca się w jego oczach w końcu znalazła ujście w czynach.

– Ja się nie przyglądam – odpowiedział szybko, chociaż wciąż był w nią wpatrzony jak w obrazek.

– To co robisz? – zapytała.

– Uspokajam się – wyszeptał.

Dzięki jego słowom już wiedziała, iż wszystko, czego się obawiała, było jak zwykle tylko w jej głowie. Maks myślał na szczęście zupełnie o czym innym.

– A mógłbyś wreszcie z tym skończyć?

Prosiła o koniec, ale całe jej ciało domagało się początku. Maks był jednak nieugięty. Nie wiedziała dlaczego... A może jednak miała pewne podejrzenia. Być może właśnie w tej chwili zmuszał ją do tego, by wzięła sprawy w swoje ręce. Przecież była na to gotowa.

– Koniec z tym – wyszeptała zatem.

I zaczęła robić coś, czym zaskoczyła siebie samą. Zamiast przygotować Maksa do miłości, zaczęła od siebie. Nie miała dużo pracy, bo pod sukienką, w którą się dziś ubrała, nosiła tylko kilka małych części garderoby. Jeden wytrenowany ruch wystarczył, by odpiąć długi suwak na plecach sukienki. Drugi, by ciuch spadł z jej ramion. Maks patrzył, onieśmielając ją swym spojrzeniem, ale jak się powiedziało A, to trzeba powiedzieć B. Zatem poruszała się naprzód w alfabecie miłości, choć z coraz mniejszą odwagą.

Gdy wyobrażała sobie tę chwilę, a robiła to wielokrotnie, zawsze myślała, że nie będzie musiała niczego robić. W marzeniach to Maks zdejmował z niej ubrania. Robił to powoli. Przyspieszał dopiero na etapie pozbawiania jej bielizny. Rzeczywistość wyglądała całkiem inaczej. Maks wciąż stał przed nią w bezruchu. Wzrokiem pożerał odkrywaną przez nią intymność. Kiedy odkryła już wszystko, zrozumiała, że... dobrze zrobiła...

Wziął ją za rękę.

– Gdzie masz sypialnię? – zapytał jakby nigdy nic.

– Tamte drzwi – odpowiedziała, wzrokiem wskazując odpowiedni kierunek.

Ruszył przed siebie. Szła za nim. Bardzo chętnie. Doskonale wiedziała, że prezentowany przez niego spokój był efektem jego życia zawodowego, w którym brakowało miejsca na emocje. Położyła się na łóżku i patrzyła na Maksa. Ten, nie odrywając od niej wzroku, zaczął się w końcu rozbierać. Miał doskonale umięśnione ciało. Była zniewolona jego widokiem. Jednak na bardzo gładkiej skórze bardzo wyraźnie zapisała się historia ich spotkania. Blizny, na które patrzyła, drastycznie odcinały się od urody ciała. Były to bardzo świeże pamiątki. Zapragnęła przytulić go jak najszybciej. Chciała pocałować wszystkie miejsca, gdzie rozerwana pociskami skóra musiała boleć okrutnie.

Historię swego bólu chowała tylko w głowie. Na ciele nie miała jej zapisów. Może to właśnie dlatego rozebrała się pierwsza. Ciało Maksa, choć idealne, było realnym zapisem ludzkiej brutalności...

Bardzo podobało jej się, że wciąż nie spuszczał z niej oczu. Ani na chwilę. Nawet wtedy, gdy kładł się obok. Odgarnął włosy z jej czoła, po czym pocałował ją tak, jakby wciąż oddzielała ich bariera ubrań. Nadal nie mogła uwierzyć w to, jak bardzo rzeczywistość różniła się od jej marzeń, i w to, jak bardzo mimo tych różnic teraźniejszość jej się podobała.

Dotknęła jego blizny na ramieniu. Najdelikatniej jak potrafiła.

– Mogę? – zapytała już po fakcie.

Maks się nie odezwał. Uśmiechnął się tylko, zatem pocałowała zabliźnioną skórę.

– Boli?

Znów spytała po fakcie. To znaczy wtedy, gdy usłyszała, że ten pocałunek sprawił, iż Maks wstrzymał oddech. Zamiast odpowiedzieć, wciąż milczał i wbijał wzrok w jej oczy. Zupełnie tak, jakby bał się objąć spojrzeniem jej nagie ciało. Patrzył na jej twarz, a palcem wskazującym prawej dłoni zaczął zaprzyjaźniać się ze skórą jej ramienia.

– Jesteś piękna... – wydusił w końcu.

– Ufff... – odetchnęła z ulgą. – Już myślałam, że straciłeś głos.

– Głos nie. Ale rozum tak – przyznał cicho.

Nachylił się nad nią. Oczy, w które spojrzała, pałały namiętnością.

– Całe życie człowiek się uczy... – wyszeptała, choć miała zamiar odezwać się pełnym głosem.

– Co chcesz przez to powiedzieć?

Wtulił się w jej szyję. Zrobił to w taki sposób, iż musiała się bardzo skupić, by nie zgubić wątku.

– Zawsze myślałam... – cedziła słowa, bo wargi Maksa już zostawiały na jej szyi wilgotne ślady – ... że namiętność to darcie szat... w wielkim pośpiechu... – dokończyła myśl już na bezdechu.

– Nie przejmuj się... Ja też byłem w błędzie...

– Widocznie czasami warto się mylić... – wydusiła jakimś cudem.

Już wiedziała, że na więcej słów nie będzie jej stać, bo jego usta, choć mówiły coś o błędzie, były teraz bezbłędne. Nie myliły się w niczym ani trochę, ani o milimetr. Rzeczywistość wyprzedzała marzenia...

Było jej tak doskonale, że gdyby nie odgłos otwieranych na dole drzwi wejściowych zapomniałaby o tym, gdzie jest. Zresztą teraz nie było ważne gdzie, tylko z kim.

Nagle znów spotkali się wzrokiem.

– To Dziadek... – wyszeptała.

– Musimy być cicho. – Maks też szeptał.

Położył jej swój palec na ustach. Pocałowała jego opuszek.

– Przecież jesteśmy.

Teraz całowała już nie tylko Maksa palec.

– Ale za moment wszystko może się zmienić.

– I co wtedy?

Maks swą drugą dłonią zrobił taką rzecz, że wydała z siebie głośny jęk jednoznacznie wskazujący na to, co teraz działo się w jej sypialni.

– Nie martwmy się na zapas. Poza tym nie robimy chyba nic złego.

Chciała powiedzieć, że jest całkiem inaczej, że robią właśnie coś bardzo dobrego, jednak nie zdążyła, gdyż z dołu już dobiegał głos staruszka.

– Sarenko? Jesteś tam?

– Jestem, Dziadku... jestem... – odpowiedziała natychmiast.

Starała się, by jej głos brzmiał całkiem normalnie. Miała jednak utrudnione zadanie, ponieważ Maks robił wszystko, by jej ton zniekształcała przyjemność, której właśnie doznawała.

– Zejdziesz? Kupiłem wuzetki u Rogalskich. Do kawki.

– Oczywiście, Dziadku. Tylko daj mi chwilę. Muszę jeszcze coś zrobić.

– Dobrze, Sarenko. Nie musisz się spieszyć. Kupiłem wuzetki bez nóg. Nie uciekną z lodówki.

– Chwilę?

Tuż przy uchu usłyszała szept Maksa wypełniony pretensją.

– Spokojnie – powiedziała cicho wprost w jego usta. – Nie słyszałeś? Nie musimy się spieszyć…

– To świetnie, bo nie zamie…

– To świetnie, że nie zamierzasz.

Zaczął jej udowadniać, że pośpiech był im teraz niepotrzebny. Natura chyba stanęła po ich stronie, ponieważ nagle zrobiło się ciemniej niż dotychczas. Wydarzyło się coś takiego, jakby dzień chciał specjalnie dla nich udawać, że jest nocą. Po pogodnym przedpołudniu, które spędzili w Łazienkach, nie został nawet ślad. Nie musieli długo czekać na efekt nagłego zaciemnienia świata. Do zmiany koloru dołączyła gradowa pieśń. O szyby okna w jej sypialni uderzały małe lodowe kulki. Bardzo hałasujące maleństwa.

– Nie musisz już być jakoś specjalnie cicho – zasugerował Maks dokładnie w takim momencie, kiedy cisza i tak była niemożliwa.

Za to inne sprawy, które jeszcze dziś rano wydawały jej się niemożliwe, właśnie teraz stawały się częścią jej życia. Bardzo ważną częścią. Znów nie mogła zachować się cicho. Czuła, że wraca do życia. Zatem miała powód do radości, a wielkiej radości nie da się przecież wyrażać w absolutnej ciszy. Na szczęście grad z powodzeniem zagłuszał jej radość, radość towarzyszącą miłości.

Było mu trudno złapać oddech. Chyba trochę go poniosło. Obawiał się, że nawet bardziej niż trochę. Jednak jedno spojrzenie na Sarę wystarczyło, by zrozumiał, że poniosło ich oboje. Głośny grad nie wiadomo kiedy ucichł. W sypialni znów zrobiło się jasno. W końcu mógł dostrzec rumieńce na policzkach Sary. Była piękna. Miała tak bardzo przyspieszony oddech. Kleiły mu się oczy, ale wiedział, że nie powinien zasypiać, zwłaszcza że jej spojrzenie było dalekie od zmęczonego. Wpatrywała się w niego niezwykle błyszczącymi oczami. Jeszcze nigdy tak na niego nie patrzyła.

– Ale masz piękne oczy... – szepnął.

– A ty masz wszystko piękne – Sara natychmiast przebiła jego komplement.

Odgarnął włosy z jej czoła. Z lubością. Lubił ją dotykać, chociaż gdy to robił, tracił poczucie rzeczywistości. Wydawało mu się, że jest w innym życiu albo w innym jego wymiarze. Do tej pory nie przypuszczał, że zbliżenie z kobietą będzie miało dla niego aż takie znaczenie. Patrzył na Sarę i w tym momencie wydawało mu się, że jest od niego dużo młodsza, choć wiedział, że w rzeczywistości był od niej starszy tylko o rok. Pewnie odnosił takie wrażenie, ponieważ wyglądała bardzo dziewczęco. Rumieńce, które nie znikały z jej policzków, odejmowały jej nie tylko lat, ale również życiowych przeżyć i traum. Była taka świeża... Kiedy się przed nim rozbierała, robiła to w tak delikatny sposób, że nie zamierzał jej w tym przeszkadzać, by nie zepsuć nastroju tamtej chwili. Miał nadzieję, że nie zepsuł niczego, co nastąpiło później. Jednak miał świadomość, że nie udało mu się do końca zapanować nad pożądaniem, ale i tak mógł sobie pogratulować cierpliwości. Mimo wszystko...

Przez okno zaczęło podglądać ich słońce. Ciało Sary było zachwycające i w półmroku, i w pełnym świetle. Światło dzienne ani jej nie pomagało, ani nie przeszkadzało.

– Chcesz spać? – zapytała i naciągnęła na nich kołdrę, której dotychczas nie potrzebowali.

– A wuzetka?

Wciąż z tyłu głowy miał to, że na dole czekał na Sarę jej Dziadek. Najchętniej jednak zostałby w jej łóżku, i to nie tylko po to, żeby się przespać, ale dlatego, żeby się obudzić i mieć ją wciąż obok siebie.

– Chcesz się ujawnić? – zapytała.

– To zależy, czy ty chcesz mnie ujawnić.

– Opowiadałam już Dziadkowi o tobie.

– Tak?

– Tak – potwierdziła.

Powiedziała to w taki sposób, iż miał ochotę nie na to, by pokazać się Dziadkowi, tylko na to, by kolejny raz udowodnić Sarze, co do niej czuł i jak bardzo się od niej uzależniał.

To była dla niego nowość. Dotychczas, gdy przydarzały mu się związki, lub dokładniej rzecz ujmując, związkowe przygody, za każdym razem angażował się w nie na tyle, by w dogodnym dla siebie momencie zrobić krok do tyłu. Jeden, ale wystarczający, aby zacząć powoli znikać z czyjegoś życia. Nigdy nie odchodził z dnia na dzień, ponieważ w życiu zawsze słuchał rad mamy, a ona powtarzała: „Pamiętaj, synku, jeśli nie zamierzasz zbudować z kobietą czegoś trwałego, co przetrwa życiowe burze, to nie zawracaj jej głowy, bo ją bardzo łatwo urazić. Jeśli to zrobisz, to ciebie też kiedyś ktoś tak potraktuje. A wiedz, że o miłosnych urazach trudno zapomnieć. O nich można pamiętać przez całe życie. Tkwią we wspomnieniach nawet wtedy, kiedy bardzo chce się zapomnieć. Taki bagaż, synku, jest niepotrzebny. Lepiej pamiętać czyjeś uśmiechy niż łzy i gorzkie słowa".

Sara przerwała jego rozmyślania.

– Nie uśmiechaj się zagadkowo, tylko lepiej zacznij się ubierać, bo nie zamierzam chować cię przed światem w szafie.

– Ubiorę się, jeśli... – celowo rozpoczął zdanie w trybie warunkowym.

W jej wzroku dostrzegł dezaprobatę. Na szczęście niezbyt poważną.

– Tylko nie mów mi, że teraz zaczniesz stawiać mi warunki. Myślałam, że szantaż to metoda, do której uczciwy policjant się nie ucieka.

– Szantaż to nie moja bajka. To miała być raczej prośba.

– Ja też mam prośbę. – Natychmiast skorzystała z jego pomysłu.

– W takim razie ty pierwsza – zaproponował z uśmiechem.

– Czy moglibyśmy już wstać, szybko się ubrać i zejść na dół do Dziadka, bo jeszcze chwila i zacznie się niepokoić.

– Niemożliwe... Czyżbym nie tylko ja miał w swoim otoczeniu kogoś nadopiekuńczego?

– Mylisz się – rozwiała jego przypuszczenia. – Dziadek zawsze w moim wychowaniu stawiał na swobodę. Zawsze mogłam robić to, na co miałam ochotę. Jak widział, że pakuję się w coś niezbyt mądrego, nic nie mówił, tylko czekał, aż sama dojdę do konstruktywnych wniosków i wtedy przyjdę do niego po radę. To taki człowiek, który nieproszony nie daje rad. Za to pomocy udziela wtedy, gdy dostrzega, że jestem bezsilna. Kiedy widzi, że się siłuję, to się nie wtrąca. Chce, żebym wygrała ze swoją słabością, bym ją pokonała.

– To już wiem, dzięki komu jesteś taka silna.

– Ale zaraz opadnę z sił, zwłaszcza że teraz Dziadek zastanawia się, dlaczego jeszcze nie zeszłam, bo na wuzetkę akurat nie trzeba mnie dwa razy zapraszać. Na takie hasło stawiam się na dole od razu.

– To cieszę się, że dziś wygrałem z wuzetką. – Pocałował blednący powoli policzek Sary.

– Zawsze o jedno zwycięstwo więcej.

Uwolniła się z jego objęć nadzwyczaj szybko. Już stała nad nim. Patrzyła na niego z góry. Musiał przyznać, że z tej perspektywy wyglądała nawet atrakcyjniej niż z tych, w których mógł ją podziwiać do tej pory.

– To mów szybko, co mam zrobić, żebyś raczył wstać.

– Po pierwsze, zdradź mi, co robisz, że masz taką figurę, jeśli zajadasz się wuzetkami.

– Jestem dzieckiem szczupłego mężczyzny i bardzo zgrabnej kobiety. A po drugie?

– Wyjdziesz za mnie?

Sukienka, którą przed momentem podniosła z podłogi, znów wypadła jej z rąk. Sara patrzyła na niego takim wzrokiem, jakby nie zrozumiała propozycji, którą przed chwilą wysunął. Jednak bladość jej twarzy zdradzała wszystko. Zrozumiała jego pytanie i teraz to on wystraszył się, że miała już na nie gotową odpowiedź.

– Nie musisz odpowiadać od razu – zaasekurował się.

Zrobił to, bo widział jej spojrzenie. Obawiał się, że każe mu się w tym momencie ewakuować nie tylko z łóżka, nie tylko z sypialni, ale też ze swojego życia. Wzrok Sary zmieniał się. Teraz był pełen sprzeczności. Wystraszony i silny. Zdumiony i pewien swego.

– Już raz się pospieszyłam – odezwała się zdecydowanym tonem. – Nie wyszło mi to na dobre.

Znów zaczęła się ubierać. Patrzyła mu prosto w oczy. Tym razem jej spojrzenie, choć bezkompromisowe, zawierało w sobie na powrót czułość. Doceniał to bardzo, ale nie zamierzał żałować słów, które wypowiedział. Może wybrał zły moment.

Pospieszył się. To jasne. Nie przemyślał konsekwencji, ale był świadom, że to nie słowa rzucane na wiatr. Był nagi, ale nie gołosłowny. Naprawdę chciał, by Sara została jego żoną, i wcale nie interesował go fakt, że już kiedyś była czyjąś małżonką.

– Możesz na mnie patrzeć jeszcze gorszym wzrokiem, a i tak nie pożałuję tego, co powiedziałem – stwierdził spokojnie, chociaż wcale nie był spokojny.

– Wiem – odpowiedziała szybko. – To kobiety częściej żałują swych słów, bo to nam wiele rzeczy nie wypada. Facetom wiele rzeczy uchodzi płazem. Nie tylko słowa…

– Czy ty się ze mną kłócisz?

Marzył o rozładowaniu atmosfery, która niestety się zagęszczała od nieprzyjaznych emocji. Nie chciał tego teraz. Nie po tym, co się wydarzyło.

– Sam widzisz! – Spojrzała na niego z góry. – Jak kobieta chce wyrazić swoją opinię, to mężczyzna od razu myśli, że ta się kłóci.

– Ja tylko domniemywam – odparł.

Patrzył w oczy stojącej nad nim kobiety i już wiedział, że zdenerwowana wyglądała jeszcze atrakcyjniej niż zrelaksowana.

– A ja... – Sara wciąż patrzyła mu prosto w oczy – i zamierzam w tej chwili zejść na dół, zjeść pyszne ciastko, popić je doskonałą kawą i przedstawić Dziadkowi faceta, który potrafi popisowo wyprowadzić mnie z równowagi, ale na szczęście jeszcze lepiej potrafi zachować się w łóżku. Idziesz?

Słuchając jej słów, na początku ich nie zrozumiał, później się ich obawiał, a na końcu poczuł, że istniejące między nimi napięcie zniknęło bez śladu.

– Cieszę się, że przynajmniej ten test zdałem – odparł, a jego próżność nie miała granic.

– Idziesz? – zapytała znów Sara.

Zachowywała się tak, jakby zupełnie nie usłyszała, co przed chwilą powiedział. Wciąż wpatrywała się w niego całkiem poważnym wzrokiem.

– Mogę się ubrać?

– Nawet powinieneś – odpowiedziała i nareszcie się uśmiechnęła.

Wstał zatem. Przeciągnął się, czując, jak bacznie mu się przyglądała. Zaczął wkładać na siebie ubranie. Specjalnie robił to powoli. Zachowywał się tak, ponieważ widział podziw w jej oczach. Podziw, który przyprawiał go o utratę zmysłów. Jednak w tym momencie niestety musiał trzymać emocje na wodzy.

– Trzy miesiące później – usłyszał w końcu, gdy stanął przed kochanką kompletnie ubrany.

– Kpisz? – udał brak zrozumienia dla jej uszczypliwości.

– Coś ty! Poprawiam fryzurę. Idziesz? – Zatrzymała się w drzwiach sypialni.

– Pójdę, pod warunkiem że dostanę całusa.

– Pocałuj się w nos! – Podniosła cichy do tej pory głos.

Jednak nie przejął się tym wcale. Nie miał najmniejszych powodów do zmartwień. Wiedział, że nie była zła ani nawet zdenerwowana. Już wszystko było dobrze. Wystarczyło kilka dłuższych kroków, by dogonił ją na schodach.

– Fajnie kołyszesz biodrami – szepnął jej wprost do ucha, gdy znaleźli się już na dole.

– Przestań! – Strzepnęła z biodra jego dłoń, nad którą nie zapanował w odpowiedniej chwili.

– Witaj, Dziadku! – głos Sary był cudownie radosny. – Chciałabym ci kogoś przedstawić.

Maks zobaczył przed sobą starszego mężczyznę, którego dość dobrze znał z widzenia. Jednak podczas obserwacji zawsze patrzył na niego z oddali. Nie mógł zatem dostrzec inteligentnej dobrotliwości odbijającej się w jego oczach i spokoju rysującego się na jego twarzy.

– Miło mi pana poznać – usłyszał młody głos.

Mężczyzna podał mu dłoń. Od razu poczuł mocny, zdecydowany, męski uścisk. Dziadek Sary miał w sobie młodość i siłę.

– Panowie, usiądźcie sobie, a ja za moment przyniosę kawę i ciastka. Dziękuję, Dziadku, że o mnie pamiętałeś! – Zadowolony głos Sary dobiegał już z kuchni.

– Proszę... proszę bardzo... niech pan siada...

Dziadek Sary był bardzo oryginalnym połączeniem dystyngowania i skromności. Miał w sobie też cechę, której nie dało się nie zauważyć przy pierwszym spotkaniu. Była to przyjazna dobroć. Maks nie miał kłopotu z zauważeniem i nazwaniem tej zalety, ponieważ identyczną charakteryzowała się jego mama. Pomyślał o rodzicielce i usiadł przy stole. Dobrze, że to zrobił, bo gdy zajął miejsce, na ścianie naprzeciwko dostrzegł portret. Nie mógł w to uwierzyć. Z obrazu spoglądała na niego dziewczynka, której spojrzenie znał doskonale. Tyle że z fotografii. Tej samej, która stanowiła dla jego mamy świętość. Dziadek Sary od razu zauważył jego spojrzenie, dlatego wyjaśnił natychmiast.

– To moja żona w latach dziecięcych.

– Piękny.

Wydusił z siebie jedno słowo. Więcej nie był w stanie. Patrzył na portret. Nie mógł oderwać od niego wzroku. W głowie natomiast dzwoniły mu słowa Starego, które kiedyś od niego usłyszał: „Pamiętaj, w naszej robocie nie ma trudnych spraw, dopóki nie są osobiste". Dziś miał świadomość, że szef wiedział, co mówi. Chodziło mu wtedy na pewno o Okularnika, który zabił jego brata. Teraz, gdy pamiętał ton Starego i kiedy patrzył w ciemne oczy spoglądającej jakby wprost na niego dziewczynki, docierało do niego, że właśnie rozpoczynał dochodzenie w osobistej sprawie, ponieważ w jego mniemaniu z płótna spoglądała nie babcia Sary. Portret przedstawiał jego mamę, kiedy ta była małą dziewczynką.

Szybko przeczytał imię i nazwisko malarza umieszczone w prawym dolnym rogu obrazu. Skupił się, by je zapamiętać.

Oderwał wzrok od dość dużego malowidła i wystarczyło mu jedno spojrzenie na twarze domowników, na ich uwagę na nim skupioną, by dostrzec, że stanowiło dla nich relikwię. Wodził oczami pomiędzy Sarą a jej Dziadkiem. Na plecach czuł zimny pot. Już wiedział, wiedział to doskonale, że ktoś był w błędzie. Albo on sam, albo tych dwoje, na których teraz spoglądał z uwagą. Poczuł też, że właśnie przydarzała mu się w życiu sytuacja, przed którą przestrzegał go wiedzący co mówi Stary. Dochodzenie w osobistej sprawie. Z emocjonalnego punktu widzenia katorga, której należało ze wszystkich sił unikać. Z taktycznego – sprawa jak każda inna.

„Tylko skąd ten zimny pot na plecach?" – pomyślał z przestrachem.

Dziś było pięknie. Niedziela jak się patrzy. Przed południem pogoda jak z obrazka. Ale jak to w życiu... Za cud poranka i przedpołudnia popołudnie i wieczór musiały zapłacić. I wszystko się zmieniło. Grzmotnęło tylko raz. Usłyszałam tylko jeden grzmot, zupełnie jakby gong ostrzegający, a po nim puścił się taki grad, że aż uwierzyć nie mogłam, iż do majówki już coraz bliżej, a tu proszę, w niebie jeszcze takie zapasy lodu mają. Po gradzie lunął deszcz. A na zakończenie dnia znów słońce takie samo jak o poranku udawało, że nic się nie działo.

Beatka taki kaprys w tym tygodniu miała, żeby z Zosieńką i Marcinem do Barcelony na weekend polecieć. Cóż... Jak moja Beatka miewa zachcianki, a miewa rozliczne, to muszą się one zamienić w rzeczywistość. I amen. Życie mnie nauczyło, żeby wymysłów mojej córki nie komentować, ponieważ mój komentarz to jedno zdanie, a jej odpowiedź zwykle rozwinięta jest do granic możliwości. A głos przy tym Beatka ma tak podniesiony, że nawet do głuchego każde jej słowo dotarłoby bez najmniejszego kłopotu. A że ja póki co ze słuchem jeszcze kłopotów nie mam, to gdy mi moja córka, serce moje, o swoich różnych, czasami dziwnych pomysłach na urozmaicenie życia opowiada, kiwam tylko głową, udając zrozumienie, a myślę sobie: „Panie… Po co im to? Po co dziecko ciągać to tu, to tam…?". Ale to, co mam w głowie, to moja sprawa. A to, gdzie oni moją Zosieńkę wywożą, to ich decyzja, nie moja. Przecież Zosia jest bardziej ich niż moja. Cóż poradzić? Najlepiej się nie wtrącać, tylko akceptować i wspierać. Takie podejście wszystkim na zdrowie wychodzi, a zdrowie jest przecież najważniejsze ze wszystkiego.

Ale nie o tym chciałam…

Dziś porządziłam się trochę. To znaczy pomyślałam, że skoro Maksa ostatnio prawie w ogóle nie widywałam, to pójdę do niego. Tak cichaczem, bez zapowiedzi. Ugotuję mu na obiad to, co lubi najbardziej, i żeby mu planów niedzielnych nie zaburzać, to jak tylko ugotuję, wrócę do siebie. Jakoś tak mi było nie w smak bez zaanonsowania odwiedzin, ale pomyślałam, że to żaden grzech. Zwłaszcza że przecież zawsze mówi, jak chce mi sprawić przyjemność: „Ty, mamuś, możesz do mnie przychodzić, kiedy tylko chcesz. Tylko pod warunkiem, że ani sprzątać, ani prać mi nie będziesz. Możesz tylko gotować, bo nikt inny nie potrafi tego robić tak jak ty". Poszłam więc. Wchodzę z siatami, żeby było co do garnków włożyć, a tam pusto. Niedzielne przedpołudnie, a Maksa nie ma. Za to zapach w mieszkaniu taki piękny, jakby był w nim przed chwilą jakiś co najmniej królewicz. Musieliśmy się minąć. Syn z mieszkania wyszedł, matka przyszła. Ale aromat perfum to jeszcze nie wszystko. W sypialni łóżko niepościelone. Normalnie jak nie u Maksa. On od małego, oczywiście w przeciwieństwie do Beatki, jest bardzo porządnicki. Beatka, jak była wrzeszczącą nastolatką, to znaczy bardzo wrzeszczącą nastolatką, to nieraz, gdy ręce składałam i prosiłam ją, żeby przynajmniej wokół siebie przestrzeń uporządkowała, za każdym razem wtedy słów raniących mnie do żywego wysłuchać musiałam: „Ciesz się, że przynajmniej synuś wam się udał!". Gdy mówiła to, to znaczy gdy rzucała to w moim i Włodka kierunku, nigdy żadne z nas nic nie powiedziało. Po prostu milczeliśmy. Włodek tylko na mnie zawsze patrzył wtedy. Wiem o tym, chociaż ja na niego spoglądać wówczas nie chciałam i nie mogłam. Czułam tylko ból, ponieważ te Beatki słowa orały mi serce. W tę i z powrotem. Ale rany zadawane przez własne dzieci dziś są, a jutro po nich nie ma śladu. Taką leczącą siłę ma matczyna miłość i dziękuję Panu Bogu za to, że matki takie wytrzymałe serca mają.

Ale znowu zamiast o Maksie, to o Beatce piszę. Piszę, bo tęsknię. Ale wracając do Maksa. To, że jego łóżko niepościelone zastałam, to nowość, ale to jeszcze nie wszystko. Na łóżku koszule. Jedna, druga, trzecia. Nie jak psu z gardła wyjęte. Nie. Po prostu leżą na pościeli, zamiast wisieć w szafie. Pomyślałam: „Stroił się mój syn", po czym stwierdzam: „Doskonale!". Ubrał się ładnie, wyperfumował się jak królewicz i w świat ruszył. Myślę zatem: „Daj Boże, na spotkanie z urodziwą czarnulką, Sarą, z którą nie tak dawno w drzwiach na dole się mijałam". I chociaż Maksa nie zastałam, to radość we mnie wstąpiła taka, że cud. Do kuchni weszłam, a tam porządeczek jak zwykle. Czyli bez śniadania poleciał. Niedobrze. Dziwnie zachowuje się mój syn. Czyli jest zakochany, zakochany jak nic. Przyszła kryska na matyska. Z ochotą i radością przystąpiłam do pracy. Gotowałam z uśmiechem na ustach. Ptaki mi śpiewały. Wiosnę za oknem i wiosnę w sercu miałam. Gdy już wszystko było gotowe, kuchnię do porządku doprowadziłam, nieporządku w sypialni palcem nie tknęłam, posiedziałam chwilę i cóż miałam robić? Wróciłam do domu. Nutkę od razu na spacer wyprowadziłam, żeby chociaż w ten sposób samotność jej wynagrodzić.

I kończy się dzień… Lubię takie dni do życia ludzkiego podobne. Takie, w których są deszcz i słońce. Wiatr i bezruch w konarach moich topoli odzianych już w liście w komplecie. Czyżby do lata było coraz bliżej…?

– I co mi się tak przyglądasz? – zapytała niezbyt grzecznie.

Patrzyła na Wojtka, który wystylizowany jak mało kiedy wpatrywał się w nią z dość zagadkowym uśmieszkiem. Gdyby nie ten uśmiech, z miejsca wyściskałaby przyjaciela, ponieważ bardzo się za nim stęskniła. Poza tym bardzo lubiła, gdy przychodził po nią do pracy. Dziś o tym, że na nią czeka, dowiedziała się od Karoliny, która była bardzo wrażliwa na urodę jej przyjaciela od momentu, gdy zobaczyła go po raz pierwszy.

To wtedy, choć nie miała w zwyczaju tego robić, uzmysłowiła koleżance, że byłoby dobrze, gdyby ta nie tworzyła w swej głowie bajki z zakończeniem: „... i żyli długo i szczęśliwie", ponieważ Wojtek nie mógł być kandydatem do jej ręki...

Zatem gdy Karolina poinformowała ją, że czeka na nią cudny lowelas, to ucieszyła się do tego stopnia, iż na pożegnanie dała jej siarczystego buziaka, choć taka wylewność nie była dla niej czymś naturalnym.

– Nic innego między nami nie wchodzi w grę, to przynajmniej się poprzyglądam. Tyle mego!

Jednak na nic się zdały przebrane za wredność słowa Wojtka, ponieważ w oczach przyjaciela widziała autentyczną radość ze spotkania. Taką, której żadne paskudne docinki nie zdołałyby dziś zniweczyć. Podejrzewała, że Wojtek w jej wzroku dostrzegał równie radosny potencjał, dlatego gdy padli sobie w ramiona, oboje chcieli pozostać w nich dłużej niż zazwyczaj. Gdy udało im się w końcu nacieszyć swą bliskością, on zrobił krok do tyłu. I znów zaczął jej się przyglądać.

– Szukasz modelki do nowej sesji? – zapytała.

Zażartowała, choć miała świadomość, że krytyczny wzrok fotografa bywał bezlitosny dla obiektów znajdujących się w jego zasięgu.

– Z takim wzrostem to prawdziwym modelkom mogłabyś tylko buty sznurować.

Uśmiechnęła się, wiedząc, że nie powiedziała jeszcze ostatniego słowa przed utopieniem się w morzu kompleksów.

– Ale twarzą to niejedna chciałaby się ze mną zamienić – stwierdziła nieskromnie.

Przyjaciel przyglądał się jej w milczeniu.

– Ja wiem... – wyraził swe niezdecydowanie. – Może i masz rację... Chociaż teraz jest trend na dość niewyraźną urodę. Taką, co do każdego fasonu i każdej barwy pasuje. Ty jesteś za wyraźna. Stworzona do wyraźnych kolorów i gładkich tkanin, a nie do tych królujących teraz na wybiegach.

Za każdym razem gdy udało jej się rozmawiać z ulubionym artystą o jego pracy, cieszyła się, że nie jest modelką, gdyż on traktował te niejednokrotnie bardzo piękne i inteligentne dziewczyny tak, jakby ich w ogóle nie było. Jakby ubrania, które fotografował, mogły poruszać się same. Zastanawiała się, dlaczego miał takie podejście, i nigdy nie wiedziała, czy było ono pochodną jego profesjonalizmu, czy może orientacji seksualnej.

– Czyli rozumiem, że dzisiaj, jak zwykle zresztą, ubrałam się modzie na przekór – zakpiła sama z siebie.

Miała na sobie czarne dżinsy i zwykły biały podkoszulek z krótkimi rękawami, bo długie do jej pracy się nie nadawały. Rękawy przedszkolanki musiały być zawsze zakasane, niezależnie od pogody. Długie nawet zimą nie wchodziły w grę. W dodatku dziś miała pobrudzoną bluzkę, ponieważ jej ulubiony ognik, mały Fryderyk, właśnie przed chwilą wylewnie się z nią żegnał, nie chcąc wypuścić jej do domu. Kiedy Fryderyk, niesforne, acz urokliwe dziecko, się w nią wtulał ze wszystkich swych dziecięcych sił, pierwszy raz w życiu odważyła się pomyśleć o własnym dziecku. Ale gdy tylko przemknęło jej to przez myśl, od razu się przestraszyła, chociaż miała pewność, że Maks nie miał nic wspólnego z Robertem. Zakochała się w przystojnym gliniarzu do szaleństwa. Jednak pamiętała, że w przypadku byłego męża też popełniła ten błąd. A teraz...

– Modna to ty na pewno nie jesteś, za to spostrzegawczości nie można ci odmówić. – Wojtek nawet nie próbował udawać. – Po prostu stylówa. Sara Stylówa. Szkoda, że nie masz na sobie swojej ulubionej apaszki, pstryknąłbym ci wtedy masę zdjęć i miałbym gotowy materiał do artykułu pod tytułem *Jak nie ubierać się w słoneczne dni*.

– Nie psujmy zatem dnia – stwierdziła z uśmiechem.

Nie miała najmniejszego zamiaru brać sobie do serca tego, o czym teraz mówił przyjaciel, ponieważ wolała, by jej serce wypełniały wartościowsze treści, a w jej przypadku moda do tej kategorii nigdy nie należała.

– To gdzie mogę zabrać na obiad Sarę Stylówę?

– W domu rozmroziłam mięso – odpowiedziała prozaicznie.

– Wiem.

– Co chcesz przez to powiedzieć?

– To, że ugotowałem z niego gulasz, ten Dziadzia ulubiony.

Miała zamiar paść przyjacielowi do stóp, by wyrazić swą bezgraniczną wdzięczność. Na szczęście ten powstrzymał ją w ostatniej chwili.

– Masz zamiar się pobrudzić? – zapytał żartobliwie i przytulił ją mocno.

– Uwielbiam cię – wyszeptała z radością w głosie, w oczach i w sercu.

– Jakoś zupełnie ci się nie dziwię. Gdybym miał takiego przyjaciela jak ja, to też bym go uwielbiał. Ale skoro mam ciebie, to muszę sobie przecież jakoś radzić. Trzeba mi się wysilić i uwielbiać akurat ciebie. To gdzie idziemy? – Dał jej do zrozumienia, że gulasz ugotował dziś tylko z myślą o Dziadku.

– Gdzie tylko chcesz. – W jej głosie można było usłyszeć niewolnicze posłuszeństwo.

– Jakaś podpowiedź?

– To może pójdziemy w stronę gulaszu?

Wiedziała, że gulasz Wojtka nie miał sobie równych. Zwłaszcza wtedy, gdy był serwowany z kaszą gryczaną i ogórkiem kiszonym przyrządzanym letnią porą przez Dziadka, który, odkąd pamiętała, latem kisił ogórki. Zawsze miała w tym niezbyt duży udział ograniczający się do obierania ząbków czosnku, krojenia cienkich słupków marchewki, mycia koprowych łodyg i wachlarzowatych liści chrzanu, którymi Dziadek przykrywał zawartość słoika już gotowego do zamknięcia.

– To może pójdziemy do Dziadzia na deser? – zaproponował bardzo poważnym tonem Wojtek.

Z miejsca spoważniała. Jej radość natychmiast zamieniła się w czujność.

– Mamy do pogadania? – zapytała, wnikliwie obserwując oczy i wyraz twarzy przyjaciela.

– A nie mamy?

Znali się doskonale. Nawet nie potrzebowali wielu słów, by się dogadać, ani wielu spojrzeń, aby odgadnąć swe uczucia. Wojtek przyglądał się jej uważnie i już domyślał się, że odkąd widzieli się po raz ostatni, a było to kilka tygodni temu, wiele się zmieniło. Przynajmniej w jej życiu.

– W sumie to, o czym chciałabym ci powiedzieć, można zawrzeć w jednym zdaniu – powiedziała, nawet nie siląc się na zagadkowość.

– Przespałaś się z gliniarzem.

Wojtek nie pytał, Wojtek oznajmiał.

– Mylisz się…

Postanowiła sprawić, by stracił chociaż trochę pewności siebie. Udało jej się to całkowicie. Wlepiał w nią właśnie swoje nieruchome i bardzo zdziwione spojrzenie. Chyba nie wiedział, co powiedzieć. Postanowiła metodycznie wykorzystać ciszę, która pojawiła się dość niespodziewanie.

– Może dokończymy rozmowę przy jakimś pysznym żarełku? – zaproponowała usłużnie.

– Prowadź – rozkazał Wojtek.

– Ja?

– A widzisz tu jeszcze kogoś?

– To może pójdziemy na kebab, jest całkiem blisko... – zaproponowała nieśmiało.

Od razu zauważyła, że Wojtek zrobił minę pod tytułem „ani mnie to ziębi, ani grzeje". Ona jednak nie dała się zwieść. Wiedziała, że grał i robił to nieumiejętnie, bo fotografem był genialnym, ale aktorem bardzo kiepskim.

– Skoro nalegasz – odezwał się po krótkiej chwili.

– Nie nalegam, tylko proponuję – sprostowała. – Zjemy coś pysznego. Cielęcinka ze sprawdzonego źródła. A Bekhirem nie musisz się martwić, bo z tego co wiem, wyjechał z rodzicami do Ankary na jakąś rodzinną uroczystość.

– Nie martwię się nim – odpowiedział obojętnym tonem.

To znaczy tonem udającym obojętność. Wiedziała doskonale, że informacja o nieobecności Bekhira wprowadziła przyjaciela w stan ogólnego spokoju.

– To idziemy – szybko podjęła decyzję.

Czuła, że przyszedł czas na to, by przyznać się towarzyszowi, że jednak przespała się z gliniarzem, ale chciała to zrobić po swojemu.

– Może podjedziemy – zaproponował Wojtek. – Nie będziemy musieli wracać tu po Jaguara.

– W porządku. – Przyjęła argumentację, chociaż miała ochotę na spacer.

– To co się tak przyglądasz? Wsiadaj!

Zapraszał ją spojrzeniem do samochodu, którego drzwi musiała otworzyć sobie sama.

– Gliniarz ładniej zaprasza mnie do auta – zauważyła żartobliwie.

– Pamiętaj, że ja nie chcę zaciągnąć cię do łóżka – wytłumaczył z miejsca.

– Sugerujesz, że jak gliniarz zaciągnie mnie do łóżka, to przestanie otwierać przede mną drzwi?

– Widzę, że marzysz o tym łóżku i nie możesz się go doczekać.

Przyjaciel, choć mylił się, to i tak miał odrobinę racji. Rzeczywiście czekała. Nawet bardziej niż wtedy, gdy nie wiedziała, jak można przeżywać miłość w ramionach Maksa. Mając już tę wiedzę, była bardziej niecierpliwa niż wcześniej.

– A jest w tym coś złego?

– A to już pytanie chyba nie do mnie.

– Nie rozumiem…

– Nie udawaj!

Nagle postanowiła zmienić temat. Zrobiła to instynktownie.

– Odwiedziłeś rodziców?

– Zwariowałaś? – Podniósł głos.

Miała świadomość, dlaczego tak zareagował. Temat rodzinny był dla niego bardzo trudny. Wojtek miał przekonanie, że zawiódł swych bliskich na wielu polach. Po pierwsze, nie został lekarzem z perspektywami, tylko fotografem z bożej łaski. W dodatku jego orientacja seksualna nijak nie mieściła się w konwencji człowieka bez jakiejkolwiek skazy. A skoro jego rodzina była właśnie taka, to Wojtek sam się z niej wykreślił.

Wiedziała, jakim kolcem w sercu przyjaciela było to, na co się skazał. Miała świadomość, że Wojtek będzie musiał z tym wszystkim poradzić sobie sam. Nie była w stanie mu pomóc. Na własnym przykładzie przekonała się, że kolce z własnego serca należy usuwać samodzielnie. Oczywiście to piękne, jeśli znajdują się osoby, które wspierają w trudnych sytuacjach i trudnych postanowieniach, ale kluczowe życiowe decyzje powinny być podejmowane w samotności, by ich ciężar spadał tylko i wyłącznie na decydentów. Miała to przepracowane. Wiedziała też, że to w sobie należy szukać odwagi do przeprowadzenia gruntownych zmian, osobistych rewolucji, a przede wszystkim do tego, by znosić i przeżywać wszystkie konsekwencje własnych wyborów.

Wojtek zatrzymał samochód. Udało mu się zaparkować tuż przed wejściem do restauracji Bekhira.

– Wysiadamy?

– Wysiądziemy, jeśli powiesz mi, co się stało.

Zerknęła na przyjaciela i już wiedziała, że coś się wydarzyło. Na pewno.

– Nic się nie stało! – odburknął głośniej, niż było trzeba.

– Nie musisz podnosić głosu. Nie jestem ani głucha, ani ślepa, i widzę, że coś jest na rzeczy. – Niestety też mówiła głośniej. – Jeżeli nie powiesz mi, o co chodzi, to szybciej umrę z głodu, niż wysiądę z tej twojej super fury.

– Wczoraj dzwoniła do mnie matka. – Wojtek zrobił taką minę, jakby brzydził się własnych słów.

– Zaprosić cię na niedzielny obiad? – zapytała cynicznie.

– Nie. Już dawno zrozumiała, że to nie są moje klimaty, ale reszty ze mną związanej i tak wciąż nie rozumie.

– To dlaczego zadzwoniła? – Skupiała się, by rozmowa nie utonęła w morzu dygresji.

– Poinformowała mnie, że ojciec jest chory.

– Co mu jest?

– Rak trzustki. – Wbił w nią nieobecne spojrzenie.

– Jak to?

– Tak to. Całe życie w robocie, dyżur za dyżurem, w pracy między pacjentami papierochy, zero żarcia, po powrocie do domu znieczulanie się Jasiem Wędrowniczkiem.

– Co ty mówisz?

– To, co słyszysz. To cały mój ojciec. Idealny ordynator.

– I co teraz?

– Nic! – Udawał twardziela, ale nie dawała się nabrać.

Zbyt dobrze go znała. Nie mógł jej oszukać, chociaż się starał. Widziała, co się z nim działo.

– Możesz przestać?! – ryknęła.

Od razu miała to sobie za złe. Musiała szybko naprawić swój błąd, zwłaszcza że już dostrzegała w oczach przyjaciela ośli upór, a taki nigdy nie wróżył niczego dobrego.

– Posłuchaj... – Tym razem zaczęła łagodnie, ponieważ zmiana tonu w tej sytuacji była nieodzowna.

– Nie! To ty posłuchaj! – On też potrafił wrzasnąć.

Postanowiła zasznurować swe usta. Wiedziała, że jeśli teraz pozwoli wygadać się przyjacielowi po raz setny na ten sam temat, to jego głos będzie łagodniał z każdym kolejnym wypowiadanym zdaniem. Poza tym zapanują warunki, by po raz kolejny poprosić Wojtka o odbudowę spalonego mostu prowadzącego go do własnej rodziny.

– Zamieniam się w słuch.

– Mnie wystarczy, że mam ciebie... i Dziadzia.

– Bzdura! – weszła Wojtkowi w słowo, zupełnie niepotrzebnie.

– Słuch nie krzyczy!

Musiała przyznać Wojtkowi rację. Zamilkła, obiecując sobie, że nie odezwie się już ani słowem. Wiedziała, że musi słuchać, tylko słuchać. Nic ponadto.

– Nie zamierzam niczego zmieniać. Nie będę z nimi żył i nie będę im przypominał swoją osobą o rozczarowaniu, które przeze mnie przeżyli. Zaplanowali sobie życie. Nie moje, tylko swoje. Zgodnie z ich planem miałem dostarczyć synową i wnuki. A ja co? Nie dopasowałem się do ich marzeń. Nie będzie synowej. Nie będzie wnuków. Wiem, że dla mojego ojca wiadomość o tym, że chcę kochać faceta, była jednoczesną utratą syna. Jak jest z mamą? Tego nawet nie wiem, bo od razu opowiedziała się po stronie ojca. To znaczy nawet się chyba nie opowiedziała... W mojej sprawie wolała milczeć, niż zająć stanowisko. Muszę jej przyznać, że starała się zachować twarz. Nie okazywała emocji, chociaż miała ich w sobie mnóstwo. Wiem o tym, bo dobrze ją znam. Nigdy mnie nie obraziła, tak jak to zrobił on. Mimo wszystko nie okazała się homofobką. Była przeciwieństwem swojego męża, który mówił dużo, w dodatku straszne rzeczy. Żałuję, że milczała i nie przeciwstawiła się ojcu, który od razu postawił na mnie krzyżyk. Krzyczał, że to, co wyrabiam, jest jak wyrok śmierci, że na pewno umrę na AIDS, że sprowadzę nieszczęście nie tylko na siebie, ale i na rodzinę. Wrzeszczał, żebym się z tym nie obnosił i wstydu im nie robił, bo jak to się rozejdzie, to żaden normalny facet nie będzie chciał pojawiać się moim towarzystwie, by nikt nie brał go za geja. To przez ojca jestem teraz taki samotny! To wszystko przez niego! Przez te jego chore ambicje muszę radzić sobie z tym wszystkim sam. I trochę mi to zajęło, żebym się z tym pogodził. Abym umiał w życiu odnaleźć szacunek do samego siebie, bo trudno o niego, gdy własny ojciec wyzywa cię od najgorszych... – Wojtek był bardzo poruszony. – Wiesz... Gdy im powiedziałem... Jak przyznałem się do tego, jaki jestem, poczułem się tak, jakbym tylko jeden na świecie taki był. Rozumiesz… rodzynek… nikt inny, tylko ja! Dziwadło! Jedyne i niepowtarzalne. I teraz, kiedy nie potrafię sobie nikogo znaleźć, znów tak się czuję. To przez niego jestem taki samotny, samotny jak cholera. To przez niego wydaje mi się, że już do końca życia będę sam…

Nagle w samochodzie zapanowała cisza. Nawet nie była niezręczna, ale i tak chciała coś powiedzieć, coś wspierającego, coś mądrego. Na szczęście nie zdążyła się odezwać, ponieważ Wojtek miał jeszcze coś do dodania.

– I wiesz co mi jeszcze powiedział? Właśnie tego dnia, kiedy im się przyznałem…

– Co? – zapytała, gdyż ewidentnie oczekiwał zainteresowania z jej strony.

– Że najlepiej zrobię, jeśli bzyknę kilka panienek, to na pewno poukłada mi się w głowie i nie tylko w niej. Rozumiesz? Taki szanowany obywatel. Lekarski autorytet. Złotousty wykładowca. A wiesz, co jest w tym najgorsze? Najgorsze jest to, że ja sobie tę jego durną radę wziąłem do serca.

Nie mogła uwierzyć w to, co słyszała. Do tej pory Wojtek nie wspomniał jej akurat o tym ani razu. To dlatego ze zdziwienia otwierała coraz szerzej oczy.

– Byłeś kiedyś z kobietą? – zapytała bezpośrednio.

Inaczej nie potrafiła.

– Byłem – odpowiedział natychmiast. – Tak. Byłem. Dwa razy. To znaczy z dwiema różnymi. Posłuchałem swojego ojca, myśląc, że może jednak ma trochę racji. Byłem skołowany.

Chyba nawet miałem nadzieję, że jestem biseksualny. Że uda mi się jakoś to wszystko poukładać, a raczej poudawać życie... – Nagle zamilkł.

Ona jednak chciała, by skończył swą opowieść, skoro pojawiły się w niej wątki, których do tej pory nie znała.

– I jak to się skończyło? – powiedziała cicho i nienachalnie.

– A jak mogło się skończyć? – Jego głos był wypełniony cierpieniem. – Beznadziejnie. I dla mnie, i co gorsza dla tych dziewczyn. Jedna się we mnie zakochała. Bardzo tego żałuję... Tego że...

– Że... – pomagała, jak tylko potrafiła.

– Że okłamywałem, oszukiwałem, zachowałem się jak najgorsza kanalia. Udawałem hetero, a wiedziałem, że jestem kimś całkiem innym. Unieszczęśliwiłem kogoś przez to, że zafundowałem sobie największe kłamstwo na świecie. I teraz, kiedy nie mogę sobie nikogo znaleźć, myślę, że to kara za łzy tamtej dziewczyny. Za to, że zakpiłem z jej miłości, żeby udowodnić sobie coś, czego nie czułem. I mam żal do ojca za tamte słowa, bo gdyby ich wówczas nie wykrzyczał, to nigdy, przenigdy nie spojrzałbym na żadną kobietę. Naprawdę. Tylko żebyś nie myślała, że się w ten sposób rozgrzeszam. Nie robię tego. Jestem od tego daleki. Mam do siebie ogromny żal. To siebie przede wszystkim oskarżam o to, co się stało. I teraz wiem, że karma wraca... No i powraca do mnie. W dodatku z nawiązką. Nie dosyć, że jestem samotny, to jeszcze zły na siebie. Nawet na świat jestem wściekły, bo w nerwach często myślę, że lesbijki mają łatwiej. Chodzą za rękę, całują się na ulicy, dotykają na oczach wszystkich i nikogo to jakoś nie dziwi. Przecież zachowują się jak normalne koleżanki. A faceci? Ci raczej nie całują się na powitanie. Nikt przecież nie lubi, gdy ktoś obok nazywa go zbokiem.

– Pocieszę cię: ja nie mam cię za zboka. Poza tym uważam, że wielką sztuką jest umieć zobaczyć własne błędy. To, że potrafisz przyznać się przed sobą, że źle zrobiłeś, tylko umacnia w tobie poczucie dobra. Dzięki temu możesz przecież na nowo odkryć, że z natury jesteś dobrym człowiekiem. Ja, chociaż przydarzył mi się w życiu ktoś taki jak Robert, i tak wierzę, że ludzie są z natury dobrzy. Wiem też, że złe decyzje umacniają w nas poczucie dobra. Tylko właśnie trzeba umieć dostrzec własne błędy i starać się przynajmniej trochę, żeby je naprawiać. Poza tym wierzę w miłość. I to nie tylko taką między kobietą a mężczyzną. Mam wiarę w każde uczucie, które przynosi ludziom coś dobrego. Miłość to miłość. Zapamiętaj! Miłość to miłość! I koniec! Ta cnota jest najważniejsza! Nic nie jest ważniejsze od niej. Żadne słowa. Żadne! Dlatego nie musisz się przejmować tym, co inni mają do powiedzenia na twój temat. To nie ich sprawa, kogo kochasz i jak to robisz. Ty jesteś inny od innych. I ja jestem inna od innych. I oboje mamy do tej inności pełne prawo. Każdy je ma. Powinieneś to zrozumieć i tyle. Zwłaszcza że to żadna filozofia. To jest po prostu życie – skończyła swój wywód.

Przeniosła wzrok z twarzy przyjaciela, której wcześniej stężałe mięśnie znów wracały do normalności, na wejście do restauracji i oniemiała. W progu stał Bekhir. Palił papierosa. Chyba ich obserwował. Zauważywszy jej spojrzenie, uśmiechnął się przyjaźnie.

– A ten co tu robi? Przecież miało go nie być! – stwierdził Wojtek, rozpoczynając krucjatę przeciwko mężczyźnie patrzącemu w ich stronę.

– Nie wiem... Miał być teraz w Ankarze...

– Kłamałaś! – wydał natychmiastowy wyrok.

– Tak – przyznała się. – Ale nie w tej sprawie.

– A w jakiej?

– Kochałam się z Maksem – wypowiadając te słowa, najnormalniej w świecie się podnieciła.

– Co? – zdziwił się.

– Przecież mówię wyraźnie.

– To czemu od razu nie powiedziałaś prawdy?

– Bo prawda jest taka, że kochałam się z Maksem, a nie że, cytuję, „przespałam się z gliniarzem".

– Też mi różnica – fuknął. – I pomyśleć, że przed momentem powiedziałaś mi, cytuję, „miłość to miłość".

– I nie zmieniam zdania, a ty nie udawaj, że nie rozumiesz. A teraz wysiadamy i postarasz się być miły. Bekhir to bardzo fajny facet i przestań przed nim zgrywać buraka. Proszę cię, zrób to dla mnie.

Nie czekając na atak przyjaciela, wysiadła z Jaguara i uśmiechnęła się szczerze do bardzo przystojnego dżentelmena o czarującym uśmiechu.

– Dzień dobry. A ty nie w Ankarze?

– Rodzice pojechali już wczoraj, a ja wyruszam dopiero jutro. Zmiana planów. Interesy.

– Widzisz… – szepnęła w stronę Wojtka. – Nakarmisz nas? – zapytała Bekhira, jednocześnie zerkając na Wojtka wzrokiem proszącym, by się przywitał.

– Z przyjemnością – odpowiedział z radością Bekhir w chwili, gdy z ust Wojtka wydostało się byle jakie i chłodne „dzień dobry".

Odszukała dłoń przyjaciela, by pociągnąć go za sobą, gdyż Bekhir szczerym i szerokim gestem zaprosił ich do swojej restauracji, w której już od progu pachniało bajecznie.

– Za chwilę udowodnię wam, że lepiej nie mogliście dziś trafić. – Spojrzał na jej nieco nadętego towarzysza.

– Mamy taką nadzieję – odezwał się Wojtek, jakby szurając tymi trzema słowami w kierunku Bekhira.

Postanowiła nie reagować. Chciała chwytać chwilę, gdyż jak mówiła Babcia, a do dzisiaj powtarzał Dziadek: „cieszenie się chwilą to wielka umiejętność", a ona bardzo chciała żyć umiejętnie. W ogóle ostatnio chciało jej się żyć. I to bardzo.

Siedział na ławce. Ptaki śpiewały. Zawsze zwracał uwagę na wszystkie detale. Dokładnie wiedział, jak wyglądał świat wokół niego w danej chwili. Gdziekolwiek się pojawiał, od razu skanował rzeczywistość. Teraz też tak było. Wiedział, że za plecami miał piękny widok, w który wpisywał się budynek, dość duży, jednak umiejętnie wystylizowany. W wielkich białych murach mieściło się dużo małych okienek poprzecinanych białymi szprosami. Dom tonął w zadbanej zieleni kwiecistego ogrodu. Kwiaty, które tam dziś zobaczył, uzmysłowiły mu, że właśnie przeżywał kolejną wiosnę swego życia. Podobał mu się widok, który miał przed sobą. Zresztą odkąd spotkał Sarę, świat z dnia na dzień wypiękniał. Gdy przekroczył próg malowniczo położonego domostwa, zrozumiał, a raczej dotarło do niego, że to właśnie tegoroczna wiosna dużo zmieni w jego codzienności.

Siedział w ciszy, której nie był w stanie zakłócić śpiew ptaków. W sobie natomiast nie miał cichości. Ani trochę. Już żyły w nim słowa usłyszane od siostry zakonnej, z którą odbył bardzo długą rozmowę. Niezmiernie się cieszył, że zgodziła się z nim porozmawiać, chociaż nie był wcześniej umówiony. Pojawił się jakby znikąd. Czuł, że przepustką do szczerości siostry Faustyny – tak miała na imię ta, z którą udało mu się właśnie porozmawiać – było zdjęcie. Dobrze znane mu już od dzieciństwa. Trzymał je teraz w dłoni. Przyglądał mu się tak, jakby pierwszy raz w życiu mógł to zrobić dostatecznie uważnie.

Bardzo wiekowa siostra Faustyna na widok tej starej fotografii zalała się łzami. Zachowała się tak, ponieważ zobaczyła na niej siostrę Józefę. Doskonale rozumiał to zachowanie, ponieważ dla jego mamy pamięć o siostrze Józefie też była pewnego rodzaju świętością. Nowo poznana zakonnica okazała się gadułą. Choć za takimi nie przepadał, to w tym przypadku akurat to gadulstwo odpowiadało mu jak żadne wcześniej. Nie musiał o nic pytać, a jej opowieść snuła się sama, i to w bardzo epicki sposób. Siostra Faustyna mówiła tak, jakby czytała, w dodatku bardzo dokładnie przygotowany tekst. Wiedział, że jeśli nie będzie jej przeszkadzał, to i tak dowie się wielu interesujących rzeczy. Zresztą przyszedł tu przygotowany. Najważniejsze pytania miał w zanadrzu. Przyjęła go bardzo gościnnie. Został poczęstowany herbatą i świeżutkim, jeszcze trochę ciepłym plackiem drożdżowym ze śliwkami. Był nawet trochę wzruszony, bo gdy spróbował poczęstunku, okazało się, że ciasto smakowało identycznie jak to pieczone przez mamę. Co prawda siostra szybko poinformowała go, że śliwki były wcześniej zamrożone, ale gdyby tego nie powiedziała, to miałby wrażenie, że zostały zerwane z drzewa w chwilę przed dodaniem do rozpływającego się w ustach placka. Gdy on delektował się każdym kęsem, siostra mówiła, wspominała, opowiadała. Miała spokojny, kojący głos. Mama też takim mówiła. Po prostu jakby stworzony do opowiadania dzieciom bajek.

Teraz wokół panowała cisza, a wtedy, kiedy słuchał opowieści siostry Faustyny, przez uchylone okna pokoju, w którym był goszczony, wpadało pachnące zielenią wiosenne powietrze, wypełnione odgłosami dziecięcych zabaw i dźwiękiem, a raczej piskiem nienaoliwionych, huśtawek.

– Byłam wtedy nowicjuszką – wspominała siostra Faustyna. – Gdy się tu pojawiłam, mieszkało tu jeszcze kilkanaścioro dzieci i bieda aż piszczała, a dzieciaki mimo to śmiały się i dokazywały tak samo jak te dzisiaj, te w naszym ogrodzie. Pojawiłam się tu dlatego, że wojna zamieniła moje bardzo młode jeszcze wtedy życie w koszmar. Zresztą przecież nie tylko ze mną tak się stało... Taka jest wojna... To przez nią nie potrafiłam normalnie żyć, bo zawsze wszystkiego się bałam. Pogrążona w ciągłym strachu. Najpierw o bliskich... później już tylko o siebie... To wtedy odnalazłam w sobie powołanie. Nie umiałam żyć bez miłości. To dlatego poczułam w sobie tak ogromną miłość do Boga... i do Matki Przenajświętszej. To wystarczyło, bym zrozumiała, po co pojawiłam się na świecie, i gdy to do mnie dotarło, bałam się już mniej, z każdym kolejnym dniem coraz mniej. A reszty obaw pozbyłam się tutaj, gdy poznałam siostrę Józefę. Lepiej nie mogłam trafić, bo była aniołem, a niebieskie stworzenie poradzi sobie zawsze i ze wszystkim. Kiedy zaczęłam tu żyć, od razu wyleczyłam się z samotności, która jednak często towarzyszy nowicjuszkom. Weszłam w te mury, a moja samotność mnie opuściła. Pomagałam przy dzieciach. Pracy było mnóstwo. Żeby wyżywić, oprać, przypilnować i wyuczyć tę psotną dziatwę, to prawie wcale nie spałam. Powołanie było wtedy moim najlepszym snem i wypoczynkiem. Bez niego nie dałabym rady. Wtedy, gdy dzieci tu były, i wtedy, jak zaczęły stąd znikać. Kiedy zaczęły odchodzić do nowych domów, zawsze płakałam. Oczywiście po kryjomu, żeby nikomu nie robić przykrości. Roniłam łzy, nie wiedząc do końca, czy płaczę z żałości, że moje kochane robaczki znikają mi z oczu, czy z radości, iż wojna nie potrafiła rozprawić się ze wszystkimi dobrymi ludźmi, którzy mieli ogromne serca otwarte na nasze dzieci.

Kiedy tu trafiłam, siostra Józefa mogła mieć tyle lat co ja dziś... Ale równie dobrze mogła być starsza albo młodsza... Nie pamiętam tego dokładnie. Za to doskonale zapamiętałam jej dobroć. Co to była za osoba... Dusza, nie człowiek. Ona była tak blisko Trójcy Świętej, że gdy przebywało się blisko niej, to dobro stawało się po prostu gwarantowane. Siostra Józefa promieniała i świat wokół niej również. Jak się było obok niej, to człowiek musiał być dobry. Innej możliwości nie było. Kiedy się tu pojawiłam, to tego maleństwa, które siostra trzyma na zdjęciu na rękach, już nie było w naszym domu. Za to Marysieńka, nasza radość, została z nami długo. Myślałyśmy nawet, że zostanie z nami na zawsze, ale była tu aż do swego zamążpójścia. Później też nas odwiedzała, ale już rzadziej. Wcale mnie to oczywiście nie dziwi, bo skoro stworzyła rodzinę, to musiała się nią zajmować i ją pielęgnować. A to przecież wymaga czasu...

Wciąż miał w uszach głos siostry Faustyny. Choć mówiła do niego, to zaszczyciła go tylko kilkoma krótkimi spojrzeniami, ponieważ oczy miała prawie bezustannie utkwione w fotografii, którą ze sobą przyniósł. To zdjęcie okazało się doskonałą przepustką do pamięci siostry Faustyny i do historii jego mamy. Wziął je z domu, bez mamy wiedzy. Pożyczył, po cichu, nie chcąc tłumaczyć motywów swego postępowania. Do tej pory nie wiedział nic o tym, co łączyło tę fotografię z portretem należącym do Dziadka Sary. To dlatego nie chciał rozmawiać o sprawie z nikim. A tym bardziej nie chciał wtajemniczać w nią mamy, gdyż jej ta kwestia z pewnością dotyczyła najbardziej. Co do tego nie miał najmniejszych wątpliwości.

– Marysieńka była cudownym dzieckiem. Bardzo grzeczna, uczynna i zgodna. Dzieci ją uwielbiały, bo w tamtych biednych czasach wszystkim potrafiła się podzielić. To zawsze było takie dorosłe dziecko. Niejeden dorosły, zwłaszcza ten dzisiejszy, mógłby pozazdrościć jej charakteru. Siostra Józefa to świata poza nią nie widziała. To znaczy oddana była wszystkim dzieciom tak samo i bezgranicznie, ale Marysieńką zajmowała się w sposób szczególny. Może dlatego, że mała chodziła za nią krok w krok, a może dlatego, że jako jedno z niewielu dzieci nie została przysposobiona do żadnej rodziny. Tu do nas trafiali naprawdę cudowni ludzie, o bardzo dobrych sercach. Pewnie więc od razu zauważali, że Marysieńka bez siostry Józefy będzie nieszczęśliwa. Być może dlatego została u nas... Siostra Józefa była dla niej jak matka... Zresztą była jak matka dla nas wszystkich... Kiedy jej zabrakło, życie tych, którzy ją znali, zmieniło się bezpowrotnie... Zresztą nie ma w tym nic dziwnego. Nasze życie właśnie tak się zmienia, kiedy odchodzą od nas ci, których kochaliśmy najbardziej... Ale to już całkiem inna opowieść...

Odtwarzał w pamięci słowa siostry Faustyny i cały czas był poruszony. Wszystko, o czym mówiła, trafiało do niego w bardzo bezpośredni sposób, ponieważ opowiadała tak szczególnie, tak wyjątkowo, że w wielu jej zdaniach, w sumie dość ogólnych, znajdował od razu szczegóły ze swego życia pasujące jak ulał. Pamiętał, jak bardzo zmieniła się jego rzeczywistość, gdy zabrakło ojca. Dokładnie przypominał sobie, co wtedy przeżywał i co się z nim działo. Gdyby nie to, że musiał być wtedy wsparciem dla mamy i siostry, rozleciałby się na kawałki. Ale nie mógł tego zrobić. Życie mu na to nie pozwalało. Trzymało go w ryzach. Gdy zabrakło Patrycji... Kiedy widział, jak odchodziła... Nie mógł zapomnieć, jak nagle znieruchomiały jej oczy, chociaż obiecywał jej, że ona to przeżyje... Tak samo jak po śmierci taty sama codzienność stawiała go do pionu. Dzień w dzień. Musiał wstawać z łóżka, choć pamiętał o obietnicy, której nie udało mu się dotrzymać.

Teraz, kiedy przypominał sobie wzrok Sary utkwiony w portrecie, w powodzie jego dzisiejszej wizyty, przeczuwał, że przez ten obraz albo przez zdjęcie, które wciąż trzymał w dłoni, będzie musiał znów stanąć w szranki z bardzo wymagającym życiem. Takim, które w ciszy zadaje nieoczekiwane ciosy z ukrycia. On się ich nie bał. Był na nie przygotowany, ale tym razem miały trafić nie tylko w niego. Bał się, że mogły zranić tych, których kochał.

Rodziły się w nim obawy. Wiele obaw. Bał się o mamę, o Sarę. Również o Dziadka Sary. Przypominał sobie teraz, z jakim nabożeństwem w oczach starszy pan przyglądał się małej dziewczynce z portretu, która, gdy dorosła, została miłością jego życia. Dziadek Sary zrobił na nim wielkie wrażenie. Był wycofany, taki jakby przezroczysty, ale w bezpośrednim kontakcie biła od niego wielka siła. Maks miał świadomość, że to dzięki tej sile mógł trzymać w ramionach Sarę. Przecież to Dziadek pomógł jej się rozprawić z tym, co miało ją zniszczyć...

Kiedy słowa siostry Faustyny zaczęły padać rzadziej, udało mu się wtrącić do jej wypowiedzi kilka pytań. Tych najważniejszych. Tych, z którymi przyszedł.

– Siostra była tu tego dnia, kiedy zostało zrobione to zdjęcie? – zapytał, narażając się na podejrzenie, że nie słuchał zbyt uważnie tego, co do tej pory powiedziała.

– Nie, pojawiłam się później. Ta fotografia pochodzi chyba z czasów tuż po końcu wojny. To była wiosna, tak jak teraz. Proszę spojrzeć. – Wskazała mu okno po swojej prawej, a jego lewej stronie.

Gdy rozmawiali, siedział przed masywnym biurkiem wyglądającym na bardzo wiekowe. Na blacie stała tylko lampka. Dlatego nic nie rozpraszało jego uwagi, gdy zerknął we wskazanym kierunku.

– Widzi pan to drzewo?

W odpowiedzi skinął głową. Choć okienko, przez które patrzył, było małe, to bez trudu dostrzegał przez nie drzewo rosnące w niezbyt dużej odległości od budynku. Była to wysoka, dość mocno rozrośnięta brzoza.

– Łatwo zauważyć, że liście drzewa na zdjęciu i tego na podwórku są identyczne. A jest tak dlatego, że to właśnie tam uchwycono tę fotografię. Ja pojawiłam się tu wczesną jesienią.

Pamiętam to dobrze, ponieważ jedną z moich pierwszych prac w tym zgromadzeniu było grabienie liści. W ogrodzie rośnie mnóstwo brzóz, takich jak ta za moimi plecami. Ich liści na jesień przybywa i wiatr nie daje rady ich wszystkich stąd wywiać. Jeśli jesień jest ciepła, to listowie ma piękny złoty kolor, a jeśli zimne dni przychodzą nazbyt wcześnie, wtedy od razu robi się ciemnobrązowe i jakieś takie poskręcane. Wówczas, kiedy się tu zjawiłam, była piękna jesienna pora. Zagrabiałam liście w wielgachne kopce, które później paliłam wieczorami, kiedy dzieci poszły już spać. Ale zanim zdążyłam to zrobić, zawsze pojawiała się tu jakaś dziecięca niecnota i nurkowała w liściach, często całkowicie psując efekty mojej zwykle całodziennej pracy. Tą niecnotą bywała Marysia. Nie potrafiłam się na nią wtedy gniewać, bo choć jej nie znałam jeszcze dobrze, to z opowiadań siostry Józefy wiedziałam, że takich łobuzerskich występków Marysieńka nie miała na swoim koncie prawie wcale.

Z zainteresowaniem wpatrywał się to w widoczne za oknem drzewo, to w siostrę Faustynę, która opowiadając mu tę historię, uśmiechała się, jednocześnie przenosząc się w czasie.

– Ale byłam wtedy młoda… – Westchnęła, kończąc swą gawędę.

– A czy na tym zdjęciu jest Marysieńka? – Może pytanie brzmiało niedorzecznie, ale musiał je zadać.

Zakonnica oderwała wzrok błąkający się wciąż po fotografii i spojrzała na niego tak, jakby przed momentem urwał się z choinki.

– Ależ oczywiście, że jest!

– Która to? – Miał ton charakterystyczny dla rozmów przeprowadzanych na komisariacie.

Siostra kolejny raz popatrzyła na niego mocno zadziwionym wzrokiem.

– To chyba jasne, młodzieńcze. – Znów uśmiechnęła się dobrotliwie. – Czy wyobraża pan sobie, że to niemowlę trzymane przez siostrę Józefę baraszkuje z perlistym śmiechem w kopcach z jesiennych liści brzóz?

– Nie wyobrażam sobie – odpowiedział powoli i spojrzał na zdjęcie, które siostra Faustyna położyła przed sobą na pustym biurku.

Już nie musiał robić żadnego dodatkowego dochodzenia. To jego mama znała prawdziwą historię tej fotografii. To ją uwieczniono w kadrze jako kilkuletnią uśmiechniętą dziewczynkę. Zatem to Sara i jej Dziadek byli w błędzie. Portret w ich domu przedstawiał kogoś innego, niż myśleli. Z obrazu spoglądała jego mama, a nie Babcia Sary.

Gdy wpatrywał się w twarz zakonnicy, dowiedziawszy się już najważniejszego, pamiętał, że poczuł dziwną słodycz w ustach. Jednak nie przeszkodziła mu ona w zadaniu kolejnego pytania. Miał ogromną nadzieję, że znów uzyska bardzo rzeczową odpowiedź. Wolał zapytać siostrę, a nie własną matkę. Wiedział, że mama wolała patrzeć na to ujęcie dużo bardziej, niż o nim opowiadać.

– A to drugie dziecko na zdjęciu...? – Silił się na obojętny ton.

– To maleństwo? – Znów powróciła wzrokiem do obrazka. – O nim nie wiem nic. Kiedy się tu pojawiłam, już go nie było. Ale to akurat dobrze, bo oznacza to, że zostało adoptowane. I to na pewno przez bardzo dobrych rodziców, bo innym siostra Józefa nie oddawała swoich dzieci. A ona znała się na ludziach... Kiedy odeszła, zdałam sobie sprawę, że już nigdy nie poznam kogoś takiego jak ona...

Nie wiedział, ile czasu siedział na ławce przed przedszkolem. Słowa zakonnicy i jej wspomnienia o siostrze Józefie długo kołatały mu się po głowie. Odtwarzał je teraz, uspokajając się przed spotkaniem z mamą, której obiecał, że pojawi się dziś na obiedzie. Dzisiaj też okazało się, że będzie musiał delikatnie podpytać ją o niemowlę ze zdjęcia. Wiedział, że mama będzie to przeżywała, jednak teraz bardzo potrzebował przynajmniej minimalnej wskazówki, jakiejś podpowiedzi. Na razie nie wiedział, co dalej robić.

– Pan jeszcze tutaj? – usłyszał głos bardzo młodej odźwiernej, która otworzyła mu i i zaprowadziła go do gabinetu siostry Faustyny.

Od razu wstał z ławki.

– Zasiedziałem się. Ale już uciekam – wytłumaczył się, choć zupełnie nie musiał tego robić.

– Ależ proszę nie uciekać. Niech pan korzysta ze słońca, skoro nasz Stwórca dał nam taki piękny i słoneczny dzień. To ja uciekam. Z Bogiem...

Podążał wzrokiem za granatowym habitem poruszającym się w rytm kroków zakonnicy, jednocześnie myśląc, że siostra Faustyna trafiła do odwiedzonego przez niego dziś miejsca, pewnie będąc tak młodą dziewczyną jak ta, którą właśnie stracił z oczu.

Rzeczywiście powinien już odejść, ale nie zrobił tego. Znów usiadł na ławce. Chciał jeszcze przez chwilę pobyć w ciszy i spokoju. Postanowił przynajmniej trochę przygotować się do rozmowy, którą musiał przeprowadzić dziś z mamą. Chociaż odrobinę…

Właśnie wróciłam ze spaceru. Zwykle ostatni spacer o tej porze roku mamy z Nutką po moim pisaniu. Dzisiaj stało się inaczej niż zwykle. Nutkę to chyba nawet trochę zdziwiło. Ale na spacer chętkę ma zawsze. Po prostu musiałam wyjść, gdy tylko Maks ode mnie poszedł. Chciałam głowę przewietrzyć, aż mi się w niej kotłowało. Siostra Józefa mówiła, że każda myśl jest człowiekowi do czegoś potrzebna. Miała rację. Zresztą nigdy się nie myliła. To dlatego czuję dziś, że moje myśli dążą do tego, bym odtwarzała w pamięci jej słowa i nauki. To ona uczyła mnie zawsze tego, że należy dokańczać sprawy niedokończone. I dziś, kiedy na mnie spojrzał Maks, to zrobił to tak jakby inaczej niż do tej pory. To dlatego pomyślałam, że nadchodzi czas, abym doprowadziła do końca pewną rzecz. Taką, która nawiedza mnie coraz częściej. To na jawie, to we śnie. W nocy chyba nawet częściej niż za dnia. Z pewnością dlatego, że we śnie jestem odważniejsza niż w życiu. Jedno jest pewne. Maks coś przeczuwa. A jak on to robi, to oznacza, że prędzej czy później całą prawdę odkryje. Serce mi drży na myśl, czego docieka. Zastanawiam się, czy to możliwe, by sam wpadł na jakiś jej trop. Ta tajemnica towarzyszy mi już od lat. Nie zapomnę tego, bo to po prostu nie sposób. Nie będę o tym pisać, bo po co...? Niektóre me myśli są takie, że lepiej, jeśli na razie ich w słowa nie zamienię.

Do głowy nie da się zajrzeć, a nad zdaniami zapisanymi nie ma się już takiej władzy i kontroli jak nad tymi tylko pomyślanymi. Ale i tak niewypowiedziane słowa we mnie buzują. Serce mi przez to drży, a siostrę Józefę tak wyraźnie słyszę, jakby była obok mnie. „Dokończ sprawy niedokończone". Tak mnie teraz prosi ta moja nauczycielka życia. W dodatku nie po raz pierwszy. To przez ten głos, który tak dobrze pamiętam, myśli mnie różne nawiedzają. Może to jakiś znak jest, że moje dni są już policzone. Może z czymś się spieszyć powinnam. Ale gdy tylko o tym pomyślę, to znów siostrę Józefę słyszę. Dla odmiany mówi bardzo uspokajająco: „Nie martw się, Marysieńko, będziesz tu tyle, ile trzeba...".

I co ja mam biedna zrobić? Co począć? Jak się zachować? Dobrze, że jutro Beatka na cały dzień mi Zosieńkę przywiezie. Pobawię się z nią i na dziecięcą beztroskę się napatrzę. Przecież radość dziecka również dorosłym się należy. Zauważyłam już, że jak Zosię na wyciągnięcie ręki mam, to łatwiej w sobie radość odnajduję. Napatrzę się jutro na moją wnusię, to może uda mi się choć na trochę o oczach Maksa zapomnieć. Tych dzisiejszych, tych pytających. Odkąd wyszedł ode mnie po obiedzie, który tylko z myślą o nim przygotowywałam, to wciąż mam w głowie jego pytanie: „A to małe dziecko? Wiesz coś o nim?". Przecież nigdy wcześniej nie wypytywał. To dlaczego akurat dzisiaj? Zaczynam się czegoś bać. Czyżby szukał swego miejsca w rodzinie? Potwierdzenia jakiegoś…? Sama nie wiem… Mam nadzieję, że zamartwiam się na zapas jak to ja. Tak mi właśnie zawsze Włodek powtarzał, że jak nie mam powodu do zmartwień, to i tak go sobie znajdę. Mówił mi tak tylko do pewnego momentu. Później już nigdy nie odważył się tak do mnie powiedzieć. I co z tego, że lata mijają, skoro ja wciąż jestem taka sama. I co z tego, że o wielu naukach siostry Józefy wciąż pamiętam i nie zanosi się na to, bym o jej mądrych słowach kiedyś zapomniała. Taka już jestem… Chcę pomagać sobie tym, czego nauczyła mnie ukochana zakonnica, ale nie zawsze mi to wychodzi. Kiedy niepokoje czuję w sobie takie, że kłopoty ze snem miewam, czuję się bardzo bezsilna. A w głowie przecież dźwięczy mi: „Uspokój się, moja droga Marysieńko, uspokój… A przekonasz się, że gdy to zrobisz, świat szybciutko weźmie z ciebie przykład".

Ale dziś tak trudno, tak bardzo trudno mi się uspokoić. I nic dziwnego. Mam ciągle w pamięci oczy mojego syna. Maks zapytał mnie dziś wprost, czy wiem, kogo trzyma siostra Józefa na rękach. Czekał na odpowiedź, a ja musiałam powiedzieć prawdę. Nie mogłam inaczej. „Moją małą siostrzyczkę" – tak powiedziałam, a kiedy to zrobiłam, syn popatrzył na mnie tak, jakbym mu coś złego wyrządziła. A przecież nie zrobiłam. Nie potrafiłabym być dla niego niedobra. Przecież to moje dziecko… Odważyłam się zapytać, z jakiego powodu takim złym wzrokiem na mnie spojrzał. Zupełnie jak nie on. Wcześniej nawet przez myśl by mi nie przeszło, że mój Maks tak patrzeć potrafi. Długo się nie odzywał. Myślał nad czymś. Dopiero po dłuższej chwili zapytał mnie o to, dlaczego wcześniej nigdy mu o tym nie wspomniałam. Zgodnie z prawdą odpowiedziałam, że nigdy przecież o to nie zapytał. Znów utkwił we mnie ten swój policyjnie prześwietlający wzrok. Włodek tak na mnie nigdy nie patrzył. To raczej ja w niego tak oczy wbijałam. Były w naszym życiu takie czasy… Ale nie o tym teraz.

„Czyli masz siostrę. Wiesz, gdzie jest?" Od razu zaprzeczyłam, gdy zapytał. Ale to nie był jeszcze koniec. „Nie kusiło cię nigdy, żeby jej poszukać? Przecież na pewno musiałaś o niej rozmawiać z siostrą Józefą. Znam cię dobrze i wiem, że na sto procent to zrobiłaś. Ona musiała przecież wiedzieć, kto adoptował to maleństwo ze zdjęcia. Może udałoby się ją odnaleźć. Nie myślałaś o tym? Dlaczego nigdy mi o tym nie powiedziałaś? Przecież bym ci pomógł, mamo…"

Tylko Bóg raczy wiedzieć, co się działo z moim sercem, kiedy Maks zadawał mi te wszystkie pytania. Gdy patrzył na mnie wzrokiem, którego za nic w świecie nie mogłam do końca odgadnąć. Na pewno nie było to wściekłe spojrzenie, ale też nie było dobre. Chyba było bliskie jakiegoś takiego zawodu... To dlatego serce mnie teraz pobolewa...

„Synku, to wszystko nie jest takie proste..." Tylko na takie słowa udało mi się zdobyć. Stwierdził, że mnie rozumie. Ale chciał też, bym powiedziała mu wszystko, co wiem. Wyraził gotowość do tego, by mi pomóc. Tłumaczył mi, że zna sposoby na znalezienie igły w stogu siana, a człowieka w świecie, choćby najdalszym, tym bardziej uda mu się znaleźć. Gdy mówił, to widziałam w jego oczach piękną młodość. Taką, dla której sprawy nie do załatwienia nie istnieją. Dla której wszystko jest możliwe.

Cóż miałam powiedzieć? Nie chciałam gasić tej młodości w oczach mojego dziecka. Zresztą wiedziałam, że mówi prawdę. Mój Maks jak coś powie, to już powie. Nie umie rzucać słów na wiatr. Jego ojciec też taki był. Potrafił o wszystkim rozmawiać. Do wszystkiego się przyznać...

„Wiem, synku, wiem przecież... Tyle że ja o tej kruszynce na rękach siostry Józefy naprawdę nic nie wiem". Może nie powinnam zdradzać tego, co dodałam później.

Ale co się stało, to się nie odstanie. I amen. Już tego nie zmienię. Opowiedziałam Maksowi o śmierci siostry Józefy. Choć staram się nie wracać myślami do tamtego dnia, to boleść czuję w swym sercu ogromną. I nie jest to ból zapomniany. Wciąż świeży. Siostra Józefa poprosiła, bym do niej przyszła. Tuż przed śmiercią. To wtedy dała mi to zdjęcie i powiedziała, że ona odchodzi, ale ja nie zostaję sama na świecie. Wyznała, że mam młodszą siostrę, i przeprosiła mnie za to, że słyszę o tym tak późno, bo… I więcej już się nie dowiedziałam… Siostrze Józefie nie udało się tych przeprosin dokończyć. Żyła tak, że nikogo za nic przepraszać nie musiała. A umarła z przepraszam na ustach… Czułam, jak odchodzi. Trzymałam ją za rękę i byłam z siebie taka dumna, że ją trzymam, że nie jest sama, że jest ze mną, chociaż już powolutku się oddala i idzie do Pana naszego. Odbyło się to wtedy zupełnie tak, jakby jej coraz krótsze oddechy były coraz dłuższymi krokami w Jego kierunku…

I tak to wszystko Maksowi przedstawiłam. Zgodnie z prawdą. Inaczej nie umiem. To znaczy umiem, ale nie kiedy mnie ktoś pyta. A jeśli zapyta, to z prawdą się nigdy nie mijam. Mam dla prawdziwej wersji wydarzeń dużo szacunku, którego nauczyła mnie siostra Józefa. „Trzeba żyć prawdą i w prawdzie". Ona chyba lubiła tę cnotę, bo nawet dzieci jej uczyła. Jeśli dziecko było zadbane, mówiła, że ma prawdę. Jeśli zabiedzone, twierdziła inaczej: „A to niebożątko nie ma w życiu prawdy".

Wspomniałam te słowa dlatego, że we mnie jest prawda. Jest jej mnóstwo. Tylko powinnam się nią podzielić z moim najukochańszym synem. I dziś, gdy na mnie patrzył, a jego spojrzenia były bardzo różne, obiecałam sobie, że podzielę się z nim tą naszą wspólną prawdą. Zrobię to nawet wtedy, gdy nie zapyta. Jednak jeszcze nie dzisiaj. Jeszcze nie teraz. Ten jeden raz nie mogę wziąć przykładu z siostry Józefy. Ale muszę mu o wszystkim powiedzieć, zanim odejdę. Powinnam zrobić to tak, żeby miał czas się z tą wiadomością oswoić i zadać mi każde nurtujące go pytanie. Nie mogę go zostawić w niepewności, bo ona utrudnia życie. A ja chcę łatwego żywota dla mojego syna. Dla moich dzieci. I zrobię wszystko, żeby właśnie tak było. To mój obowiązek... Wiem to. Czuję to, bo kocham moje pociechy najbardziej na świecie. Niezależnie od tego, jak na mnie patrzą i co do mnie mówią. Kocham miłością głęboką i szczerą. Prawdziwą.

Maksa nie da się nie kochać. Dziś, wychodząc, pocałował mnie na do widzenia i przytulił tak mocno jak chyba nigdy dotąd. Ale szczerze i prawdziwie jak zawsze. Po czym bardzo poważnym głosem zapytał: „Mamo, czy chciałabyś, żebym jej poszukał?".

Odpowiedziałam mu zgodnie z prawdą, że chciałabym. I teraz czuję całą sobą, że nadchodzi czas prawdy. Oto zaczęła upominać się o swoje. Zobaczyłam dziś w bystrych oczach Maksa właśnie tęsknotę za uczciwością. Ale na sam koniec dojrzałam też niepewność w jego wzroku.

„Mamo, powiedz mi... Czy jesteś na sto procent pewna, że to ty jesteś tą dziewczynką stojącą obok siostry Józefy?" – takie pytanie mi jeszcze zadał na odchodnym. Stał już w drzwiach, gdy o to zapytał. Już się pożegnaliśmy, już miał wyjść, a jednak chciał się jeszcze upewnić. Kolejny raz. „Oczywiście, że to ja" – odpowiedziałam bez namysłu. Znów zobaczyłam nieznane mi dotąd spojrzenie syna. Myślałam, że to moje zapewnienie go uspokoi. Tak się jednak nie stało. Pomyślałam więc, że najlepiej będzie, jeśli go dodatkowo przekonam. Opowiedziałam mu więc o tym, że wydaje mi się, iż pamiętam fotografa, który to zdjęcie robił. Zapamiętałam go, bo był mężczyzną, a ich nie spotykałam wtedy. Otaczały mnie przecież same kobiety. Poza tym uśmiechał się do mnie, a na koniec dostałam od niego lizaka. Nawet teraz wydaje mi się, że pamiętam jego smak. To była taka słodycz, jakiej zaznałam pierwszy raz w życiu, bo to był mój pierwszy lizak. Smak nieba na patyku. Opowiedziałam Maksowi, że pamiętam też zapach habitu siostry Józefy, bo tamtego dnia chyba specjalnie

do fotografii ubrała się w taki świeżo uprany, pachnący szarym mydłem. Przyznałam mu się nawet, że to dlatego między własne rzeczy w szafach lubię wkładać kawałki szarego mydła, takiego najzwyklejszego, które nie roztacza może nie wiadomo jak wykwintnej woni, ale to przypomina mi czasy dzieciństwa.

Maks słuchał mnie uważnie. Wsłuchiwał się i świdrował wzrokiem jak nigdy wcześniej. Nieodgadnione były dla mnie te jego wpatrzone we mnie wielkie oczy. Przecież zwykle zerkałam w nie, wystarczyło, że przez krótki moment, i już wiedziałam, co mu w duszy gra. Dziś w tych jego dwóch głęboko osadzonych jeziorach widziałam zagadkę. Nic na to nie poradzę, że nie lubię łamigłówek. Lubię grę w otwarte karty. Tak zawsze mawiał Włodek. I zagrał kiedyś ze mną w tę grę. I to tak, że mi się to jego rozdanie do dziś śni. To było życiowe rozdanie, o którym zapomnieć nie sposób. I teraz, gdy o tym piszę, choć myśleć na ten temat wcale nie chcę, zaczynam czuć obawę, a to dlatego, że coś mi podpowiada, iż sprawa wiąże się niestety z dzisiejszym wzrokiem Maksa. Spojrzenia człowieka są jak słowa. Mają moc. Mogą ułatwiać życie, ale też skutecznie je utrudniać. Przecież ja wiem najlepiej, że wystarczy jedno spojrzenie, by przeżyć życie, tylko słowną otuchą się wspierając w każdej złej chwili, która się przydarza. To znaczy, w moim przypadku jest chyba jeszcze inaczej. To przecież nawet nie jest spojrzenie, tylko pamięć o nim. Jeden mały, maleńki okruch pamięci. Zawieruszony gdzieś w głowie, gdzieś pomiędzy wieloma innymi strzępami wspomnień. Ale to ten jedyny, najważniejszy i najdroższy. Ten, któremu nie grozi zapomnienie... Jestem wielką szczęściarą, mam taki okruch... Przez życie prowadzą mnie oczy mojej Mamy. To dzięki temu udaje mi się przetrwać te chwile, gdy tracę spokój ducha.

Dzisiejsze zerknięcia Maksa to na mnie, to na fotografię sprzed lat wielu naruszyły moją spokojność. Mam w sobie teraz niepewność. I to właśnie dlatego widzę przed sobą uśmiechnięte oczy mojej Mamy, choć jej twarzy nie pamiętam wcale. Ale nie smucę się tym, czego nie mam, a cieszę tym, co zostało mi dane. Te oczy pamiętam doskonale. Prawie czarne, wesołe, z iskrami dobra.

I muszę już dziś ostatnią kropkę postawić. Nutka śpi. Kłębuszek mój najukochańszy, ciepły i pochrapujący. Ręka mnie już boli, ale pisanie mi pomogło. Zresztą nie tylko pisanie. Oczy Mamy mnie wspomogły. Jak zawsze.

– To ja – powiedziała, usłyszawszy w domofonie głos ukochanego.

– To ja – powtórzyła, gdy otworzył przed nią drzwi swojego mieszkania.

Maks patrzył na nią z uśmiechem.

– Mogę wejść? – Nie mogła doczekać się zaproszenia.

– A nie boisz się? – zapytał z rozbrajającym uśmiechem.

Nie potrzebowali nawet chwili, by zrozumieć, dlaczego patrzyli na siebie teraz w taki, a nie inny sposób.

– Ciebie akurat lubię się bać.

I na dowód tego, że była świadoma swych słów, odpięła dwa guziki bluzki, którą miała na sobie.

– Chodź tu szybko!

Wciągnął ją do swego mieszkania. Zrobił to tak niespodziewanie, że straciła równowagę. Trzasnęły drzwi. A raczej on nimi trzasnął, niepotrzebnie używając do tego siły. Oparł ją o ścianę. Patrzył na nią, to znaczy wpatrywał się w nią tak, iż cieszyła się, że miała się o co oprzeć. Wzrok Maksa był jednoznaczny. Nie miała wątpliwości, co się za chwilę wydarzy. Co Maks jej zrobi. Co z nią zrobi. Cieszyła się już na samą myśl. Zresztą przecież ta myśl przywiodła ją tu o tak nietypowej porze.

– Ciekawy jestem, czy wiesz, że właśnie powinienem wychodzić do pracy. – Wędrował wzrokiem po jej ciele.

– Chcesz mi powiedzieć, że przyszłam nie w porę?

– Chcę ci powiedzieć... – Maks chyba nie mógł jednocześnie mówić i jej się przyglądać – ... że cieszę się, że przyszłaś... bardzo...

Też się cieszyła. Patrzyła na niego, a przed oczami majaczyło jej ich pierwsze miłosne spotkanie. Właśnie jego wspomnienie przywiodło ją tu dzisiaj. Chciała kolejnego zbliżenia. Choćby krótkiego. Bez dotyku patrzącego na nią w tej chwili mężczyzny nie potrafiła już żyć. Usychała bez niego.

Maks pragnął dokładnie tego samego co ona. Już ją dotykał. Udowadniał, że jego życie bez niej również nie należało do łatwych. Wciąż patrzył jej w oczy. Chyba napawał się jej przyzwoleniem na to, co zaczynał robić. Już byli gotowi. Oboje. Gotowi na wszystko.

– Nie myślisz, że kolejny raz zachowujemy się trochę nieodpowiedzialnie? – Z trudem łapała oddech.

W sumie sama nie wiedziała, po co to zrobiła. Chyba igrała nie z Maksem, ale z chwilą pełną napięcia, o którą jej przecież chodziło.

– Nie myślę – wyszeptał, gdy nie miała na sobie już prawie nic. – Przecież nie mamy po szesnaście lat – przekonywał delikatnymi pocałunkami nie ją, lecz jej rozbierane w tej chwili biodra. – Jesteśmy dorośli, więc nie widzę problemu, i nie zamierzam marnować czasu. Chodź... – Pociągnął ją za sobą.

Myślała, że zrobią to w salonie. Przynajmniej tak to sobie wyobrażała, jadąc tu autobusem. Stało się inaczej. Maks wybrał sypialnię z wzorowo zaścielonym łóżkiem. Zerwał z posłania narzutę, a z siebie czarny T-shirt. Ze spodniami też poradził sobie w mgnieniu oka. Z nią nie musiał sobie już radzić. Wiedziała, co robić. Położyła się na pościeli pachnącej jego ciałem i wyczekiwała. Patrzyła i czekała. Za moment był przy niej. Już jej dotykał. Całym sobą.

– A praca? – zapytała, dotykając go w taki sposób, by nie miał wątpliwości, że jest teraz tu, gdzie powinien.

– Najwyżej poszukam sobie nowej.

Dotykał jej tak, że z trudem udało jej się zapytać:

– Pracy?

– Przecież nie dziewczyny.

– Jestem twoją dziewczyną?

– Chyba nie masz żadnych wątpliwości.

Mówił szybko, a bardzo niespiesznie udowadniał jej, że rzeczywiście była jego dziewczyną.

– Jadąc do ciebie, zastanawiałam się, czy tak wypada – kokietowała.

Nie musiała tego robić, ponieważ i tak działo się z nią w tej chwili to, o czym marzyła. Kokieteria była teraz zbędna, ale posługiwała się nią, gdyż wiedziała, że Maks lubił, gdy tak sobie pogrywała. Podobało mu się, gdy była skupiona tylko na nim, a z tym akurat nie miała żadnych trudności.

– Nie tylko wypada... Ale tak trzeba... – Nie pozostawiał jej miejsca na udawane wątpliwości.

– A czy...

– A czy możesz teraz przestać mówić, bo chciałbym się w końcu zająć tobą na poważnie, a ty mnie w kółko rozpraszasz.

– Myślałam, że policjanci muszą mieć bardzo podzielną uwagę.

– Zawsze. To znaczy zawsze wtedy, kiedy nie mam cię w łóżku, w dodatku rozebranej i takiej...

Popatrzyła na niego tak, że zamilkł. Specjalnie się tak zachowywała, żeby zabrakło mu słów. Wolała, by jego usta nie traciły czasu na słowa.

– Jakiej...? – Sama się jednak na nie skusiła.

Patrzyła mu w oczy. Maks jednak się nie odezwał.

– Nie wstydź się... Powiedz... – Nakłaniała go do szczerości nie tylko mową, lecz również dłonią wodzącą po jego wysportowanym, zupełnie jakby wyrzeźbionym ciele.

– Takiej... – zaczął, ale znów nie skończył.

– No proszę... Dokończ...– wyszeptała, trwając w oczekiwaniu.

– A może ja nie chcę dokończyć... – Zaczął się z nią droczyć.

Wystarczyło jednak jedno spojrzenie, by wiedziała, że jej ukochany nie będzie teraz marnował czasu. Zresztą oboje nie mieli już ani chwili do stracenia. Oboje chcieli zyskiwać kolejne minuty tylko na zajęcie się sobą, a raczej na oddanie się sobie.

– To jakaś nowość. Zawsze myślałam, że mężczyznom bardzo zależy na tym, żeby dokończyć.

– Takiej chętnej! – powiedział głośno, po czym już bardzo cicho szepnął jej do ucha: – Chciałaś, to masz...

I nagle zaczął robić wszystko, by udowodnić jej, że miał dużo większą chęć niż ona. Był perfekcyjny w tym udowadnianiu. Postanowiła mu przez moment nie przeszkadzać. Zdecydowała się poczekać, aż Maks się zmęczy, dopiero później miała zamiar wziąć sprawy w swoje ręce. Nie mogła jednak przypuszczać, że siły ukochanego są niespożyte. On chyba nie zamierzał kończyć. Planował tylko kontynuować. Pragnęła, by ją zmęczył, by zmęczył ją miłością. Nie obawiała się niczego. Przy nim nic jej przecież nie groziło. Zresztą Dziadek powiedział jej kiedyś, że miłosne uczucie jest lekarstwem na wszystko. A skoro na wszystko, to przecież na wyczerpanie również, a zwłaszcza na to spowodowane amorami.

Niestety wciąż nie mogła zapomnieć, że to przez miłość kiedyś tak bardzo zmęczyło ją życie. W sumie to wcale nie kiedyś, tylko całkiem niedawno. Niestety wciąż wszystko pamiętała. Zapamiętała swą trudną miłość, trudne życie, trudne szczęście. Dzięki Bogu miała to wszystko już za sobą. Gdy była już bezpieczna, kiedy miała złe chwile już za sobą, Dziadek powiedział jej, że tylko miłość wyzwoli ją z niewiary w uczucie.

Wtedy mu nie uwierzyła, chociaż zawsze dawała wiarę temu, co do niej mówił.

Teraz, gdy miała obok ciało Maksa, tak bardzo spragnione jej bliskości i wciąż bardziej jej poszukujące, uwierzyła Dziadkowi. Uwierzyła w tamte słowa. Pamiętała ton Dziadka, gdy je wypowiadał. Był tak spokojny jak miłość, którą ofiarowywał jej teraz ukochany. Teraz dla odmiany kochał ją spokojnie. Jej podobała się każda miłość w wykonaniu Maksa, bo nie było ważne ani miejsce, ani tempo, ani czas, ani pora dnia. Ważny był tylko Maks. Istotne było to, że to on jej dotykał, że mogła reagować na jego muśnięcia, jak tylko chciała. Na przykład też dotykiem. Mogła mu się przyglądać. Dziś słońce ułatwiało jej to zadanie. Doskonale oświetlało jego twarz i ciało. Dokładnie widziała blizny na jego ramieniu. Były pamiątką po ich pierwszym spotkaniu. To dlatego znów odważyła się je pocałować. Słyszała nad sobą jego oddech. Był płytki jak wówczas, gdy spotkali się po raz pierwszy. Wtedy wyszeptał tylko jedno słowo: „mamo". Teraz dwa: „jesteś moja". Otworzyła szerzej powieki. W tej chwili mogła porównać dzisiejszy wyraz oczu Maksa z tym, który zobaczyła po raz pierwszy. Dziś spojrzenie, które jej ofiarował, również dochodziło zza mgły. Na szczęście było spowodowane czymś innym niż nadmierną utratą krwi, raczej tym, co zbliżało się nieuchronnie.

– Jestem... – zgodziła się, nie poznając swego głosu, ale utwierdzając się w przekonaniu, że rzeczywiście należała do mężczyzny, który był źródłem jej rozkoszy.

Chciała należeć do Maksa. Nie musiała walczyć o swą odrębność. Do głowy jej nie przyszło, by w jakikolwiek sposób zaznaczać, że jest niezależnym bytem. Przynależała do ukochanego i chciała, by to się nie zmieniało. Przecież tym razem miało być inaczej. Musiało być inaczej. Czuła, że Maks nią zawładnął, ale miała pewność, że był po jej stronie. Nie był jej przeciwnikiem. Pragnęła, by tak już zostało. Nie pragnęła zmian. Nawet najmniejszych. Nawet na lepsze. Teraz było jej idealnie. Nie chciała niczego więcej. Tylko niezmienności.

– Nie myśl o niczym – poprosił cicho takim tonem, jakby miał dostęp do jej umysłu. – Bądź teraz tylko ze mną.

– Jestem.

Spojrzała mu w oczy. Była w nich mgła. Nie przesłaniała jednak niczego, co teraz widziała i czuła. Maks jej wierzył. To było najważniejsze.

– No pięknie... Pięknie...

Korkociąg, któremu udało się wrócić do formy, spoglądał na niego spode łba. Maksowi nawet podobało się to spojrzenie, bo było takie jak zwykle, gdy dostawali nową sprawę. Cieszył się, że jego partner okazał się twardym zawodnikiem i znów mogli razem pracować. Mieli do siebie pełne zaufanie, a właśnie tak musiało być w ich zawodzie.

– Co pięknie?! – obruszył się, wsiadając do samochodu. Zapinał pas i łapał oddech.

– Wyglądasz tak, jakbyś przed chwilą z jakiejś babki sfrunął.

Maks spojrzał na kolegę z niedowierzaniem, ale też z przyganą we wzroku, gdyż nie spodobał mu się język, którego użył Korkociąg. Zwykle nie przeszkadzała mu zbytnia dosłowność stwierdzeń partnera, ponieważ doskonale odzwierciedlała stan rzeczywistości, z którą musieli się borykać. Dziś jednak było całkiem inaczej.

– Trafiłem! – ucieszył się Korkociąg.

– Daj spokój!

– Co ty powiesz? Po prostu chcę, żebyś wiedział, że jak się zabawiałeś w najlepsze, to kryłem cię przed Starym, bo był u nas dziś rano. Masz, napij się.

Korkociąg podsunął mu pod nos kawę w papierowym kubku, w dodatku z ich ulubionej kawiarni.

– Dzięki.

Z wdzięcznością w głosie i we wzroku przejął gorący napój. Kofeina, tego mu było teraz trzeba.

– Pomoże ci na pewno, bo widzę, że jesteś nieźle odwodniony. Działo się… – Głos partnera był wciąż dwuznaczny i wiele sugerujący.

– Skończyłeś? – zapytał, nie mając siły na nic.

Marzył o śnie. Najchętniej spałby teraz obok Sary. Ale musiał być odpowiedzialny. Już dłużej nie mógł zostawiać kolegi samego na służbie. Gdyby coś się działo, mogliby obaj mieć przez to nie lada kłopoty. Taka niesubordynacja jak ta dzisiejsza zdarzyła mu się po raz pierwszy. Zresztą taka miłość jak ta dziś również była dla niego czymś całkiem nowym, czego do tej pory nie udało mu się przeżyć.

– Dobra… Już dobra… – Korkociąg w końcu obdarzył go spolegliwym spojrzeniem, które mówiło: „Nie rzucaj się, przecież znam życie!".

Upił łyk kawy i pomyślał, że bardzo się cieszy, iż Stary po śmierci Patrycji przydzielił mu właśnie Korkociąga. Ich współpraca po zakończeniu akcji „Okularnik" wchodziła w taki etap, że zaczynali rozumieć się bez słów. Po tym, co się ostatnio wydarzyło, miał nadzieję, że jego partner również miał przekonanie, iż gdyby tego wymagała sytuacja, on też nadstawiłby dla niego karku. Był na to gotowy.

Właśnie teraz musiał z premedytacją wykorzystać skłonność kolegi do bezwarunkowej pomocy. Teraz potrzebował pomocnej dłoni. Co więcej, chciał dostosować się do rad Starego, który przy każdej nadarzającej się okazji przypominał wszystkim, że grzebanie w osobistych sprawach jest karygodne. Odkąd osobiście poznał wszystkie szczegóły dotyczące Okularnika, wiedział, że szef był świadom tych słów jak nikt inny.

Niestety sam zaczął już grzebać we własnej przeszłości. Był pewien, że na tym etapie, na którym się zatrzymał, przyszedł czas, by posłuchać rad Starego. Musiał poprosić o pomoc partnera. Nie tylko dlatego, że w statystykach wykrywalności Korkociąg był niedościgniony, ale dlatego, że mieli do siebie pełne zaufanie. Kolega charakteryzował się profesjonalizmem i dyskrecją. W sprawie portretu o te cechy chodziło mu najbardziej. Zresztą w każdym innym przypadku też były kluczowe. W dodatku Korkociąg miał długi staż pracy, zatem posiadał też znajomości na różnych szczeblach, którymi on dotychczas nie mógł się poszczycić, a dzięki którym każdą wątpliwość można było odpowiednio i szybko zlustrować.

– Mam interes – zaczął konkretnie.

Czuł, że gorąca kawa pozwala mu wrócić do żywych. Korkociąg od razu spojrzał w jego kierunku czujnym wzrokiem.

– To wal.

Jeszcze o niczym nie powiedział, a już był spokojniejszy. Wiedział, że oddanie tej sprawy w ręce, a raczej pod rozwagę Korkociąga było strzałem w dziesiątkę. Wyjął zatem z kieszeni kurtki skrawek papieru i podał go partnerowi. Bez słów. Ten wziął go i przeczytał głośno pierwsze zanotowane na niej imię i nazwisko.

– Sara Bystrzycka. – Podniósł wzrok, wyraźnie oczekując jakiegoś komentarza.

– To ta, która mnie uratowała...

Tym razem Korkociąg spojrzał na niego jak na idiotę.

– Wiem przecież! Chociaż dzieli nas spora różnica wieku, to informuję, że daleko mi do sklerozy! Donoszę też, że następnych nazwisk nie kojarzę, a to znaczy, że mam z nimi styczność pierwszy raz.

– Ta druga to matka Bystrzyckiej. Ta trzecia to jej babka.

– Czyli trzy pokolenia – skwitował Korkociąg.

– Tak się złożyło.

– I co mam z tym zrobić?

Konkretność partnera imponowała mu, odkąd się poznali.

– Odwróć kartkę – poprosił.

Korkociąg natychmiast spełnił jego prośbę.

– I co dalej?

Partner patrzył na kartkę.

Musiał zatem szybko i bez emocji zreferować sprawę.

– Fakty są takie, że byłem w domu Bystrzyckiej. W salonie wisi obraz. Bystrzycka, a także jej Dziadek twierdzą, że płótno przedstawia jej babkę w dzieciństwie. Babcia też miała na imię Sara. A według mnie na tym obrazie jest moja matka.

– Jak to możliwe?

Skanujący wzrok partnera nie pomagał mu w tej chwili.

– Właśnie o to chodzi – odparł szybko. – Ten malunek to odwzorowanie fragmentu zdjęcia, które od lat jest u mojej matki. A dom dziecka, w którym dziś znajduje się przedszkole prowadzone przez siostry zakonne, to jest miejsce, w którym wychowywała się moja mama. Siostra Faustyna dobrze ją pamięta. Zresztą ma doskonałą pamięć jak na swój wiek. Pomyślałem, że mógłbyś przyjrzeć się sprawie i dowiedzieć się jak najwięcej... Zresztą, co ci będę mówił. Przecież jeśli się zgodzisz, to wiesz, co robić.

– Rozmawiałeś na ten temat z matką? – zapytał Korkociąg.

Już był pewien, że partner w tym momencie przyjął sprawę i właśnie zaczynał ją prowadzić. To było charakterystyczne dla wszystkich ruchów podejmowanych przez Korkociąga – działy się bez zwłoki.

– O tyle, o ile.

– I co?

– Nie chciałem naciskać, bo jak zacząłem rozmowę, miałem wrażenie, że się wystraszyła.

– Czyli jest coś na rzeczy – stwierdził z pewnością i odpowiedzialnością w głosie Korkociąg.

– Zrobiłbym wszystko, żeby się dowiedzieć co.

– Ważny jest czas? – Korkociąg spojrzał na niego pytająco.

– Ważniejsza jest prawda – odpowiedział natychmiast.

– Czyli normalka – podsumował poważnie kolega, gdyż prawda była dla niego zawsze najważniejszą wytyczną w każdym dochodzeniu i postępowaniu. – Rozumiem, że ostatnie nazwisko należy do twojej matki.

– Tak – potwierdził i kolejny raz ucieszył się z rzeczowości partnera.

– To jak będę znał całą prawdę, dam znać.

Tym razem konkretność partnera nie była mu na rękę.

– A nie możemy się umówić, że w międzyczasie... – Nie zdążył dokończyć swej prośby o sprawozdania z postępów śledztwa.

– Nie – kategorycznie przerwał mu Korkociąg. – W międzyczasie to ja będę cię ewentualnie przepytywał, a raczej dopytywał. Nic poza tym. Powiem coś, dopiero jak będę miał konkret i stuprocentową pewność informacji, które uda mi się zdobyć. Nie wcześniej. W porządku? – Ton partnera łagodniał z każdym wypowiadanym słowem.

– W porządku.

Zgodził się, nie miał bowiem innego wyjścia. Zrobił to, gdyż szybko udało mu się wejść w skórę partnera. Gdyby to Korkociąg poprosił go o podobną przysługę, z pewnością zachowałby się wobec niego identycznie. Ich praca właśnie tak wyglądała. Ostateczne rozwiązania, czyli wyniki śledztwa, zmieniały życie wielu ludzi. Musieli się bardzo starać o prawdę i rzeczowość. Nie mogli pozwalać sobie na błędy i niefrasobliwość w udzielaniu informacji. Ich sukces wykrywalności dla kogoś innego niekoniecznie wiązał się z dobrymi przeżyciami i uczuciami. Niesprawdzonymi danymi i różnymi przypuszczeniami, domniemaniami, tropami w sprawach wymieniali się tylko między sobą. Nie przyszłoby im do głowy, by na przykład wtajemniczać w nie choćby Starego.

– Co mi się tak dziwnie przyglądasz? – zapytał znienacka Korkociąg.

To pytanie niechybnie wzięło się stąd, że myśląc intensywnie, równie intensywnie wbijał w partnera swój nieobecny wzrok. Nie wiedział, jak to się stało, ale przez moment Patrycja stanęła przed nim jak żywa.

– Nie... Tak tylko... – Zmieszał się, ale od razu postanowił przyznać się koledze do swych przemyśleń. – Pomyślałem o Pati...

– Ta to miała intuicję – zachwycił się Korkociąg.

Popatrzył na przyjaciela i zgodził się z w milczeniu.

– Tylko pamiętaj... Intuicja to nie wszystko...

To akurat zapamiętał. Zapowiadało się nawet, że o tej gorzkiej lekcji dotyczącej wykonywanego zawodu nie uda mu się nigdy zapomnieć. Teraz to Korkociąg wbijał w niego zdecydowane spojrzenie.

– Bądź spokojny – poprosił po chwili – i pamiętaj, że gdybyś był chirurgiem, to nikt o zdrowych zmysłach nie pozwoliłby ci operować kogoś bliskiego. Powtarzam, jak będę potrzebował od ciebie jakichś informacji, to się zgłoszę. Jeśli będę siedział cicho, to znaczy, że sprawa jest w toku i nie wolno mi przeszkadzać, tylko trzeba spokojnie czekać. Rozumiemy się?

– A ile to… – zaczął, ale usłyszawszy samego siebie, zamilkł, zdając sobie sprawę z idiotyzmu na szczęście niewypowiedzianego pytania.

– Tyle, ile trzeba! – Korkociąg zdecydowanie uciął jego gadkę.

I dobrze, bo oszczędził mu wstydu. Poza tym już słyszeli polecenie, że muszą jak najszybciej znaleźć się na wiślanym brzegu w okolicy przedłużenia ulicy Mostowej.

– Jak ja nie znoszę topielców – sapnął Korkociąg.

– Może to nie o to chodzi – gdybał.

Głos z radia niestety bardzo szybko rozwiał ich wątpliwości.

– Ciało małego dziecka.

Żadnemu z nich nie chciało się już wypowiedzieć ani jednego słowa więcej. Ruszyli przed siebie w ciężkim milczeniu.

– Boże! Żebyś ty wiedziała, jak ja za nim tęsknię! Jak mi go brakuje!

– Może zdecydujesz się, do kogo ta gadka? Do mnie czy do Boga? – ofuknęła ją po cichu Karolina.

Były cicho, ponieważ stały teraz przy huśtawkach, bujając dzieci i jednocześnie mając oczy dookoła głowy. Śledziły każdy ruch. Obejmowały wzrokiem piaskownicę, tak zwane koniki, zjeżdżalnie i pomieszczenie z powodzeniem udające domek z piernika.

– A co jest w tym złego, że chcę podzielić się moją tęsknotą ze wszystkimi? – zapytała, nie spuszczając z oczu kręcącego się na huśtawce Fryderyka.

Dziewczynka, którą huśtała Karolina, siedziała jak zaczarowana. Miała błękitne oczka, anielskie loki, słodki głosik, a na imię Mila. Wszyscy ją lubili i ona też lubiła wszystkich. Natomiast Ognik, jak to on, kręcił się tak, jakby siedział nie na czerwonym plastiku, tylko na mrowisku, w dodatku pokaźnych rozmiarów.

– Fryderyku, może chcesz już zejść? – zapytała zatem.

– Jeszcze! Jeszcze! – wrzasnął malec.

Natychmiast przekazała trzymany w ręce łańcuch huśtawki Karolinie i już była przy dziewczynce, której całkowicie zapiaszczoną twarz obmywały łzy. Wiedziała, dlaczego mała Natalka uderzyła w płacz. Na takie i również inne okazje zawsze zaopatrzona była w mokre chusteczki, którymi już zaczęła wycierać twarz rozżalonej małej, jednocześnie prosząc ją o uspokojenie emocji.

– Już, kochana... Natalko... Buzię masz prawie czystą. Nie ma na niej nawet śladu po piasku. Umówmy się, że jeżeli potrzebujesz jeszcze trochę sobie popłakać, bo ci to pomaga, to płacz, ale naprawdę już wszystko dobrze. Już każde ziarenko piasku wypłynęło z twoich oczek. A teraz... – mówiła bardzo spokojnym głosem, pragnąc, by chociaż odrobina jej spokoju spłynęła na poruszoną dziewczynkę.

To był jej prywatny sposób, nazywany przez nią samą „metodą na spokojną nutę". W większości przypadków okazywał się niezawodny, przynosił doskonałe rezultaty podczas przedszkolnych akcji ratunkowych. To dlatego stosowała go w nagłych wypadkach takich jak ten obecny. Pociecha wtulała się w nią już całkiem cicho. Mogła zatem przystąpić do kontynuacji procedury.

– Natalko, powiesz mi teraz, kto był tak nierozsądny i nasypał ci piasku na buzię?

Dziewczynka, usłyszawszy pytanie, spuściła głowę, wbiła wzrok w leżące u ich stóp kolorowe foremki i szepnęła cichutko: „...amil", śmiesznie nie wymawiając pierwszej głoski w imieniu chłopca, który temperamentem nie ustępował Fryderykowi.

– W takim razie wracaj do zabawy, a ja proszę do siebie Kamila. – Spojrzała na zawadiakę, który oczywiście zdążył już opuścić piaskownicę i z bezpiecznej odległości obserwował wszystko, co się działo. – Zapraszam cię, Kamilku, na ławeczkę spokoju.

Było to miejsce bardzo szczególne. Oddalone od centrum placu, umieszczone pomiędzy dwiema dość wysokimi jabłoniami, których owoce były tak soczyste i pyszne, że w sezonie kompot jabłkowy w przedszkolu stanowił słodką przyjemność.

Podeszła do ławeczki i usiadła na niej, choć siedzisko było dostosowane rozmiarem do dzieci. Wpatrywała się w małego Kamila na razie ignorującego jej prośbę. Chłopiec stał przy zjeżdżalni i z zapałem kopał w zielony plastik. Czekała cierpliwie. Wiedziała, że mały w końcu zerknie w jej stronę, bo w pewnym momencie jego nóżka zmęczy się tak intensywnym ruchem. Patrzyła na niego, czując nieprzyjemny ścisk w żołądku. Tak, chwila na ławeczce spokoju przydawała się teraz również jej.

Myślała o Maksie. Bardzo dużo. Robiła to bez ustanku. Była wdzięczna losowi za to, że postawił właśnie tego mężczyznę na jej drodze. Stało się to całkiem nieoczekiwanie, ale w odpowiednim momencie. Ta znajomość była jej bardzo potrzebna. Im dłużej znała Maksa, tym była bardziej pewna, iż pojawił się w jej życiu, by jej pomóc. By wyleczyć ją z zawodu, nie tylko miłosnego, ale też życiowego. Zjawił się i stało się coś, w co jeszcze niedawno całkowicie wątpiła. Mianowicie przestawała myśleć o Robercie. Miejsca, które do niedawna na każdym kroku przypominały jej o byłym mężu, dziś kojarzyły jej się tylko z teraźniejszością. Z Maksem. Z tym, co ich ze sobą połączyło. Dawne dzieje oddalały się. Gdzieś odchodziły. Miała nadzieję, że nie musiała już tam zaglądać. Żadne złowrogie impulsy nie ciągnęły jej już do wspomnień, od których jeszcze niedawno nawet wielkim wysiłkiem nie mogła się uwolnić. W obecności Maksa czuła się bardzo bezpiecznie. Zapominała o złu, które ją spotkało. Wracała do dobrego życia. Znów potrafiła cieszyć się z małych rzeczy. Umiała się bawić. Zupełnie tak jak mała Natalka wsypująca w tej chwili wilgotny piasek do małego żółtego wiaderka. Uśmiech na twarzy dziewczynki towarzyszył słowom Karoliny.

– Kamil! Zobacz! Ktoś na ciebie czeka na ławeczce spokoju. Jeszcze minuta i...

Karolina nie musiała kończyć rozpoczętego zdania, bo mały rzeczywiście zmęczył się w końcu kopaniem w zieleń zjeżdżalni i powoli, z dość niewyraźną miną, ruszył w kierunku odosobnienia. Wiedząc, że był obserwowany przez obie wychowawczynie, grzecznie omijał wszystkie dzieci bawiące się na jego drodze, by po chwili znaleźć się tam, gdzie powinien przebywać od jakiegoś czasu.

– I co tam się wydarzyło, mój kawalerze, opowiadaj – zachęciła małego do zwierzeń.

Miała nadzieję na krótką rozmowę, gdyż czuła się coraz gorzej. Gdy siedziała na małej ławeczce, dolegliwości żołądkowe się nasiliły. Chłopiec stał przed nią, ale odwagi na podniesienie wzroku znad swych całkiem nowych tenisówek wciąż nie miał. Sterczał i milczał.

– Dzieci za chwilę skończą zabawy i pójdą do przedszkola na obiad, a my będziemy musieli zostać tu chyba do podwieczorku, jeśli nadal na moje pytania będziesz odpowiadał milczeniem – stwierdziła poważnym tonem, co nie było wcale trudne, ponieważ na samą myśl o obiedzie robiło jej się niedobrze. – Powiedz, Kamilku, dlaczego sypiesz piaskiem, chociaż wiesz, że nie można tego robić?

– Bo ona jest gupia – odpowiedział po dłuższej chwili i spojrzał w stronę Natalki, która bawiła się w najlepsze, nie pamiętając już o swej niedawnej rozpaczy.

– A dlaczego uważasz, że jest głupia? – Marzyła o szklance gorącej herbaty, którą mogłaby zmyć albo przynajmniej chociaż wypłukać okropny smak z ust.

– Bo mówi, że moje babki są brzydkie, a jej ładne. – Malec przyznał się do swej męskiej urażonej ambicji.

– Posłuchaj mnie teraz, Kamilku drogi. Czasami dzieje się tak, że nawet mistrzowi w robieniu babek coś się nie udaje. Może stać się tak, że jego dzieło będzie brzydsze od innych, ale to nie jest żaden powód, żeby być niedobrym dla innych, którzy nie są temu winni. A czasem bywa tak, że tobie twoja babka podoba się najbardziej na świecie, a komu innemu ani trochę. Tak też może się przecież zdarzyć i to też nie jest żaden powód, by innym utrudniać życie i sypać im piaskiem po oczach. Zatem idź teraz do piaskownicy, przeproś Natalkę za swoje zachowanie i poproś ją, by tu do mnie na chwilę podeszła.

– Nie przeproszę! – zaprotestował mały, zachowując się właśnie tak, jak przypuszczała.

– Ale jeśli nie pójdziesz jej przeprosić, to wtedy ona do mnie tu nie przyjdzie i nie będę mogła jej powiedzieć, że bardzo nieładnie się zachowała, krytykując twoją babkę, i nie zdołam poprosić jej o to, by ona również ciebie za to przeprosiła.

Szkrab spojrzał na nią bardzo podejrzliwym wzrokiem, a minę miał wciąż obrażoną na świat.

– Pamiętaj, Kamilku, zawsze wam to przecież powtarzam, nie obrażamy się na siebie, tylko ze sobą rozmawiamy. Rozmowa jest lekarstwem na każde zdenerwowanie. Pamiętaj też, że nie powinno się nikomu sprawiać przykrości i bólu. Nie można doprowadzać do takich sytuacji, żeby przez ciebie ktoś czuł się źle. Przecież sam też nie lubisz, kiedy ktoś zachowuje się tak, że przez jego zachowanie musisz płakać. Prawda?

Nie patrzył na nią. Skinął co prawda głową, ale nie tak, jak tego oczekiwała.

– Jest takie bardzo mądre powiedzenie: „nie czyń drugiemu, co tobie niemiłe", wiesz?

Tym razem chłopiec przytaknął już z mniejszą dozą niewiary.

– To skoro już je znasz, w takim razie proszę cię bardzo, byś poszedł do piaskownicy, przeprosił koleżankę i przekazał, by do mnie podeszła.

Była przekonana, że nie pójdzie tak łatwo, ale się udało. Mały zachował twarz i ruszył w kierunku piaskownicy. Obserwowała jego niechętne kroki. Robiło jej się coraz bardziej niedobrze. Nie mogła się doczekać końca dzisiejszej pracy i spotkania z Maksem. Ostatnio znów bardzo dużo pracował.

Musieli wykradać wspólne chwile z niełaskawej im rzeczywistości. Widziała, jak chłopiec wyciąga dłoń na zgodę w kierunku Natalki, a mała przyjmuje ją bez zwłoki, w dodatku nawet z uśmiechem. Ucieszyła ją ta sytuacja, choć utwierdziła też w przekonaniu, że kobiety umieją wybaczać tak dobrze i szybko, że ta umiejętność obraca się przeciwko nim, ponieważ za szybko zapominają. Na własnej skórze przekonała się, że wybaczenie jest łatwiejsze od puszczenia przewiny w niepamięć. Ale wielkoduszność jest potrzebna. Brak wybaczenia kojarzył jej się z nienawiścią, a by nienawidzić, trzeba mieć dużo sił, bo to wiele kosztuje. Nigdy nie chciała marnować swojej energii. Zresztą swojego życia również. Myśląc o tym, widziała, jak w jej kierunku zbliża się Natalka. Mała była niezbyt zadowolona z faktu, że musiała rozstać się na chwilę ze swoimi pięknymi piaskowymi babkami i pozostawić je bez opieki, zwłaszcza że druga przedszkolanka zaczęła nawoływać wszystkie dzieci do zakończenia zabaw.

– Natalko, czy domyślasz się, dlaczego Kamil poprosił cię, byś do mnie podeszła? – zapytała, wstając z ławki.

Zrobiła to tak szybko, że zakręciło jej się w głowie. By nie upaść, znów usiadła.

– Tak – odpowiedziała dziewczynka, której mina zrzedła jeszcze bardziej.

– Musimy już iść, więc nie będę mówiła zbyt dużo.

Musiała iść na łatwiznę, bo miała mało czasu, w dodatku czuła się coraz gorzej. Coraz poważniej obawiała się, że stanie się coś strasznego i nie uda jej się zapanować nad mdłościami.

– Zapamiętaj, Natalko, jest takie mądre powiedzenie: „nie czyń drugiemu, co tobie niemiłe" – powtórzyła się. – Czy byłoby ci miło, gdyby ktoś powiedział, że twoje babki są brzydkie?

– Nie.

– Czyli dobrze się domyślam, że doskonale rozumiesz, co oznacza to powiedzenie? – zapytała bardzo poważnym tonem.

– Rozumiem – odparła dziewczynka. – Przepraszam, już więcej nie będę.

– Zatem wracaj do grupy. Laura już na ciebie czeka. Zobacz, ona jako jedyna nie ma pary.

Natalka pobiegła szybko w kierunku osamotnionej koleżanki. A ją znów naszły feministyczne myśli. Podążała wzrokiem za dziewczynką i myślała, że kobiety za często przepraszają, nawet wówczas, gdy to one są stroną bardziej poszkodowaną. Gdyby miała się chociaż odrobinę lepiej, to na pewno zdobyłaby się na dalszą rozmowę z małą. Jednak czuła się koszmarnie. Jej samopoczucia nie poprawiało też podejrzliwe spojrzenie Karoliny, która wyrosła przed nią nie wiadomo kiedy.

– A pani aby się tutaj nie zasiedziała za bardzo? Przyszłam zapytać, czy specjalne zaproszenie do pracy jest potrzebne.

Teraz nie miała siły na żarty. Zresztą nie miała energii nawet na to, by wstać z ławeczki spokoju.

– Niepotrzebne – odpowiedziała – ale czuję się tak koszmarnie, że jak myślę o obiedzie, to mam ochotę już teraz puścić pawia.

– Niedobrze ci? – Karolina zmieniła ton. – Boże! Byle nie znowu jakaś wirusówka, jelitówka ani żadne inne tego typu dziecięce cholerstwo. Już miałam to w tym roku dwa razy i bardzo dziękuję za trzeci.

– Nie. To raczej nie to. Po prostu chyba zjadłam coś niedobrego. – Skłamała, bo od rana nie była w stanie nic przełknąć.

To dlatego wychodziła dziś z domu, czując na sobie zmartwione spojrzenie Dziadka. Sama też była już zmartwiona, gdyż teraz czuła się dużo gorzej niż rano.

– No, nie chcę cię dołować, ale na twarzy jesteś sinozielonkawa. Czyli na pewno może chodzić albo o niedobre żarcie, albo o bardzo dobry seks – skonstatowała Karolina, dodając szybko: – Pamiętaj, byle nie grypa żołądkowa, byle nie to dziadostwo!

„Byle nie grypa żołądkowa" – powtarzała sobie w duchu, a do mdłości dołączyło teraz gorąco, które poczuła na całym ciele.

– Albo bardzo dobry seks… – szepnęła do siebie i wstała z ławki, by na trzęsących się nogach dołączyć do Karoliny prowadzącej dzieci w kierunku wejścia do przedszkola.

– I co? Lepiej? – Koleżanka zerkała z zatroskaniem w jej stronę.

– Nie… Jeszcze ten Amsterdam… – dodała, czując, że zbiera jej się na płacz.

– Jaki Amsterdam?

– Przecież mówiłam ci w zeszłym tygodniu…

– No tak… – Machnęła dłonią Karolina. – Całkiem zapomniałam… Urodziny twego taty… Może to i lepiej. Wyjedziesz, trochę odpoczniesz. No chyba że to jednak jakaś pokarmowa franca, to wtedy nigdzie się nie ruszysz. To znaczy ruszysz, ale najdalej to do Sedesowa. Wiem coś o tym. Mateuszu i Karolu! Proszę się nie ociągać! Dołączcie do grupy! Proszę zostawić te patyki! Karolu! Czy ty słyszysz, co ja w tej chwili do ciebie mówię?! – jej głos stawał się coraz bardziej kategoryczny.

Wsłuchiwała się w niego z ogromnym niepokojem, wciąż przypominając sobie całkiem inaczej brzmiące słowa koleżanki. Te dotyczące „bardzo dobrego seksu", które ostatnimi czasy odnosiły się do niej. Pomyślała o urodzinach Taty. O tym, że może to rzeczywiście dobrze, iż pojutrze wyjeżdżała, a jutro z tego właśnie powodu czekała ją kolacja z ukochanym. Umówili się, że pójdą do Bekhira, a noc spędzą tym razem u Maksa. Bardzo lubiła kończyć dni w jego ramionach…

– Karol! – wrzasnęła nagle Karolina, by przywołać do porządku nieposłusznego malca.

Nie mogła domyślać się, że swym krzykiem przywoływała do porządku również wyobraźnię Sary. Dobrze, że wrzaski w większości głodnych dzieci skutecznie zmuszały ją do stawiania kolejnych kroków. Motywowała ją także wyobraźnia, która w przeciwieństwie do nóg pracowała bez zarzutu i już projektowała jutrzejsze wieczór i noc.

– Dlaczego nie jesz? – Maks obdarzył ją policyjnym, to znaczy podejrzliwym spojrzeniem.

– Bo niedawno Dziadek wmusił we mnie michę kaszy gryczanej z gulaszem – skłamała.

– To rzeczywiście, nie dziwię się, że nie masz apetytu.

Ucieszyła się, że udało jej się uśpić jego czujność. Natomiast jej osobisty niepokój od czasu wczorajszej rozmowy z Karoliną miał niekończącą się wartę. Walcząc z nieustającymi mdłościami, spojrzała na pusty talerz ukochanego i zaproponowała, by skończył jej porcję. Ku jej uciesze skorzystał z propozycji bez zbędnego szemrania. Musiał być bardzo głodny. Ostatnio znów bardzo dużo pracował. Znali się już na tyle długo, iż zdążyła zauważyć, że jego praca rzeczywiście przychodziła falami, to znaczy przez pewien czas nie działo się zbyt dużo, po czym zaczynało dziać się tyle, że o w miarę regularnych spotkaniach nie mogło być mowy.

– Dziadek ugotował gulasz? – zapytał między jednym a drugim kęsem.

– Nie. – Uśmiechnęła się. – Wojtek. – Cieszyła się, że tym razem nie musiała uciekać się do kłamstwa. – Wrócił na kilka dni, ale już jutro wieczorem znów wyjeżdża. Nawet mówił mi wczoraj dokąd, ale tego nie zarejestrowałam. Chyba do Berlina albo Paryża…

Usiłowała sobie przypomnieć wczorajszą rozmowę z przyjacielem, ale galimatias myśli i odczuć nie pozwalał jej dostatecznie się skupić.

– Kiedy dokładnie wracasz z Amsterdamu? – zapytał Maks.

Widziała, jak na nią patrzył. W jego spojrzeniu było coś takiego, jakby oczekiwał od niej odpowiedzi brzmiącej: „wcale tam nie pojadę". Niestety rzeczywistość musiała różnić się od jego oczekiwań.

– Jadę na tydzień. Jak zwykle.

Tym razem spojrzał na nią tak, jakby właśnie poinformowała go, że nie będą się widzieć przez okrągły rok. To spojrzenie sprawiło jej trudną do opisania przyjemność.

– Nie przejmuj się, to szybko minie. Zawsze jeżdżę do Taty w jego urodziny. Czasami nawet wyjeżdżam z nimi gdzieś na dłużej.

– Z nimi?

– Ale mało o sobie wiemy!

– Najważniejsze jest, że chcemy wiedzieć coraz więcej. – Maks uśmiechnął się do niej w taki sposób, że gdyby to było możliwe, w tę najbliższą podróż zabrałaby go ze sobą.

Wiedziała, że Maks przypadłby jej ojcu do gustu. W przeciwieństwie do Roberta, którego Tato nigdy nie obdarzył zaufaniem. Jak się okazało, wcale nieprzypadkowo.

– Mój Tato ożenił się po raz drugi. Na początku mi się to do końca nie podobało. A teraz jestem bardzo zadowolona, że ktoś ma i nie jest sam.

– Czyli masz macochę.

– Mam, ale nie muszę do niej mówić „pani matko".

– Jestem w stanie to zrozumieć...

– To nie to, co myślisz – weszła ukochanemu w słowo. – Żona mojego Taty jest w porządku. Przypomina bardziej moją siostrę niż macochę. Między moim Tatą a Lili, bo tak ma na imię, jest duża różnica wieku. Tato poznał ją w samolocie. Ona jest stewardesą. On zawsze bardzo dużo podróżował. Najczęściej właśnie na trasie Warszawa – Amsterdam, Amsterdam – Warszawa. I tak się spotkali. Lili często żartuje, że poznali się w przelocie, a Tato jej na to odpowiada, że w niebie.

– Jest podobna do twojej Mamy?

Bardzo cieszył ją fakt, że z taką swobodą rozmawiali o jej rodzinnych sprawach. Chociaż była świadoma, że Maks na pewno wiedział o niej i jej rodzinie więcej niż ona o nim i jego bliskch. Pomyślała, że chyba najwyższy czas to zmienić.

– Nie. Wcale. Ani wizualnie, ani mentalnie. Moja Mama była artystką. Z tego, co pamiętam, mocno oderwaną od rzeczywistości. Pamiętam, jak moja Babcia zawsze jej powtarzała: „Ewa, czy ty możesz w końcu przestać bujać w obłokach?! Wracaj na ziemię, bardzo cię proszę". Ale moja Mama oczywiście nigdy nic nie robiła sobie z tych próśb. Pewnie dlatego, że Babcia była tak bardzo dobrym człowiekiem, że uśmiechała się nawet wtedy, kiedy była zła. A mój Dziadek to jeszcze lepszy egzemplarz i akceptuje wszystkich takimi, jacy są. Dlatego nawet ze mną wytrzymuje bez kłopotu.

Maks wpatrywał się w nią z zainteresowaniem. Oczywiście bardzo podobało jej się to spojrzenie. A zainteresowanie jeszcze bardziej.

– A wracając do Lili...

– Ile miałaś lat, jak umarła twoja Mama? – zapytał nagle.

– Dziesięć – odpowiedziała szybko, nie chcąc wracać pamięcią do tamtych dni.

– Boże...

– Może będzie lepiej, jak opowiem ci o Lili...

– Przepraszam... – Z czułością dotknął jej policzka.

Żeby się nie rozkleić, musiała zacząć mówić – szybko i dużo.

– Lili ma szesnaście lat mniej od mojego ojca, więc nie patrzę na nią z perspektywy pasierbicy. Jest spokojna i bardzo poważna. Pewnie dlatego wydaje mi się, że jest ode mnie dużo starsza, chociaż to nieprawda. Wiem, że mój Tata jest z nią szczęśliwy i to dla mnie najważniejsze. Długo był sam, to znaczy tylko z nami. Myślę, że Lili pojawiła się w jego życiu właśnie wtedy, gdy już przyzwyczaił się do tego, że jest samotny, i pogodził się z tą myślą. Lubię ich odwiedzać. Mają piękne mieszkanie. Fajnie sobie żyją. Oboje pracują. Układa im się i wiem, że od jakiegoś czasu starają się o dziecko.

– Jest więc szansa, że będziesz miała rodzeństwo – podsumował jej rodzinną opowieść wesołym głosem.

– To teraz twoja kolej. Opowiedz mi krótką historię rodziny Grabskich.

Popatrzył na nią z miłością i odsunął od siebie już drugi pusty talerz.

– Deserek? – Nie wiadomo skąd pojawił się nad nimi Bekhir.

– Ja dziękuję – powiedziała natychmiast, gdyż już sama myśl o słodkościach potęgowała jej mdłości.

– A ja poproszę – rozochocił się Maks, zupełnie nieświadomy faktu, że widok jego deseru dla niej mógł być tragiczny w skutkach.

– Już podaję. – Bekhir zniknął z ich pola widzenia tak szybko, jak się pojawił.

– U mnie sytuacja jest następująca. Tato nie żyje od jedenastu lat. Miał sześćdziesiąt trzy lata, jak umarł. Mama od jego śmierci jest sama i nic nie wskazuje na to, żeby miało być inaczej. Mam siostrę Beatę, która jest ode mnie starsza o niecałe dwa lata. Jestem wujkiem Zosi, a ona w przeciwieństwie do swej mamy jest najfajniejszą dziewczyną na świecie.

Słysząc ostatnie słowa, chrząknęła znacząco. Ukochany od razu zareagował na jej zachowanie.

– Spokojnie... Ty jesteś poza konkurencją – stwierdził pewnym głosem.

Parsknęła śmiechem. Patrzyła w wesołe oczy Maksa, które gdy się uśmiechał, nabierały jeszcze intensywniejszego koloru, i zdała sobie sprawę, że rzadko do tej pory w jej życiu zdarzały się sytuacje, że chciała być w dwóch miejscach naraz. Teraz tak właśnie się poczuła. Pragnęła spotkać się z Tatą, bo zdążyła się już za nim bardzo stęsknić, i nie miała ochoty rozstawać się z Maksem, bo chociaż był teraz przy niej, to wizja rozstania sprawiła, że już za nim tęskniła. Chciała zostać w Warszawie i wyjechać do Amsterdamu. To było dla niej nowe uczucie.

Nowe, dziwne, ale całkiem przyjemne. Pozwalało zacząć zapominać o przeszłości. Pomagało nabierać dystansu do czasów, kiedy życie nie cieszyło jej wcale. Kiedy chciała uciec. Teraz było całkiem inaczej, dlatego czuła się zupełnie inaczej.

– Nie kochasz własnej siostry?

– Oczywiście, że kocham. Żeby zrozumieć, co mam na myśli, musisz poznać Beatę. Miłość do niej nie jest prostym uczuciem. Ani łatwym. Od lat podziwiam moją mamę za cierpliwość, jaką ma dla swojej córki, bo gdybym to ja był matką mojej siostry, już dawno postradałbym zmysły.

– To mąż Beaty musi być silny psychicznie.

– Każda potwora znajdzie swego amatora. Ale normalnie podziwiam tego faceta.

– Jak ma na imię?

– Marcin. Jest prawnikiem, specjalistą od spraw rozwodowych. Supergość. Mówi mało, ale konkretnie. Przez to, że wytrzymuje z moją siostrą, mam do niego mnóstwo szacunku. Poza tym jak nikt potrafi spacyfikować ją kilkoma słowami. Kiedy na nich patrzę, to zawsze myślę: jak to dobrze, że przeciwieństwa się przyciągają. Dzięki temu moja siostrzyczka jeszcze żyje, bo gdyby trafiła na taki egzemplarz jak ona sama, to nie wiadomo, co mogłoby się wydarzyć. A Marcin, kiedy Beata, jak to określa moja mama: „wpada w szał", przygląda jej się bez emocji i czeka, aż małżonka się poawanturuje do woli, wywrzeszczy, a później mówi jej kilka słów dla ochłody.

Na przykład: „Ależ oczywiście, kochanie, że masz rację. Tylko zupełnie nie rozumiem, dlaczego tracisz tyle sił i energii, żeby mi to udowodnić". No mówię ci, normalnie Ocean Spokojny.

W oczach Maksa dostrzegała autentyczny podziw.

– A Zosia?

– Cukiereczek. Jak wspominałem, przeciwieństwo własnej matki. Całe szczęście. Grzeczna, miła, uśmiechnięta, zadowolona z życia. Szczęściara. Odziedziczyła najlepsze cechy swojego taty i mojej mamy. Zresztą jest do swojej babci nawet trochę podobna. Ma jej oczy. Takie bardzo ciemne. Zresztą ty też masz takie jak one obie.

Maks patrzył teraz tylko w jej oczy. Bardzo intensywnie.

– To dlatego ci się spodobałam? – zapytała, wykorzystując nadarzającą się okazję.

– A jak myślisz?

Maks chyba nie zamierzał wtajemniczyć ją w temat, który żywo ją interesował i o którym chciała wiedzieć więcej niż do tej pory.

– Nie mam pojęcia – stwierdziła szczerze, nie mając zamiaru niczego mu ułatwiać.

– Sam nie wiem… – Na moment odpłynął wzrokiem w siną dal. – Pierwszy raz zobaczyłem cię przed twoim domem, jak wychodziłaś do pracy. Byliśmy wtedy z Korkociągiem. Pamiętam, że powiedział: „Zobacz, jaka mała babeczka, a taka bohaterka".

– Mała babeczka...? – powtórzyła, nie kryjąc zdziwienia.

– Wielkoludem przecież nie jesteś – stwierdził i uśmiechnął się do niej zabójczo.

Patrzyła, z jakim apetytem jadł deser, który nie wiadomo kto i nie wiadomo kiedy postawił na stole. Była tak skoncentrowana na rozmowie, którą prowadzili, i na oczach, a także ustach ukochanego, że świat wokół dla niej nie istniał.

– Więcej, bardzo podobało mi się to, co powiedział o tobie Korkociąg. W ogóle spodobałaś mi się od razu, jak cię zobaczyłem. W mojej pracy najbardziej nie lubię obserwacji, a tę związaną z tobą uwielbiałem. Korkociąg oczywiście zauważył to z miejsca i wciąż się ze mnie naśmiewał. Ale kiedy cię obserwowałem, to nic nie było w stanie zepsuć mi humoru. Nawet żarty kolegów, bo oczywiście mój partner chlapnął to tu, to tam, że bohaterka, bo taki pseudonim do ciebie przylgnął, ma ochronę lepszą niż amerykański prezydent. Oczu od ciebie nie mogłem wtedy oderwać. Jak Stary powiedział, że kończymy akcję, to poczułem się beznadziejnie. Byłem zły na Wojtka, bo to on naskoczył na Starego w twojej sprawie, ale jak szef rozkazał się z tobą skontaktować, wiedziałem, że biorę to na siebie.

Patrzyła na Maksa i czuła, jakby jej serce fruwało pod sufitem. Uśmiechała się. Uśmiechali się oboje.

– Dobrze mi z tobą – szepnęła szybko, gdyż kątem oka widziała, że do ich stolika zbliżał się Bekhir.

– Smakowało? – zapytał.

– Rewelacja – stwierdził Maks.

Dostrzegła, z jaką niechęcią oderwał od niej wzrok, by przenieść go na przyjaciela. Było już późno. Restauracja powoli pustoszała. Chociaż nie czuła się najlepiej i przeszkadzały jej restauracyjne zapachy, to było jej tak dobrze, że nie chciała nigdzie iść.

– Przysiądź się do nas. – Maks bardzo kulturalnie zaproponował towarzystwo wyraźnie zmęczonemu Bekhirowi.

Cieszyła się, że to zrobił, gdyż zajęta rozmową i swym podłym samopoczuciem, zapomniała o zasadach dobrego wychowania. Zresztą świata poza ukochanym nie widziała. Bekhir usiadł przy nich i nie zdążył się odezwać, gdyż uwagę ich wszystkich przykuł Wojtek, który z impetem wszedł do środka. Znała go doskonale i już widziała, że był czymś bardzo poruszony.

– Dlaczego nie odbierasz?! – podniósł głos już z daleka.

– Dobry wieczór – powiedziała cynicznie.

– Cześć! – Stojący już nad nią Wojtek trochę się zreflektował, ale na pewno nie uspokoił.

– Usiądź, proszę – poprosiła najłagodniej, jak potrafiła.

Od razu usiadł, a raczej upadł na jedyne już wolne krzesło przy ich stoliku. Dopiero teraz, gdy miała twarz przyjaciela na poziomie swojego wzroku, dostrzegła, jak bardzo był blady.

– Co się stało?

– Z ojcem jest bardzo źle. Matka do mnie wydzwania... On ma zapaść czy coś takiego... Są w szpitalu... Chyba oszaleję...

– Mama chce, żebyś przyjechał?

– Oczywiście! – odparł sarkastycznie Wojtek. – Tylko nie zdaje sobie chyba sprawy z tego, że jak mnie ojciec zobaczy, to mu się raczej nie poprawi, a może nawet na mój widok kopnie w kalendarz.

– Przestań! – Podniosła głos. – Co ty wygadujesz?!

Czuła na sobie spojrzenia Maksa i Bekhira, ale z całej siły wbijała wzrok w Wojtka.

– A nie przyszło ci do głowy, że może tata chce z tobą porozmawiać? – zapytała, walcząc z samą sobą o normalne brzmienie głosu.

– Za późno!

– Na takie rozmowy nigdy nie jest za późno! I właśnie teraz powinieneś to zrozumieć. Teraz, a nie wtedy, kiedy może być już za późno! Natychmiast się uspokój i zacznij myśleć logicznie. Zapomnij o tym, co było, i skup się na tym, co jest! Pamiętasz?! To nie są moje słowa, tylko twoje. To przez nie... między innymi przez nie... odeszłam od Roberta. I dzięki Bogu! – Na moment wzniosła oczy do niewidocznego w tej chwili nieba.

Patrzyła tylko na Wojtka. W ogóle zachowywała się tak, jakby byli sami. Takiego postępowania wymagała od niej sytuacja.

– Policz do dziesięciu i pomyśl, że właśnie przyszedł ten moment, kiedy możesz zmienić coś w swoim życiu.

– Czyje to?! – Wojtek wskazał na pełny kieliszek czerwonego wina, z którym dosiadł się do nich Bekhir.

– Moje.

– Mogę?

– Oczywiście. Proszę bardzo. Jeszcze nie piłem.

Wojtek wziął alkohol bez słowa i duszkiem wypił do dna. Zupełnie jakby kieliszek wypełniała woda, a nie czerwone wino.

– Jeszcze raz to samo? – zapytał Bekhir głosem rasowego barmana i nie czekając na odpowiedź, ruszył po butelkę trunku stojącą na barze.

Wojtek wpatrywał się w pusty kieliszek, w którym już po chwili znów pojawił się ciemnobordowy płyn. Kolejny raz wypił jednym haustem.

– Jeszcze? – znów spytał przyjaciel Maksa.

– Już wystarczy! – Zdecydowanie wkroczyła do akcji, nie chcąc, by Wojtek upił się, w dodatku na smutno.

– Czyli co?! Widzę, że uważasz, że powinienem tam pojechać i zgrywać przed nimi pajaca z amnezją? Tak? Mam udawać, że o wszystkim zapomniałem?! – Wojtek patrzył na nią w taki sposób, jakby była wyrocznią.

– Jeżeli sam nie czujesz, co powinieneś akurat teraz zrobić, to znów powiem ci to, co kiedyś usłyszałam od ciebie. Lepiej żałować, że się zrobiło, niż że się nie zrobiło.

– To jadę! – Wojtek zerwał się na równe nogi.

Był już chyba lekko wcięty, bo zmęczenie, a raczej stres i alkohol nie służyły mu. Zresztą przecież nikomu nie robiły dobrze.

– Poczekaj! Przecież nie możesz prowadzić w tym stanie!

– Tym razem czas reakcji Bekhira okazał się najkrótszy. – Zawiozę cię. Nie zdążyłem się napić.

– Ty?! – Wojtek spojrzał na niego zaczepnie.

– A masz coś przeciwko? – zapytał Bekhir spokojnym i bardzo poważnym tonem.

– Nie. Oczywiście, że nie ma nic przeciwko. – Teraz to jej udało się zareagować najszybciej.

– Czuję się tak, jakbym w tej sytuacji nie miał nic do powiedzenia. – Wojtek popatrzył na nich wszystkich z góry, ale jego głos ewidentnie tracił na sile.

– Możesz powiedzieć, do którego szpitala ma cię zawieźć? – poprosiła tym razem bardzo łagodnym tonem.

– Na Szaserów.

– To jedziemy. – Bekhir od razu wstał od stołu.

– Może chcesz, żebym pojechała z tobą – zaproponowała szybko.

Już miała wyrzuty sumienia, że była dziś wobec przyjaciela zbyt obcesowa, chociaż równocześnie wiedziała, że w jego przypadku inne metody często okazywały się zawodne.

– Ja wystarczę – stwierdził spokojnie Bekhir.

– Tylko... – Nie zdążyła skończyć.

– Zadzwonię – tym razem głos Bekhira zabrzmiał bardzo empatycznie.

– Dziękuję – szepnęła, błogosławiąc go w myślach.

– Nie żartuj. – Uśmiechnął się i podążył szybkim krokiem za Wojtkiem.

Zostali z Maksem sami, nie licząc personelu przygotowującego się do zamknięcia restauracji.

– Pojedziemy do mnie? – ukochany spoglądał na nią prosząco.

Nie odpowiedziała od razu. Myślała. Nie wiedziała, co robić. Chciała pojechać do niego. Pragnęła, by przytulił ją w swoim łóżku. Nie chodziło jej teraz nawet o nic ponadto. Teraz potrzebowała bliskości i czułości, w których Maks był najlepszy. Jednak miała w sobie niepokój. Była bardzo zmęczona, ale jeszcze bardziej niespokojna. Mdłości w związku z tym się nasiliły.

– Może chcesz jechać za nimi? – zapytał, bez trudu odgadując jej dylematy.

– Przepraszam cię... Ale myślę, że powinnam być teraz w jego pobliżu. Wiesz... Kiedy ja byłam w potrzebie, to on zawsze był przy mnie. Potrafił zostawić wszystko i przylecieć do mnie z drugiego końca świata. Ma bardzo skomplikowaną sytuację rodzinną, więc...

– Naprawdę nie musisz mi niczego tłumaczyć. Po prostu dopij herbatę i pojedziemy. Dobrze się czujesz? – Jego troskliwy ton zupełnie ją rozbroił.

– Tak. – Skłamała, choć przecież miała nie kłamać.

– Jesteś bardzo blada – Wpatrywał się w nią coraz intensywniej.

– Nic mi nie jest – brnęła. – Po prostu jestem zmęczona, ale chcę pojechać na Szaserów – dodała pewnym głosem, by uśpić wszystkie obawy Maksa.

Jadąc samochodem, milczeli. Wciąż była zdenerwowana. Wszystkim, co się teraz działo. Wojtkiem, jego chorym ojcem, nawet tym, że Maks od jakiegoś czasu zerkał w jej kierunku dość podejrzliwie. Wiedziała, że nie uwierzył w jej dobre samopoczucie. Zastanawiała się, o czym teraz myślał. Sobą nie denerwowała się wcale. Raczej zaczynała czuć podekscytowanie faktem, iż jednak istniało prawdopodobieństwo, że rzeczywiście mogła być w ciąży. Biorąc pod uwagę wszystko, co ostatnio działo się w jej życiu, to szanse były ogromne. Zwłaszcza że gdy Maks był przy niej, namiętność zawsze brała górę, a o rozsądku w ogóle nie było mowy. Na miesiączkowych obliczeniach zresztą nie mogła nigdy polegać, gdyż zawsze były dalekie od ideału i raczej przeszkadzały, niż pomagały.

Przedłużające się milczenie sprawiło, że stęskniła się za głosem Maksa.

– Jesteś zły?

– Dlaczego miałbym być zły? – Sprawiał wrażenie kogoś, kto w tej chwili przebywał myślami całkiem gdzie indziej.

– Bo mieliśmy spędzić ten wieczór inaczej.

– Nie, nie jestem zły. Przywykłem do takich nagłych zmian planu. Moja praca mnie do tego przyzwyczaiła. To, że się nie odzywam, nie oznacza, że jestem zły i że cię nie kocham.

Słysząc to swego rodzaju wyznanie, oderwała wzrok od tego, czemu do tej pory się przyglądała. Spojrzała na Maksa. Nie patrzył na nią, ale uśmiech, który zobaczyła na jego twarzy, nie był przypadkowy. Ewidentnie stanowił przypieczętowanie nieprzypadkowych słów.

– Jak mam to rozumieć?

Patrzyła na ukochanego i już marzyła o tym, by deklaracja, którą przed momentem usłyszała, za chwilę przybrała bardziej dosłowną i bezpośrednią formę. W końcu oderwał wzrok od zmieniającego się widoku przed samochodową szybą. Zerknął na nią.

– A jakbyś chciała?

– Na razie usłyszałam, że mnie nie kochasz.

– To się chyba nazywa: „wyjąć z kontekstu" – zażartował Maks.

– To się raczej nazywa: „unikać odpowiedzi".

– Kocham cię. Przecież wiesz... – Przypieczętował swe słowa spojrzeniem, od którego zakręciło jej się w głowie.

– Ale przecież dobrych wiadomości nigdy dosyć.

– To może też zrewanżujesz mi się jakąś dobrą wiadomością...

W jego głosie usłyszała cierpliwe oczekiwanie.

– Mogę się zrewanżować, ale chyba będę w tej chwili mało oryginalna – uprzedziła, ponieważ już podejrzewała, że jak wróci z Amsterdamu, dobra wieść może przybrać bardziej oryginalne brzmienie i pełniejszy przekaz.

– Możesz być nieoryginalna. Najważniejsze, żebyś była szczera. – Tym razem zabrzmiał bardzo poważnie.

– Też cię kocham – wyznała.

Zrobiła to w chwili, gdy Maks zaparkował samochód całkiem niedaleko od wejścia do szpitala.

– To najlepsza wiadomość, jaką usłyszałem do tej pory w moim życiu – powiedział i zaczął ją całować.

Robił to tak, że wiedziała, iż chciał, by to był ich najlepszy pocałunek do tej pory. Udawało mu się to. Chwila przedłużała się. W pewnym momencie jednak musiała zrezygnować z jego ust. Uczyniła to z niechęcią, ale potrzebowała powietrza. I to natychmiast.

– Wszystko dobrze? – zapytał, był zdyszany, też zabrakło mu tchu.

– Lepiej niż dobrze – odparła, natychmiast łapiąc oddech.

Niezwłocznie otworzyła drzwi samochodu. Wciąż potrzebowała tlenu i głębokich oddechów.

– Jesteś pewna? – Znów stał się podejrzliwy.

Zupełnie jej to nie zdziwiło. Od kilku dni sama miała wobec siebie podejrzenia. Bywała to niepewna, to radosna. I tak w kółko. Na szczęście nie musiała już brnąć w temat, ponieważ przed szpitalnymi drzwiami nagle pojawili się Wojtek i Bekhir.

– Są – poinformowała szybko.

Wpatrywała się w przyjaciela, który oparł się o metalową barierkę przy wejściu i spuścił głowę.

– Idę do niego. – Czuła, że potrzebował natychmiastowej pomocy.

– Poczekaj, daj mu chwilę. – Maks przytrzymał jej dłoń.

Posłuchała. Została w samochodzie i zdenerwowana obserwowała wydarzenia. Wojtek wciąż wciskał się w metal barierki. Miał mocno schyloną głowę. Wzrok wbijał w ziemię. Znała go, wiedziała, co się z nim teraz dzieje. Z daleka widziała, że targały nim sprzeczne uczucia.

– Boże... Mam nadzieję, że nie umarł... – szepnęła z przestrachem.

Nie odrywała oczu od pleców przyjaciela. Wojtek był od nich odwrócony. Bekhir stał naprzeciwko i cały czas coś do niego mówił. Na szczęście jego twarz oświetlały przyszpitalne lampy. Widziała spokojne oblicze. Wiedziała też, że jego słowa były kojące. Przecież był przeciwieństwem Wojtka. Był zawsze spokojny i zrównoważony. Zachowywał się tak, jakby nigdy nie tracił nad sobą kontroli. Wojtek natomiast był emocjonalnym wulkanem. Im więcej kłębiło się w nim emocji, tym bardziej przybliżał się moment ich erupcji. Jednak w tej chwili zachowywał się nietypowo. Był inny niż zwykle. Przeraziła się tą innością przyjaciela. W końcu podniósł głowę i zaczął obserwować Bekhira. Od dłuższego czasu robił to samo. Optymistyczny w tym wszystkim wydawał jej się fakt, że przyjaciel Maksa potrafił zachować zimną krew nawet w trudnych chwilach. Miała pewność, że słowa, które kierował w tej chwili do Wojtka, z pewnością były krzepiące i dodające otuchy. Ten chyba nie spuszczał z niego wzroku. Wciąż słuchał. Obserwowała tę scenę i zaczynała wierzyć, że nie stało się najgorsze. Nagle Bekhir zamilkł. Już mówił Wojtek. Wlepiała wzrok w jego plecy i już wiedziała, że to, o czym mówił, było dla niego bolesne. Ruch jego ciała doskonale oddawał emocje nim targające. Była pewna, że głos przyjaciela był teraz podniesiony. Błogosławiła w myślach Bekhira, gdyż wciąż mogła obserwować na jego twarzy spokój przeplatający się ze zrozumieniem.

Maks oplótł jej dłoń swoją.

– Widzisz... Mówiłem... – szepnął.

– Ale on jest super – szepnęła, nie potrafiąc oderwać wzroku od dwóch mężczyzn.

Wciąż wodziła wzrokiem pomiędzy drżącymi plecami Wojtka a spokojną i skupioną twarzą Bekhira. W pewnym momencie jej przyjaciel przestał drgać. Z pewnością zamilkł. O ile go znała, na pewno powiedział wszystko, co miał do powiedzenia. Jak zwykle pozbył się balastu słów, a także złych emocji, i teraz był bardzo zmęczony. Wyobrażała sobie w tej chwili jego wzrok. Modliła się w duchu, żeby nie był załamany. Patrzyła w nerwowym oczekiwaniu. Nie musiała długo czekać, by coś się wydarzyło, ale to, co się stało, przerosło jej najśmielsze oczekiwania i wyobraźnię. Bekhir podszedł do Wojtka i go przytulił. Po prostu. Ale zrobił to w bardzo szczególny sposób. To nie był gest kojarzący jej się z męską solidarnością. To, co robił, sposób, w jaki go obejmował... To wyglądało na najczystszą formę czułości. Wojtek utonął w ramionach Bekhira. Co więcej, odnalazł się w jego objęciach tak, jakby zostały stworzone właśnie dla niego. Powoli otwierały jej się oczy na to, czego była świadkiem, ale wciąż nie mogła uwierzyć w to, co widziała.

– Wiedziałeś? – zapytała Maksa, wpatrując się w subtelną czułość między obejmującymi się mężczyznami.

– O czym? – zapytał.

– O tym. – Spojrzała na niego wymownie.

Dopiero to, co usłyszał z jej ust, otworzyło mu oczy. Nie musiał odpowiadać. Zaskoczenie na jego twarzy było najpełniejszą odpowiedzią. Gdy wróciła wzrokiem do miejsca, gdzie przed chwilą obejmowali się mężczyźni, wszystko stało się jasne. Bekhir całował Wojtka. A może to Wojtek całował Bekhira? Teraz nie było ważne, który z nich zaczął. Pierwszy raz w życiu widziała taki pocałunek. Męski. Od razu przypomniała sobie napięcie, jakie pojawiało się między nimi podczas ich wcześniejszych spotkań. Nie domyśliła się jego prawdziwego źródła. Podejrzewała, że mężczyźni też nie potrafili odczytać go odpowiednio. Jednak nie mogła mieć pewności.

– To co robimy? – zapytał Maks.

Wiedziała, że był w szoku. Czuła, że nie mógł uwierzyć w to, co zobaczył.

– Chyba nic tu po nas – szepnęła cicho, jakby bojąc się, że znów rozmawiający ze sobą mężczyźni mogliby ją usłyszeć.

– Jedziemy do mnie? – zaproponował.

– Proszę – odpowiedziała z uśmiechem.

– Wiem, że ciebie to nie dziwi, ale ja…

Wiedziała, że nie miał pojęcia, co powiedzieć. Jak skomentować to, co zobaczył.

– Miłość to miłość. Pamiętaj o tym, proszę... Nigdy o tym nie zapominaj... – stwierdziła, mając w sobie mnóstwo zrozumienia dla tych uczuć, które mogła obserwować dziś z oddali.

„Miłość to miłość", powtórzyła już w myślach w pełni świadoma, że Maksowi zrozumienie tego, co dziś zobaczył, może zająć dużo czasu. Jednak wiedziała, że to pojmie. Rozumiał wiele, chociaż nie miał w zwyczaju omawiać tego na tysiące sposobów. Był dla niej dobry, opiekuńczy i pomocny. Zachowywał się tak, ponieważ chciał, by zapomniała o wszystkim, co zafundował jej w życiu Robert. Nie mówił o tym. Wcale o tym nie rozmawiali, a ona i tak wiedziała, że tym razem oddała się w ręce człowieka o dobrym sercu i że należała do dobrego serca. Zresztą takie oddanie nie było przecież trudne. Z Maksem u boku wszystko wydawało się łatwe. Nawet życie doprawione mdłościami stawało się piękne.

– Jestem w szoku – przyznał się Maks.

– Nie bój się, to przejdzie.

– Mam nadzieję.

Słysząc ton jego głosu, uśmiechnęła się do siebie, ponieważ Babcia nauczyła ją, że „każda, nawet najmniejsza iskierka nadziei jest ogromnym powodem do radości".

Amsterdam jak zwykle przywitał ją byle jaką pogodą. Za każdym razem, gdy odwiedzała to miasto, dziwiła się temu, kto wpadł na pomysł żeby nazwać je Wenecją Północy. Cóż z tego, że chyba aż sto sześćdziesiąt kanałów dzieliło Amsterdam na liczne wyspy, skoro atmosfery panującej w obu miastach żadnym wysiłkiem nie dało się porównać.

Wenecję, tę prawdziwą, zapamiętała z jednej z pierwszych podróży z Robertem. To były piękne czasy. Początek ich znajomości. Dzieje, o których może nawet nie chciała zapomnieć. Mimo wszystko. Kamuflaż Roberta był wtedy doskonały. Zatem znalazła się w Wenecji z mężczyzną zakochanym w niej do szaleństwa. Pamiętała włoskie słońce. Leniwe, miłosne poranki. Śniadania jedzone na placu Świętego Marka otoczonym maleńkimi sklepikami z piękną złotą biżuterią. Robert, gdyby mu na to pozwoliła, kupiłby jej wszystko, na co raczyła spojrzeć. Zgodziła się wtedy jedynie na małą zawieszkę na cieniutkim łańcuszku. Piękną, w kształcie weneckiej maski. Jednak nie należała do kobiet wyznających zasadę: „mężczyźni odchodzą, biżuteria zostaje". Może dlatego, że to ona go zostawiła. Odchodząc, nie potrzebowała niczego poza wolnością. Rozstając się z mężem, chciała zachować tylko i wyłącznie swą godność. Zostawiła wszystko, co mogłoby przypominać jej o życiu, o którym chciała ze wszystkich sił zapomnieć. Tylko wspomnień nie udało jej się porzucić. Musiała targać je ze sobą. Ale takie jak te nie były do końca bolesne, więc nie mogły mieć dużego wpływu na jej samopoczucie.

Teraz była zmęczona po podróży. Mdłości nie ustawały, co więcej, obserwowanie śmigających po mieście rowerów sprawiało, że dolegliwości się nasilały. Tato chciał odebrać ją z lotniska, ale nie pozwoliła mu na to, wiedząc, że takie rozwiązanie skomplikowałoby jego pracę. Do mieszkania, w którym mieszkali z Lili, z lotniska nie było daleko. Jechała więc teraz przeludnionym tramwajem. Nie było jeszcze późno, warszawiacy o tej porze jeszcze pracowali, jednak mieszkańcy Amsterdamu chyba wracali już po pracy do swych domów bez firan. Holendrzy byli dość głośni albo to ona była wyczulona na hałas, zwłaszcza że język niderlandzki nigdy nie potrafił pieścić jej uszu. W głowie, podobnie jak w żołądku, miała mnóstwo niezbyt przyjemnych zawirowań. Martwiła się Dziadkiem, ponieważ zostawiła go trochę zaziębionego. Co prawda zaopatrzyła go w niezbędne leki, w górę łatwego w przygotowaniu jedzenia i w jeszcze więcej wytycznych. Wyjeżdżając, prosiła, by się dobrze odżywiał, by odpoczywał, żeby jadł ugotowany przez nią rosół przed najbliższe trzy dni na obiad i najlepiej jeszcze przed zaśnięciem. Nie lubiła wyjeżdżać i zostawiać go samego. Zwłaszcza wtedy gdy Wojtka też nie było w Warszawie, a tak akurat stało się tym razem.

Wciąż wracała myślami do zbliżenia, do którego doszło między jej przyjacielem a Bekhirem. Jednak w tej szczególnej sprawie musiała wykazać się cierpliwością, dyskrecją, a przede wszystkim taktem. Nie miała zamiaru przyznawać się Wojtkowi, że widzieli z Maksem scenę, która wydarzyła się przed szpitalem. Musiała poczekać na wieści od przyjaciela. Miała ogromną nadzieję na to, że będą to dobre wiadomości, dotyczące obu mężczyzn, których bardzo lubiła. Bekhira co prawda nie znała długo, ale już udało mu się zaskarbić jej wielką sympatię. W dodatku od Maksa słyszała o nim tylko dobre rzeczy. Poza tym wiedziała doskonale, że ktoś zasługujący na przyjaźń jej ukochanego z pewnością jest wyjątkowo dobrym człowiekiem. Sama już po kilku spotkaniach z Bekhirem wyrobiła sobie o nim szczególnie dobrą opinię. Był bardzo kulturalny, oszczędny w słowach, ale nie mający z milczkiem nic wspólnego. Odzywał się wtedy, gdy zaistniała taka potrzeba, i robił to w bardzo taktowny sposób. Była pewna, iż to, że w dzieciństwie miewał problemy z powodu swego złotawego koloru skóry, a także z uwagi na miejsce swego urodzenia, ukształtowało w nim poczucie tolerancji wobec każdego. Nawet wobec tych ludzi, którzy zajadali się pysznościami w jego restauracji, udając, że lokal nie ma szefa. Osobiście nie wyobrażała sobie, że można patrzeć na człowieka przez inny pryzmat niż jego osobowość, charakter i serce. Mierzyła świat i jego mieszkańców swoją miarą. I nie miała zamiaru zmieniać tego podejścia, ponieważ wciąż chciała żyć i obracać się w realiach, które wytłumaczyli jej i których nauczyli ją jej najbliżsi. Bekhir był przyjacielem Maksa i jeżeli teraz jeszcze okazało się, że to dzięki niemu Wojtek mógłby zacząć odnajdywać się w skomplikowanym do tej pory gąszczu własnych uczuć, to złożyłoby się po prostu idealnie. Byłaby przeszczęśliwa, gdyby tak się stało. Uśmiechnęła się na samą myśl o miłości, która miała szansę rozwijać się na jej oczach. Albo nawet już zaczęła się rozwijać…

Z uśmiechem wysiadła z zatłoczonego tramwaju i już z daleka dostrzegła okna w wąziutkim domu swego Taty. Padająca w tej chwili na jej twarz mżawka była dużo przyjemniejsza od ulewnego deszczu, który zmoczył jej ubrania, gdy opuściła budynek lotniska.

Nacisnęła dzwonek u progu czarnego domku z białymi koronkami wokół wszystkich framug okien i drzwi. Otworzono jej natychmiast. W wejściu stał Tato, którego miało jeszcze nie być. Wyglądał dla niej tak samo od wielu lat. Właśnie dziś miał kolejne urodziny. Nie wyglądał na swoje lata. Wiedziała, że to małżeństwo z Lili wpływało na niego odmładzająco. Z nią u boku mógł z pewnością spoglądać na swoje życie z optymistycznej perspektywy. Mógł znów radować się z tego, co ma, a nie rozpamiętywać, co stracił. Poza tym cieszyła się, że różnica wieku między młodą żoną a Tatą nie była jakaś kolosalna. Od Babci dowiedziała się, że sama urodziła się jako owoc szalonej i młodzieńczej miłości. Przyszła na świat, gdy Mama była świeżo upieczoną maturzystką, a Tato studentem czwartego roku architektury.

– Cześć, córeczko!

Poczuła na sobie serdecznie witające ją ramiona Taty i to wystarczyło, by od razu poczuła się lepiej. W jego objęciu świat zawsze wydawał jej się miejscem nad wyraz przyjaznym i bezpiecznym. Z ojcowskiego uścisku nie wiadomo kiedy przedostała się do pachnących ramion Lili, której szyk i elegancję podziwiała, odkąd ujrzały się po raz pierwszy.

Bardzo do siebie pasowali. Lili była śliczna i doskonale prezentowała się przy wysokim, szczupłym i interesująco szpakowatym, zawsze lekko uśmiechniętym mężczyźnie w sile wieku. Akurat teraz Tato cieszył się chyba bardziej niż zwykle. Z dzieciństwa pamiętała, że ten rzadko znikający uśmiech był najlepszą odtrutką na wszystkie chcące ją zniszczyć życiowe trucizny. Nic dziwnego, że przez chwilę zapomniała o mdłościach. Pierwszy raz od kilku dni. Nawet poczuła się trochę głodna.

– Jak minęła ci podróż? – zapytał Tato.

– Dobrze – odpowiedziała, wodząc wzrokiem między ojcem a jego młodą żoną.

Od razu zauważyła, że Lili była dziś inna niż zazwyczaj. Milcząca i jakby nieobecna. Miała smutne oczy. Wyglądały tak, jakby najdalej wczoraj wypłakały ostatnie swe łzy.

– Zmizerniałaś – zauważył Tato.

– Nie – zaprzeczyła bez przekonania.

Lili objęła wzrokiem wszystko, co było na stole, i bardzo miłym głosem zaprosiła do jedzenia.

– Bardzo proszę, zaczynajmy już jeść, bo nam wszystko wystygnie, jeżeli jak zwykle rozgadamy się za wcześnie. Saro, bardzo proszę. – Podała jej półmisek. – Skoro Michał uważa, że zmizerniałaś, to będę musiała cię przez te kilka dni nieco podkarmić.

Zerknęła na Tatę i od razu zauważyła, jak bardzo ucieszył go widok radosnej żony.

– Tylko uprzedzam, że mamy jeszcze tort. – Uśmiech Lili stawał się coraz wyraźniejszy, a dzięki niemu atmosfera przy stole jeszcze cieplejsza i serdeczniejsza.

– O Boże! Prezent! – Pacnęła się lekko dłonią w czoło. – Jak mogłam zapomnieć?!

– O nie! Nie ma wstawania od stołu! – Tato od razu udaremnił jej pomysł pójścia do pokoju gościnnego po niespodziankę. – Poza tym to ty jesteś moim największym prezentem urodzinowym.

Z oczu Lili natychmiast popłynęły łzy. Sara zupełnie nie wiedziała, jak się zachować. Tato chyba też nie. Patrzyła z powagą na siedzącą naprzeciwko niej kobietę i zrobiło jej się tak bardzo żal, że była gotowa wstać od stołu tylko po to, by ją mocno przytulić. Nie musiała tego robić. Wyprzedził ją Tato. Już przytulał żonę, a raczej chował ją w swoich ramionach i bez skrępowania szeptał słowa niosące ze sobą ogromny ładunek zrozumienia, otuchy i pokrzepienia. To były piękne zdania. Wzruszyły ją do łez.

– Nie płacz, kochanie... Wszystko będzie dobrze... Uda się... Następnym razem... Tylko bądź spokojna... Zobaczysz... Uda się...

Patrzyła na sklejoną w uścisku parę i nie mogła oderwać od niej wzroku. Już nie musiała się zastanawiać. Wszystko wiedziała. Znała podłoże smutku zwykle radosnej Lili. Milczała. Nie chciała się odzywać. Zresztą nie wiedziała, co mogłaby powiedzieć w takiej sytuacji. Wiedziała natomiast, że jej milczenie będzie teraz najlepszą formą okazania empatii.

Wróciła do jedzenia makaronowej zapiekanki z warzywami, zwłaszcza że bardzo jej smakowała. Cieszyła się, że w końcu udało jej się poczuć przyjemność z jedzenia, do czego pierwszy raz od kilkunastu dni nie musiała się zmuszać.

Po dłuższej chwili Tacie udało się uspokoić Lili, która spojrzała na nią wciąż mokrymi od łez oczami i przeprosiła za swoje zachowanie.

– Chyba żartujesz? Jeżeli ci pomaga, płacz. Mną się nie przejmuj. Wiem, że czasami trzeba się wyryczeć i tyle. Skoro dzisiaj ronisz łzy, to oznacza, że jutro będzie lepiej. Gorzej byłoby, gdybyś nawet na płacz nie miała już siły. A zapiekanka wyśmienita – dodała szczerze, by choć trochę odwrócić uwagę Lili od powodu rozżalenia.

– Wiem, wiem... Muszę się uspokoić. Lekarz też mi to powtarza, ale myślałam, że to już... Szesnaście dni spóźnienia... Cieszyłam się, że to już...

Sara wpatrywała się w Lili i bardzo doceniała jej bezpośredniość, choć miała wrażenie, że ojciec trochę się zawstydził. Może dlatego, że przecież w końcu była jego dzieckiem. Chcąc okazać zrozumienie, a także swą otwartość, postanowiła podzielić się rewelacją zasłyszaną przez przypadek w jakimś programie telewizyjnym.

– Słyszałam, że w takich sytuacjach dobrze robi zmiana klimatu. Zwłaszcza z zimniejszego na bardzo ciepły. W waszym przypadku to przecież wskazane. – Wymownie zerknęła za okno, za którym lało jak z cebra.

Lili zerknęła za szybę, a uśmiech powoli wracał na jej twarz. To dlatego Sara postanowiła kontynuować relaksacyjny temat. Może nie byłaby zbyt dobrym psychologiem, ale Wojtek zawsze jej powtarzał, że pocieszycielką była profesjonalną.

– Zaplanujcie sobie jakąś romantyczną podróż. Tylko plaża, chatka z trawy, tubylcy przynoszący dobre jedzenie, koniecznie afrodyzjaki. – Zauważyła spojrzenie Taty, dlatego dodała szybko: – Spokojnie... Spokojnie... To żaden przytyk. Zostańcie tam przez przynajmniej trzy tygodnie i myślę, że biorąc pod uwagę naturę, i tę kobiecą, i tę, która was będzie otaczać, to nie ma siły, by w takim raju nie spełniło się marzenie. Gdzie jak nie tam? – Uśmiechnęła się pod nosem, wiedząc, że gdy Maks był przy niej, to żadne okoliczności przyrody nic nie znaczyły. Na talerzu miała jeszcze odrobinę zapiekanki, ale wiedziała, że skoro powinna przynajmniej spróbować tortu, to nie może już zjeść ani jednego kęsa. Odłożyła zatem sztućce, co oczywiście nie umknęło uwadze Lili.

– Nie smakowało ci? – zapytała zmartwionym głosem.

– Wprost przeciwnie, przecież już mówiłam – odrzekła. – Ale jeśli skończę danie, to tortu już nie zmieszczę, a bardzo bym chciała.

Spojrzała na ojca. Była do niego trochę podobna. Miała jego usta, podbródek, chyba kształt brwi. Resztę twarzy odziedziczyła po Mamie i Babci.

– W takim razie idę po tort. – Lili zniknęła na moment.

– Dziękuję ci – szepnął Tato. – Jak to dobrze, że przyjechałaś. Dzięki tobie trochę się uspokoiła, bo od przedwczoraj prawie cały czas płakała, a ja w takich momentach jestem po prostu bezradny.

– To ja dziękuję, że mogłam przyjechać – powiedziała szczerze i dodała szybko: – A z tą wycieczką to nie żartowałam...

– Wiem.

W wejściu do jadalni pojawiła się Lili z tortem, na którym płonęła mała urodzinowa świeczka w kształcie samolotu.

– Sto lat! Sto lat! – To dla Taty zaintonowała piosenkę, za którą nie przepadała, ale tekst doskonale odpowiadał potrzebie chwili.

Lili przyłączyła się do niej natychmiast. Z przyjemnością patrzyła, jak żona ojca zerkała w jego stronę. Z łatwością dostrzegała, jak napięcie zmniejsza się z każdym następnym wyśpiewanym słowem. Tata też to widział. Poczuła, że naprawdę dobrze się stało, iż pojawiła się dziś w tym miejscu, które ze smutnego powoli zamieniało się w radosne.

Gdy już odśpiewały urodzinowy hymn, a Tato przed zdmuchnięciem samolotowej świeczki pomyślał życzenie, patrząc oczywiście na Lili, wszyscy dostali po kawałku tortu. Mogła spróbować go pierwsza, ponieważ Lili to jej na początku dała słodki trójkąt zwieńczony apetycznie wyglądającą truskawką, mówiąc: „dzieci pierwsze".

– Nie mam zamiaru się kłócić – odparła radośnie.

Jednak poczekała, aż każdy miał przed sobą apetyczny deser. Zaczęli jeść. Zafundowała sobie kęs złożony przede wszystkim z truskawki udekorowanej bitą śmietaną. Smak sprawił, że miała ochotę natychmiast wypluć to, co miała w ustach, ale nie mogła sobie pozwolić na takie zachowanie. Przełknęła więc z odrazą.

– Pyszny! – skłamała gładko.

Idąc za ciosem, wbiła deserowy widelczyk w kolejny, tym razem maleńki kęs, ciesząc się, że Tata zaczął wypytywać ją o Dziadka. Mogła zatem zająć się przede wszystkim rozmową, a nie kęsem rosnącym jej w ustach.

– Mam nadzieję, że będzie o siebie dbał, bo zostawiłam go zakatarzonego.

Rozległ się dźwięk telefonu.

Lili natychmiast podniosła się od stołu.

– To na pewno moja mama, wybaczcie, ale zostawię was na chwilę…

– Oczywiście, kochanie… – odezwał się jej mąż.

Gdy Lili zniknęła w czeluściach mieszkania, Tata patrzył już tylko na nią. Chyba czytając jej w myślach, zaproponował dokładnie to, co przemknęło jej przez głowę przed momentem.

– Zamieńmy się talerzami – stwierdził z uśmiechem. – Bo widzę, że ta twoja ochota na tort jest mocno udawana.

– Dzięki – odparła z ulgą.

Gdy zobaczyła przed sobą pusty talerzyk, poczuła się tak, jakby sama zjadła przed chwilą całą porcję. Musiała szybko wziąć kilka głębszych oddechów.

– Dobrze się czujesz? – zapytał Tata.

Zawsze był bardzo czujny. Poza tym wiedział, że zwykle raczej pałała wielką miłością do słodyczy.

– Właśnie nie za bardzo – przyznała się.

– Co się dzieje?

Tato był zmartwiony. Spoważniał, nawet trochę zbladł. Ta bladość sprawiła, iż musiała powiedzieć prawdę. Powinna się przyznać nie tylko przed Tatą, ale też przed sobą.

– Mdli mnie. Prawie bez przerwy.

– Co to znaczy bez przerwy?

Miała przed sobą jego oczy, w których troska i czujność toczyły ze sobą bój.

– Już drugi tydzień.

– Czyżbyś chciała mi powiedzieć, że najpierw zostanę dziadkiem, a dopiero później ojcem po raz drugi?

Pytanie Taty bardzo jej się spodobało. Uśmiechnęła się do niego, zastanawiając się, jak mogłaby najtaktowniej odpowiedzieć. Oczywiście nic mądrego nie przychodziło jej na myśl.

– No tak... – zaczął, nie spuszczając jej z oczu. – Dziadek opowiadał mi, jak bardzo zaangażowałaś się w związek z tym bohatersko uratowanym policjantem, ale do głowy by mi nie przyszło, że to aż taka poważna relacja...

Widziała wyczekujące spojrzenie Taty.

– Bardzo – potwierdziła po chwili. – Tak poważna, że nie wyobrażam sobie już życia bez niego.

– Ale przecież znacie się tak krótko…

W oczach Taty dostrzegała troskę. Wiedziała, że miał powody, by się o nią martwić. Oboje pamiętali, że już raz za szybko zdecydowała się na życie z mężczyzną. Z kimś nieodpowiednim. Widocznie Tato bał się, że tym razem może stać się podobnie.

– To już prawie pięć miesięcy.

– Wiem, kochanie, ale to nie czas jest najważniejszym kryterium. Czy ty jesteś gotowa…?

– Mnie to też zaskoczyło – weszła mu w słowo. – Tato, ja się zakochałam. Myślałam, że po Robercie już na zawsze zostanę sama i nie będę potrafiła już nigdy zaufać i zbliżyć się do kogoś. A tu proszę… Pojawił się Maks i wszystko się zmieniło. Nie potrafiłam go sobie odmówić, bo gdybym to zrobiła, oznaczałoby to, że były mąż wciąż psuje moje życie. Ja już nie chcę, by miał na mnie wpływ. Robert to przeszłość, a Maks to teraźniejszość. Wierzę też w to, że mój ukochany jest moją przyszłością. Tato, ja naprawdę wierzę w dobrą przyszłość z nim. Jednak nauczona doświadczeniem skupiam się na tym, co teraz. A z Maksem każdy dzień jest boski… Uwierz mi…

Tata spoglądał na nią uważnie. Z oddali od czasu do czasu dobiegał ledwo słyszalny głos Lili.

– Rozumiem, że opowiedziałaś mu o tym, co przeżyłaś z Robertem…

– Trochę tak… A trochę nie musiałam…

– Powinnaś… – zasugerował Tata, delikatnie wchodząc jej w słowo.

– Tak, ale Maks przecież jest policjantem… Tato… On dowiedział się wszystkiego na własną rękę. Tak naprawdę to nawet nie wiem, na ile z osobistej ciekawości, a na ile z poczucia zawodowego obowiązku. Przez jakiś czas po zajściu… byłam obserwowana przez policję.

– Co? – tym razem oczy Taty nabrały przerażonego wyrazu.

– Spokojnie…

– Coś ci groziło?

– Nie. To było tak tylko na wszelki wypadek. No wiesz… Takie rutynowe działanie – tłumaczyła szybko.

– To dlaczego nic mi nie powiedzieliście? – zapytał z wyrzutem. – Przecież przyjechałbym…

– Tato, ale to naprawdę nie było konieczne. Zresztą o tej obserwacji sama też dowiedziałam się nie od razu, tylko po dłuższym czasie. Ale wracając do tematu… Maks, zbliżając się do mnie, wystarczająco dużo o mnie wiedział. O mnie i Robercie.

– Teraz to ja wrócę do tematu. Chcesz mi powiedzieć, że jesteś w ciąży?

– Jest to możliwe – odparła z dumą.

– Co jest możliwe? – zapytała Lili, wróciwszy do jadalni.

– Wszystko jest możliwe – odpowiedział bardzo optymistycznym tonem Tata.

Sara widziała jego spojrzenie, mówiące jej teraz, że to nie koniec rozmowy i jeszcze wrócą do tematu.

Uśmiechnęła się do zerkającej w jej kierunku Lili. Później tym samym uśmiechem podzieliła się z Tatą. Miała w sobie radość z tego, że jeśli mogła spodziewać się dziecka Maksa, to oznaczało, że życie, które chciała jakiś czas temu pogrzebać przez Roberta, otwierało przed nią inną drogę. Tak w sumie odnalazła tę drogę sama. To znaczy nie sama. Odnalazła nową ścieżkę dzięki ukochanemu. Również dzięki temu, że w pewnej chwili nie wystraszyła się śladów krwi na śniegu, tylko zareagowała tak, jak należało. „Karma wraca" – pomyślała, głęboko wierząc w słowa przytaczane często przez Wojtka. To zdanie zawierało w sobie prawdę. Pomogła Maksowi w powrocie do życia, Maks pomagał jej właśnie w tym samym. Znów chciała uczestniczyć w życiu, które już raz przekreśliła, a które może właśnie już teraz upominało się o uwagę biciem mikroskopijnego serduszka.

– O, jak ładnie zjadłaś! – Lili szczerze ucieszyła się na widok jej pustego talerzyka, proponując od razu kolejny kawałek tortu.

– O, nie! Kategorycznie odmawiam! – Bała się mdłości, które na samą jej myśl o czymś słodkim znów się pojawiły.

Był u mnie dziś Maks. Wpadł oczywiście jak po ogień. Szybko, jeszcze szybciej. Gdy wyszedł, pomyślałam: „Gdzie te czasy, kiedy to ja wszystko prędko robić musiałam?". Gdy dzieci były małe, to nawet do głowy mi nie przyszło, żeby się nad czasem zastanawiać. A teraz wszystko się zmieniło. Jest całkiem inaczej. Wsłuchuję się w zegar, który w kuchni tyka. Niby niezmiennie od wielu lat. Przecież nie przyspiesza i nie zwalnia, a ja i tak mam wrażenie, że czas się jednak z nami, ludźmi, trochę bawi... Wczoraj Kwietniowa mnie na pogrzeb wyciągnęła. Sąsiadce z bloku obok się zmarło. Nigdy nie znałam jej jakoś dobrze. Kojarzyłam tylko. Na spacerach się spotykałyśmy. Nasze psy też. I już pani z ratlerkiem na spacerki chodzić nie będzie. Na co zmarła? Nie wiadomo. Nawet Kwietniowa tego nie wie. Ja oczywiście wcale nie chciałam iść jej żegnać. Nie lubię pogrzebów. Zresztą kto lubi? Może grabarz? Pewnie nie. Przecież każdy chce żyć, grabarz też. Ale Kwietniowa tym swoim gadaniem nawet nieboszczyka przekonać by do niejednego zdołała.

Jak ona już zacznie te wszystkie swoje mądrości wygadywać, to lepiej zawczasu się z nią zgodzić, bo jakby człowiek chciał ją do swego zdania przekonać, to jakby chciał wiślany nurt wątłym kijaszkiem zawracać. „Jak to, pani nie pójdzie?!" – tak na mnie Kwietniowa głos podniosła, kiedy poinformowałam ją, że wyjścia na cmentarz nie planuję. „Przecież z naszej półki już biorą, to ja nie wyobrażam sobie, żeby nie pójść, nie pożegnać i choćby jednej zdrowaśki za duszę zmarłej nad jej grobem nie odmówić". Cóż było robić? Poszłam za nią krok w krok i taka mnie jakaś żałość nad grobem opanowała, że się tak napłakałam, aż zła na siebie byłam. Po prostu jakoś tak na tym cmentarzu wszyscy moi, których już nie ma, znów mi się w pamięci pojawili. Mama, której tylko oczy pamiętam. Czarne, uśmiechnięte, chwilami odległe, a czasem bliskie bardzo. Siostrę Józefę też przed sobą oczywiście zobaczyłam. Uśmiechniętą i taką bliską. Że tylko rękę wyciągnij, a już miękkiego, pachnącego kościołem habitu dotkniesz. No i Włodek... Tego też zobaczyłam i to dopiero spotkanie było. Popatrzył na mnie tymi swoimi głębokimi oczami. Patrzył i prosił o wybaczenie wszystkiego, co między nami złe było. On zawsze taki był. Więcej oczami do mnie mówił niż ustami. Ale tymi oczami przemawiać do mnie potrafił tylko do pewnego czasu. Potem poplątało nam się życie. To znaczy

Włodek je pogmatwał. Oczywiście nie sam. Pomocnicę miał. Jak się patrzy. Ładną, mądrą, kształcącą się... Teraz już mnie nie dziwi, że głowę dla niej stracił. Na moment. Mówił, że na krótki, ale co z tego? Tak się składa, że wystarczy jedna krótka chwila, żeby dobre i długie wspólne życie zepsuć. I właśnie wczoraj zobaczyłam przed sobą wzrok Włodka, akurat wtedy, kiedy musiał się przede mną do tego złego przyznać. Był zmuszony to zrobić, bo nie miał innego wyjścia. Życie go do tego zmusiło, a mnie się świat wtedy zawalił. Teraz, po latach, patrzę na to wszystko inaczej. Nic mi się nie zawaliło, tylko musiałam się na nowo w rzeczywistości urządzić. To nie było łatwe. Przyszła zima. Tak sroga, że później już taka się chyba nie wydarzyła. Za oknem panował mróz trzaskający, a w sercu miałam tylko lód. Zamroził mi wtedy Włodek uczucia na długo. Patrzeć na niego nie mogłam. Nie chciałam widzieć tych jego przepraszających oczu. Łasił się do mnie jak bezpański pies, który liczy, że może akurat coś tym błagalnym wzrokiem załatwi. Ale ja wtedy na Włodka nawet zerknąć nie chciałam. Miłość do niego w jednej sekundzie z własnego serca wyplenitam. Z żalem i urazą. Ale innej możliwości wtedy nie miałam. Innej nie widziałam. I już nigdy między nami nie zakwitło uczucie jak przedtem. Widocznie czasami można wrócić w życiu do tego, co było, a innym razem, choćby się człowiek nawet bardzo starał, to koniec pieśni i tańca…

Zatem stałam na tym cmentarzu nad grobem nieznanej dobrze sąsiadki, a nie ją, tylko inne sprawy opłakiwałam. Kwietniowa patrzyła na mnie jak na jakieś dziwadło. Pewnie było trochę racji w tym spojrzeniu, jakim mnie co chwilę mierzyła. Przecież gdybym sama mogła na siebie z boku spojrzeć, to pewnie też bym była zdziwiona swym zachowaniem. No, po prostu nie do uwierzenia, ale taka mnie mimo tego wszystkiego, co mi w życiu mąż zafundował, tęsknota za nim wzięła, że wiele bym dała, by móc usłyszeć to jego: „Maryś…". Ale po tym wszystkim, co się stało, nie byłam już dla niego miła. Nie byłam nigdy. I teraz, na stare lata, bardzo mocno tego żałuję. Rychło w czas. Ale ubolewać przecież mogę. Myślę, że ten mój obecny żal jest jakby przebaczeniem. Wybaczeniem po latach. Wiem, że za późno się do tego zabrałam. Jednak przecież lepiej późno niż wcale. Tak naprawdę to mi się dziś wydaje, że ja Włodkowi wszystkie winy odpuściłam dość szybko. Taka już jestem, że urazy w sercu długo nosić nie potrafię. I może stałoby się całkiem inaczej, gdybym nie miała tej wielkiej miłości, którą żywiłam wcześniej do Włodka, na kogo innego przelać. Może inaczej wtedy ułożyłoby się dalej nasze życie. Ale ja to uczucie, tę gotowość do kochania oddałam mojemu przypadkowemu szczęściu. Trochę wymodlonemu. Oddałam czułość, której wtedy miałam nadmiar. I dobrze się stało, bo ona teraz do mnie wraca. Codziennie, w dodatku z nawiązką. Miłość ma to do siebie, że krąży po ludziach. Tu zajrzy na chwilę, a tam przysiądzie na dłużej. Gdzieniegdzie zostaje na zawsze. Ale żeby się zadomowiła na dobre, to starać się o nią trzeba. Troszczyć naprawdę. Przy miłosnym uczuciu nie ma mowy o udawaniu. Ono każde oszustwo pozna, fałszywą nutę w sercu wyśledzi. Miłość, chociaż jest cierpliwa, nie toleruje oszustwa. I ja, w parze z tym moim Włodkiem, to byłam trochę jak taka miłość. Oszukana, zraniona. Nie chciałam już kochać, ale kochałam. Całkiem inaczej niż wcześniej, ale darzyłam uczuciem. I dziś też tak robię. Całkiem inaczej niż kiedyś, ale kocham. I jutro też będę kochała. I cieszy mnie, że wciąż mam w sobie tę miłość, chociaż tego, którego mogłabym nią obdarować, już przy mnie nie ma. Czuję teraz i miłosne uniesienie, i żal. Żałuję, że w tamtych czasach, kiedy Włodek był przy mnie, zwlekałam, nie z miłością, ale z czułością. Niestety. Mijał czas, a ja odbudowywałam w sobie zdolność do kochania pomalutku. Teraz tylko żałuję, że potrzebowałam na to aż tyle czasu, że tak dużo chwil zmarnowałam. Gdybym wtedy miała ten rozum co teraz, gdybym posiadała tę uczuciową wiedzę, co mi dziś w głowie i w sercu przesiaduje, zachowałabym się całkiem inaczej. Wszystkie urazy bym do kieszeni schowała i pozwoliłabym się kochać na Włodka warunkach. Ale niestety cierń wtedy wbił się głęboko w moje serce. Nie mogłam go tak po prostu wyjąć, wyrwać, bo jak tylko go delikatnie dotykałam, rana od razu znów krwawiła. Tak więc Włodek mógł mnie kochać tylko na moich warunkach, a one nie były łatwe. W dodatku twarz musiał przy tym zachować, bo matką starałam się być najlepszą z możliwych. Dla Beatki i Maksa. Kochającą i oddaną. Jednakowo dzieci swą dobrocią karmiłam. Dawałam im tak wiele, że już nic mi nie zostawało. To pociechom oddałam swe serce zafastrygowane urazą. Włodek to widział i rozumiał, czemu jest tak, a nie inaczej. Nie akurat tak, jakby tego chciał. Ja nosiłam w sobie zadrę, a on winę, i to już do końca jego dni.

Ale wszystko minęło. A dzieci mamy wspaniałe. Inne całkiem od siebie, ale cudowne. Każde na swój sposób. A najważniejsze dla mnie jest to, że nauczyłam je miłości, bo potrafią kochać. Beatka za dużo krzyczy, za dużo pomstuje, ale miłuje swoją rodzinę nade wszystko, i to tak, jak żyje. Głośno i szalenie. A Maks? Ten to nie tylko kocha, ten nawet pachnie miłością. Jak dziś u mnie zajadał schabowego z ziemniakami i kapustą zasmażaną, bo przecież na normalne tempo jedzenia nie mógł sobie pozwolić, to wtedy mu się dokładnie przyjrzałam. Zobaczyłam, że mój synek, niedawno taki malutki, teraz już jest dojrzałym mężczyzną, który kocha na zabój. Ależ mnie ta obserwacja ucieszyła.

Dziękuję Ci, Panie, za te dzieci. I za tę miłość, która między nami krąży i coraz większe kręgi zatacza. Dziękuję Ci najpiękniej, jak potrafię. A Włodkowi przebaczam. I amen.

Stała w progu jasnej kuchni, opierając się o framugę drzwi. Obserwowała Tatę. On natomiast zatopił się w obserwacji tego, co się działo za oknem. W Amsterdamie budził się dzień. Było bardzo wcześnie. Wiedziała, na co patrzył w tej chwili. Znała ten widok. Rowerzyści pomykający we wszystkie strony. Spieszący się i poirytowani na cudzoziemców, którzy w większości nie zwracali uwagi na ścieżkę rowerową i wchodzili na nią, kiedy chcieli. Na kanale, również widocznym za kuchenną szybą, na pewno zaczął się już poranny ruch. W powietrzu czuła zapach kawy. Zwykle kojarzył jej się z przyjemnym leniwym porankiem, dziś wywoływał u niej pierwsze mdłości. Bardzo cieszyła się, że Tata nie musiał dziś iść do pracy. Cały dzień mogli spędzić w swoim towarzystwie. Co prawda wszystkie największe atrakcje turystyczne Amsterdamu już widziała. Lubiła odwiedzać dom Anny Frank, Muzeum Vincenta van Gogha czy Rijksmuseum. Jednak największym przeżyciem, z którym kojarzyło jej się miasto, zawsze było spotkanie z Tatą. Spacer do wielkiego napisu „amsterdam" i zrobienie sobie wspólnego zdjęcia po wcześniejszym zabawnym wkomponowaniu się w te jakby pomnikowe litery. Zresztą mieli kilka takich świeckich tradycji związanych z tym miastem. Lubiła też jeść pyszne gorące belgijskie frytki i popijać je naparem z liści mięty.

– Dzień dobry – radośnie przywitał ją ojciec.

– Dzień dobry.

Weszła do kuchni i usiadła przy bardzo wąskim stole.

– Kawa? – zaproponował Tato.

– Nie. Dziękuję.

– Ranek bez kawy?

Spojrzał na nią z uczuciem. Dostrzegała, że był zaniepokojony. Podszedł do niej i bardzo swobodnym gestem położył swą chłodną dłoń na jej ciepłym czole.

– Nie wygłupiaj się – poprosiła.

– Nie wygłupiam się, tylko martwię się o ciebie. Jesteś bardzo blada.

– Tato, daj spokój... Jestem blada, ale też już duża.

– Cóż poradzić, to silniejsze ode mnie.

– Mógłbyś uchylić okno? – poprosiła, gdyż poranne mdłości na jej nieszczęście się nasilały.

Od razu spełnił jej prośbę. Nie tylko uchylił, otworzył je na całą szerokość.

– Oddychaj głęboko.

– Proszę... Nie patrz tak na mnie... – Spojrzała na niego błagalnie.

– Oddychaj...

– Spokojnie, to za chwilę przejdzie. To przez ten zapach kawy.

– A ja myślę, że akurat kawa najmniej tu zawiniła. – Tata w końcu się uśmiechnął.

– Tak koszmarnie się czuję, że nie mam siły na to, by teraz szukać winnych. – Z trudem cedziła słowa.

– To przestań mówić, tylko nabierz powietrza.

Zamknęła oczy. Głowę oparła o ścianę, przy której mieścił się stół, i oddychała. Głęboko i spokojnie. Wyczyściła umysł. Starała się o niczym nie myśleć. Wdech, wydech. Już po chwili nadeszła ulga. Poczuła się lepiej. Co prawda nie doskonale ani nawet normalnie, ale dużo lepiej niż przed momentem. Podniosła głowę. Od razu natknęła się na badawcze spojrzenie Taty.

– Byłaś u lekarza? – zapytał konkretnie.

– Jeszcze nie, ale pójdę, jak tylko wrócę do Warszawy.

– Dlaczego do tej pory tego nie zrobiłaś?

– Tato, to świeża sprawa. Zresztą tak źle jak teraz jeszcze się nie czułam. – Trochę minęła się z prawdą.

– Może zrobisz test ciążowy? – zaproponował otwarcie, a ona poczuła, że chyba w ten sposób chciał zastąpić jej teraz Mamę.

– Pewnie powinnam… Kupię…

– Nie musisz. W naszym domu testów ciążowych jest więcej niż patyczków do czyszczenia uszu – stwierdził, nie odrywając od niej wzroku.

– Może jednak poczekam z tym do powrotu. Nie chciałabym sprawiać przykrości Lili. – Uderzyła w empatyczną strunę.

Chociaż podejrzewała, że zrobienie teraz testu ciążowego to formalność. Pomyślała o Maksie. Od razu się uśmiechnęła.

– Lili jest mądra. Jeśli okaże się, że jesteś w ciąży, na pewno bardzo się ucieszy.

– Jeszcze śpi?

– Tak. Pewnie nie wstanie szybko. Dwa dni płakała, tamtej nocy prawie w ogóle nie spała. Teraz musi to wszystko odespać, bo jutro idzie do pracy. Ale już jest lepiej...

– To dobrze, niech odpoczywa jak najdłużej.

– To co robimy? – zapytał i spoglądał na nią wyczekująco.

– A co proponujesz?

– Pójdę teraz do twojej łazienki i zostawię w niej test. A później wejdziesz do niej ty i mam nadzieję, że będziesz wiedziała, co robić.

Miała wrażenie, że Tato był jednak trochę zawstydzony sytuacją.

– Będę – odparła szybko.

Nie chciała wspominać okoliczności, kiedy miała ostatnio do czynienia z testem ciążowym. Robert nie chciał słyszeć o dzieciach. Był egoistą. Potomstwo i uczucia z nim związane nie pasowały do jego życia. Poza tym jedna ofiara wystarczała Robertowi, by zaspokajać swoje chore potrzeby. W ich małżeństwie nie nastąpił moment, w którym zapragnęła dziecka. Na początku znajomości co prawda o nim myślała. Przecież było dopełnieniem i miłości, i przyszłości. Po ślubie natomiast, gdy minął pewien czas, po którym w parach zaczyna pojawiać się temat latorośli, w ich związku wszystko zaczęło zmieniać się na gorsze. Nie wyobrażała sobie tego, by zafundować własnemu dziecku ojca tak nieprzewidywalnego jak Robert. A gdy pewnego razu okazało się, że musi zrobić sobie test ciążowy, pierwszy w swoim życiu, nikomu o tym nie powiedziała. Gdy czekała na wynik, było jej słabo ze zdenerwowania. Tamtą słabość pamiętała doskonale do dziś. Gdy okazało się, że test jest negatywny, to popłakała się z poczucia ulgi oraz samotności. Teraz pamiętała również swe myśli towarzyszące temu osamotnieniu. Na kilka dni przed wykonaniem testu była u fryzjera. Czekając na swą kolej, kartkowała kolorowe pisma kobiece. Plotki omijała, ponieważ informacje na temat ludzi znanych z tego, że są znani, nie interesowały jej wcale. Zaciekawił ją natomiast artykuł o wiele mówiącym tytule: *Kiedy zdobywają się na odejście?*. Zaczęła czytać i miała wrażenie, że autorka tegoż tekstu miała czelność podglądać jej życie, chociaż opisywała w nim losy trzech różnych kobiet. Dziennikarka zrobiła to tak sugestywnie, że czytając jej słowa, momentami miała irracjonalne wrażenie, jakby to ona sama była reporterką. Wszystkie uczucia i przeżycia stanowiące jej bardzo smutną codzienność zostały podane na kartach gazety jak na tacy. Bardzo realistycznie, prawdziwie, bez oszustwa i bez znieczulenia. Dopiero kiedy zagłębiła się w czytaną treść, dotarło do niej, że to nie jest opis jej życia. Ona jeszcze nie była, jak jego realne bohaterki, w najgorszej sytuacji. Mogło być gorzej, dużo gorzej. Jej luksus, nie bała się wtedy tak pomyśleć o swoim położeniu, polegał na tym, że nie miała z Robertem dzieci. To była prosta relacja. Jeden na jedną. Kobiety opisywane w artykule były matkami. To dzięki temu potrafiły uciec, a raczej wyrwać się z łańcucha przemocy psychicznej i fizycznej. Siłę do zmiany dawały im dzieci. Ale to nie wszystko. Warunkiem koniecznym do odejścia okazywało się to, że domowemu agresorowi w pewnym momencie przestawało wystarczać maltretowanie kobiety, żony, konkubiny. Gdy podnosił rękę na dzieci, kiedy zaczynał to robić, wtedy, dopiero wtedy ofiary odnajdowały w sobie determinację i gotowość do ucieczki. Wtedy, gdy przemoc dotykała nie tylko je. Tę raniącą je osobiście potrafiły znosić zawsze. Były na nią gotowe. Zawsze wzorowo przygotowane. Natomiast krzywda wobec dzieci zwykle, bo niestety nie zawsze, stawała się momentem przełomowym, paradoksalnie, dającym siłę. Do dziś nie mogła zapomnieć słów jednej z bohaterek artykułu: „Siebie pozwalałam zabijać co noc, ale gdy podniósł łapę na naszego małego synka, zrozumiałam, że większą tragedią będzie to, jeżeli zafunduję takie życie mojemu dziecku, niż to, że w tajemnicy z jedną małą walizką wyjdę z tego obozu pracy i upokorzenia, by poszukać dla nas spokojnego i darmowego lokum. Choćbym miała je znaleźć pod mostem".

– Wszystko gotowe. – Tata wszedł do kuchni. – Nie zmarzłaś? – zapytał, zamykając okno.

– Nie. Świeże powietrze czyni cuda.

Poszła do łazienki. Na umywalce leżało małe pudełko w różowym kolorze, którego największą ozdobą była uśmiechnięta twarz małego bobasa. Wiedziała, co robić. Otwierając opakowanie, myślała tylko o Maksie. O ich pierwszym spotkaniu, również o drugim. Przypominała sobie jego głos, gdy jej się przedstawiał. Uśmiechała się na myśl o ich pierwszym pocałunku nad Wisłą, który miał być zimny, a okazał się bardzo gorący. Poczuła teraz nawet ogromną tęsknotę, którą przeżywała, gdy ukochany, oddany bez reszty swej pracy przez dłuższy czas, nie dawał znaku życia. Pamiętała, jak bardzo ucieszył ją jego widok, gdy w końcu mogła popatrzeć w jego zmęczone i zestresowane wtedy oczy. Zapamiętała wszystko. Pierwsze spojrzenie, pierwszy dotyk, pierwszą miłość. I cieszyło ją, że każde kolejne przeżycie smakowało jej tak samo dobrze albo nawet lepiej. Delektowała się tym. Cieszyła się z tego, co było, i z tego, co jeszcze miało się wydarzyć. Cieszyła się, że za ścianą czekał na nią Tata i już za kilka dni to Maks odbierze ją z lotniska w Warszawie. Pojadą na obiad do jego mamy, a kolację zjedzą z Dziadkiem. To tak wszystko zaplanował. Bardzo chciał, by była zadowolona ze swego życia. Robił wszystko, aby czuła się spokojna, by życie z nim miało dobry smak. I tak było. Życie z Maksem było wyborne. Gdyby mogła sobie sama zazdrościć, to z pewnością robiłaby to bez przerwy. Znów ucieszyła się, że teraz czekał na nią Tata, a w Warszawie jej powrotu oczekiwali Dziadek i ukochany. Ważnych dla niej kobiet już przy niej nie było, ale ważni mężczyźni zawsze byli przy niej. Dawali jej poczucie bezpieczeństwa i stałości. To było najlepsze.

Nagłe pukanie do drzwi sprawiło, że musiała wrócić do rzeczywistości.

– Żyjesz? – usłyszała ciche pytanie Taty.

– Tak… tak… Już wychodzę.

Odkręcając kran, zerknęła na leżącą na umywalce wyrocznię dotyczącą jej przyszłości. To znaczy nie tylko jej. Również przyszłości Maksa i wszystkich, którzy ich kochali. Jedno spojrzenie wystarczyło, by poczuła wiele radości. Grono do kochania miało się niedługo poszerzyć. W kolejnej chwili dotarło do niej, że to działo się już teraz. Z miejsca pokochała, kochała całym sercem. Wrzuciła test do kieszeni piżamy i nacisnęła klamkę łazienkowych drzwi.

Tata wciąż tkwił przed wejściem. Na jego twarzy rysowało się przejęcie. Już wiedziała, że za chwilę przemieni się w ekscytację.

– Zapamiętaj sobie tylko, że to, iż zostaniesz dziadkiem, nie zmniejsza twoich możliwości rozrodczych – szepnęła, bo wzruszenie tłumiło jej głos.

Ojciec w pierwszej chwili nie był w stanie wydusić z siebie ani słowa. Ale jego uśmiech jej w zupełności wystarczył. Mówił wiele. Tato ją przytulał. Długo i mocno. Po czym zadał jej tylko jedno pytanie:

– A przynajmniej fajny ten policjant?

– Najfajniejszy… – wyszeptała i już głośniej dodała: – To dzięki niemu przestała mnie niepokoić przeszłość.

– To dobrze… Doskonale – stwierdził Tata nie tylko z radością, ale i z poczuciem ulgi. – Gratuluję!

„Gratulacje przyjęte" – pomyślała, nie mogąc się odezwać, ponieważ wzruszenie skutecznie odbierało jej mowę.

Czuła także niepokój, ale ten przyjęła w obecnej sytuacji jako coś naturalnego. Przecież właśnie wyruszała w nieznane. W podróż, której najpiękniejszy aspekt już w tej chwili stanowiło to, że Maks, chociaż był teraz daleko, to przebywał też blisko. Rozpościerała się przed nią droga, na której nie groziła jej samotność.

Czekał na lotnisku. Z bijącym sercem. Chyba nigdy nie podejrzewał się aż o takie emocje. Czekające go spotkanie cieszyło go wyjątkowo. Jak zresztą każde zobaczenie się z Sarą. Nawet samo oczekiwanie było dla niego powodem do radości. Nie chciał natomiast pamiętać o tym, że sprawa, którą właśnie prowadził, była doskonałym dowodem na to, że czasami wielka miłość może zakończyć się ogromną tragedią. Ale nie miał zamiaru teraz o tym rozmyślać. Jeszcze niedawno wydawało mu się, że charakter jego pracy może zmniejszać jego szansę na normalny związek. Sara zmieniła jego spojrzenie na wiele spraw. W ogóle zaprowadziła w jego życiu rewolucję. Pojawiła się bardzo nieoczekiwanie i szybko wprowadziła swoje porządki nie tylko w życiu, ale przede wszystkim w jego sercu. Rozterki zastąpiła miłość. Bardzo za Sarą tęsknił. Nie znali się przecież długo, a niezwykle się do niej przywiązał. Teraz wyglądał jej w taki sposób, jakby nie widział jej przez lata, a przecież byli w oddaleniu dosłownie kilka dni. Pomyślał, że odczuwał tę rozłąkę w tak męczący go sposób, ponieważ godziny bez Sary trwały dużo dłużej niż chwile spędzone w jej towarzystwie. Czas w obecności Sary gnał przed siebie. Bez niej nieprzyjemnie zwalniał.

Zobaczył ją z daleka. Ona go również. Może nawet zobaczyli się w tym samym momencie. Stała tuż obok ogromnego faceta, który posturą i ubiorem przypominał amerykańskiego bankiera. Grubą rybę rynku inwestycyjnego. Wydawała się przy nim jeszcze drobniejsza niż w rzeczywistości. Wyglądała na istotę należącą do innego, jakby mniejszego uniwersum. Ale dla niego była już całym światem. Bez niej nie miał życia. Chyba też była stęskniona, ponieważ umiejętnie wyminęła sunącego przed nią bankiera i przyspieszyła tak, że za moment już słyszał odgłos kółek jej walizki.

– Nareszcie... – szepnął i porwał ją w ramiona.

– Przypominam, że nie było mnie tylko kilka dni – wyszeptała mu wprost do ucha radosne przywitanie.

– Wystarczająco długo, bym doszedł do wniosku, że bez ciebie nie potrafię...

– Nie przesadzaj!

– Nie kokietuj! Ale lubię cię taką...

– Jaką?

– Taką, która chce, żeby ostatnie słowo należało do niej.

– Możemy gdzieś usiąść? – usłyszał, gdy tylko wypuścił ją z objęć.

Ewidentnie źle się poczuła. Nietrudno było zauważyć, jak bardzo nagle zbladła.

– Kiepsko się czujesz?

– Zbyt dużo wrażeń – Starała się ironią zamaskować swą słabość.

Szybko przejął jej małą walizkę i podeszli do najbliższego rzędu plastikowych krzeseł.

– Jesteś bardzo blada.

Nie zamierzał bagatelizować tego, co widział. Był przygotowany, że usłyszy za moment, aby nie przesadzał. Sara jednak milczała. Miała blade jak kreda usta. Nagle pochyliła się do przodu. Zrobiła to tak, jakby chciała przycisnąć czoło do kolan.

– Co się dzieje? – spanikował.

– Słabo mi...

– Co mam robić? – zapytał w zagubieniu.

– Uspokoić się i czekać. Zaraz mi przejdzie. To chwilowe.

Tym razem głos Sary przywiódł mu na myśl głos Korkociąga, racjonalnego policjanta.

Zamilkł zatem i czekał, wpatrując się z ogromnym niepokojem w zgiętą wpół ukochaną. Wsłuchiwał się w jej głębokie, regularne oddechy. Nie liczył czasu, ale gdy podniosła głowę, otaczający ich tłum gdzieś zniknął. Nie było już wokół nich pasażerów porannego lotu z Amsterdamu do Warszawy, a usta Sary na powrót stały się czerwone. Jeszcze nie potrafił ucieszyć się tą czerwienią, ponieważ nadal odcinała się wyraźnie od bladości twarzy.

– Wciąż jesteś blada – stwierdził zmartwionym głosem.

– Nie przesadzaj.

– Jadłaś śniadanie?

– Jeśli myślisz, że mój Tato pozwoliłby mi wsiąść do samolotu bez śniadania, to znaczy, że go nie znasz.

– Tak się składa, że go nie znam.

– To już cię uspokajam, że wmusił we mnie tyle jedzenia, że nie dosyć, że mi słabo, to jeszcze niedobrze.

– Może powinnaś się położyć. – Zaproponował zmianę planów mimo że wiedział, z jak optymistyczną niecierpliwością mama oczekiwała dziś ich odwiedzin.

– Z tego co pamiętam, za chwilę mam poznać teściową, więc jeśli myślisz, że z tej życiowej szansy zrezygnuję, to jesteś w błędzie.

Wciąż dostrzegał, jak nieudolnie Sara starała się zamaskować żartami wyraźną niedyspozycję.

– Czy mam to traktować jak oświadczyny?

– Chyba ci się w głowie przewróciło! Po pierwsze, już mi się oświadczyłeś, a po drugie, musisz wiedzieć, że małżeństwo jest nie dla mnie. Już raz się wpakowałam... Drugi raz nie zamierzam...

– A może postarasz się to jeszcze przemyśleć? – zaproponował. – Tak tylko dla mnie...

– Czyżbyś miał ochotę znów mi się oświadczyć?

Sara doskonale wyczuwała jego intencje.

– Oczywiście – odpowiedział z radością, uśmiechem i nadzieją, że za chwilę usłyszy coś pozytywnego.

– Jesteś nie w porządku. Chcesz wykorzystać mój brak formy?

– Pragnę przypomnieć, że jak ty zawróciłaś mi w głowie, to też byłem w nie najlepszej formie – odgryzł się umiejętnie.

– Przecież mówiłeś, że nic nie pamiętasz.

– Nie... No, coś tam pamiętam...

Bardzo chciał, by Sara traktowała tę rozmowę poważnie. Jednak wiedział, że było inaczej. Co prawda, jadąc na lotnisko, nie planował kolejnych oświadczyn, ale znów uległ magii chwili. Tak samo jak za pierwszym razem.

– To jaka jest twoja odpowiedź?

– Na co?

– Przecież wiesz. – Obrał strategię spokojnego oczekiwania na może niesakramentalne, ale jednak „tak".

– A pierścionek masz?

Trochę się zmartwił tym, że chyba jednak nie zamierzała potraktować tej propozycji poważnie.

– Jeśli się zgodzisz, to już dziś zacznę załatwiać kredyt na brylant – zażartował, skoro akurat dziś szansy na wyczekiwane przez niego „tak" raczej nie było.

– Nie chciałabym cię zniechęcać, ale muszę ci uświadomić, że kredytu zaufania nie da się załatwić kilkoma świstkami, jak wniosku w banku.

Słowa, które właśnie usłyszał, może i mieściły się w konwencji dotychczasowych żartów, jednak ton, jakiego użyła, zmroził go.

– Nie ufasz mi? – zapytał bardzo poważnie.

– Myślisz, że dałabym ci się zaciągnąć do łóżka, gdybym ci nie ufała?

Głos Sary też brzmiał coraz poważniej. Ale im poważniejszy był jej ton, tym on stawał się bardziej nieszczęśliwy. Przestawał ją rozumieć. Najpierw zasugerowała, że nie ma do niego zaufania, a już po chwili wycofywała się rakiem z tejże sugestii. Zaczynał się nie tylko gubić. Zaczynał się obawiać, że ogrom emocji krążących teraz między nimi chyba przerastał ich oboje. To się mogło źle skończyć. Musiał natychmiast albo zakończyć tę prowadzącą donikąd rozmowę, albo stać się całkowicie dosłowny. Nie chciał zmierzać donikąd. Dokładnie wiedział, gdzie chce być i z kim.

– Nie wykorzystałem cię, przecież też tego chciałaś – stwierdził szybko i dosadnie.

Optymistyczny wydał mu się fakt, iż jej twarz zaczynała nabierać swego naturalnego kolorytu. Sara obdarzyła go czujnym spojrzeniem

– Oczywiście, że chciałam. Gdybym nie miała na ciebie ochoty, to ty nie miałbyś na mnie.

– Jakie to proste – udało mu się wtrącić tych kilka słów.

Ukochana miała jeszcze coś do powiedzenia, a on czuł, że ta wymiana zdań nieuchronnie zmierza w złym kierunku, a przecież robił wszystko, żeby było całkiem inaczej.

– To teraz posłuchaj mnie uważnie – zaczęła Sara.

Miała silny i nieznoszący sprzeciwu głos. Zwykle bardzo podobało mu się, gdy taka była. Dziś jednak nie. Z prostego powodu. Już wiedział, że to nie była zwyczajna rozmowa. Od kilku minut był przekonany, że to była bardzo poważna sprawa. Niezwykle ważna dla nich dwojga. Wyraz oczu Sary był dowodem na to, że się nie mylił.

– Zawsze cię słucham – przyznał natychmiast.

Jednak ona zachowywała się tak, jakby go nie usłyszała.

– W moim małżeństwie miałam ogrom luksusu i ani krzty miłości. Im szybciej zrozumiesz, że potrzebuję zdrowej relacji i zdrowej miłości, to znaczy takich rozpoczynających się od szacunku dla drugiej osoby i na poszanowaniu się kończących, tym lepiej nie tylko dla ciebie, ale i dla nas. Nie wyobrażam sobie już mojego życia bez ciebie, dlatego musisz o tym wiedzieć. Nie mam wielu wymagań. Mam tylko jedno, ale konkretne. – Wstała z krzesła, będąc już chyba w pełni sił i patrząc na niego z góry, zapytała: – Długo jeszcze zamierzasz tak siedzieć? Idziemy?

– Idziemy. – Poderwał się natychmiast, ale nie pozwolił jej zrobić ani jednego kroku.

Mocno przytulił ją do siebie.

– Jesteś moja – szepnął.

– Jestem swoja – stwierdziła dobitnie.

– W porządku. – Zreflektował się i mając w głowie wszystkie jej dotychczasowe wypowiedzi, dodał: – Powiem to inaczej…

– Tylko się postaraj. – Znów sobie z nim pogrywała.

Tym razem czuł jednak, że za tą gierką kryje się optymizm.

– Jesteś moim miejscem na ziemi – wyznał w końcu i od razu zapytał: – Może tak być?

Już nie musiał pytać, ponieważ widział, co się stało. Sara zaniemówiła.

– Brakuje mi słów.

Postanowił skorzystać z ciszy, na którą sam ciężko zapracował. Smakowała mu doskonale. Robił to, co lubił najbardziej na świecie. Czy mógłby życzyć sobie czegoś więcej? Teraz chciał tylko tego, by nic się nie zmieniło. Wiedział jednak, że pragnienie braku zmian w świecie, w którym jedyną stałą jest zmiana, to jak szukanie aniołów w zakładach karnych. Szukać można, ale znaleźć niekoniecznie...

Nie wiedziała, dlaczego tak się czuła. To było całkiem irracjonalne, ale bała się spotkania z matką Maksa, choć jednocześnie już darzyła ją sympatią. Myślała teraz o spotkaniu z ukochanym, kiedy wręczył jej apaszkę. Wiedziała, że nic nieprzyjemnego nie spotka jej w domu kobiety, której syna kiedyś uratowała. Zresztą jak się okazało, zrobiła to najprawdopodobniej i przede wszystkim dla siebie. Mimo to miała w sobie teraz mnóstwo sprzecznych uczuć. Maks spoglądał w jej stronę z miłością. Darował jej rozkochane spojrzenia. Jej natomiast wcale nie chciało się ich odwzajemniać. Również odzywać się nie miała ochoty. Przez chwilę nawet brała pod uwagę taką ewentualność, by poprosić o odwiezienie do domu. Do końca nie rozpoznawała, co się z nią teraz dzieje. Jednak pamiętała słowa, które usłyszała na lotnisku, i nie miała serca na zmianę planów. Po prostu musiała stanąć na wysokości zadania. Powinna coś jeść – chociaż nie miała apetytu. Wypadało jej rozmawiać – choć najchętniej spędziłaby resztę dnia w przyjemnym milczeniu. Jedynie kochać mogła z ochotą, ponieważ akurat to mogła robić bez ograniczeń. Nie czuła konieczności, by swemu uczuciu narzucać jakieś wyszukane formy. Pseudomiłość, z którą miała już w życiu do czynienia, przekonała ją, że do tego, aby kochać, nie potrzebowała scenografii rodem z romansów. Przy Maksie wszystko schodziło na dalszy plan. Tylko on był ważny. Nikt i nic poza nim.

– Może powinnam się trochę pomalować… – zastanawiała się.

– Po prostu się uśmiechnij – stwierdził ze spokojem Maks.

– Myślisz, że to wystarczy?

– Jestem pewien.

Pewność, którą usłyszała w jego głosie, była tak przekonująca, że na jej twarzy zagościł uśmiech.

– O to właśnie chodziło. – Ukochany z miejsca zauważył jej radość. – A jeszcze jak pochwalisz kuchnię mojej mamy, to wejdziesz do rodziny śpiewająco.

– Uspokoiłeś mnie – stwierdziła, starając się nie skomentować rodzinnego wątku.

Patrząc przed siebie, chyba zaczynała rozumieć swoje zdenerwowanie. Podejrzewała, że powód wynikał najprawdopodobniej z życiowego przyspieszenia. Teraz była skupiona tylko na ciąży. Tak naprawdę o niczym innym nie potrafiła myśleć. Jednak zaczynała przeżywać też to, że jej poprzednie życie powinno oduczyć ją wielkich i nagłych zmian. Chyba jednak nie zdołało tego zrobić. W jej nowym żywocie aż huczało od nowości. To wówczas, gdy pojawił się Maks, poczuła powiew nowego. Jednak mężczyzna był taki, że przyjęła go, pomimo swojej paskudnej historii małżeńskiej, z otwartymi ramionami, i to nie tylko dlatego, że wszystkie siniaki zdążyły już z jej ramion poznikać. Przyjęła to przypadkowe szczęście może dlatego, że choć wcale na to nie liczyła, było jej bardzo dobrze. Jednak jej los najprawdopodobniej nie lubił stagnacji. Znów zaczął wplatać w jej i jego historię nieznane wątki. Dziecko... Nowa rodzina... To przez te nowości była może nie tyle zestresowana, ile zagubiona. Znów wszystko się trochę odrealniło. Nie potrafiła chyba jeszcze dostosować się do tych zmian. Potrzebowała czasu i spokoju, a dotychczas miała wrażenie, że obu tych zachcianek nie mogła zaspokoić.

– Zapraszam. – Nagle usłyszała bardzo miły głos. – Nutka, chodź tu...

Już po chwili zobaczyła przed sobą kobietę. Malutką, drobną, w trudnym do odgadnięcia wieku. Przy nodze poczuła chłodny nos obwąchującego ją jamnika, jego siwiejąca mordka wskazywała na psią wiekowość.

– Dzień dobry – przywitała się tonem panienki z dobrego domu.

Czuła na sobie baczne spojrzenie, ale najprawdopodobniej obdarzała mamę Maksa takim samym. Choć widziała ją po raz pierwszy w życiu, miała nieodparte wrażenie, że musiały się już kiedyś spotkać. Kobieta wydawała jej się dziwnie bliska. Dotychczasowe poczucie irracjonalności zaczęło się pogłębiać i jedynym jego wytłumaczeniem, na które było ją teraz stać, musiała zostać hormonalna burza, która z pewnością teraz w niej szalała.

– Na pewno jest pani zmęczona po podróży…

Znów usłyszała bardzo ciepły głos.

– Nie – zaprzeczyła. – To krótki lot. I proszę do mnie nie mówić *per* pani. Mam na imię Sara.

Rzut kątem oka na mamę Maksa wystarczył, by wszystkie wcześniejsze obawy i zdenerwowanie związane z tym spotkaniem przestały istnieć.

– Tak. Wiem. Proszę… Proszę czuć się jak u siebie…

Matka ukochanego była tak miła, tak usłużna, że patrząc na nią, miała wrażenie, że była naprawdę najważniejszym gościem w tym domu. Tak ważnym, że dotychczas takiego w tym przytulnym, choć niemałym mieszkaniu nigdy nie było.

– A może ma pani ochotę odświeżyć się po podróży? – Kobieta szybko odgadywała jej potrzeby. – Maks, nie stój tak. Pokaż pani, gdzie jest łazienka.

– Mam na imię Sara – powtórzyła cicho i drugi już raz poprosiła: – Proszę do mnie mówić po imieniu.

– Oczywiście, postaram się. A teraz myjcie ręce i zapraszam do stołu. Już wszystko gotowe.

Do łazienki weszli razem.

– Nie ma to jak intymność – skomentowała.

– Umyję ręce i wychodzę. – Maks uśmiechnął się i w locie pocałował jej kark.

Gdy zamknęły się za nim drzwi, zamiast umyć ręce, przysiadła na sedesie. Obserwowała swą twarz, którą widziała w lusterku naprzeciwko. Patrzyła na siebie i nie mogła oprzeć się wrażeniu, że mama Maksa wydawała jej się znajoma. Właśnie uzmysławiała sobie to, że choć nie były do siebie wcale podobne, jednak istniało coś zaskakującego w urodzie gospodyni. Coś, co przypominało jej samą siebie. Zawsze chciała być wysoką blondynką o niebieskich albo zielonych oczach. Oczywiście była doskonałym przeciwieństwem swego marzenia. To dlatego Babcia do znudzenia powtarzała jej, żeby nie przejmowała się zanadto swoim wyglądem, a innym nie zazdrościła aparycji, ponieważ ludzie najczęściej nie są zadowoleni ze swoich warunków fizycznych. I tak wysokie blondynki chcą być drobnymi brunetkami. Ci, którzy mają ciemne oczy, lubują się w jasnych. Ci, co mają na głowach burzę loków, woleliby mieć włosy proste. I tak to się plecie ludzkie niezadowolenie z własnego wyglądu.

Wciąż wpatrywała się w siebie, a do głowy przyszła jej Karolina. To właśnie koleżanka z pracy stanowiła uosobienie pragnienia, które towarzyszyło jej od lat dziecinnych. Była wystrzałową blondynką i twierdziła, że to właśnie jej wygląd odpowiada za jej samotność. Żywiła przekonanie, że nie może sobie nikogo znaleźć, ponieważ wszyscy wartościowi faceci nie zwracają na nią uwagi, bo myślą, że już na pewno kogoś ma i nie jest sama.

– Wszystko dobrze? – Zza drzwi dobiegł zatroskany głos Maksa.

– Tak... tak... – Szybko się podniosła.

Myła ręce, nie odrywając wzroku od swej twarzy.

Patrzyła sobie prosto w oczy. To one sprawiły, że wydało jej się, iż przypominała mamę Maksa. Miały takie same oczy. Duże i ciemne. Prawie czarne. W dodatku były podobnych wzrostu i postury. Nie wiedziała, co o tym wszystkim sądzić, ale już zastanawiała się, czy ukochany zwrócił na nią uwagę właśnie przez to podobieństwo.

Gdy weszła do jadalni, która była też pokojem telewizyjnym, od razu poczuła zapach zupy pomidorowej. Ucieszyła się, bo pachniało tak, jakby gotowała Babcia. Uwielbiała jej pomidorówkę.

Mama Maksa przyglądała się jej z sympatią. Zresztą obserwowały się nawzajem nie tylko przyjaźnie, ale również z wzajemnym zainteresowaniem.

– Proszę bardzo. Proszę siadać. Już nalewam zupę i mam nadzieję, że jesteście głodni. – Gospodyni zamieszała w dużej białej porcelanowej wazie.

Sara pamiętała, że Babcia też miała taki zwyczaj.

– Ja bardzo. – Maks odezwał się właśnie takimi słowami, które chciała usłyszeć jego mama.

Jej włosy były całkiem siwe, a raczej białe, czyli istniała szansa, że kiedyś były czarne tak samo jak jej oczy.

Gdy zaczęli jeść, kobieta nie odzywała się, tylko przyglądała im się z uśmiechem czyniącym jej twarz bardzo łagodną. Zupa była pyszna.

– Moja Babcia, jak jeszcze żyła... Robiła identyczną. Jest pyszna – pochwaliła potrawę, nawiązując wzrokowe porozumienie z towarzystwem przy stole.

– Chciałam, żeby przyszła też Beatka, siostra Maksa, żeby to był prawdziwy rodzinny obiad, ale jej teść ma dziś imieniny i tak się jakoś nie złożyło.

– To nic – stwierdziła natychmiast. – Na pewno będzie jeszcze okazja.

– Mam nadzieję, że niejedna.

– Chciałabym bardzo podziękować pani za apaszkę...

– A czymże jest taki drobiazg w porównaniu z tym, co pani zrobiła dla mnie. To znaczy dla nas. Gdyby nie pani, to...

– Mamo... – odezwał się w końcu Maks, sugerując, że nie spotkali się tu po to, by wracać do złych wspomnień.

– Widzi pani. On zawsze jest taki...

Spojrzały na siebie ze zrozumieniem.

– Nie chcę nawet myśleć o tym, co by było, gdyby...

– Czy możemy zmienić temat? – poprosił głosem spokojnym i dalekim od zniecierpliwionego.

– Oczywiście – stwierdziła jego mama.

Jednak ona nie chciała jeszcze zakończyć rozpoczętego tematu. Musiała jeszcze o czymś opowiedzieć tej, która teraz wpatrywała się w nią w sympatycznym skupieniu. Bardzo chciała to zrobić, ponieważ dopiero teraz, gdy poznała mamę Maksa, dotarła do niej świadomość, że informacja, którą miała za moment przekazać, mogła mieć dla tej kobiety ogromne znaczenie. Właśnie z tego powodu nie mogła zachować tej tajemnicy jedynie dla siebie.

– Proszę sobie wyobrazić, że tamtego dnia... Kiedy poznałam pani syna... – Starała się, jak mogła, by ukochany skupił się w tym momencie tylko na pozytywnych aspektach sytuacji, o której chciała opowiedzieć. – ... On spojrzał na mnie raz i powiedział tylko jedno słowo: „Mamo".

– Naprawdę...?

Już była na siebie zła, że wróciła do tamtego momentu, bo oczy gospodyni wypełniły się łzami.

– Przepraszam... Nie chciałam... – zreflektowała się.

Wzrokiem odszukała Maksa. Była na siebie wściekła. Mogła go posłuchać. Powinna ugryźć się w język, by nie doprowadzać nikogo do łez ani nie sprawiać, że złe wspomnienia wracały, zamiast się oddalać.

– To nic, dziecko... To naprawdę nic...

Głos kobiety był bardzo wzruszony. Płakała, wycierając sobie oczy wierzchem dłoni, a patrzyła na nią z taką radością, że już nie czuła się winna tego nagłego wzruszenia.

– Przepraszam... – szepnęła bezgłośnie w stronę Maksa.

– I tak cię kocham – odparł jej ukochany.

– Oj, dzieci... Moje dzieci... Jak to dobrze, że was Pan Bóg ze sobą zetknął, bo jak tak na was patrzę, to od razu wiem, że to wasze spotkanie nie było do końca przypadkowe.

– A czy na dziś, mamo kochana, zaplanowałaś jakieś drugie danie?

– Nie tylko drugie, ale i deser. Już... Już podaję. Jeszcze tylko ziemniaki pogniotę.

– Może ja pomogę – zaproponowała Sara.

Chciała wstać od stołu, nienawykła do tego, by ktoś ją obsługiwał.

– Ależ proszę siedzieć. – Mama Maksa dotknęła jej ręki. – Naprawdę nie trzeba.

To był bardzo przyjemny dotyk. Delikatny, miękki i bardzo ciepły.

– Zostańcie na moment sami i cieszcie się sobą. Chwilą i sobą...

Ostatnie słowa dotarły do nich już z kuchni.

– Przepraszam – powiedziała jeszcze raz, jakby wcześniejszych przeprosin było mało.

– Nie masz mnie za co przepraszać. – Uśmiechnął się tak, że uwierzyła mu od razu. – Chyba już się przekonałaś, że skradłaś jej serce.

– Naprawdę?

– Naprawdę – rozwiał jej wszystkie wątpliwości.

– Nawet nie miałam takiego zamiaru – przyznała szczerze.

– No, nie wiem… Nie wiem… – Maks udawał, że jej nie wierzy. – W końcu to będzie twoja teściowa…

– Właśnie dlatego zjadłam całą zupę – sapnęła, kolejny raz mając wrażenie, że życie ją przegania.

– Teraz jeszcze tylko drugie i deser.

– Nie strasz mnie.

– Niczego się nie bój. Przecież wiesz, że w każdej chwili możesz się do mnie przytulić.

– Ładne mi wsparcie.

Podobało jej się to, w jaki sposób Maks się w nią wpatrywał. Patrzył, ale nic nie mówił. Z kuchni dobiegało bardzo ładne nucenie i zapachy, które, o dziwo, nie przyprawiały jej o mdłości. Melodia natomiast dodawała ich rozkochanym spojrzeniom sentymentalnego wymiaru.

– Zakochałeś się we mnie, bo przypominam ci twoją mamę? – zapytała dość poważnie.

– Nie przypominasz mi jej, to po pierwsze, a po wtóre, nie mam na drugie imię Edyp.

– Mam nadzieję, że też nie Otello – stwierdziła gorzko.

– Za alkoholem nie przepadam, a zazdrością się brzydzę – zapewnił.

– Proszę! Oprócz tego, że znasz się na kryminologii, to jeszcze na mitologii i psychologii – zażartowała z uznaniem.

– Nie wiedziałaś, że policjant idiota to mit?

– Nie miałam w swoim życiu do czynienia z tyloma policjantami, żeby móc sobie stworzyć jakieś wyobrażenie. Za to ci, których spotkałam, byli zwykle mili i skorzy do pomocy.

– Sama widzisz…

Maks chciał jeszcze coś dodać. Nie pozwoliła mu na rozwinięcie myśli.

– Naprawdę nie widzisz tego, że jesteśmy podobne?

– Proszę bardzo – mama Maksa wróciła do jadalni z dużą tacą w dłoniach.

– Wiem, że na pewno było wam dobrze beze mnie, ale skoro zaproszenie obejmowało obiad, to przecież nie możemy skończyć na jakiejś marnej zupinie.

Sara znów przyglądała się z uwagą kobiecie. Postanowiła przez jakiś czas się nie odzywać albo przynajmniej nie rozpoczynać tematów niebezpiecznych, czyli takich, które mogły kolejny raz wywołać jej poruszenie.

– Mam nadzieję, że lubi pani zrazy, bo Maks je uwielbia.

– Lubię, bardzo. Mój Dziadek też je uwielbia. Robię mu je od czasu do czasu. Kolega mnie nauczył. Moja Babcia ich nie robiła. – Z przyjemnością poruszała się w obrębie niezobowiązującego tematu.

– U nas zrazy są często, a dziś zrobiłam ich tyle, że z przyjemnością zapakuję ich trochę dla pani Dziadka.

Tak bardzo spodobała jej się ta propozycja, a zwłaszcza naturalność oferty, że na chwilę postanowiła zapomnieć o dobrym wychowaniu.

– Pewnie powinnam teraz zapewnić, że to niekonieczne, że nie trzeba, ale nie powiem, bo Dziadek z pewnością bardzo się ucieszy. Poza tym nie widzieliśmy się od kilku dni i nie wiem, czy ma na dziś coś ciepłego, bo to, co udało mi się przygotować mu przed wyjazdem, na pewno już pozjadał. Ale za to, że dostanę od pani zrazy, przekażę przez Maksa słoik kiszonych ogórków, bo to numer popisowy Dziadka. Robi najlepsze kiszonki na świecie.

– Ależ ona jest fajna.

Mama Maksa zwróciła się tylko do niego. Zrobiła to tak, jakby byli sami. Jednak nie było w tym zachowaniu nic niegrzecznego. Ale to dzięki tym słowom starszej pani, która w tym momencie podawała jej salaterkę z kiszoną kapustą, poczuła się jak w domu. Jak u siebie. Nie miała na ziemi wielu miejsc, w których czuła się właśnie tak jak w tej chwili.

– Pani też jest bardzo fajna – szybko wypowiedziała głośno swą aktualną myśl.

Napotkawszy ciepłe spojrzenie siedzącej naprzeciwko kobiety, bardzo ucieszyła się z faktu, że w domu ukochanego panowały szczerość i otwartość. Zwyczajność, którą bardzo lubiła i do której bardzo przywykła. Cieszyła się, że dorastał w takim otoczeniu, bo właśnie dlatego mieli wielką szansę na to, aby podobny dom stworzyć dla maleństwa, które już było, a o którym Maks jeszcze nie wiedział.

– Chciałbym zauważyć, że ja też jestem fajny.

– Ale o tym to akurat wszyscy tu zebrani przecież doskonale wiedzą.

– O, dziecko moje, prawdę powiedziałaś – podsumowała pani domu z taką naturalnością, jakby znały się od zawsze.

– Czyli witamy w rodzinie. – Maks podchwycił nastrój chwili.

– Nie wiem, co powiedzieć – zawstydziła się nieco.

– Po prostu się uśmiechnij. – Poprosił o to już drugi raz dzisiaj.

– Tak, uśmiech jest dobry na wszystko. – Usłyszała z ust mamy Maksa. – A teraz kończmy z żartami, kończmy z rozmowami i zapraszam do jedzenia.

– To nie będzie można pochwalić zrazów? – zapytał Maks.

– Będzie można pochwalić cały obiad. Raz, a dobrze. Jak już skończymy.

Bardzo podobała jej się konkretność kobiety, w którą wpatrywała się z przyjemnością.

– To dobrze, bo już się bałem – zażartował syn, spoglądając na swoją mamę.

– W tym domu nie musisz się niczego bać, przecież to chyba jasne…

Przysłuchiwała się ich swobodnej rozmowie. Była to nie tylko bardzo nieskrępowana wymiana myśli, ale przede wszystkim uczuć. Tylko dobrych. Może dlatego w jej duszy majaczył teraz inny dom. Ten, w którym najwięcej było strachu. Była to taka odmiana lęku, że nie dało się o niej zapomnieć nawet wówczas, gdy funkcjonowało się w otoczeniu ludzi niegenerujących złych emocji.

– Te zrazy są wyśmienite – pochwaliła potrawę, tęskniąc już za Dziadkiem.

– Jedz i nie myśl za dużo – szepnął do niej Maks.

Od razu wystraszyła się, że czytał jej w myślach.

– Nie myślę – skłamała gładko.

Uśmiechnął się do niej zupełnie tak, jakby chciał jej tym samym przekazać informację: „Nie uda ci się mnie oszukać, znam cię i swoje wiem…".

Odwzajemniła jego uśmiech. I przez moment ucieszyła się z faktu, że póki co o maleństwie w tym towarzystwie wiedziała tylko ona. Jednak przyglądając się zebranym, już wiedziała, że to, co na razie wywoływało tylko w niej poczucie podekscytowania i wielkiej euforii, już miało szansę, by wkrótce stać się radością wspólną. Czyli znów czekało ją coś dobrego, ponieważ przecież wesołość w pojedynkę nie umywa się do tej wspólnej. Tak powtarzała Babcia, a ona zawsze wiedziała, co mówi…

Zerkała w stronę mamy Maksa i miała pewność, że ta kobieta też zawsze wiedziała, co mówi…

Robert nigdy nie miał zielonego pojęcia, co wygaduje. W białej gorączce potrafił mówić takie rzeczy, że bała się ich bardziej niż bólu fizycznego, który zwykle towarzyszył obelgom. „A Maks?" – zapytała się w duchu i spojrzała na niego z uwagą.

Od razu zareagował na ten wzrok.

– Chcesz mi coś powiedzieć? – zapytał, obdarzając ją bardzo czujnym spojrzeniem.

Kiwnęła głową.

– To słucham…

– Może później… – zaproponowała.

– Dobrze – zgodził się natychmiast.

Patrzyła mu w oczy i wiedziała, że to, co miało nastąpić później, musi wydarzyć się szybko. Nie chciała czekać. Dobre wieści nie powinny czekać.

I tak oto moje modlitwy zostały wysłuchane. Modliłam się. Nie traciłam nadziei i właśnie stało się to, na co tak długo czekałam. Maks w końcu przyprowadził do domu dziewczynę. Tak naprawdę powinnam napisać, że kobietę. Ale to słowo zupełnie by do niej nie pasowało. Gdy tylko ją zobaczyłam, już od progu wydała mi się po prostu moja, taka nasza. Taka, jakby od zawsze do naszej rodziny należała. Widziałam ją już wcześniej, ale to nie było tak jak tym razem, dziś popatrzyłyśmy sobie nawzajem w oczy. Uśmiechami się obdarzyłyśmy. Już o wszystkim zdążyłam Beatce opowiedzieć. O spacerze, który z młodymi odbyłam po obiedzie. Ładny dzień mieliśmy. Chociaż dość chłodny, to na szczęście słoneczny, dlatego wspólnie postanowiliśmy, że przejdziemy się kawałeczek. Młodzi co prawda szybko umknęli w swoim kierunku, ale im się specjalnie nie dziwiłam. Z Nutką też od domu zbyt daleko nie odeszłam, bo niby ciepło, ciepło, a jak zawiało, to taki zimny wiatr na sobie poczułam, jakby na północy Polski był Bałtyk, a dalej od razu biegun północny. Ale nie o tym teraz…

Patrzyłam dziś na młodych, a raczej zerkałam na nich ukradkiem, i dojrzałam między nimi szansę na coś bardzo trwałego. Ależ wielkimi oczami na siebie dziś spoglądali. Wielkimi i głodnymi. Zjadali u mnie obiad, ale też siebie zjedliby, gdyby istniała taka możliwość. Oczy zakochanych nie kłamią nigdy. Maks to w ogóle wzroku od Sary nie odrywa. A ta, jak już spojrzy, to lodowiec potrafiłaby stopić jednym spojrzeniem. Bez żadnego domyślania się wiem, że rozkochała w sobie mojego syna właśnie tymi swoimi oczami. Dużymi, uważnymi i tak błyszczącymi, że wydawało mi się momentami, jakbym je przez szybę oglądała. Aż mi się to gorąco, to zimno na ciele z wrażenia robiło. Bo ma dziewczyna takie oczy jak te, co mi się po nocy śnią i zawsze są tylko dobrym znakiem, bo jak mi się przyśnią, oznacza to, że mnie coś dobrego w życiu spotka. Maks powiedział mi kiedyś, kiedy Sara dla mnie była jeszcze całkowitą zagadką, a dla niego pewnie częściową, że mamy podobne oczy. Powiedział tak, bo przecież wiedzieć nie może, że jego ukochana ma oczy identyczne jak moja Mama. Moje może kiedyś też takie były… Ale teraz już całkiem inaczej wyglądają. Popatrzyły dużo, popłakały jeszcze więcej i wyblakły. Nie kryją już w sobie takiego blasku jak kiedyś. Zmartwienia to jest główna przyczyna oczu matowienia – tak mawiała siostra Józefa. I nie mijała się z prawdą. Miałam w życiu trochę strapień, jedna wielka troska cały czas mieszka w moim sercu. Ale czy to powód do narzekań? Żaden. Przecież nikogo na ziemi troski nie omijają. One niestety do ludzi trafiają. Jedni mają ich więcej, inni pewnie mniej. Na tym polega życie. Tak się plecie. Dzień, noc, noc, dzień. Nie inaczej. Raz lepiej, raz gorzej, a czasami tak, że nawet szkoda gadać. Ale nawet jak się człowiekowi zdarzają takie słabsze chwile, to od losu zawsze jakiś prezent dostaje. Moim podarunkiem jest spojrzenie Mamy. Ono potrafi wszystko. Sprawia, że siła się we mnie pojawia. Nagle i nie wiadomo skąd. To dzięki temu wszystko przetrwać zdołam.

Kolejny raz los mi wielką niespodziankę sprawił. Nawet podwójną. Popatrzyłam na Sarę i poczułam się tak, jakbym oczy Mamy widziała, a jednocześnie wybranki serca mojego Maksa.

Cóż to za miły widok. Mogłabym tak siedzieć cały dzień i na nich patrzeć. Nie mówili do siebie zbyt dużo, ale obdarzają się nawzajem takim wzrokiem, że słowa wydają się zbędne. Zakochany jest mój syn. Ponad wszelką wątpliwość. A Sara? Nie trzeba ani wróżbitą być, ani jasnowidzem, ani psychologiem, żeby dojrzeć w tej dziewczynie wzajemność. Ona też kocha. I to mocno. W dodatku jakaś taka stałość od niej aż bije. Dojrzałość tak wielka, chociaż dziewczęcości ma w sobie co niemiara. A te oczy jak węgle to jej największy klejnot. Poza tym moja Nutka zna się na ludziach. Już od progu swe serce oddała. Raz może szczeknęła i to wszystko. Chociaż w jej psim życiu też wydarzenie dziś było pod tytułem obcy w domu. Zwykle, gdy nas ktoś nieznajomy nawiedza, to Nutka nie daje tak łatwo za wygraną. Bywa, że tak ujada, iż muszę na nią głos podnieść, chociaż często tego nie robię. Nie lubię krzyczeć, a Nutka tego słuchać. A dzisiaj? Nic. Żadnego ujadania. Tylko merdanie ogonkiem. Sara pogłaskała moją psinę kilka razy, ale to wystarczyło, by Nutka przepadła z kretesem.

Maks patrzy na tę dziewczynę tak, jakby świata poza nią nie widział. Znam to błękitne spojrzenie. Pamiętam je dobrze. Włodek też tak kiedyś na mnie spoglądał. Były takie czasy, że dla niego świat poza mną nie istniał. Później przyszły inne dzieje. Ale akurat dzisiaj na wspomnienia nie mam nastroju. Nie chce mi się o tym pisać ani nawet myśleć. Było, minęło. Już nie ma co do tego wracać. Nikt nie lubi powracać pamięcią do trudnych momentów swego życia. Z tym lepiej uważać. Lepiej nie ruszać przeszłości, bo jeszcze na powrót się rozpanoszy. Ona ma to do siebie. Cicho, cicho, niby nic nie ma, niby w zapomnieniu, aż tu nagle, nie wiadomo dlaczego, znowu o sobie przypomina. Na światło dzienne z mroku wypełza. I co wtedy zrobić? Wówczas znowu trzeba to przeżyć. Po raz drugi albo nawet już kolejny raz. Czy ja się boję tej mojej przyczajonej historii? Pewnie tak. Jest we mnie trochę lęku. Ale nie odsuwam jej od siebie już z taką siłą, jak robiłam to kiedyś. Jak wtedy, gdy bardzo zajęta byłam. Maks był maleńki, Beatka też, w dodatku srebro żywe, Włodek w pracę uciekał. Mijały dni, sklejały się w miesiące, a te w rok za rokiem. I tym sposobem życie mi przeleciało przez palce. I co, ja teraz mam się bać? Będzie, co ma być. Beatka nie jest już sama na świecie. Maksowi też, daj, Panie Boże, dobra rodzina się uda, a jak to się stanie, to już się w ogóle przestanę zastanawiać nad tym, jak długo tu jeszcze zostanę. Zresztą zupełnie o tym myśleć nie muszę, bo jak mawiała siostra Józefa: „Będziesz tu tyle, ile trzeba". Proste to słowa, dlatego tak dobrze rzeczywistość tłumaczą. Prosta mowa wszystko wyjaśnia najlepiej.

Z ogromną przyjemnością patrzyła na zielonkawy blankiecik, który zwalniał ją z obowiązku chodzenia do pracy przez najbliższy miesiąc. Uwielbiała swój zawód, ale przez ostatnie dwa tygodnie etat tak bardzo dał jej się we znaki, że musiała, po prostu musiała w końcu zdobyć się na odwiedziny w przychodni. Poszła tam, po pierwsze, by usłyszeć to, o czym wiedziała doskonale, a po drugie, aby przynajmniej lekarzowi opowiedzieć o tym, że brakuje jej sił, aby co rano zwlekać się z łóżka. Poranna niemoc stanowiła nowość w jej życiu. Przecież była skowronkiem. Lubiła wcześnie witać nowy dzień. Od zawsze. Bezsilność o świcie dotyczyła jej kiedyś... Ale nie była jej winą... Teraz zdarzała jej się dzień po dniu. Każdego ranka. Jeśli zaś chodzi o opisywane w poradnikach poranne mdłości, to nie opuszczały jej przez cały dzień. Było jej niedobrze od rana do wieczora. Wciąż, z przerwą na sen. Lekarza poleciła jej Karolina, podejrzewając koleżankę z pracy raczej o potrzeby antykoncepcyjne niż o przygotowania do macierzyństwa. Na razie nie chciała nikogo wtajemniczać. Na wszystko miał przyjść odpowiedni moment. Doktor, gdy usłyszał, czym się w życiu zajmuje pacjentka, od razu i bez szemrania wypisał jej zwolnienie. W dodatku stwierdził, że powinna pomyśleć o całkowitej rezygnacji z pracy, przynajmniej w pierwszym trymestrze ciąży, i rozgadał się na temat dziecięcych chorób tak, że myślała, iż już nigdy nie skończy.

Siedziała na ławce, myśląc o wszystkim, co ją czekało. Podobał jej się spokój, jaki w sobie miała. Czuła oczywiście również lęk, ale na nim nie miała zamiaru się skupiać. Przecież nosiła w sobie nowe życie. Jeszcze maleńkie, a już bardzo wielkie. Najważniejsze. Maksowi wciąż o tym nie powiedziała. Czekała na odpowiedni moment. Może dlatego czuła się trochę podenerwowana. Coś ją trapiło. Winą za to wciąż obarczała hormony. Buzowały w niej jak nigdy. Czuła to. Wszystko, co właśnie przeżywała, było dla niej nowe i zaskakujące. Dziadek już od jakiegoś czasu przyglądał jej się wnikliwie. Jednak, jak to zwykle on, wszystkie pytania i uwagi zachowywał dla siebie. Tato telefonował codziennie. Martwił się, ale przekonywała go, że niepotrzebnie. Wiedziała, że wszystko będzie dobrze.

Teraz, patrząc przed siebie, pomyślała, że czas podzielić się radością z Maksem. Obiecała sobie, że musi to nastąpić dziś. Znów bardzo dużo pracował. Gdy rozmawiali o świcie przez telefon, chciał wyciągnąć ją na kolację u Bekhira. Jednak nie chciała czekać aż do wieczora. To dlatego wymyśliła spacer po Starym Mieście. Akurat tam jeszcze razem się nie przechadzali. W ogóle dużo nie spacerowali. Najbardziej chciała, by akurat dziś jakimś cudem mogli znów znaleźć się w Kazimierzu. To tam pojechałaby, aby w miejscu, gdzie pocałowali się po raz pierwszy, powiedzieć Maksowi o tym, że zostaną rodzicami. Ale skoro było to dziś nieosiągalne, to chciała to zrobić w jakimś ładnym warszawskim zakątku. Przecież tu też płynęła Wisła. W Łazienkach już byli. Poza tym nowość chciała obwieścić w nowym miejscu. Restaurację Bekhira odrzuciła dziś rano, i to od razu, ponieważ nie mogła ostatnio znieść panujących w niej zapachów. Na samą myśl robiło jej się niedobrze. To znaczy jeszcze bardziej niedobrze niż zwykle. Wzięła trzy głębsze oddechy. Nie pomogły. Poranek był chłodny, choć słoneczny. Nachyliła się zatem tak, jakby chciała położyć głowę na kolanach. Miała ten ruch już wyćwiczony. Dziś również okazał się pomocny. Trochę. „Zawsze coś" – pomyślała z umiarkowaną radością.

– A ty co? Udajesz scyzoryk?

Usłyszała nad sobą wesoły głos spóźnionego przyjaciela, a na plecach poczuła jego ciężką dłoń.

– Niedobrze mi – przyznała się.

– Zaciążyłaś? – Z ust Wojtka padło przestraszone pytanie.

Usłyszawszy to, podniosła się natychmiast i wbiła wzrok w przerażoną twarz, której nie widziała od jakiegoś czasu. Zastanawiała się, co powiedzieć. Przyznać się już czy lepiej jeszcze nie?

– Zaciążyłaś!

Wystarczyła sekunda, aby jej problem decyzyjny przestał istnieć.

– Wielkie halo!

– Ty chyba na głowę upadłaś. – Przyjaciel wpatrywał się w nią ze zdziwieniem i chyba nawet ze współczuciem.

Zamiast się odezwać, znów musiała zgiąć się wpół. Musiała w tej pozycji przeczekać kolejną falę bardzo nieprzyjemnych mdłości.

– Jesteś załamana?

Podniosła się. Musiała nawiązać z Wojtkiem kontakt wzrokowy.

– Nie! – odezwała się silnym głosem. – Jestem zadowolona!

– Kpisz? – zapytał, zupełnie nie wczuwając się w jej nastrój.

– Boże! – Wzniosła oczy do nieba. – Coś się tak przyczepił?

– Bo mam wrażenie, że z tobą jest coś nie tak. Zapomniałaś już, jak bardzo bałaś się kiedyś...

Zdawszy sobie sprawę, do czego zmierzał teraz, jednym zdecydowanym spojrzeniem odebrała mu głos.

– Przepraszam, że do tego wracam – Zreflektował się natychmiast. – Ale...

– Maks to nie Robert!

– Ale... – Wojtek niestety miał zamiar kontynuować.

– Ale daj już spokój! Powiedz mi, czy moja ciąża to twoja sprawa? – zapytała niegrzecznie.

– Mam sobie pójść?! – zapytał tonem równie aroganckim.

– Tak! Idź sobie! Jeszcze najlepiej się obraź i nie odzywaj się przez rok, a nie przyślę ci wtedy zdjęcia rozkosznego maleństwa i nie zapytam, czy chciałbyś zostać ojcem chrzestnym – wyrecytowała.

– Co my robimy? – zapytał po chwili milczenia.

Przyjaciel patrzył na nią pytająco. W pewnym momencie zauważyła, że w okolicach jego ust zaczął błąkać się słaby uśmieszek. Postanowiła go zignorować.

– Obrażamy się nawzajem. Czyżbyś nie zauważył? – zapytała z udawaną perfidią w głosie.

– A to ci odkrycie! – Jego uśmiech był już całkowicie wyraźny.

– Mów mi Kolumb.

– Możesz już przestać? – Wojtek znów spoważniał.

– A ty? – odbiła piłeczkę.

– Już przestałem. Nie zauważyłaś?

– Może trochę...

– Sugeruję, żebyśmy zaczęli od początku – polubownie zaproponował.

– Do początku to pewnie nie uda nam się teraz wrócić.

– To spróbujmy jeszcze raz.

– Proszę bardzo – stwierdziła łaskawie.

Spoglądał na nią w niemym oczekiwaniu.

– I co teraz? – zapytała, nie potrafiąc odnaleźć się w sytuacji.

– Pochyl się znowu – poprosił.

Widziała, jak zrobił trzy kroki w tył, by odegrać niezłą scenę, mimo że był beznadziejnym aktorem. Nachyliła się, chociaż adrenalina, która wyzwoliła się w niej podczas ich przekomarzania, paradoksalnie wpłynęła na poprawę jej samopoczucia, przynajmniej tego fizycznego.

– Cześć, kochana! – Wojtek usiadł na ławce obok niej, trącając ją przy tym delikatnie. – Zgubiłaś coś? – spytał.

– Nie – zaprzeczyła natychmiast i się podniosła.

– To co robisz? – Przyjaciel bawił się coraz lepiej.

– Liczę ziarenka piasku – odpowiedziała z uśmiechem.

– A po co ci wiedzieć, ile ich jest?

– Wiedzy nigdy za dużo.

– Idziemy na jakieś pyszne śniadanko? – zaproponował.

Znów nie trafił w jej oczekiwania, ponieważ jedzenie nie było teraz jej pierwszą potrzebą.

– A możemy po prostu posiedzieć na świeżym powietrzu? – Nie miała zamiaru już się kłócić.

– Jeśli chcesz. Może nawet dobrze ci to zrobi, bo jesteś jakaś bladawa. Wszystko dobrze?

– Doskonale. – Rozpromieniła się. – Wyobraź sobie, że jestem w ciąży – stwierdziła i wpatrywała się w Wojtka w niemym oczekiwaniu.

– To cudownie – odparł i objął ją ramieniem. – Gratuluję – szepnął wprost do ucha.

– I nie można było tak od razu? – zapytała, strącając ramię przyjaciela, gdyż zaczęło się robić zbyt ckliwie.

– Zobacz, co szok potrafi zrobić z kulturalnym człowiekiem – wytłumaczył się.

– Wybaczone, zapomniane – stwierdziła bez cienia ironii w głosie.

– Naprawdę się cieszysz?

– Naprawdę.

– A Maks?

– Jeszcze nie zdążyłam mu powiedzieć – przyznała, trochę się ociągając.

– To na co czekasz? – Przyglądał się jej badawczo.

– Kiedy wróciłam z Amsterdamu, bo tam się dowiedziałam, to nie było warunków. Od kilku dni Maks wciąż pracuje. Na dłużej spotkamy się dopiero dziś i wtedy mu powiem.

– To szykuje się wielki dzień.

– Wielki...

– To chyba mogę czuć się wyróżniony i zaszczycony, że jestem pierwszym, który się dowiedział.

– Raczej domyślił – sprostowała. – Poza tym jesteś drugi. Pierwszy usłyszał mój Tata.

– O ludzie! To ojczulek dowie się jako trzeci?

– Na to wychodzi – stwierdziła. – Chyba że tobie uda się podzielić wcześniej z kimś tą nowiną.

– Za kogo ty mnie masz?! – obruszył się. – Przecież wiem, że to tajemnica większa od moich zarobków, bo gdyby niektórzy z mojej branży je znali, to jak nic nakryliby się kopytami.

– A ty co? Już reklamujesz się na chrzestnego? To znaczy bogatego chrzestnego?

– Nie.

– I co mi się tak podejrzliwie przyglądasz?

– Podejrzliwie? Nie. Po prostu zastanawiam się, co teraz będzie.

– Nie co, tylko kto – dokonała natychmiastowego sprostowania. – Dziecko będzie.

– Nigdy nie myślałem, że będziemy mieli dziecko.

– Chyba się trochę zagalopowałeś? – Spojrzała na niego z sympatycznym politowaniem.

– No wiesz... Jak to ja...

– No wiem...

– Przecież to co moje, to twoje, a to co twoje, to moje – wytłumaczył.

– To może ty też masz mi coś do zaoferowania?

– Mam – odparł przyjaciel, gdy już myślała, że nie doczeka się jakiejkolwiek odpowiedzi na zadane przez siebie pytanie.

– Przypominam, że o twoim tacie już wiem – wyprzedziła fakty, obawiając się, że Wojtek będzie chciał wymigać się od odpowiedzi opowieściami na temat zdrowia taty, a już wiedziała, że ono z każdym kolejnym dniem ulegało poprawie.

– Wyobraź sobie, że wczoraj ojciec zaszczycił mnie normalną rozmową, podczas której nawet kilka razy się uśmiechnął.

– Widzisz? Pamiętasz, jak mówiłam, że minie trochę czasu, a wszystko jakoś się ułoży?

– Ładne mi trochę – oburzył się.

– Nie fukaj, tylko przyznaj, że lepiej się czujesz, jak możecie ze sobą w miarę normalnie rozmawiać.

– Tylko że musiała mu sama kostucha kosą po szyi przejechać, żeby poszedł po rozum do głowy.

W słowach Wojtka wciąż było mnóstwo rozgoryczenia. Jednak i tak się cieszyła, wiedziała bowiem, że rozgoryczenie bywa o niebo lepsze od zimnej i paskudnej obojętności.

– Nie mów tak. Proszę. Ciesz się z tego, co jest. Szkoda twoich emocji i twojego serca, a jeśli już jesteśmy przy sercu, to... – Zawiesiła głos i wlepiła w przyjaciela wyczekujące spojrzenie.

Znosił je dzielnie, milcząc przez dłuższą chwilę. Chyba nie wiedział, jak zacząć, albo zastanawiał się, czy rozpoczynać w ogóle.

– No powiedz... Nie wstydź się... – zachęcała go, zupełnie tak jakby ten był dzieckiem odczuwającym tremę przed deklamacją krótkiego wierszyka.

– Ty coś wiesz? – zapytał ją w końcu z ogromnym zdziwieniem w głosie.

– Co nieco... – przyznała się, nie widząc powodu, czemu miałaby w tej chwili posługiwać się oszustwem.

– Jak to możliwe? – Zrobił się podejrzliwy.

– Byliśmy z Maksem przed szpitalem...

– Co?

Widziała, że oczy Wojtka chciały wyjść z orbit. Poczuła, że sytuacja zrobiła się bardzo poważna.

– Martwiłam się o ciebie, zrozum... – Już się tłumaczyła, chociaż wcale nie chciała tego robić.

– Nie wierzę... – Wpatrywał się w nią intensywnie.

– Tylko się nie złość. – Postanowiła wyprzedzić fakty, w końcu znała Wojtka doskonale.

– Maks nie dostał zawału, gdy nas zobaczył?

Zadał to pytanie tonem całkiem innym od tego, którego się spodziewała. Myślała, że już powoli powinna zacząć zakrywać uszy. Myliła się. Wściekłość w głosie przyjaciela zaczęła zamieniać się w troskę, która zdradzała jego uczucia. Kolejne wyjaśnienia były zbędne. Już mogła nie pytać. Wiedziała wszystko. Wojtek był zakochany. Nareszcie odpowiednio, to znaczy z wzajemnością. Nie miała co do tego nawet najmniejszych wątpliwości. Jednak rozpoczętą rozmowę musiała kontynuować, ponieważ przyjaciel wpatrywał się w nią w wielkim oczekiwaniu.

– Aż tak zależy ci na zdaniu Maksa? – zapytała, już żałując, że bez większego zastanowienia.

– Nie chodzi o mnie, tylko o Bekhira...

Wojtek był przejęty. Bardzo. Równie bardzo bała się, że owo poruszenie utrudni ich i tak niezbyt łatwą rozmowę. Musiała się postarać. Musiała ważyć słowa, być delikatna i taktowna.

– Pasujecie do siebie – cichym głosem odważyła się skwitować.

A może była w błędzie. Być może wszystko zaczęło się wcześniej. Może miłość w sercu Wojtka pojawiła się od razu. Tego nie mogła wiedzieć, nie mogła się nawet domyślać. O uczuciu najwięcej wiedzą serca w nie zaangażowane.

Wojtek milczał. Ale patrzył jej prosto w oczy. To był dobry znak. Chociaż przygotowała się na to, że ciągu dalszego tej rozmowy może nie być. Nie chciała bliskiego człowieka do niczego zmuszać.

Patrzyli na siebie nawzajem. Postanowiła się uśmiechnąć. Przecież miała duży powód do radości. Jej przyjaciel kochał.

– To było dla mnie totalne zaskoczenie.

– Dla mnie też – przyznała się.

– Tylko mi nie mów, że widzieliście, jak się pocałowaliśmy.

Mogła zatem bez obaw powiedzieć to, o czym pomyślała w tej chwili.

– Mogliśmy poobserwować was trochę dłużej.

– Musisz mnie wkurzać? – Spojrzenie Wojtka znowu uzmysłowiło jej, że to nie czas i miejsce na żarty.

– Bądź spokojny. Bardzo szybko postanowiliśmy, że nie będziemy wam przeszkadzać.

– Jak chcesz, to potrafisz się zachować.

– To może ty przypomnij sobie, jak wcześniej zachowywałeś się wobec Bekhira. Pamiętasz, jak go nazwałeś?

– Wiedziałem!!! Wiedziałem, że jak ci powiem, to od razu to wyciągniesz. Ale cię znam! – Kręcił ze zdziwieniem głową.

– I co z tego? Prawda jest taka, że Bekhir działał na ciebie jak płachta na byka.

– Podobał mi się od początku – przyznał się, i to bez ciągnięcia za język.

– To dlaczego nic nie powiedziałeś?

– Bo nie chciałem o nim myśleć, sądziłem, że…

– A czułeś, że…

Nie pozwoliła mu dokończyć zdania i sama też tego nie zrobiła. Wiedziała, że mogła sobie na to pozwolić. Po pierwsze, zwykle rozumieli się bez słów, tak było też tym razem. A po drugie, uwagi, którymi chcieli się właśnie wymieniać, paradoksalnie mogły być najlepiej zrozumiane w milczeniu. Takim szczególnym milczeniu.

– Coś ty! – Wojtek na szczęście nie miał jej za złe nadmiernej ciekawości.

– Życie potrafi nas zaskakiwać – spointowała.

– I to czasami bywa cudowne – odpowiedział i powędrował wzrokiem w dal.

Jej zdaniem był teraz w przeszłości z Bekhirem, a może nawet już w przyszłości...

– Życzę ci, żeby wszystko się dobrze ułożyło. – Też pozwoliła sobie na spacer do przyszłości.

– Ja też sobie tego życzę... A tym, że zostanę wujkiem, cieszę się tak samo mocno, jak jestem zaskoczony – Wojtek umiejętnie wrócił do tematu.

– Nie ty jeden. – Uśmiechnęła się do niego i do siebie samej.

– I to chyba jeszcze nie koniec tej kolejki zaskoczonych.

– Pewnie nie, ale nie zamierzam teraz o tym myśleć i się tym stresować. Ani dziś, ani też jutro.

– I dobrze, bo stres w twoim stanie jest niewskazany. Powinnaś się dobrze odżywiać. Czyli idziemy coś zjeść?

Wzrok Wojtka był proszący.

– Jeśli zechcesz iść teraz do kebabiarni... – zrobiła zniesmaczoną minę – ... zrozumiem... – Wyraziła swą gotowość na zapachowe tortury.

– Kebab będzie na kolację – odpowiedział z radością i tęsknotą w głosie.

– Ale mam nadzieję, że na śniadanie co innego. – Usiłowała dowiedzieć się czegoś więcej o przebiegu randki, której z widoczną niecierpliwością oczekiwał przyjaciel.

– Nie za dużo chciałabyś wiedzieć? – Z miejsca spacyfikował jej wścibstwo.

– Po prostu pragnę cieszyć się waszym szczęściem.

– To się ciesz! – Wojtek nawet spojrzeniem nie zdradził tego, na jakim etapie był jego związek z Bekhirem.

– Normalnie radość mnie zalewa – dowcipkowała, wymachując rękami, udając, że płynie kraulem.

– Dobra, już dobra! Przestań! Nie pajacuj. Jeszcze sobie mięśnie ponaciągasz. Idziemy! Uspokój się, bo ci się kończy basen, a ja i tak nic ci nie powiem.

– Dobra, już dobra!

Chociaż nic nie usłyszała, to dowiedziała się wiele. Cieszyła się całym sercem, że miłość nie była teraz jedynie jej udziałem. Cieszyła się, że miała ją w sobie i wokół również. Zerkała na Wojtka i nie miała co do tego żadnych wątpliwości.

Stała przed mieszkaniem Maksa. Była zła, że ich spacer po Starym Mieście nie doszedł do skutku. Złość przeszła jej, gdy otworzyły się drzwi.

– Jesteś!

Maks nie przywitał jej. Wciągnął ją za próg i z miejsca dał jej do zrozumienia, że póki co nie jest zainteresowany rozmową. Interesowało go tylko jej ciało.

– Tu jestem! – Usiłowała przywołać go do porządku.

Miała wrażenie, że tracił głowę nie dla niej, tylko dla najokrąglejszych fragmentów jej ciała. Chociaż zaczynało jej się to podobać, to jednak chciała, by ukochany chociaż trochę się uspokoił.

– Nareszcie jesteś! Już myślałem, że się nie doczekam…

– Jak ty się zachowujesz? – zapytała z dezaprobatą w głosie, o którą musiała się postarać, ponieważ ukochany bardzo umiejętnie się nią cieszył.

– Czy ja zawsze muszę być taki porządny? – zapytał z rozemocjonowaniem w głosie i nie zaprzestał swych praktyk obezwładniających ją w coraz większym stopniu.

– Nie musisz – zgodziła się szybko. – Ale akurat dziś przyszłam tu głównie po to, żeby porozmawiać. – Zdradziła główny powód swej wizyty takim szeptem, iż sama pojęła, że ta rozmowa tak czy siak będzie musiała poczekać.

– Proszę cię…

Prosić już też nie musiał. Przecież nikogo nie trzeba namawiać do przyjemności, a jej było teraz tak przyjemnie, że zdążyła już zapomnieć, po co tu przyszła. Więcej, była przekonana, że znalazła się tu tylko i wyłącznie po to, co otrzymywała w tej chwili. W jednej sekundzie zrównała oddech z Maksem i oddała się i chwili, i jemu. Przestała myśleć o słowach, które mu przynosiła. Zaczęła czerpać siłę z bliskości. Do tej pory nie podejrzewała Maksa o taką zachłanność. Jednak akceptowała ją całkowicie, bowiem miała pewność, że źródłem takiego zachowania ukochanego była tęsknota, a nie chęć dominacji. Ukochany ją teraz budował, a nie poddawał destrukcji. Chociaż rządził jej ciałem niepodzielnie, to i tak czuła, że to ona jest najważniejsza, a on był na jej usługach. Była ważniejsza od wszystkiego, Od tej chwili, nawet od miłości, która łączyła ich nierozerwalnie nie tylko teraz. Nie tylko w tej chwili totalnej bliskości...

Nie mogła złapać tchu. Nie miała już siły. Zakręciło jej się w głowie. Marzyła, żeby się położyć. Nawet tu, na podłodze małego przedpokoju. Jednak musiała wytrzymać, przetrzymać rozkosz wywołującą w niej drżenie duszy i nie tylko. Udało jej się to. Maks, domyśliwszy się, że miała nogi jak z waty, wziął ją na ręce i zaniósł wprost do sypialni.

Poczuła na gorącej skórze bardzo przyjemny chłód prześcieradła i uśmiechnęła się z radością. Falę wewnętrznej rozkoszy potęgowała zewnętrzna przyjemność. Przy Maksie lubiła i gorąco, i chłód.

– Przepraszam... – usłyszała nad sobą cichy szept.

Otworzyła zamknięte do tej pory oczy, już żałując, że nie widziała tego, co się wydarzyło.

– Za co?

– No wiesz... – Maks zrobił minę zawstydzonego młodzieńca i musiała przyznać, że było mu z nią bardzo do twarzy.

– Ale mam nadzieję, że nie jesteś ze mną tylko z tego powodu… – Wymownie przebiegła wzrokiem po swoim nagim ciele, którego nie przykrywała teraz nie wiadomo kiedy rozpięta bluzka.

– Nie tylko z tego – odpowiedział, a jego oczy rozpoczęły wędrówkę po jej kształtach.

– A z jakiego jeszcze? – zapytała, chcąc jak najszybciej powiedzieć o ich wspólnym maleństwie.

– Fajna jesteś. – Maks pewnie doskonale wiedział, że nie takiej odpowiedzi oczekiwała w tej chwili.

– Tylko tyle? – Zastanawiała się, czy aby nie powinna się obrazić.

– To znaczy, źle się wyraziłem. Nie jesteś fajna, tylko najfajniejsza. – Ukochany uśmiechał się rozbrajająco, a przyglądał jej się tak, że już wiedziała, co właśnie planował.

Poza tym domyślała się też, że obrażanie się nic tu nie pomoże. Maks bawił się setnie. W dodatku to, co robił z nią w tej chwili, a raczej co z nią robiły jego sprawne palce, sprawiało, że musiała zdobyć się na szczerość, zanim słowa miały znów stać się nieważne.

– Chciałabym ci coś powiedzieć…

– A to nie może poczekać?

Patrzyła w oczy nachylającego się nad nią mężczyzny i już rozumiała, że jeśli nie teraz, to… dużo później…

– Może, tylko że to… – pocałowała go, starając się pohamować namiętność – … też może poczekać.

– Pocałuj mnie tak jeszcze raz, a przekonasz się, że czekanie nie jest moją mocną stroną – zagroził jej głosem wypełnionym pożądaniem.

– Skoro tak, to zapomnij o całowaniu.

– Nie ma mowy!

Teraz to Maks ją pocałował tak, że zakręciło jej się w głowie.

– A nie jesteś ciekawy, co chciałabym ci powiedzieć? – zapytała zagadkowo.

Maks popatrzył na nią uważnie. Spoważniał. Zrobił się czujny.

– Jestem... – odezwał się tak serio, że poczuła na swoich plecach może nie zimny pot, ale jakby powiew chłodnego wiatru.

W sekundzie się zdenerwowała, gdyż dotarło do niej, iż za chwilę może się okazać, że Maks nie był zadowolony z tego, co im się przydarzyło.

– Jestem w ciąży – powiedziała szybko, by natychmiast poradzić sobie z rodzącym się właśnie niepokojem.

Znieruchomiał. Patrzył na nią, a czas się zatrzymał. Milczał.

– Masz zamiar coś powiedzieć? – zapytała z niepokojem i pragnieniem przerwania ciszy.

– Lepiej być nie może.

– To dlaczego jesteś taki poważny? – Nie potrafiła odnaleźć się w sytuacji.

– Bo ty też jesteś śmiertelnie poważna i zastanawiam się dlaczego. – Wpatrywał się w nią coraz intensywniej.

– Czekam na radość... Może trochę naiwne... – mówiła spokojnie, choć emocje w niej buzowały. – Nie cieszysz się? – Jej oczy wypełniły się łzami.

– Nie płacz, bo pomyślę, że to ty się nie cieszysz.

– Ale ja się cieszę i to baaardzo... – zapewniła przez łzy.

– Na pewno nie bardziej niż ja. – Rozpromienił się.

W końcu to zrobił. W dodatku tak przekonująco, że nie miała już żadnych wątpliwości. Cieszył się. Już czuła to nie tylko sercem, ale całą sobą. W sekundę zapomniała o napięciu sprzed chwili. Maks przytulał ją tak mocno, jakby chciał mieć ją na wyłączność.

– Za chwilę mnie udusisz. – Roześmiała się.

– To za karę, że tak mi to powiedziałaś, jakby przeze mnie zawalił ci się świat.

– Naprawdę? – Nie mogła uwierzyć w to, co słyszała.

Nie mogła, ale musiała dać wiarę, bowiem powoli docierało do niej, że w istocie była zestresowana oczekiwaniem na reakcję ukochanego. Mógł odnieść wrażenie, że niezaplanowana ciąża stała się dla niej powodem poważnego zmartwienia.

– Naprawdę – Znów spoważniał.

– Po prostu trochę się zestresowałam. Pomyślałam, że możesz być niezadowolony.

– Zwariowałaś? – zapytał pieszczotliwie i delikatnie położył dłoń na obecnie najważniejszym fragmencie jej ciała. – To tu? – zapytał z dobrodusznością w głosie.

Jego ton sprawił, że nie zapanowała nad wzruszeniem.

– Myślę, że tak – szepnęła roztrzęsiona.

– To dlaczego płaczesz? – Już wycierał jej łzy płynące na poduszkę.

– Bo kiedyś myślałam, że taka chwila nigdy mi się nie przydarzy. Zresztą jeszcze niedawno tak sądziłam. Byłam przekonana, że życia z Robertem jeszcze długo nie uda mi się włożyć w nawias. Że zanim się z niego wyleczę, to miną lata, a wtedy będę już za stara na założenie rodziny.

– A tu proszę. My już jesteśmy rodziną. Czujesz to?

Maks patrzył na nią z tak wielkim uczuciem, że wzruszenie odebrało jej mowę.

– Ale nie płacz już… Proszę… Przecież mamy powód do radości, a nie smutku.

– Już… już… – Próbowała się uspokoić, póki co bezskutecznie.

– A co byś chciała? Córeczkę czy synka?

Maks patrzył na nią z góry i robił wszystko, by pomóc jej uporać się ze wzruszeniem. Czuła to bardzo wyraźnie.

– A ty? – Wciąż nie panowała nad emocjami.

– To nie jest najważniejsze, liczy się to, żeby było zdrowe, i to, że będę miał je z tobą. Przytul się już i przestań w końcu płakać.

Maks przygarnął ją do siebie. Gładził ją po głowie i po plecach. Wydawało jej się, że na uspokojenie potrzebowała krótkiej chwili. Źle sądziła, ponieważ ten moment się przedłużał. Ale nie czuła się do niczego zmuszana. Ukochany już nic nie mówił. Nie uspokajał. Po prostu wspierająco ją przytulał. Zaczęło do niej docierać, że ostatnie dni były dla niej w istocie bardzo stresujące. Mimo wszystko nerwowe. Nie dopuszczała do siebie myśli, że oczekiwanie na reakcję Maksa może ją męczyć i spinać. Teraz rozkleiła się na całego, gdyż w końcu również na całego mogła się ucieszyć. Ukochany pięknie przed chwilą nazwał jej radość. Mieli stworzyć rodzinę. Już ją tworzyli. Zatem to, co czuła, odkąd go poznała, miało trwać nadal. Życie z Robertem bardzo szybko uzmysłowiło jej, że każda bajka ma swój koniec. Ta z byłym mężem skończyła się bardzo źle. Gorzej niż źle. Teraz nie chciała zastanawiać się nad tym, co będzie dalej. Chciała tylko i wyłącznie oddać się radości. Euforii w ramionach Maksa. Czuła bicie jego serca. Ten bardzo harmonijny rytm wpływał na nią uspokajająco i kojąco. Emocje opadały. Poczuła się wykończona. Musiała zasnąć.

– Możemy się przespać? – zapytała, błądząc już na pograniczu jawy i snu.

– Prześpij się ze mną – dwuznacznie zaproponował Maks.

– Z przyjemnością. – Miała ochotę na inną reakcję, ale sił wystarczyło jej tylko na to, by zasnąć.

Ach, co to był za dzień. Ani poranek, ani południe, ani popołudnie nie zapowiadały tego, co wydarzyło się wieczorem.

Mam ogromny powód do radości. Kiedy wyszłam dziś z Nutką, zmęczona upałem przysiadłam na ławce w cieniu na chwil kilka. Pod kasztanem ogromnym, który swym kwitnieniem maturalny czas mi uzmysłowił. Psina patrzyła na mnie, prosząc o rychły powrót, a mnie się jakoś nie chciało z miejsca ruszać. Siedziałam i patrzyłam przed siebie. Obserwowałam, jak lekki wietrzyk niesie bialutkie płatki kasztanów wysoko, wysoko i sypie nimi do pootwieranych okien, na balkony i wszędzie, gdzie tylko przyjdzie mu ochota. Ale psiak do domu ciągnął, ruszyłam zatem przed siebie. Już drzwi miałam za sobą zamykać, aż tu nagle słyszę za moimi plecami głosik mój ulubiony „Babcia! Babcia! Babcia!". Odwracam się i kogo widzę? Zosię, wnuczkę moją najukochańszą, w dodatku w podskokach się do mnie zbliżającą. Już od jakiegoś czasu się nie widziałyśmy. Tęskniłam, ale nie chciałam Beatki naciskać, bo moja córka jest typem przekornym. Poprosisz, to nie posłucha, a nie poprosisz, to jest szansa, że się sama domyśli i zrobi to, czego oczekujesz. Wyściskałam i wycałowałam tę moją dziewczynkę zawsze pachnącą truskawkami. Patrzę, a za nią idzie Beatka z jakimś wielkim rulonem. Ta to zawsze coś wymyśli. Chodnik mi nowy do przedpokoju kupiła. Stwierdziła, że stary jest tak zniszczony, że wstyd. Pozwoliłam sobie poprosić, aby pieniędzy na mnie nie wydawała. „Mam, to wydaję" – od razu głos na mnie podniosła. Moja Beatka taka już jest, że gdy jej coś na nos usiądzie, to nie przebiera w słowach. Czasami widzę, jak wielką ochotę ma Maks, by tym siostrzanym występom dać kres. Ale on nie znosi awantur i walczy ze sobą, żeby nie reagować na ten emocjonalny magiel, w którego urządzaniu Beatka nie ma sobie równych. Od lat jest tak samo. Kiedy byli dziećmi, zachowywali się identycznie. Beatka zawsze z językiem do kolan, a Maks z milczeniem na ustach. Ale nie o tym teraz.

Weszłyśmy razem do domu. Nutka od razu dała nura pod stół, bo ona też nie lubi pokrzykiwań i wysokich tonów Beatki. Ja natomiast zanurkowałam do szafy, w której schowałam lalkę dla Zosieńki kupioną. Ależ się moja wnusia na jej widok ucieszyła. Nie tylko usta jej się śmiały, ale i oczy. Tak w ogóle ta moja iskierka do swojej mamy z lat dziecinnych nie jest wcale podobna. I całkiem dobrze się składa. Zosia jest aniołem, a Beatka zawsze łobuziarą była.

Świetnie się złożyło, że wczoraj wieczorem sernik na zimno zrobiłam, bo miałam co na stół postawić. Beatka walczyła ze starym chodnikiem, by nowy w jego miejscu położyć. Do odkurzania się wzięła. Zaraz po tym szarpała się z nowym nabytkiem. A wszystko w takich nerwach, że od razu zatęskniłam za starym porządkiem, który się Beatce niestety już nie podobał. Koniec świata! Naprawdę! Drzwi otwarte. W domu hałas. Rulon starego chodnika na progu leży, a Beatka w żywiole swoich ulubionych zmian. U niej ten jej cierpliwy do bólu mąż to z tymi, to z innymi meblami jeździ to w tę, to w przeciwną stronę. Jeśli moja córka coś wymyśli, coś ułoży sobie w głowie albo co gorsza ubzdura, to nie ma mocnych, by ją od tych wszystkich pomysłów odwieść.

Zatem odkurzacz włączony, Beatka w nerwach, Zosieńka nową lalą się w kuchni bawi, bo tam najciszej, Nutka schowała się nie wiadomo gdzie, ja stoję i grzecznie na komendy czekam i patrzę... A tu w progu stoją moje dzieci kochane. Maks i Sara. Młodzi, zakochani, uśmiechnięci, wciąż w oparach miłości. Beatkę, jak ich zobaczyła, po prostu zatkało. Dostrzegłam to wyraźnie. Zresztą taki stan nie przydarza jej się często. Zmierzyła Sarę od stóp do głów i chociaż to wycieczka daleka nie była, w zupełności wystarczyła, by policzki Sary ubrały się w rumieńce. A że ładna jest jak ta lala, normalnie dziewczyna jak malowanie, to ten pąs jej urodzie jeszcze mocniej się przysłużył.

No i dzięki Bogu w takich okolicznościach porządki musiały poczekać. Beatka została zmuszona po ludzku się zachować, a że rządzić lubi, to w kuchni wszystkim się zajęła. Kto chciał kawy, dostał, reszta napiła się herbaty, a nasza Zosieńka malinowego soku. Sernik, na którym były truskawki zalane cytrynową galaretką, wszystkim tak smakował, że mi się serce radowało i sama sobie gratulowałam, że go w najodpowiedniejszym momencie zrobiłam. To wymarzone ciasto na ciepłą duchotę zapowiadającą rychłe nadejście lata. Zupełnie tak, jakbym czuła, że najważniejsi na świecie goście mnie odwiedzą. Moje dzieci kochane z przyległościami też moimi najukochańszymi. Ależ było nam wszystkim razem cudownie. Sara od razu serce Zosi skradła, bo w moim domu kredek jest co niemiara i jak ukochana Maksa zaczęła rysować wszystko, co mała tylko chciała, to się taka zabawa zrobiła, że cud. Sara kreśliła rysunki tak pięknie i tak szybko, że nadziwić się nie mogłam, jaki dziewczyna talent w rękach ma. A mój syn tak na nią patrzył, jakby zjeść ją chciał, jakby o każde spojrzenie na nią, które nie należało do niego, był zazdrosny. Patrzyłam w oczy młodych i przypominałam sobie, jaka miłość potrafi być piękna. Jaka to świętość, co ludzi potrafi złączyć na dobre i daj, Panie Boże, na złe również. Inaczej się nie da, bo w życiu nie tylko to, co dobre, się wydarza. Ale o złym pisała teraz nie będę, bo dziś wyłącznie pozytywne rzeczy mi się przydarzały. O miłości chcę pisać. O tym, że jest wielką zagadką dla tych, którym się przydarza, a pewnie jeszcze większą dla tych, co nie są w stanie jej doświadczyć, chociaż na pewno bardzo by tego chcieli.

A już wszystkie moje marzenia spełniły się, kiedy mój zięć Marcin po pracy prosto do mnie przyjechał. I tym sposobem już wszystkie dzieci miałam koło siebie. Otoczyć się pociechami to taka radość dla matki, że większej już po prostu nie ma. I w takiej uciesze i w zabawach minęły nam popołudnie i wieczór, aż Zosieńka moja z lalą w objęciach usnęła. Marcin akcję swej żony zakończył. I nowy chodnik teraz mam. Muszę przyznać, tak gustowny, że aż się moje oczy nacieszyć nie mogą. Najbardziej dziś raduję się jednak z tego, że dzieci sobie do gustu przypadły. Zresztą nic dziwnego. Sara to taka dziewczyna, której po prostu nie da się nie lubić. Śmiechu było mnóstwo i żartów, i opowiastek, i psot do woli.

Co za dobry i szczęśliwy dzień mi się przydarzył. Inny od reszty. Ależ dobre są takie dzionki. W naturze wiosna w pełni, a jak takie chwile dzięki dzieciom przeżywam, to wydaje mi się, że w moim życiu też dopiero jest wiosna, a nie jesień życia, kiedy dni są byle jakie, ponieważ jeden do drugiego jest podobny tak jak krople jesiennej mżawki.

Ale to jeszcze nie koniec cudowności! Największą radość na koniec mojej pisaniny sobie zostawiłam. Zatem... Marcin śpiącą Zosię do samochodu zaniósł, Beatka Sarę na do widzenia wycałowała i wyściskała zupełnie tak, jakby dziewczyna była z nami od zawsze. A wiedzieć trzeba, że akurat taka wylewność mojej córce nie przytrafia się często. Ona od siebie dużo wymaga, a od innych jeszcze więcej. Cóż poradzić... I kiedy odjechała w asyście swoich najbliższych, to w domu, chociaż wciąż gości miałam, zrobiło się cicho. Cicho, ale nie smutno. Syn schował odkurzacz do szafy. Usiedliśmy przy stole, z którego resztki po obiadokolacji dopiero co zdążyłam posprzątać. Już niczego moje dzieci nie chciały. Nawet herbaty. Usiedliśmy z brzuchami wypełnionymi dobrym jedzonkiem i Maks zaczął mówić, ale tak poważnie, że od razu wiedziałam, czym ta rozmowa się zakończy. Co prawda myślałam, że o małżeństwo chodzi, ale to jeszcze nie tak szybko. Jak znam życie, ono też będzie. Przecież nie będę dorosłym ludziom życia urządzała. Zwłaszcza że momentami sama nie potrafiłam sobie poradzić, ale nie o tym teraz.

Teraz o nowym cudzie. Przydarzy nam się i owszem. Tak naprawdę to już nastąpił. Znowu w naszej małej rodzinie maleństwo będzie. Okruszynka kochana. Już rośnie, z miłości poczęta. Radość w oczach młodych gołym okiem widać równie mocno jak to, że się kochają i świata poza sobą nie widzą. I znowu moja rodzina nowy zastrzyk miłości dostanie. Takich zasileń nigdy dosyć. Na takie trzeba czekać, ich się człowiek nie boi. Przecież dobra nie boi się nikt, przynajmniej nikt dobry. A kiedy zacności jest w życiu dużo, to nawet jak coś złego się przytrafi, wtedy można sobie jakoś poradzić. Bo dobroć wokół potrafi wspierać człowieka jak nic innego na świecie. Ona daje siłę na gorsze czasy.

Dlatego dziękuję Ci, Panie, za to, co mam, a proszę o zdrowie i o to, by tych gorszych chwil w życiu moich dzieci było jak najmniej.

Przykro mi się zrobiło, jak młodzi ode mnie wychodzili. Chciałam, żeby jeszcze trochę zostali, ale rozumiałam, że iść już chcieli, by podzielić się tą dobrą nowiną z Dziadkiem Sary. To z nim mieszka moja przyszła synowa, której pierwsze małżeństwo z kim innym nie ułożyło się wcale a wcale. Tak mi kiedyś napomknął Maks, ale do głowy mi nie przyszło, by go dopytywać o szczegóły. Było, minęło. I amen. Zresztą w moim życiu też zdarzył się taki okres, o którym mogę już na szczęście dziś myśleć: „było, minęło". Może i chciałabym wiedzieć więcej o Sarze, ale nie jestem przecież Kwietniową... Wypytywała nie będę. Zresztą przyjdzie jeszcze czas na rodzinne opowieści... Mam nadzieję, że wszyscy jeszcze mamy dużo czasu na snucie różnych historii.

Siedziała z Dziadkiem w kuchni. Śniadanie już zjedli. Nie musiała brać nóg za pas i biec przed siebie, by zdążyć do pracy. Zwolnienie lekarskie sprawiało, że czuła się lepiej, wiedząc, iż mdłości nie będą utrudniać jej obowiązków. Ogólnie czuła się już lepiej i na duszy, i na ciele. Za kuchennym oknem świeciło piękne słońce. Bezchmurne niebo było jak bezproblemowe życie. Nastrajało optymistycznie. I ją, i Dziadka. Wczoraj dowiedział się, że zostanie pradziadkiem. Doskonale to wyszło, ponieważ o maleńkiej istotce dowiedział się od Maksa, gdyż ten tak się cieszył, że najchętniej obwieściłby całemu światu, że zostanie ojcem.

– Ładnie zjadłaś – pochwalił ją Dziadek.

Wcale nie zdziwiła jej ta pochwała, ponieważ ostatnio bywał świadkiem jej niechętnego grzebania widelcem w jedzeniu niezależnie od tego, co się w danej chwili na talerzu akurat znajdowało.

– Staram się. Obiecałam to Maksowi.

– Czyli możesz sobie teraz przypominać to, o czym zawsze mówiła ci Babcia, kiedy marudziłaś przy jedzeniu.

– Nie lubię, ale jem – powiedzieli jednocześnie.

Roześmiali się też w tej samej chwili.

– Bardzo żałuję, że tego nie doczekała – odezwał się bardzo nostalgicznie Dziadek.

Nie musiał tłumaczyć, co miał na myśli. Patrzyli sobie teraz w oczy i oboje wspominali te chwile, kiedy wszyscy, czyli Dziadek, Babcia i ona sama, nagabywali jej rodziców, by zrobili coś, żeby nie była jedynaczką. Doskonale pamiętała pełne nadziei oczy swego Taty podczas tych rozmów. W czasie ostatniej wizyty w Amsterdamie spojrzenie ojca też wypełniała nadzieja. Identycznie jak przed laty. Pamiętała też proszący wzrok Babci i Dziadka skierowany na ich córkę. Wspominała również swoje liczne nagabywania Mamy, momentami trącące nawet histerią. Niestety zapamiętała też jej przerażone oczy na samą myśl o kolejnym dziecku, które wprowadziłoby niewyobrażalny chaos nie tylko w jej życiu prywatnym, ale przede wszystkim w zawodowym i w rozśpiewanym terminarzu.

– Ale ty, Dziadku, doczekasz! – odezwała się z optymizmem po dłuższej chwili milczenia.

– Mam taką nadzieję.

– Dziadku! – użyła karcącego tonu.

– Dobrze, już dobrze. Obiecuję, że doczekam. – Położył swą prawą dłoń na sercu.

– I tak trzymać! I tak myśleć! I tak ma być!!!

Spoglądał na nią ciepło, na jego ustach rozgościł się uśmiech na wspomnienie minionych czasów.

– O czym myślisz? – zapytała.

– O tym, jak bardzo różnisz się od swojej Mamy…

– Chcesz powiedzieć, że jestem bardziej podobna do Taty?

– Nie chodzi mi o podobieństwo fizyczne.

– Przecież wiem. – Uśmiechnęła się, ciesząc z tego, że rozumieją się bez słów.

– Im jesteś starsza, tym bardziej przypominasz mi Babcię. Jesteś do niej niezwykle podobna. Nie dosyć, że masz jej oczy, to nawet patrzysz tak jak ona. A jak się cieszysz, tak jak dziś, to masz takie świetliste latarenki. Identyczne jak moja Sara. Tak właśnie okazywała radość twoja Babcia, gdy okazało się, że Ewa jest w ciąży. Ludzie, ludzie… Co to był za dzień…

– Opowiedz mi, proszę… Opowiedz…

Wypowiedziała swą prośbę w taki sam sposób jak wówczas, gdy była jeszcze dzieckiem i uwielbiała naciągać Dziadka na opowieści różnej treści, te realne i te całkowicie odrealnione. Dziadek był, jak to ujmowała jego żona, „bajarzem pierwszej wody".

– Wszystko wtedy było. Co tylko można sobie wyobrazić. Płacze, śmiechy i zgrzytanie zębów. Babcia się cieszyła, ale oczywiście też martwiła. Ewa za to płakała, bo dzień wcześniej dowiedziała się, że została przyjęta na swój wymarzony kierunek w akademii muzycznej, a tu taki kwiatek.

– A Tato?

– Cieszył się. Uspokajał Ewę. Tłumaczył jej, że sprawy uda się pogodzić. Oczywiście nie chciała go słuchać. Twierdziła, że to wszystko przez niego, że jest nieodpowiedzialny, że tak mówi, bo mu już został tylko ostatni rok studiów i że on będzie panem inżynierem, a ona skończy tylko z maturą.

– Ale jakoś dopięła swego – stwierdziła, ciesząc się w duchu, że Tato został panem inżynierem, a Mamie pomimo czarnowidztwa udało się zrealizować młodzieńcze marzenia.

– Ależ oczywiście, że dopięła. – Westchnął z ulgą. – Nie byłaby sobą, gdyby tak się nie stało. Zawsze żyła intensywnie. Dużo intensywniej niż my wszyscy razem wzięci. Zupełnie jakby przeczuwała, że będzie tu krócej niż reszta. – Jego oczy, gdy to mówił, pokryły się kryształami wzruszenia.

Musiała zareagować bez zwłoki.

– I pomyśleć, że kiedy do mnie dotarło, że będę mieć dziecko, to pierwszą mą myślą po zaskoczeniu było to, że jestem taka młoda. – Roześmiała się szczerze.

– To wyobraź sobie, co czułabyś, przeżywając takie zaskoczenie tuż po maturze. – Przemówił do jej wyobraźni i to w taki sposób, że poczuła ogromną tęsknotę za Mamą.

Patrzyła na Dziadka. Teraz oboje byli wzruszeni i oboje bardzo tęsknili.

– Dobrze, że miała was – odezwała się roztrzęsionym głosem. – To znaczy ciebie i Babcię – uściśliła i spojrzała na staruszka z miłością.

– Ja to nic... – odezwał się z wrodzoną skromnością. – ... Ale Babcia... To ona stanęła na wysokości zadania. Życie z nią było bajką dla każdego, kto ją spotykał. I nie myśl sobie, Sarenko, że uderzam teraz we wspomnieniowy ton. Tak było naprawdę. Moja żona była taka, że każdą sytuację w życiu potrafiła tak… – tu zrobił pauzę, szukając odpowiedniego słowa na określenie zdolności swojej życiowej towarzyszki – … przeramować, że nawet w chwilach, kiedy wydawało się, że powodów do radości nie ma wcale a wcale, ona i tak takowe znajdowała, i to zawsze.

– Pamiętam, pamiętam… – Zatęskniła za Babcią.

Zawsze tęskniła za nią bardziej dotkliwie niż za Mamą. Może dlatego, że to właśnie Babcia towarzyszyła jej w życiu dłużej. To jej dotyk pamiętała nieustannie.

– Ale… Tylko żeby nie było… Na mnie też możesz liczyć – zaoferował się Dziadek. – Jak dożyję…

– Nie mów tak! – zdyscyplinowała go.

Nie znosiła, kiedy używał tego znienawidzonego przez nią zwrotu. Bała się tych słów. Złowieszczych. Obawiała się nieodwracalności, która była w nie wpisana. Nieuchronności ostatniego pożegnania. Nie lubiła się żegnać. Z Dziadkiem, z Tatą, Maksem, Wojtkiem. Z nikim. Żadnych pożegnań. Nawet tych na chwilę, na krótki czas. Chyba nie odziedziczyła po Babci talentu do przeramowywania świata, ponieważ gdyby go miała, to z pewnością potrafiłaby spojrzeć na rozłąkę przychylniejszym wzrokiem. Mogłaby ją wtedy uważać za doskonały wstęp do przywitań, które uwielbiała. Musiała nad sobą popracować, ponieważ chciała być taka jak Babcia. Czyli iść przez życie z uśmiechem. Nawet nie iść, tylko przeć do przodu. Teraz było jej dużo łatwiej upodabniać się do Babci, ponieważ na jej drodze pojawił się Maks. Z nim u boku chciała zmierzać w nieznane i niczego się nie bała. Miała wrażenie, że jej życie wskoczyło na właściwy tor i zmierzało w bardzo dobrym kierunku. Trzymała kciuki, żeby nie zboczyć z tej ścieżki. Zaciskała je mocno, by wszystko się udało, aby było tak, jak chciała. Spokojnie i szczęśliwie. Już wiedziała, że umiejętność dopingowania siebie to wielka rzecz. Teraz wiedziała, że musi trzymać kciuki ze zdwojoną siłą, bo nie była już sama. Na pewno nie musiała jeść za dwoje, ale odpowiedzialna musiała być za dwoje. Chciała tego. Wiedziała, że jej się to uda. Była tego pewna, a w tej pewności utwierdzały ją oczy Maksa. To z jego spojrzenia mogła czerpać do woli. Znalazła odnawialne źródło miłości i optymizmu. Cieszyła się, gdy mogła spoglądać mu w oczy. Chciałaby patrzeć w nie bez przerwy, ale wystarczyła jej świadomość, że nadchodziły czasy, kiedy będzie mogła mieć go przy sobie coraz częściej. Ta perspektywa budziła w niej coraz większy optymizm, a z nim czuła się bliżej Babci albo jakby Babcia była bliżej jej życia. To dlatego czuła się dobrze.

Siedział przy swoim biurku. Ostatnio w pracy zdarzało mu się to bardzo rzadko. Między innymi dlatego, że bardzo tego nie lubił. Ale gdy dziś Korkociąg wziął na siebie paskudny obowiązek uczestniczenia w identyfikacji zwłok małego chłopca, był mu ogromnie wdzięczny. Prowadzili teraz bardzo trudną, skomplikowaną sprawę. Tropy, na które wpadali, raz po raz okazywały się fałszywe. Odkąd okazało się, że Sara jest w ciąży, na własnej skórze doświadczał tego, że – jak powtarzał wielokrotnie Stary – „ta robota jest chyba łatwiejsza dla tych, którzy nie mają rodzin". Czuł, jak bardzo zmieniało go uczucie do Sary. Myślał o tym nawet wczoraj wieczorem, kiedy widział przed sobą jej oczy. Kiedy te lśniące ogniki zaświeciły się jeszcze bardziej na widok jego wyciągniętej dłoni, na której spoczywało aksamitne czerwone pudełeczko w kształcie serca. Przypominał sobie teraz, z jakim wzruszeniem i w jakim skupieniu je otwierała.

W sercowym etui zamiast standardowego zaręczynowego pierścionka znajdowała się obrączka. Zobaczył ją kilka dni temu w sklepie jubilerskim i od razu wiedział, że to właśnie ją chciałby dać ukochanej. Była bardzo oryginalna i delikatna, czyli idealnie pasowała do urody Sary. Niezbyt szeroka, wykonana ze złota przypominającego koronkę, jej największą ozdobę stanowiły maleńkie szafiry osadzone jeden obok drugiego. Nie za rzadko, ale też nie za gęsto. Nawet mamie zaświeciły się oczy na widok tej biżuterii. Sara natomiast zaniemówiła. Ten jej nagły brak słów stanowił dla niego największy dowód na to, że to chyba nie o pierścionek chodziło w tym wszystkim, co ich połączyło. Sara utkwiła wzrok nie w podarunku, tylko w jego spojrzeniu. Obrączkę wkładała na palec, nie spuszczając wzroku z jego twarzy. Uśmiechała się, ale to nie przeszkadzało łzom, które pojawiły się najpierw w jej oczach, a za chwilę na policzkach. Zamiast rozmowy otrzymał łzy, których się nie spodziewał. Ona natomiast bardzo szybko obwiniła o nie hormony.

Przypominał sobie tę chwilę i nie panował nad uśmiechem. Jednak mina partnera, który właśnie wszedł do pokoju, sprawiła, iż natychmiast musiał wrócić do rzeczywistości. Nie widział już Sary, tylko wzrok przyjaciela pełen załamanej wściekłości.

– Co jest?

– Matka nie poznała, a sąsiadka od razu. – Korkociąg sięgnął po papierosa, chociaż po ostatnim postrzale obiecywał, że pożegna się z nałogiem.

Nabrał powietrza, a przy okazji do jego płuc dostał się papierosowy dym. Niestety jego makabryczne podejrzenia zamieniły się w jeszcze straszniejszą rzeczywistość. „Zezwierzęcenie" – to jedyne słowo wypełniało teraz jego myśli. Zresztą miał wrażenie, że nawet ono nie do końca oddawało to, co działo się z niektórymi. Zwierzęta przecież zabijają po to, by przeżyć, a ludzie…

– Chyba muszę się napić – odezwał się w końcu Korkociąg, kończąc palić papierosa, który widocznie nie pomógł rozładować mu napięcia.

– Idziemy?

– Najpierw muszę coś zjeść, a później na jednego, góra dwa, bo obiecałem dziś młodemu, że wrócę trochę wcześniej i pouczę się z nim matmy. Koniec roku się zbliża, a on chce tam coś poprawiać, a na bani to się nikomu w domu nie przydam.

Korkociąg na pewno był dobrym ojcem. Rzadko mówił o żonie i dzieciach, ale zawsze się do nich spieszył. Też chciał być taki jak on. Zresztą doskonały przykład miał nie tylko w swoim partnerze. Najlepszym wzorem dla niego był jego tata. Można było na niego liczyć w każdej sytuacji. Poza tym mieli swoje tajemnice, do których wglądu nigdy nie miały Beata ani mama. To tata uczył go męskiego świata. On mu tę rzeczywistość przedstawiał i tłumaczył. Właśnie dlatego męskość kojarzyła mu się z odpowiedzialnością i odwagą. „Pamiętaj, mężczyzna zawsze musi być odpowiedzialny" – słyszał wielokrotnie. Wierzył we wszystko, co mówił tato, i to bezgranicznie, ponieważ jego słowa poparte były przykładem.

– To gdzie idziemy?

– Chodźmy do nas – zaproponował Korkociąg. – Słyszałem, że dają dziś schabowego.

Policyjna stołówka była obskurna, ale karmili w niej bardzo dobrze. Byle jakie talerze, byle jakie sztućce, ale jedzenie jak się patrzy. Prawie jak u mamy.

– To idziemy!

Korkociąg przysiadł na biurku należącym kiedyś do Pati. Teraz nikt go nie używał. Blat wciąż stał pusty. Został na nim tylko śmieszny kubek w kolorowe groszki, na którym widniał napis: „To będzie dobry dzień". Patrycja trzymała tam długopisy, które były w tym pokoju towarem bardzo chodliwym. To dlatego kubek stał teraz całkiem pusty.

– To co się rozsiadasz? Jedziemy? – zapytał lekko zmieszany, ponieważ Korkociąg ewidentnie się ociągał.

Takie zachowanie było do niego niepodobne.

– Jedziemy. Jedziemy. Mamy do pogadania. Ale to dopiero, jak sobie chlapniemy po jednym – powtórzył się partner.

– Ale po jednym – zaznaczył. – Bo ja też mam jeszcze plany.

Jednak nie zdążył nawet o nich pomyśleć, ponieważ nagle dotarło do niego, o czym chciał pogadać Korkociąg.

– Wiesz już, o co chodzi ze zdjęciem mojej matki?

– Wiem – odpowiedział partner z nieodgadnioną miną.

Znał go na tyle, że wiedział, iż proszenie teraz o jakiekolwiek informacje mijało się z celem. Chociaż chciał wiedzieć wszystko od razu, musiał postępować według planu narzuconego przez partnera, który nigdy nie był gadułą, za to zawsze chodzącym konkretem. Skoro proponował rozmowę akurat dziś, z pewnością oznaczało to, że wiedział już wszystko i nic nie budziło jego wątpliwości. Tematem miały być nie przypuszczenia, ale sprawdzone na wszystkie możliwe sposoby fakty. Musiał poczekać. Nie miał wyjścia. Dlatego o nic nie pytał, tylko otworzył drzwi i wzrokiem dał Korkociągowi do zrozumienia, że to właśnie on powinien jako pierwszy opuścić pomieszczenie, w którym właśnie przebywali.

Całą drogę do stołówki spędzili w milczeniu. Obiad również zjedli bardziej w towarzystwie swych myśli niż słów. Na szczęście żadnemu z nich ta przedłużająca się cisza nie przeszkadzała. Nie mógł wiedzieć, o czym myślał Korkociąg. On sam skupiał się na czekaniu. Po obiedzie szybko zmienili lokal.

Gdy weszli do knajpki, w której od czasu do czasu dokonywali szybkiego znieczulenia po złych dniach, okazało się, że z racji dość wczesnej pory było tam jeszcze całkiem pusto. Barman znający ich doskonale, nie pytając o zamówienie, od razu nalał im po setce czystej wódki i zapytał, czy będą to powtarzać. Obaj zaprzeczyli. Słysząc ich zgodną i chóralną odpowiedź, barman zostawił ich samych i zniknął gdzieś na zapleczu. Mogli zacząć rozmawiać. Mieli ku temu doskonałe warunki. Wypili wódkę i w ciszy gapili się w puste kieliszki stojące na barze.

– Zacznij wreszcie – poprosił Maks.

– Ta większa dziewczynka na zdjęciu to twoja matka – stwierdził bez śladu emocji w głosie Korkociąg.

– Wiedziałem – powiedział z ulgą i satysfakcją.

Popatrzył na partnera i od razu zdał sobie sprawę, że na ulgę jest jeszcze za wcześnie. Korkociąg wbił w niego nieruchome i bardzo poważne spojrzenie.

– To z jakiej racji portret mojej matki wisi w salonie Dziadka Sary? – zapytał takim tonem, jakby rozpoczynał śledztwo.

– Ktoś się pomylił albo zrobił to celowo... Tego nie udało mi się dowiedzieć...

– Ktoś to znaczy kto? Możesz jaśniej? – poprosił rozkazująco.

Już zdążył się bardzo zdenerwować, ponieważ nawykły do konkretów Korkociąg nie miał chyba ochoty ich obwieszczać.

Z pewnością takie zachowanie było dowodem tego, iż miał teraz złe informacje.

– Mogę najjaśniej – odparł z miejsca i wlepił w niego spojrzenie pełne obaw.

– Mów. Śmiało.

– Zdjęcia były dwa, identyczne. Takie jak ma twoja mama. Tylko od tego drugiego ktoś obciął fragment, na którym są siostra Józefa i niemowlę.

– Skąd wiesz?

– Dotarłem do tego malarza, którego nazwisko mi podałeś, do tego Napiórskiego. Portret malował ze zdjęcia. W kadrze była tylko jedna osoba. Twoja mama.

– To kto pociął fotografię? I dlaczego? – Już zaczynał główkować.

– Tego się już nie dowiemy, ale nie to jest teraz najważniejsze, bo w tej sprawie nie chodzi o motywy, tylko o dziewczynki ze zdjęcia. Niemowlę na rękach siostry Józefy to też dziewczynka.

– No i...? – wlepiał w przyjaciela wyczekujące spojrzenie, ponieważ póki co nie usłyszał jeszcze nic, o czym do tej pory nie wiedział.

– To jest siostra twojej matki.

– Skąd wiesz?

– Dotarłem do ksiąg parafialnych z tamtych czasów w kościele obok domu dziecka twojej matki. Obie dziewczynki ze zdjęcia miały chrzest tego samego dnia.

– Czyli moja matka została ochrzczona jako kilkuletnie dziecko...? – raczej stwierdził, niż zapytał.

– Tak – potwierdził Korkociąg. – Ksiądz, który je ochrzcił, już nie żyje, ale odnalazłem jego ówczesną gosposię, a ta pomagała mu wtedy nie tylko w domu, ale też w kościele. Jest dziś po dziewięćdziesiątce i ma taką pamięć, że tylko pozazdrościć. To od niej dowiedziałem się prawie wszystkiego, bo zakonnice z przedszkola, które kiedyś było domem dziecka, nie wiedzieć czemu nie są zbyt skore do rozmowy na temat czasów wojny i tych świeżo powojennych. Jedna to chodząca demencja, a druga mówi dużo. Z tą ostatnią rozmawiałeś. – Korkociąg popatrzył z uwagą. – Udało mi się ją namówić do w miarę szczerej rozmowy. Po wojnie zakonnice miały pełne ręce roboty, a nad sobą łapę rodzącej się władzy, która żywo interesowała się ich podopiecznymi. Było ich wtedy prawdopodobnie piętnaścioro. Prawie wszyscy byli polskimi sierotami. Mówię prawie, bo w ochronce znalazły się też dwie Żydówki. Siostra Józefa zapobiegawczo, bojąc się kłopotów, postanowiła je ochrzcić. Prawdopodobnie obawiała się wtedy i Niemców, i komunistów. Ksiądz był bardzo prawym człowiekiem i dla dobra dziewczynek bez wahania udzielił sakramentu. Wiem to od tej gosposi. Pamiętała wszystko ze szczegółami.

– Czyli moja mama jest Żydówką – stwierdził.

– Tak – odpowiedział szybko Korkociąg. – Ale na pewno o tym nie wie.

– A ta druga? – zapytał, choć przecież doskonale znał już odpowiedź na swoje pytanie.

– Ta druga jest właśnie niemowlęciem na rękach siostry Józefy. – Korkociąg bardzo powoli cedził fakty.

– I co dalej? – Maks podniósł głos, bo tracił cierpliwość.

– To z tą młodszą dziewczynką ze zdjęcia spokrewniona jest Bystrzycka.

Słuchał przyjaciela i nie mógł w to uwierzyć. Wiedział już wszystko.

– Matka trafiła z nimi do sióstr w lutym czterdziestego piątego. Wszystkie były skrajnie wygłodzone. W najlepszej kondycji była jednak twoja mama. Zakonnice myślały, że kobieta przeżyje, a maleństwo nie. Stało się odwrotnie. Mała przeżyła, a matka zmarła na zapalenie płuc.

– To niemowlę jest siostrą mojej mamy – powiedział, wciąż nie dowierzając opowieści partnera.

– Tak – potwierdził z ogromną pewnością Korkociąg. – I Babcią Bystrzyckiej.

Patrzył w oczy partnera i widział, że nie może dyskutować z tak poważnymi argumentami. Nie wiedział tylko, co powiedzieć. Nie musiał jednak nic mówić, bo Korkociąg kontynuował.

– Ta dziewczynka miała na imię Sara – powiedział i zamilkł.

Zerkali na siebie, a raczej wpatrywali się w siebie. Bał się o cokolwiek zapytać. Korkociąg z pewnością wiedział doskonale, co się z nim teraz działo.

– Sara odziedziczyła imię po Babci – stwierdził fakt. – To niemożliwe!

Wszystko już wiedział, a i tak próbował się bronić. Prawda, którą poznał, była tak przerażająca, że chciał udawać przed sobą i partnerem, że jej nie pojmował.

– Jesteś spokrewniony z Bystrzycką. – Korkociąg przyszedł mu z pomocą.

Poczuł się tak, jakby ktoś go właśnie postrzelił. Ból głowy, który teraz odczuwał, był nie do wytrzymania.

– Sara Bystrzycka jest wnuczką twojej ciotki. – Po tym, co właśnie usłyszał z ust partnera, nie chciał spojrzeć mu w oczy. To, co rozwalało mu właśnie czaszkę, zaraz miało rozwalić jego życie. – Jesteście rodziną.

Czuł, że już nie żyje. Ale to nie była prawda, bo wciąż słyszał słowa wypowiadane przez przyjaciela z ogromną powagą. Były to frazy przeklęte i chociaż mówione wciąż ściszającym się głosem, to dobijały go coraz bardziej. Chwycił się za głowę.

– To niemożliwe – wyszeptał.

Głowa wypadła mu z rąk. Uderzył nią o blat baru. Z hukiem. Uderzenie nie zrobiło na nim jednak żadnego wrażenia. Nie poczuł bólu. To znaczy fizycznego, bo inny ból rozrywał mu serce.

– Nie ma mowy o pomyłce. Wszystko dokładnie sprawdziłem.

Znał ten ton partnera. Był policyjny, rzeczowy i przeniknięty stuprocentową pewnością.

– Młodsza siostra twojej matki została adoptowana jeszcze podczas wojny. Chociaż adopcja to chyba za dużo powiedziane. Siostra Józefa oddała ją dobrym ludziom. Takie zdanie usłyszałem w przedszkolu. Sprawdziłem teściów Dziadka Bystrzyckiej. Bardzo dokładnie. To naprawdę byli dobrzy ludzie, a czy powiedzieli swojej córce, że wzięli ją z domu dziecka, tego nie wiem. Mogę się tylko domyślać, że nie, bo gdyby wyznali prawdę, drugie zdjęcie byłoby kompletne. A nie jest. Ale akurat ten fakt na historię twojej matki i twoją nie ma żadnego wpływu. Jesteście z Bystrzycką rodziną. Tak zwane trzecie pokolenie...

Wiedział, co chciał mu przekazać albo dać do zrozumienia Korkociąg. Nie mógł mu na to pozwolić. Było już za późno na takie mądrości. Dużo za późno.

– Będę miał z nią dziecko – powiedział szybko i gorzko.

Usłyszał, jak Korkociąg wstrzymał oddech.

– To się pospieszyliście – podsumował partner, natychmiast zdając sobie sprawę z nietaktu. – Przepraszam...

– Zakochaliśmy się w sobie – skwitował tak, jakby szukał usprawiedliwienia na to, co się stało.

– Wiem. Pamiętam, jak na nią patrzyłeś podczas obserwacji. Kto mógł przypuszczać...

– No właśnie, kto...

Podniósł głowę i spojrzał na przyjaciela, jakby szukając w jego spojrzeniu pomocy.

– Musisz jej powiedzieć – zasugerował Korkociąg silnym i pewnym swej racji głosem.

– Tylko jak? Ja nawet nie wiem, kim dla siebie jesteśmy! Kuzynami?! A moja mama? Czy ona wie? – Miotał się jak szaleniec wśród niewiadomych swego życia.

– Nie mam pojęcia. Poznała już… Sarę? – zapytał rzeczowo Korkociąg.

– Tak. Wydała jej się bardzo bliska. Mają podobne oczy.

Dobijał się faktami przemawiającymi na jego niekorzyść.

– Nie! To jest jakiś zły sen! – powiedział głośno, a głowa znów opadła mu na kontuar.

– To nie sen. To życie. – Korkociąg przywołał go do rzeczywistości.

– W najbardziej parszywej odsłonie – stwierdził i zaklął siarczyście.

– Spokojnie! – zareagował błyskawicznie partner. – Przecież wiesz, że bywa dużo gorzej. Oglądałem dziś zwłoki trzylatka zabitego pięściami własnej matki. To jest parszywa odsłona!

Zerknął na przyjaciela, ale ich spojrzenia się nie spotkały. Korkociąg wbijał wzrok w półkę wypełnioną różnymi alkoholami.

– Barman! – podniósł głos.

Przywołany pojawił się natychmiast.

– Jeszcze raz to samo! – poprosił Korkociąg.

Partner okazał się szybszy od niego i już obaj obserwowali, z jaką wprawą mężczyzna za barem wykonywał swą pracę. Patrzył na jego pewne ruchy i nie wiedział, co począć. Pierwszy raz w życiu tak się czuł. Nie wiedział, co myśleć. Co robić? Dokąd pójść? Do Sary? Czy do mamy? Czy upić się do nieprzytomności i zapomnieć własny adres? Na co dzień tropił niebezpiecznych przestępców, by życie innych ludzi mogło być bezpieczniejsze, normalniejsze. Nigdy nie przypuszczał, że świat zachowa się wobec niego jak najokrutniejszy oprawca. Jak bestia robiąca krzywdę jeszcze nienarodzonemu dziecku.

Myśląc o tym i mając w sobie bezgraniczną wściekłość, a może chcąc zapanować nad furią, zacisnął dłoń na szkle. Cienkie szkło pękło od razu. Na blat wylała się zabarwiona na czerwono wódka.

– Co robisz? – zapytał zaniepokojonym głosem Korkociąg i podniósł głowę znad kieliszka.

On natomiast znów pochylił czoło. Chciało mu się wyć. Patrzył na coraz czerwieńszy bar. Nie czuł bólu. Niczego nie czuł. Nawet tego paskudnego życia. Uleciało z niego. I pomyśleć, że jeszcze rano wydawało mu się, że jest panem świata.

Zastanawiał się, co życie chciało mu udowodnić? Siedział w samochodzie i obserwował dom Sary. Tak samo jak całkiem niedawno. Chociaż czasu może nie minęło dużo, to wszystko się zmieniło. Gdyby mógł cofnąć wskazówki zegara… Nie mógł tego zrobić. Nie chciał. Całkiem niedawno siedział w tym samym miejscu i zastanawiał się, co powie dziewczynie, która maksymalnie zawróciła mu w głowie, czym przekona ją podczas ich pierwszego spotkania. Wciąż pamiętał, jaką przyjemnością była dla niego jej obserwacja.

W kieszeni bluzy, którą miał na sobie, tkwił telefon, on jednak, wiedząc, że Sary nie ma w domu, patrzył w zaciemnione okna jej sypialni. Tam gdzie kochali się pierwszy raz. Umówili się, że spotkają się u niej. Plany jednak się zmieniły. Przed momentem otrzymał od niej wiadomość, że właśnie czeka na niego w restauracji Bekhira. Zgromadzili się tam wszyscy, gdyż Wojtek wymyślił, że trzeba godnie uczcić zaręczyny najwierniejszej przyjaciółki.

Nie czuł się na siłach, by tam teraz pojechać. Aby popatrzeć im wszystkim w oczy. Bekhira i Wojtka – ich spojrzenia mógłby znieść bez żadnych kłopotów. Ale rozradowany wzrok Sary mógłby go dziś zabić. Nie wiedzieć czemu, czuł się winny. Chociaż winowajców w sytuacji, która im się przytrafiła, chyba nie było. Przynajmniej nie wśród żywych. A o umarłych albo dobrze, albo wcale, jak mawiała jego mama. Zresztą to nie o szukanie winnych chodziło w ich sprawie. Potrzebował chwili, by oswoić się z tym, o czym się dziś dowiedział. Musiał jakimś cudem pogodzić się z sytuacją i przygotować się do rozmów, które były nieuniknione. Z Sarą i z mamą. Trudniejszych w życiu dotychczas nie przeprowadził.

Sara, odkąd była w ciąży, stała się jeszcze piękniejsza. To w niczym nie pomagało. Nie wierzył, że byli rodziną. Nie miał pomysłu, jak powiedzieć kobiecie, którą kochał nad życie, o tym, że świat z nich zakpił, że oplótł ich trującym bluszczem przeznaczenia, że jakieś fatum zaczaiło się i przyłapało ich w momencie największej radości.

Zauważył, że zgasło światło w kuchni. Wiedział, że teraz starszy pan, którego darzył ogromną sympatią, zresztą z wzajemnością, pójdzie do salonu, usiądzie w swoim fotelu i będzie używał pilota dużo rzadziej, niż zwykli robić to mężczyźni siedzący przed telewizorem. Będzie oglądał telewizję, a od czasu do czasu zerknie na portret swej żony za młodu, nie przypuszczając nawet, że to nie ona na niego spogląda z tego bardzo udanego malowidła.

Stało się dokładnie to, co przewidział. Dziadek już siedział przed telewizorem. Teraz Maks myślał już o nim inaczej. Pełniej. Był mężczyzną, który poślubił pewnie z wielkiej miłości siostrę jego mamy. Zatem matka Sary, o której ta zdążyła mu już dosyć dużo opowiedzieć, biorąc pod uwagę rodzinne koligacje, była dla niego chyba siostrą cioteczną. Wciąż nie miał pojęcia, kim dla niego w tym nieoczekiwanym zamęcie była Sara. Wiedział jedno. Jej oczy były prawie identyczne jak jego mamy. Już odkrył, że to podobieństwo nie było przypadkowe. W życiu, jak w kryminologii, przypadki się nie zdarzały. „Mam słabość do takich dużych czarnych oczu" – przyznał się kiedyś Sarze. „Wiem – odpowiedziała. – Spojrzałeś na mnie pierwszy raz i szepnąłeś: Mamo..." Nie pamiętał tego. Tylko że teraz poczuł chłód na plecach. Najpierw zimno, a zaraz potem dreszcze.

Na domiar złego w tym wszystkim tkwiła jego mama. Nie miał pojęcia, jak wiele wiedziała o swej przeszłości. Czy w ogóle coś o tym słyszała? Mogło okazać się, że prawda, którą wytropił Korkociąg, będzie dla niej zaskoczeniem, a może wprost przeciwnie – historią znaną od zawsze, chociaż taką, o której nie wspominała swym najbliższym nawet jednym słowem.

Usiłował sobie teraz przypomnieć, czy mama komentowała w jakikolwiek sposób w jego obecności jedyne swe zdjęcie z czasów dzieciństwa. Jedyne, co pamiętał, to fakt, że siostra Józefa bardzo często gościła w maminych wspomnieniach. Mama, idąc przez życie, zawsze podpierała się mądrościami tejże siostry. Również to, że zawsze opowiadała o niej jak o własnej matce, nie było dla niego żadną nowością. Pamiętał opowieści mamy o tym, jak to bawiąc się z innymi dziećmi w chowanego, uwielbiała ukrywać się pod szerokim habitem siostry Józefy.

Gdy działo się coś niedobrego, coś nie po myśli mamy, albo gdy dopadały ją jakieś zmartwienia, problemy lub po prostu życiowe niedogodności, zawsze cytowała opiekunkę i powtarzając za nią, informowała: „Wychodzę, potrzebuję powietrza, muszę pospacerować".

Fotografię też pamiętał, bo zawsze była w jego rodzinnym domu. Co więcej, stale zajmowała honorowe miejsce. Nigdy nie zastanawiał się nad dzieckiem, które siostra Józefa trzymała na rękach. Po prostu było na zdjęciu. I tyle. Nic poza tym. Niezmiennie skupiał swój wzrok na mamie.

Nie był gotowy na spotkanie z Sarą. Na widzenie z mamą gotowy był zawsze. Dziś też. Zerknął na zegarek. Na telefon wolał nie patrzeć. Przecież wciąż miał tam wiadomość od Sary, zachęcającą do radości z tego, że się spotkali, jak również z tego, co się między nimi wydarzyło. Do dzielonego z bliskimi, dla których to wydarzenie miało ogromną wartość, szczęścia.

Pora była taka, iż miał pewność, że mama jeszcze nie śpi. Miała swe codzienne rytuały. Jak znał życie, właśnie wracała z Nutką do siebie po ostatnim już niezbyt długim spacerze. Ale czy znał życie? Dziś się przekonał, że życia chyba nie da się nauczyć, wciąż trzeba się go uczyć. Jeszcze raz rzucił okiem na okna domu Sary.

„Dziadek przysypia przed telewizorem" – usłyszał szept ukochanej tak wyraźnie, jakby nie siedział w samochodzie, tylko leżał w jej łóżku i przytulał ją do siebie, ciesząc się, że udało się im na siebie trafić. Dziadek też miał swoje rytuały. Teraz rzeczywiście musiał zasypiać przed szklanym ekranem, ponieważ zgasił lampę, dlatego przez szyby widać było dynamicznie zmieniającą się barwną telewizyjną poświatę.

Oderwał wzrok od światła. Zrobił to z niechęcią. Było mu bardzo ciężko i trudno. Westchnął. Jeśli miał dziś udźwignąć ciężar rozmowy z mamą, musiał w tej chwili wrzucić wsteczny bieg, by ruszyć przed siebie. Zrobił to z ciężkim sercem. Zrozumiał, że właśnie w życiu też zdarzała mu się taka sytuacja. Żeby iść przed siebie, czasami najpierw trzeba się cofnąć.

Nawiedziła go jeszcze jedna impresja dotycząca samego siebie. Był takim kierowcą jak człowiekiem, czyli bardziej uważnym, gdy się cofał, niż gdy parł do przodu w świetnej widoczności. Wiedział, że gdy wysiądzie z windy, mama będzie już na niego czekała w progu, nogą zabawnie zagradzając Nutce drogę na klatkę schodową. Od razu też, mając na uwadze dość późną porę, zapyta: „Stało się coś?". Przecież zawsze zadawała takie pytanie, gdy odwiedzał ją o nietypowej godzinie. On w takich momentach zwykle robił się poważny, ale tylko po to, by w chwilę później odpowiedzieć już z uśmiechem: „stęskniłem się". To był ich wspólny rytuał. Pytanie, odpowiedź. Dziś też miał zamiar tak się wyrazić, ponieważ rzeczywiście dopadła go tęsknota, ale miał pojawić się tam także dlatego, że coś się stało. Tylko o tym chciał powiedzieć trochę później. Nie od progu.

Wydarzyło się coś, na co nie miał żadnego wpływu, ale z czym musiał się zmierzyć jako pierwszy. Innej możliwości po prostu nie było. Jego praca przypominała paranie się z życiem i z jego makabrycznymi odsłonami. Spotykał ludzi, którzy musieli stawić czoło traumatycznym zdarzeniom dotyczącym najczęściej najbliższych im osób. Znosili to różnie. Niejednokrotnie przekonał się, że ilu ludzi, tyle reakcji. Jednak to nie to było najważniejsze. Najistotniejsze pozostawało to, że aby żyć, dalej musieli dzielnie znosić historie swych rodzin, w które wpisano tragedie. Teraz czuł, że przyszła kolej na niego. Wciąż miał w uszach słowa partnera przywodzące na myśl nieżyjącego małego chłopca. Malec niczym nie zasłużył na los, który go spotkał. Nie mógł teraz o tym myśleć. Musiał jechać do mamy. Nie było odwrotu.

Gdy wysiadł z samochodu zaparkowanego na osiedlu, gdzie się wychował, usłyszał dźwięk swego telefonu. Wyjął go z kieszeni i spojrzał na wyświetlacz, chociaż wcale nie musiał tego robić, żeby wiedzieć, iż to Sara próbowała się z nim w tej chwili skontaktować. Nie potrafił teraz z nią rozmawiać. Nie mógł przelać na nią swego niepokoju i załamania wynikających ze zderzenia z rzeczywistością. Nie mógł zostawiać sobie w sercu i umyśle miejsca na nadzieję, ponieważ Korkociąg na jego nieszczęście nie dopatrzył się niczego niespójnego w historii, którą mu dziś bardzo umiejętnie streścił.

Emocje i myśli, których miał w sobie multum, sprawiły, że nawet nie wiedział, jak to się stało, ale już widział przed sobą wystraszone oczy mamy.

– Dobry wieczór, synku. Stało się coś?

Usłyszał dokładnie to, czego się spodziewał. Dochodziło do niego też ciche, ale radosne pojękiwanie Nutki, która usiłowała bezskutecznie przeskoczyć przeszkodę powstałą z nogi swej pani. Patrzył na mamę, wiedząc, że nadszedł czas na ważną rozmowę.

– Stęskniłem się – odpowiedział jednak.

Żadne inne słowa nie przeszły mu teraz przez gardło.

– A wiesz, która jest godzina? – zapytała mama, której głos nabierał troski.

– Dziesiąta?

– Za kwadrans jedenasta.

Patrzyła na niego tak, jakby już wszystko wiedziała. Jak gdyby znała powód jego tak późnej wizyty. Chyba już oboje wiedzieli, że to będzie trudna noc, dotkliwy czas.

Wszedł do mieszkania. Zamknął za sobą drzwi. Mama już krzątała się w kuchni, a Nutka domagała się pieszczot na dzień dobry, chociaż była już ciemna noc. Pogłaskał ją na odczepnego. Krócej niż zwykle. Prychnęła na niego z niezadowoleniem. Zdjął z siebie bluzę i rzucił ją niedbale na półkę, na której zawsze stała torebka mamy. Dziś też. Wszedł do kuchni. Odpiął broń, którą powinien zostawić w pracy, i położył na parapecie. Zawsze gdy to robił, mama brała głęboki wdech. Teraz też.

Usiadł przy stole. Tylko po to, by natychmiast wstać. Skierował się do pokoju mamy. Żeby zacząć mówić o tym, z czym tu dzisiaj przyszedł, musiał mieć przed sobą zdjęcie.

– A ty dokąd?

– Daj mi chwilę.

Stało się tak, jak obiecał. Za moment był już z powrotem w kuchni. Mama siedziała tam gdzie zwykle. On też zajął swe miejsce. I na tym skończyła się zwyczajność tej chwili. W dłoni trzymał ramkę z najcenniejszą rodzinną fotografią. Patrzył na największy majątek i najogromniejszą świętość tego domu, gdzie teraz na kuchennym stole stały dwa duże kubki z gorącą herbatą.

– To będzie wieczór, a raczej noc wspomnień? – zapytała tak poważnym tonem, że się przeraził.

– To musi być noc wspomnień.

Bardzo starał się, by głos brzmiał mu normalnie. Jego starania spełzły jednak na niczym, ponieważ zdenerwowanie wzięło górę.

– To zaczynajmy – zaproponowała tonem bardzo spokojnym i wypełnionym pokorą.

W matczynych oczach odnalazł gotowość do odpowiedzi na każdy poruszany przez niego temat. Pytań miał kilka, ale bardzo konkretnych i rzeczowych. Celnych do bólu. Szykowało się dramatyczne przesłuchanie. Takie, w którym każda odpowiedź uderzy nie tylko w osobę przesłuchiwaną. Zrani też Sarę, jego, ich dziecko, ich miłość. Każda odpowiedź miała zmienić nieodwracalnie ich świat. Ten, który jeszcze wczoraj był dla nich bardzo przyjaznym miejscem.

– Mamo...? Czy jesteś pewna na sto procent, że ta dziewczynka... – tu dotknął odpowiedniego miejsca na fotografii i zamilkł na sekundę – ... to jesteś ty?

– Na tysiąc procent.

Mama patrzyła na niego uważnie i wyczekująco, jakby przeczuwając, że to pierwsze pytanie stanowi jedynie wstęp do rozmowy, ponieważ akurat ten temat mieli już omówiony.

– Kobieta w habicie to siostra Józefa – stwierdził, porządkując fakty.

– Tak.

Patrzył na nią, w jej oczy pełne łez. Nie musiał czekać, by zaczęły płynąć po zmatowiałych policzkach błyszczącym strumieniem.

– A to maleństwo to naprawdę twoja siostra? – zapytał, choć przecież wiedział, jaka jest prawda.

Widząc, że mama płacze, czuł do siebie odrazę. Tak wielką, jakby był, nie przymierzając, jakimś bezdusznym oprawcą z czasów wojny. Tych czasów, kiedy na świat przyszły jego mama i jej młodsza siostra.

– Tak. Nie inaczej – odpowiedziała mama ledwo słyszalnym szeptem i zamilkła.

Musiał zatem pytać dalej i czuć się z tym coraz gorzej.

– Wiesz może, jak miała na imię?

Zaprzeczyła ruchem głowy. Krótkim, ale zdecydowanym. Napiła się herbaty. Widział, jak bardzo trzęsła się jej dłoń. Spojrzała na niego. Łzy płynęły rzęsiście i zbierały się w okolicy ust mimowolnie poruszanych wzruszeniem.

– Tak... To moja maleńka siostrzyczka. – Utkwiła zapłakany i nieruchomy wzrok w fotografii, która leżała teraz na stole między nimi.

Nie miał pojęcia, jak dalej poprowadzić tę rozmowę. Prawda musiała chyba jednak jeszcze trochę poczekać. Zabrakło mu sił. Mama jednak była bardzo silną kobietą. Nie docenił jej. Podniosła oczy i uśmiechnęła się do niego. Z wielką, ogromną serdecznością. W istocie nie doceniał tej kobiety. Wyglądało na to, że chciała mu o czymś opowiedzieć.

– Z czasów wczesnego dzieciństwa niewiele pamiętam. – Zaczęła snuć opowieść. – Najlepiej zapamiętałam tylko ciemne oczy mojej mamy. I siostrę Józefę. Tej dziewczynki ze zdjęcia nie przypominam sobie ani trochę. Już ci mówiłam, że długo nie wiedziałam, że mam siostrę. Przepraszam cię, synku, że się powtarzam…

– Mów, mamo, mów, proszę…

– Naprawdę dowiedziałam się o niej w dniu śmierci siostry Józefy, która poprosiła o rozmowę ze mną, gdy już umierała. Wtedy byłam już niemal dorosła, a ona i tak zwracała się do mnie, jakbym wciąż była małą dziewczynką. „Kochana Marysieńko", tak do mnie mówiła najczęściej. Była pełnia lata. Upał straszny. I czas straszny. Wszyscy w domu wiedzieliśmy, że siostra Józefa od nas odchodzi. Słabiutka już była. Ledwo mówiła, ale to, co najważniejsze, zdążyła mi powiedzieć. Wiem, że chciała zdradzić mi więcej, ale nie zdołała tego zrobić. Wyznała mi, że mam siostrę, że to dziewczynka ze zdjęcia. – Oboje w tej samej chwili popatrzyli na maleństwo trzymane przez zakonnicę. – Powiedziała mi też, że adoptowali ją bardzo dobrzy ludzie. Jej znajomi. Tylko nie zdążyła wypowiedzieć imienia małej – powiedziawszy to, mama umilkła na chwilę. – Kiedy mi to wszystko mówiła, zakonnica, która mnie zawołała, chciała, żebym sobie już poszła, bo widziała, ile wysiłku kosztuje umierającą każde słowo. Ta jednak chciała, żebym przy niej została. Wolała, żebym nie odchodziła. Pragnęła, żebym wzięła ją za rękę. Gdy to zrobiłam, uśmiechnęła się. Do dziś pamiętam, jakie ciepłe i miękkie miała dłonie. Często mi się śni, że siedzę przy jej łóżku i trzymamy się za ręce, a ona tak pięknie się do mnie uśmiecha, tak życzliwie. To taki cudowny sen. Wtedy zasnęłam przy jej łóżku, a gdy się obudziłam, jej dłoń była już zimna. Spłakałam się bardzo, ale duszę miałam lekką, bo moja siostra Józefa, moja przybrana mamusia, odeszła z tego świata trzymana za rękę. Nie była samotna. – Łzy nie przestawały lecieć z mamy oczu, gdy to mówiła. – To jest takie ważne, żeby nie odchodzić stąd w samotności. Gdybym nie posłuchała lekarzy, to twój tato też nie byłby sam w chwili śmierci. Ale ich usłuchałam, niestety, chociaż serce mówiło mi całkiem co innego niż oni. Jednak chciałam na przekór własnym przeczuciom wierzyć w to, co mi powiedzieli. Chciałam dać wiarę temu lekarskiemu: „Proszę być dobrej myśli, pani mąż ma bardzo silny organizm". Zawierzyłam komuś zamiast sobie. Pamiętaj, synku, jeżeli coś przeczuwasz i jest to rzecz bardzo ważna, to choćby nie wiem co, nie daj się omamić innym ludziom. Wierz przede wszystkim w to, co sam czujesz.

Mama wpatrywała się w niego wilgotnymi oczyma. Odeszła od tematu ich dotychczasowej rozmowy. Jednak był pewien, że nie zrobiła tego celowo. Po prostu tak wyszło. Wiedział, jak bardzo była teraz zmęczona. Zerknął na zegarek wiszący na ścianie za plecami mamy. Było kilka minut po północy. Czuł, że dalszą część zwierzeń musi przełożyć na jutro. Mama była bardzo poruszona. Musiał zachować się jak człowiek. Powinien dać jej odpocząć i postąpić odpowiedzialnie.

Czuł, że nie dla swego dobra, ale dla dobra mamy powinien już sobie pójść.

Ale skoro mama uświadomiła mu, i to w dodatku przed chwilą, że w życiu powinien ufać przede wszystkim sobie i swym przeczuciom, postanowił zadać jeszcze tylko jedno pytanie wciąż błąkające mu się po głowie.

– Naprawdę nie próbowałaś jej odnaleźć? – zapytał zatem, obiecując sobie, że to już naprawdę koniec rozmowy.

Mama spojrzała na niego dobrotliwie.

– Poczułam ogromną radość, gdy usłyszałam, że gdzieś na świecie żyje moja siostra. Żyje dzięki siostrze Józefie i mamie, której oczy wciąż dokładnie pamiętam i które zawsze prowadziły mnie przez życie... Zresztą kierują mną do dziś, nigdy nie czułam się samotna. Ale gdy usłyszałam o siostrze, zrozumiałam, że nie czułam się samotna też dzięki jej obecności. Przecież żyłyśmy jednocześnie. Z dala od siebie, ale w tym samym czasie... Znów pytasz, synku, czy nie chciałam jej znaleźć. Szukać! To był mój pierwszy odruch. Naprawdę. Szukać, szukać, szukać. Tak było na początku, ale im dłużej wiedziałam o swojej siostrze, tym miałam w sobie więcej niepewności. Nie byłam przekonana, czy to dobry pomysł. Ja o niej wiedziałam, a ona o mnie niekoniecznie. Przecież była maleństwem, gdy została adoptowana. Ja miałam swoje życie, ona swoje. Na pewno miałyśmy różne miejsca, odrębne światy. Pomyślałam, że nie mogę jej tego zrobić i nie powinnam namieszać w jej tożsamości. Świadomość, kim się jest, to święta sprawa, a ze świętością igrać nie należy. Chyba nawet nie sposób... Synku, to było tyle lat temu, a ja nie zmieniłam zdania w tej sprawie. Teraz też tak samo uważam... I dlatego chwilami jest mi bardzo ciężko... Ja mam swoje życie, a moja siostra swoje. Mam tylko nadzieję, że jest zdrowa i szczęśliwa.

Wnikliwie obserwował twarz mamy. Rysowały się na niej ogromny spokój i wiara w to, że wszystko, o czym teraz mówiła, było prawdą. Byłby potworem, gdyby już w tej chwili uświadomił matce, że jej siostra nie miała już swojego życia. Przynajmniej nie tutaj, na ziemi. Musiał na dziś zakończyć rozmowę. O tym, że los sprawił, by Mama mogła poznać historię życia własnej siostry, chciał powiedzieć jej dopiero jutro. Sam musiał się na to mentalnie dużo lepiej przygotować.

Patrzył w matczyne oczy. Były rozmarzone i dziwnie nieobecne. Wiedział, że będzie wciąż myślała o tym, co minęło, a na co nie miała żadnego wpływu. Reszta historii, z którą tu dziś przyszedł, była bardzo trudna i skomplikowana dla wszystkich, których dotyczyła... Dla mamy, dla Sary, dla niego, dla ich rodzin. Wciąż spoglądając na mamę, pomyślał o maleństwie, które już bardzo kochał i które miało pojawić się na świecie. Pomyślał: „jutro". Uzupełnił tę myśl słowami mamy: „Jeden dzień cię nie zbawi". Tak ona sama zwykła studzić wyobraźnię, temperament i skłonność do popędliwości własnej córki. Przecież nie musiał dziś kończyć tej rozmowy. Chciał powiedzieć jeszcze o tym, że jego ciotka miała na imię Sara, ale bał się, że gdy to powie, mama już dziś domyśli się całej reszty. Na razie musiał zostawić ten fakt dla siebie. Do jutra. Jeszcze tylko do jutra.

Mama, jakby wyczuwając jego intencje, postanowiła go wyręczyć i zakończyć tę rozmowę. Nawet go to szczególnie nie zdziwiło. Była przecież mistrzynią w wyręczaniu.

– Jest tak późno... Może prześpisz się w swoim pokoju? – zaproponowała, będąc myślami wciąż daleko.

– Nie, dziękuję. Jutro skoro świt muszę być w pracy.

– Synku, ty chyba nie sądzisz, że ja otwieram oczy około południa – zażartowała.

Nie był w nastroju do żartów, ale musiał udawać, że wszystko jest w porządku.

– Nutka by ci tego chyba nie wybaczyła – skomentował.

Jamniczka, słysząc, że rozmowa zeszła na jej temat, choć przed chwilą spała, czujnie podniosła głowę i zerknęła na swoją panią.

– Śpij, moja kochana, śpij sobie... Śpij, bo już ciemna noc.

– Masz rację, mamo, już ciemna noc. – Wstał od stołu. – Idę już, to dobranoc.

– Idź już, dziecko, idź... Tylko jedź ostrożnie, uważaj na siebie i śpij dobrze.

– Będę. – Pocałował mamę w ciepły i już całkiem suchy policzek.

– Kiedy znowu przyjdziesz?

Usłyszał to pytanie, gdy dotknął klamki drzwi, dokąd odprowadziła go tylko Nutka.

– Będę jutro. Pa, mamo.

Wyszedł, starając się bardzo cicho zamknąć za sobą. Nie skorzystał z windy. Zaczął zbiegać po schodach. Jak za dawnych czasów, kiedy to z kolegami traktowali tę czynność jak dyscyplinę sportową i mierzyli sobie czas pokonania pięter w maratonie na parter. Zwykle to on był najlepszy. Lubił być najlepszy. Dziś też walczył o dobry rezultat. Tyle że z samym sobą, by choć na chwilę zapomnieć o tym, o czym musiał powiedzieć mamie już jutro. Czyli tak naprawdę już dziś. Właśnie zaczynał się trudny dzień. Czekały go dwie rozmowy. Arcytrudne. Z mamą i Sarą. Sara z pewnością już się martwiła, że do niej nie napisał ani nie oddzwonił. Nie mógł rozmawiać z nią przez telefon. Musiał na nią patrzeć. To, co miał jej do powiedzenia, wymagało patrzenia w oczy i trzymania za rękę. Nie wyobrażał sobie tej rozmowy, ale musiał być na nią gotowy. Im szybciej, tym lepiej. Bliskość miała dać siłę nie tylko jemu, ale przede wszystkim Sarze. Wiedział, że ukochana była silna i bardzo odważna. Jej życie stanowiło tego dowód.

Martwiła się.

– Wciąż nie odbiera – powiedziała, patrząc w oczy Bekhira.

Siedzieli w restauracji. Dawno już zamkniętej. Pili pyszną rabarbarową lemoniadę, którą przyrządziła im mama Bekhira tuż przed swoim wyjściem. Piła taką pierwszy raz w życiu. Do głowy by jej nie przyszło, że z rabarbaru można przygotować napój. W dodatku tak cudownie orzeźwiający.

Wojtek przysypiał wtulony w ramię ukochanego. Nic dziwnego, ponieważ trzy godziny temu wrócił z Paryża.

Bekhir obdarzał ją spojrzeniem pełnym zrozumienia.

– Nie martw się. Na pewno coś mu wypadło. Wiem, że to nie zabrzmi pokrzepiająco, ale powinnaś się przyzwyczaić.

– Tak... Zaczynam to rozumieć. – Głos miała pełen niepokoju.

– Praca to jego pasja.

– O tym też wiem. – Westchnęła głęboko, a na jej twarzy zagościł gorzki uśmiech.

Chyba zaczynała być zazdrosna. Bekhir w lot odgadł jej myśli i uczucia.

– I nie możesz z nią konkurować – zasugerował bardzo poważnie.

– Nie będę. Bałabym się, że przegram.

– Spójrz na to trochę inaczej – zaczął nieco zagadkowo.

– Czyli jak?

Wpatrywała się w przyjaciela Maksa. Powoli docierał do niej fakt, że może dzięki tej niezobowiązującej rozmowie będzie mogła poznać swego ukochanego od trochę innej strony. To nagłe spostrzeżenie bardzo ją zaintrygowało.

– On naprawdę robi kawał dobrej roboty. Jest w tym bardzo dobry, dlatego jak dzieje się coś trudnego do ogarnięcia, to musi być całkowicie dyspozycyjny. Wtedy nie odbiera.

– Ale co ja mogę poradzić na to, że gdy tylko nie odbiera, to ja od razu myślę o najgorszym?

– Nie myśl tak, da sobie radę. – Bekhir obstawał przy swoim.

– Nie zapominaj o tym, w jakich okolicznościach go poznałam – przypomniała.

Chyba w ten sposób chciała usprawiedliwić własny pesymizm wynikający ze strachu o Maksa.

– Akurat tego chyba nikt z nas nie zapomni. – Uśmiechnął się do niej serdecznie.

– O czym mówicie? – Wojtek przebudził się na chwilę.

– Śpij... – szepnął Bekhir.

– Kiedy pojedziemy do domu?

– Śpij spokojnie... Zaraz pojedziemy.

– Do domu? – pytająco powtórzyła słowa przyjaciela.

Patrzyła na Bekhira. Od czasu gdy na własne oczy przekonała się, że Wojtek i Bekhir mają szansę być razem, tyle wydarzyło się w jej życiu, że nie miała czasu, by zainteresować się tym, co słychać u jej przyjaciela. Poza tym Wojtek ostatnio podróżował chyba więcej niż zwykle. Ale mając teraz przed sobą to, na co patrzyła, i słysząc to, co właśnie usłyszała, zrozumiała, że pocałunek, który widziała w pobliżu szpitala, nie był ani przypadkowy, ani wynikający z potrzeby chwili. Nie stanowił jedynie chwilowego pocieszenia.

– Wojtek pomieszkuje u mnie – przyznał się.

– To super.

– Tylko będę musiał popracować nad swoim umiłowaniem do nieskazitelnego porządku.

Jego spojrzenie mówiło bardzo dużo. Co więcej, doskonale je rozumiała.

– Wiem... wiem... on lubi funkcjonować w tak zwanym artystycznym nieładzie. – Z uczuciem spojrzała na przyjaciela. – Ale ma za to wiele innych zalet – zachwalała Wojtka, jak umiała. – Na przykład jest bardzo dobrym człowiekiem, ma szlachetne serce.

– Wiem... wiem... – Powtórzył jej wcześniejszą kwestię, w dodatku identycznie akcentując.

– Patrzę na was i nie mogę się nadziwić, i oczywiście nacieszyć, że tak to się skończyło, bo pamiętam, jak zachowywaliście się, kiedy się poznaliście...

– Ja mam nadzieję, że to się dopiero zaczyna. – Bekhir umiejętnie złapał ją za słowo i z uczuciem spojrzał na przysypiającego Wojtka.

– Bądź spokojny. Przecież wszystko zależy tylko od was.

– Z jednej strony to ogromny przywilej, z drugiej wielka odpowiedzialność.

– Jak to w życiu... – Pomyślała o miłości, a także odpowiedzialności, którą nosiła od jakiegoś czasu pod swym sercem.

– Wiesz... – zaczął powoli Bekhir – najlepiej byłoby bez pośpiechu, na spokojnie, bez zbędnego wyrywania się przed szereg... Ale im dłużej znam Wojtka, tym bardziej jestem pewien, że on tak nie potrafi.

Wiedziała, że Bekhir musiał mieć teraz pewność, że Wojtek śpi, i dlatego w tak kulturalny i zawoalowany sposób bardzo celnie nawiązywał do cech osobowości jej najlepszego przyjaciela. Patrzyła na Bekhira ze zrozumieniem, gdyż dokładnie wiedziała, jakie cechy artysty mogą uprzykrzać życie takiemu facetowi, jakim był z kolei najlepszy przyjaciel Maksa. Postanowiła na moment zamienić się w Babcię. Chciała to zrobić, by pomóc.

– Popatrz na to trochę inaczej. Zmień perspektywę. Gdyby Wojtek był taki jak ty, to jestem pewna, że żaden z was nie zwróciłby uwagi na tego drugiego. A teraz może nie być najłatwiej, ale chyba między ludźmi, którzy decydują się na wspólne życie, zdarzają się trudności. Zresztą nie może być za łatwo...

– Też prawda – odparł po krótkiej chwili milczenia.

– My z Maksem też się od siebie bardzo różnimy.

– Ale w waszym przypadku zadziałało na pewno przeznaczenie – stwierdził z uśmiechem i pewnością w głosie.

– Może...

– Pamiętam, jak zaczął cię obserwować, to był nieprzytomny z miłości. Oczywiście się do tego nie przyznawał, jak to Maks, ale znam go i wiem, że jest dość odporny na damskie wdzięki, a tu nagle taki zwrot akcji. Momentalnie poznałem po nim, że coś się zaczyna dziać.

Patrzyła na Bekhira i rosła w niej ciekawość. Bardzo zaintrygowały ją słowa, które padły przed chwilą.

– Mówił coś o mnie? – Nie ukrywała swej ciekawości.

Zrobiła to, gdyż pomyślała, że nadarzyła się doskonała okazja, by dowiedzieć się czegoś interesującego o Maksie. Znała go już trochę, chwilami nawet wydawało jej się, że bardzo dobrze i od zawsze, ale przecież w istocie tak nie było. Nie mogła o tym zapominać. A Bekhir z pewnością był skarbnicą wiedzy dotyczącej kobiet w życiu Maksa. To dlatego wpatrywała się teraz w rozmówcę w niemym wyczekiwaniu.

– Wiesz... – zaczął ten jakby bez przekonania. – Maks nie jest typem opowiadacza i gawędziarza jak Wojtek. – Zrobił pauzę tylko po to, by z uczuciem spojrzeć na ukochanego. – Jest bardzo skryty, a jeśli już o czymś wspomina albo nawiązuje do jakiegoś tematu, to znaczy, że sprawa jest poważna. Pamiętam, że jak w szpitalu pozwolili mi w końcu do niego wejść, to był blady jak papier. Przeraziłem się, kiedy go zobaczyłem, ale już wtedy o ciebie zapytał. Ja byłem nie w temacie i gdy mu powiedziałem, że nie wiem, o kogo chodzi, to był niepocieszony. Już wówczas chciał o tobie wszystko wiedzieć, ale miał świadomość, że aby zdobyć informacje na twój temat, to musi wyjść ze szpitala. Myślę, że ta chęć zbliżenia się do ciebie zdziałała cuda w jego powrocie do zdrowia.

– W jego mieszkaniu wisi zdjęcie z taką rudą policjantką. – Nie miała w sobie ani krzty zazdrości na wspomnienie spojrzenia pięknych zielonych oczu kobiety z fotografii. – Coś ich łączyło?

Bekhir momentalnie się uśmiechnął.

– To Patrycja.

– Znaliście się? – zapytała, nie bacząc na złe przeczucia.

– Znaliśmy.

Wyraz jego twarzy sprawił, że odeszła jej ochota na zadawanie kolejnych pytań. Na szczęście Bekhir znów mówił.

– To przez jakiś czas była partnerka Maksa. Przyjeżdżali do mnie często, żeby coś zjeść. Najczęściej tak wiesz, na szybkiego. Nic między nimi nie było. Lubili się, i to bardzo, ale chyba nic ponadto. Maks uwielbiał z nią pracować. Cenił ją za intuicję. Mówił, że ma szósty zmysł do wyłapywania z tłumu szuj i społecznych gadzin. Myślę, że to, że zginęła na służbie, a on to widział, zostanie w nim już do końca życia…

Nie miała siły, by patrzeć w oczy Bekhira. Jego ton wystarczał jej w zupełności.

– Nie załamał się? – zapytała bardzo cicho.

Tęskniła dotkliwie. Nie była w stanie nawet wyobrazić sobie tego, co Maks musiał przeżywać po śmierci Patrycji.

– To nie w jego stylu – uspokoił ją z miejsca. – Mój przyjaciel to twardziel. Obiecał sobie, że dorwie tych, którzy to zrobili. I oczywiście jak powiedział, tak zrobił.

– Naprawdę? – Zrobiła wielkie oczy.

Była przerażona.

– Jasna sprawa. Dopadł tego mordercę, i to dzięki tobie.

Nie mogła uwierzyć w to, co słyszała.

– Naprawdę…? – powtórzyła, czując, że metaliczny smak w jej ustach przybierał na sile. – To był ten?

– Ten sam.

Zrobiło jej się słabo.

– Źle się czujesz?

– To straszny człowiek. – Zignorowała zaniepokojone pytanie. – Do końca życia nie zapomnę jego wzroku. – Niestety przypomniała sobie wyraz oczu człowieka, który, jak się okazało, zabił Patrycję i wciąż nie miał dosyć.

– Źle się czujesz? – Wojtek ocknął się nagle i całkiem trzeźwym głosem powtórzył pytanie swojego chłopaka.

– Bardzo się boję – odpowiedziała i rozpłakała się, zupełnie nie panując nad swoim nastrojem.

– On siedzi. Nie martw się. To potrwa jeszcze bardzo długo – uspokajał ją.

– O kim ty mówisz? – Wojtek ze zdziwieniem wlepił w Bekhira pytające spojrzenie.

– O mordercy, który zabił Patrycję, byłą partnerkę Maksa – wytłumaczył szybko. – A z nim chciał zrobić to samo.

– Zwariowałeś?! – wrzasnął Wojtek tak głośno, że zabolały ich uszy.

Bekhir nie zdążył odezwać się ani jednym słowem. Nie miał możliwości, by powiedzieć coś na swoją obronę.

– Ona jest w ciąży, a ty opowiadasz jej takie historie! Człowieku! Opanuj się!!!

Patrzyła na najlepszego przyjaciela i miała ochotę dłońmi zasłonić uszy. W ogóle chciała gdzieś się schować, gdzieś uciec. Bała się, że zemdleje, a jednak obserwowała wściekłość przyjaciela i modliła się w duchu, żeby jego partner jak najprędzej przystąpił do gaszenia tego nagłego emocjonalnego pożaru.

– W ciąży? – Bekhir wodził wzrokiem między nią a Wojtkiem. – Nie wiedziałem...

– To już wiesz! Może więc przestaniesz dziewczynę zadręczać tymi kryminalnymi bzdurami!

– Wojtek... Uspokój się... – poprosiła ostatkiem sił.

– Idziemy stąd! – zarządził ów tonem nieznoszącym sprzeciwu. – Odwieziemy cię do domu i masz natychmiast położyć się do łóżka i nie wyłazić z niego przynajmniej przez miesiąc. A ty...! – Obdarzył Bekhira spojrzeniem dzikiego, w dodatku głodnego zwierza. – Skontaktuj się z tym gliniarzem, swoim przyjacielem prawie od kołyski, i powiedz mu, żeby nie był złamasem. Jak dzwoni do niego jego kobieta, w dodatku w ciąży, to ma odbierać, choćby był na linii ognia albo przesłuchiwał samego diabła!!!

Bekhir patrzył na nią jak to on... Spojrzeniem spokojnym i radosnym, choć niekryjącym zaskoczenia. Tubalne występy Wojtka nie robiły na nim większego wrażenia, a jeśli nawet, to potrafił to skrzętnie ukrywać.

– Gratuluję – powiedział szczerze.

W odpowiedzi uśmiechnęła się tylko, marząc, by to, o czym krzyczał jej przyjaciel, spełniło się jak najszybciej. Chciała znaleźć się w łóżku. Miała ochotę zasnąć, by przestać myśleć o śladach krwi na śniegu. O wzroku mordercy Patrycji. O złych oczach Roberta, które zawsze wyłaniały się znikąd, gdy w jej życiu działo się coś niepokojącego i niedobrego. A przede wszystkim o tym, że może teraz Maks nie odbierał od niej telefonów, bo był w niebezpieczeństwie. Obawiała się o niego.

Bała się o niego panicznie. Dużo bardziej niż wtedy, gdy bała się męża. Chciała mieć rodzinę. Taką, w której nikogo nie brakuje. Taką, gdzie nie ma obaw o przyszłość. Pragnęła niemożliwości. Miała tego świadomość, ale nie potrafiła inaczej. Najbardziej jednak chciała znaleźć się teraz w objęciach Maksa. Był jej bardzo bliski, najbliższy. Odkąd go poznała, żyła w przekonaniu, że był z nią od zawsze. A skoro tak czuła, to już teraz nie potrafiła wyobrazić sobie życia bez niego i bez rodziny, którą mieli stworzyć, i bez rodzin, które mieli połączyć. Gdyby to tylko było możliwe, to w tej chwili zorganizowałaby przyjęcie, obiad, cokolwiek, by Dziadek mógł poznać jej, czyli też swoją nową rodzinę. Niestety na to musiała poczekać, bo nigdy nie może stać się od razu to, o czym marzymy, choćbyśmy nie wiem jak mocno sobie tego życzyli.

– Daj rękę! Idziemy! – autorytarnie zarządził Wojtek i chwycił ją za rękę mocniej, niż to było konieczne.

Za to Bekhir patrzył na nią z czułością. Znów pociekły jej łzy. Znowu z tęsknoty. Z niszczącego ją utęsknienia za czułym spojrzeniem Maksa. Za wzrokiem i dotykiem.

Korkociąg zabronił mu dziś pracować. Zrobił to, widząc jego formę, a raczej jej całkowity brak. Sara telefonowała już dwa razy. Tak bardzo chciał usłyszeć jej głos. Jednak nie był gotowy na rozmowę. Był w takim stanie, że wystarczyłoby jedno słowo, aby domyśliła się, że miał problemy. Najpoważniejsze, odkąd się urodził.

Nie mógł tak dłużej. Powinien rozprawić się z tematem. Szybko. Dzisiaj. Miał ambitny plan. Musiał przeprowadzić dziś dwie rozmowy. Ważne. Bolesne. Nieuniknione.

Nie zjadł śniadania. Nie był w stanie nawet pomyśleć o jedzeniu. Czuł się paskudnie, mając świadomość, że ukochana się o niego martwiła. Na pewno się denerwowała, a przecież w swym stanie nie powinna.

Na nieznoszący sprzeciwu wniosek partnera szybko opuścił komendę, a kolega obiecał załatwić mu u Starego dzień urlopu. Zatem już jechał do mamy. Żeby nie myśleć o tym, dlaczego to robi, wspominał ten dzień, kiedy wracał do domu, martwiąc się o życie Korkociąga. Wciąż pamiętał wzrok Sary czekającej na niego na schodach przed drzwiami jego mieszkania. Zapamiętał tylko ją i tylko jej spojrzenie, chociaż byli z nią przecież Bekhir i Wojtek – wówczas jeszcze niepałający do siebie wzajemną sympatią. Teraz niewyobrażalny wydawał mu się fakt, jak mało czasu potrzeba, żeby w życiu wszystko się zmieniło. Dziś mężczyźni byli parą, a po jego beztrosce nie został nawet ślad. Rzeczywistość go przytłaczała. Zabijała. A i tak uczucia do Sary było w nim coraz więcej. Takiego totalnego, w dodatku podsycanego wprost niewyobrażalną tęsknotą. Nic nie mógł poradzić na to, że miejsce dotychczasowej beztroski zajęła niszcząca go niepewność. Od wczoraj, od rozmowy z Korkociągiem, rozpanoszyła się w nim na dobre. Miał świadomość, że musiał się przed tym bronić, a jedynym sposobem była rozmowa. Chciał, ale nie potrafił się do niej przygotować. Nie potrafił wcześniej ułożyć słów. Po prostu wsiadł do samochodu, pokonał drogę i szybko wysiadł z auta. Wszedł do windy, wjechał, wyszedł z niej. Już pukał do drzwi, chociaż mógł otworzyć je sam. Uczulona na stukanie Nutka już wściekle ujadała. A mama uspokajała ją tymi słowami co zwykle. Słyszał je doskonale przez wciąż zamknięte wejście.

– A pójdziesz mi stąd! Awanturnico mała!

Wszystko było jak zwykle. „Do czasu" – pomyślał, z gorzką świadomością, że przychodził z zamysłem rozmowy niezwykłej. Niepodobnej do wszystkich wcześniejszych. Ta miała odmienić życie wszystkich. Co gorsza wiedział, że gdy już wszystko powie, kiedy uda mu się to zrobić, będzie musiał przeprowadzić kolejną. Jeszcze trudniejszą od tej, która już się zaczynała na szczęście od uśmiechu mamy.

– Dzień dobry, synku.

Zobaczył radość w oczach mamy. Nutka na jego widok uspokoiła się natychmiast, a jej ogonek w kształcie antenki przecinał powietrze z zawrotną prędkością.

– Dzień dobry, mamo. – Cmoknął w locie maminy policzek.

W domu pachniało świeżo usmażonymi naleśnikami.

– Jak cudownie, że jesteś. Właśnie skończyłam robić naleśniki. – Weszła w ślad za nim do kuchni.

Już siedział przy stole. Ochoty na jedzenie nie miał.

– Dżem, miód czy twarożek?

– Obojętnie.

– Stało się coś?

Mama siedziała naprzeciwko i taksowała go zaniepokojonym wzrokiem. Przestrzeń między nimi wypełniło ciche oczekiwanie. Czekała na jego słowa ze spokojem, a on na odpowiedni moment. Właśnie nadszedł. Teraz nie mogło być mowy ani o pogodzie, ani o naleśnikach, ani o niczym innym.

Uśmiechnął się, choć nie było mu do śmiechu. Jedyne, co mógł teraz zrobić dla mamy i dla siebie, to postarać się o to, by trwającą właśnie chwilę ucharakteryzować na spokojną i zupełnie nienerwową. Wydawało mu się, że udała mu się ta sztuka. Niestety szybko pojął, że owa charakteryzacja była niemożliwa. Mama już czuła, że to, z czym tu przyszedł, miało zmienić ich losy. Patrzył w jej ciemne oczy. Dostrzegał, że były dowodem na bliskie pokrewieństwo z Sarą. To były prawie takie same oczy. To podobieństwo nie pomagało mu w tej chwili. Na domiar złego mama milczała. Już czuła, jak usilnie pracował nad tym, by zamienić myśli i uczucia na słowa. Dziś ta zamiana wiązała się z nadludzkim, heroicznym wysiłkiem.

– Coś się stało. – Tym razem z jej ust padło przerażone stwierdzenie.

– Tak.

– Coś z Sarą?

Przerażenie w głosie mamy zadziałało na niego jak policyjny paralizator. Wstrzymał oddech. Za chwilę głęboko nabrał powietrza. Zrozumiał, że choćby nie wiem jak długo myślał, to nie znajdzie jednoznacznej odpowiedzi na pytanie, które właśnie usłyszał.

– Muszę ci o czymś powiedzieć... – zaczął niepewnie.

– To mów, synku – poprosiła z łagodnością.

– To dotyczy nas wszystkich.

– Wszystkich... Czyli...? – Patrzyła na niego już smutnymi oczami.

– Naszej rodziny i rodziny Sary...

Zamilkł. Chyba czekał na pomoc mamy. Ta jednak wpatrywała się w niego, nie mając teraz zamiaru się odezwać. Czekała.

Postanowił zacząć od początku, bo inaczej nie było sposobu, by dotrzeć do końca.

– Kiedy odwiedziłem Sarę po raz pierwszy w jej domu, jej i Dziadka – uściślił szybko – zobaczyłem w salonie portret. Obraz olejny przedstawiający małą dziewczynkę na tle brzóz. Od razu zapytałem, kogo przedstawia. Sara powiedziała mi, że to jej Babcia i że to właśnie po niej odziedziczyła imię. Przeżyłem szok, bo na tym obrazie zobaczyłem ciebie, mamo. Ciebie. Z tego zdjęcia, które znam od dzieciństwa. Rozumiesz? To byłaś ty. Kropka w kropkę. Zacząłem drążyć temat. Fotografii i portretu. Na pewnym etapie zrozumiałem, że lepiej będzie, jeśli zajmie się tym Korkociąg, bo zaangażowanie w sprawę nie pomagało mi w jej rozwikłaniu. To był odpowiedni krok, bo doprowadził mnie właśnie do tej rozmowy. Mamo... Zaszła pomyłka albo jakieś celowe przekłamanie, tego nie wiem. Na pewno już nigdy się nie dowiemy, ale akurat teraz to nie jest takie istotne. Ta mała dziewczynka ze zdjęcia... Ta, którą trzyma na rękach siostra Józefa, to twoja siostra...

– Wiem przecież, synku, ja to wiem – szepnęła z niepokojem.

– Miała na imię Sara.

Poważna twarz mamy spoważniała jeszcze bardziej.

– Mamo, ta dziewczynka to była Babcia Sary – powiedział najciszej, jak się dało.

Prawda nie potrzebuje krzyku, by zostać zrozumianą i pojętą w zupełności.

– Babcia Sary? – mama powtórzyła po nim skamieniałym szeptem.

– Tak, mamo...

– Była? – Zadała kolejne bardzo ciche pytanie.

– Tak, mamo. Niestety już nie żyje. Tak jak ty była córką Adama i Miriam. Trafiła do domu dziecka w lutym czterdziestego piątego roku jako noworodek. Pojawiła się tam z bardzo chorą matką i starszą siostrzyczką, którą jesteś ty.

– Adam i Miriam... – Mama znów cichusieńko powtórzyła jego słowa, ale zrobiła to tak, jakby wcale nie rozumiała ich znaczenia. – Synku... – Patrzyła na niego, więc widział, jak w jej oczach zdziwienie zamieniało się w przerażenie – ... Jak to możliwe?

– To prawda, mamo. Niestety prawda. Babcia Sary była twoją siostrą. Matką mamy Sary, która miała na imię Ewa. Została adoptowana jako niemowlę. Sara urodziła się od razu po tym, jak jej mama zdała maturę. Zresztą ma urodziny za kilka dni – szpikował swą opowieść faktami.

Patrzył na mamę uważnie. Wiedział, że wszystko zrozumiała i traciła siły. Już ich nie znajdowała w sobie. Nie mogła zatem zaprzeczać jego słowom. Już dotarł do niej fakt, iż były prawdziwe. Bardzo.

– Synku... Ale jak to możliwe, żebym przez tyle lat czuła jej obecność przy mnie, chociaż ona już nie żyje? Uwierz mi, wciąż, codziennie o niej myślę i myślę, że jest gdzieś daleko albo blisko. Sądzę, że ma swoje życie, kochającego męża i dzieci. Codziennie rozmyślam o tym, że jest szczęśliwa, a jej już tu nie ma?

Widział zdruzgotaną mamę, a wzruszenie jej roztkliwieniem odbierało mu mowę. Płakała. Cichym, niemym płaczem. To było nie do zniesienia, nie do wytrzymania.

– Mamo...

Dotknął jej dłoni. Były tak małe, tak delikatne jak te Sary. Może nawet takie miała Babcia jego ukochanej.

– Mamo... Muszę jeszcze o tym powiedzieć Sarze... Ona nic o tym nie wie...

Usłyszawszy to, co właśnie powiedział, podniosła na niego swój wzrok. Spoważniała. Do granic możliwości. Patrzyła na niego, ale całkiem inaczej niż do tej pory.

– Ona naprawdę jeszcze o niczym się nie dowiedziała. Nie ma pojęcia o tym, że jesteśmy rodziną. Boję się, jak to przyjmie. Obawiam się o nią i o nasze dziecko. Nie chcę nawet myśleć o tym, co się stanie... Mamo, powiedz coś... Proszę... Powiedz, że wszystko się ułoży, że będzie dobrze, że urodzi nam się zdrowe dziecko... powiedz, proszę...

Mówił, że prosi, a błagał, błagał na kolanach.

Mama już nie płakała. Uśmiechnęła się do niego. Tego się nie spodziewał. Drobnymi dłońmi roztarła łzy na policzkach. Uspokoiła się. Nie mógł w to uwierzyć. Ale jej spokój udzielał się również jemu. Nie wierzył, że to możliwe. Patrzyła na niego całkiem inaczej niż do tej pory, a on czekał na to, by podzieliła się z nim swymi przemyśleniami. Lubił, gdy to robiła, ponieważ wielokrotnie potrafiła trudne sprawy zobaczyć w łatwej perspektywie. Nikt tak jak jego mama nie umiał w trudnościach odnajdywać ich dobrych stron. Od zawsze uwielbiał słuchać jej w momentach, gdy umiejętnie studziła temperament jego gorącokrwistej siostry. Mówiła wtedy: „Beatko, uspokój się, a wtedy świat wokół ciebie weźmie z ciebie przykład i zrobi to samo". Podziwiał wewnętrzny spokój matki wtedy, gdy gasiła pożary wzniecane przez trudną do okiełznania córkę, ale doceniał to przede wszystkim w tej chwili.

Przecież mama jeszcze mu niczego nie powiedziała. Niczego nie doradziła. Nie odezwała się ani jednym słowem, a już poczuł się lepiej. Patrzyła na niego oczami Sary. Całe szczęście spojrzenia miały całkiem inne. Czerpał teraz od matki opanowanie nacechowane optymistycznie, chociaż realia wcale do takich nie należały.

– Synku... – zaczęła w końcu. – Nawet nie jesteś sobie w stanie wyobrazić tego, jaki Pan Bóg jest dobry, jaki mądry. Jak całe życie mi pomaga. Jest przy mnie. Wspiera tak, że nie jestem w stanie tej pomocy objąć swym rozumem. O nic się nie martw. Wszystko będzie dobrze. Synku, wasze dzieciątko, twoje i Sary, będzie zdrowe, kochane i urodziwe. Zobaczysz... Jeśli to wszystko, co mi teraz powiedziałeś, jest prawdą...

– Jest – wszedł jej w słowo głosem wypełnionym pewnością.

– To nie masz się czym martwić. Nie jesteś spokrewniony z Sarą.

Zajrzała mu prosto w oczy. Patrzyła z odwagą, a on czuł się tak, jakby zgubił miejsce, gdzie czytał, i to w książce, która bez reszty zawładnęła jego świadomością.

– Nie rozumiem...

– Nie martw się. Wszystko ci wytłumaczę. Tylko bądź spokojny i nie myśl o mnie źle. Proszę...

– Mamo, ja nigdy nie myślałem o tobie źle – stwierdził asekuracyjnie.

Zrobił się niespokojny. Już obawiał się tego, co dostrzegał w matczynych oczach.

– Wiem o tym, synku. Marzę, żeby tak było już zawsze. Aby tak zostało. Ale jak się ma marzenia, to zwykle towarzyszą im trudności do pokonania. Przede mną właśnie stoi takie wyzwanie. Towarzyszy mi w życiu, odkąd pojawiłeś się ty. Jest ze mną już tyle lat, ile ty żyjesz na tym świecie. I od tylu lat chciałam mu sprostać, ale się nie udało. Z różnych przyczyn. Ale nadszedł ten dzień, kiedy muszę sobie z nim poradzić. Dziś muszę stawić czoło mojemu największemu życiowemu wyzwaniu. Dlatego boję się i cieszę. Oczywiście jednocześnie, synku mój najukochańszy... Cieszę się, że w końcu oddam w twoje ręce moją największą tajemnicę, tę, która spędza mi sen z powiek. A obawiam się, bo to, o czym ci teraz powiem, synu, zmieni całkiem twój los. Albo odmieni go, ale nie aż tak bardzo jak przypuszczam. Nie wiem sama, co się stanie. Wiem jedno, nadszedł czas, żebym ci w końcu o czymś opowiedziała. Pamiętasz, jeszcze wczoraj powiedziałam ci, że świadomość, kim się jest, to świętość? A igrać ze świętością nie należy...

Wiedział, że nie powinien się teraz odzywać. Czas i cisza należały tylko do mamy. To jej słowa miały teraz wszystko zmienić. Miał nadzieję, że na lepsze.

– Bardzo kochałam twojego ojca – zaczęła swą opowieść od oczywistości. – Włodek pojawił się w moim życiu po to, bym uwierzyła w siłę rodziny. Dopóki w moim domu dziecka była siostra Józefa, wszystko wydawało mi się łatwe i proste, a kiedy jej zabrakło, poczułam się bardzo samotna. I to do czasu, kiedy go poznałam. Dziękuję Bogu, że się mój mąż zjawił i urządził moje życie na nowo. Zmienił mój smutny świat na radosny. Rano otwierałam oczy i od razu chciało mi się żyć. Zresztą nawet jak miałam gorsze dni, to wciąż miałam pozytywne nastawienie, bo wiedziałam, że jeśli będę cierpliwa, to te lepsze chwile na pewno na mnie czekają... Długo po ślubie byliśmy sami. Twój tata nigdy mi złego słowa nie powiedział na ten coraz bardziej drażliwy i bolesny dla nas temat. Zwłaszcza że w jego pracy jedno pępkowe goniło następne, a on czekał, czekał i doczekać się nie mógł. Ja też czekałam. Może nawet bardziej niż Włodek. I wciąż się modliłam. Po latach takiej modlitwy w końcu pojawiła się w naszym życiu Beatka. Najbardziej oczekiwane na świecie dziecko. Nasza caryca, nasza królowa. Tak na nią wtedy mówił Włodek. Z dumą woził ją w wózku najładniejszym chyba w całej Warszawie. Nikt takiego nie miał, a nasza Beatka owszem. No i pępkowe się odbyło, a jakże. Gratulacji było co niemiara. Oszalałam na punkcie naszego maleństwa. Świata poza córeczką nie widziałam. I właśnie to był mój największy błąd... Włodek pracował wtedy bardzo dużo. Brał jakieś dodatkowe dyżury, żeby nam niczego nie brakowało, bo żyliśmy w bardzo trudnych czasach. Oddaliliśmy się od siebie. Włodek się ode mnie odsunął nawet nie dlatego, że tego chciał, tylko ja mu na to pozwoliłam. Jakoś tak mu się wymknęłam. Najpierw z rąk, a później z serca. Teraz, po latach, wiem, że to, co się później stało, było bardziej moją winą niż jego. Często mówi się, że wina zawsze leży pośrodku. Pewnie jest w tym powiedzeniu więcej prawdy niż ludzkiego wymysłu, ale w naszej sytuacji to ja byłam bardziej winna. Ja i moje zaślepienie. I tak się tragicznie złożyło, że przez jedną miłość, uczucie do dziecka, straciłam miłość męża...

Mama wciąż mówiła bardzo powoli i spokojnie. Cieszył go ten spokój. Promieniował na niego. Też był wyciszony, chociaż nie mógł całkowicie pojąć swych reakcji, bo choć nie dawał się ponieść emocjom, to serce waliło mu jak dzwon.

Umilkła na chwilę. Patrzyli na siebie. Nie wiedział, czy potrzebowała tej chwili ciszy, by zebrać myśli lub odnaleźć w sobie odwagę na dokończenie rozpoczętej opowieści, do której wstęp był dość rozbudowany i bardzo intrygujący. Miał teraz przed oczami nie tylko mamę, ale i tatę.

– Pamiętasz, synku, jak Jan Paweł II przyjechał do Polski i odwiedził Westerplatte?

W odpowiedzi skinął głową. Dokładnie zapamiętał dzień, który wspomniała. Zachował go w pamięci, bo Papież kierował wtedy swe słowa przede wszystkim do młodych. Mamie chyba to nie wystarczyło. Wciąż się w niego wpatrywała.

– Pamiętam... że bardzo wtedy płakałaś.

– Płakałam – potwierdziła. – A wiesz dlaczego?

Tym razem zaprzeczył krótkim ruchem głowy.

– Rozpłakałam się, ponieważ jak nasz Papież powiedział wtedy, że każdy znajduje w życiu jakieś swoje Westerplatte, to coś zrozumiałam, a raczej dotarło do mnie w końcu, że to ty, synku, jesteś moim Westerplatte. To właśnie ty okazałeś się moją najważniejszą powinnością, od której nie mogłam się uchylić. To dla ciebie, dla siebie, dla nas musiałam ochronić rodzinne więzy i wykazać się odpowiedzialnością. To nasza rodzina stała się dla mnie słuszną sprawą, o której mówił Jan Paweł II. Tak musiało być. Musiałam tego bronić jak ci, którzy bronili kiedyś Westerplatte. Rozumiesz, synku?

Słuchał bardzo uważnie tego, o czym mówiła. Patrzył prosto w jej przejęte oczy, skupiał się na bardzo poważnie brzmiącym głosie, ale nie wiedział, do czego zmierzała. Niczego nie pojmował.

– Nie rozumiem, mamo – przyznał się.

– Jeszcze chwila i wszystko stanie się jasne. – Uspokoiła go i uśmiechnęła się.

Niestety był to uśmiech przez łzy. Inny niż zwykle.

To dlatego stracił cały spokój. Zrobił się czujny i poczuł kolosalne zdenerwowanie.

– Twój tata miał romans. Z kobietą dużo młodszą od siebie. Z córką swojego ówczesnego komendanta. Kiedy się urodziłeś, miała niecałe dziewiętnaście lat.

W jednej sekundzie zrozumiał przyczynę walenia swego serca.

– Ona cię nie chciała. Jej rodzice wywieźli ją stąd. To dlatego urodziłeś się w Częstochowie, tam wtedy mieszkała matka komendanta. Oni chcieli oddać cię do adopcji, ale nie oceniaj ich źle. To byli dobrzy ludzie, tylko sytuacja ich przerosła. Za to nie przerosła twojego taty. Przyznał mi się do wszystkiego i prosił. To mało powiedziane... On mnie błagał na kolanach, żebym cię przyjęła, bo jesteś jego synem i bratem naszej Beatki.

Po policzkach mamy płynęły łzy tak ogromne, jakich jeszcze u niej nigdy nie widział. Po jego sercu płynęły jeszcze większe. Sprawiły, że chociaż wcześniej biło jak oszalałe, teraz na sekundę zamarło. Nie chciał już słuchać tego, o czym mówiła mama, ale jednocześnie bardzo pragnął dowiedzieć się wszystkiego. Był wstrząśnięty i bezsilny. Nie potrafił zareagować na to, co usłyszał. Nie wiedział, co zrobić. Musiał słuchać dalej. To było chyba jedyne mądre rozwiązanie. Powinien zamienić się w słuch. Nie mógł teraz przeszkadzać, bo dla mamy ta rozmowa też była straszna.

– Tata przywiózł cię ze szpitala wprost do domu. Nigdy nie opowiedział mi, co się wydarzyło w Częstochowie. Ja też ani razu o to nie zapytałam. Po prostu pojawiłeś się tu, w naszym domu. Beatka miała trochę ponad rok. Popatrzyłam na ciebie i na łzy płynące z oczu Włodka. Nigdy nie widziałam go płaczącego. Nigdy wcześniej i nigdy potem. Podał mi ciebie. Wzięłam cię na ręce. Twoja siostra od razu się rozpłakała. Ja też płakałam. Wszyscy płakaliśmy. A ty sobie spałeś. Tak po prostu, cichutko. Taki śliczny, okrąglutki. Miałeś kręcone ciemne włoski. Wystarczyła jedna chwila, żebym cię pokochała. Przecież przez pół życia modliłam się o dziecko. Dlatego powiedziałam wtedy do Włodka: „Jest nasz". Chociaż mnie bardzo zranił tym, co zrobił, i do końca nie potrafiłam mu tego wybaczyć ani zapomnieć. Ale przecież ty nie ponosiłeś za to winy. Byłeś maleństwem potrzebującym miłości. Dlatego niosłam troskę o ciebie dzień w dzień. Miałam ją w swoim sercu, bo wiedziałam, że pokochać i kochać to dwie różne sprawy. By pokochać, wystarczy chwila. Żeby kochać, potrzeba życia. I ty, synku, jesteś moim życiem. Choć to nie ja jestem twoją matką.

Wzruszenie odebrało mu mowę. Był zaszokowany. Gardło ścisnęła mu żelazna obręcz tylko po to, żeby nie mógł się odezwać. Jednak musiał przemówić. Dotknął dłoni mamy. Były ciepłe. Przykrył je swoimi. Popatrzył w ukochane oczy i odezwał się mocnym, zdecydowanym głosem.

– Mamo, jestem twoim synem.

– Wiem, synku, wiem… – odparła od razu. – Jesteś moim dzieckiem. Nigdy w to nie wątpiłam. Ty jesteś moim synem, ale cieszę się, że w końcu odważyłam się powiedzieć ci, że to nie ja jestem twoją matką. Zobacz, jaki Pan Bóg bywa dobry. Wiedział, że całe życie biję się z myślami… I w końcu sprawił, że się odważyłam. Pozwolił mi na to w takim momencie, kiedy ta skrywana przeze mnie prawda, ukrywana przez lata, może cię po prostu ucieszyć. Synku, twojemu dzieciątku, twojemu i Sary, nic nie grozi, bo nie jesteście ze sobą spokrewnieni. Zostaniecie cudowną rodziną. Będziemy taką rodziną. Zobaczysz… Wszystko się ułoży. Już się ułożyło. Sara jest moja i ty też jesteś mój. Zobacz, ile mam powodów do radości. Wszystko zmierza w dobrym kierunku. Kiedyś tak jak ja teraz ciebie przekonywał mnie twój tato. On cię kochał nad życie. Był taki dumny, że ma, że mamy dwoje dzieci…

– Czy ktoś o tym wie? To znaczy oprócz ciebie, mamo… – zapytał, nie spuszczając oczu z jej spokojnej twarzy.

– Nie, synku. Teraz wiemy o tym tylko ty i ja. Tu na ziemi wyłącznie my. Ale powinieneś o wszystkim powiedzieć Sarze. Jeśli postanowisz, że lepiej z tym poczekać do rozwiązania, to oczywiście zrozumiem. Rób tak, żeby wam było dobrze. Ja już jestem spokojna. O nic się nie martwię, bo wiem, że niewypowiedziana prawda zawsze upomni się o swoje. Tak było przecież w moim… to znaczy w naszym przypadku. I jak tu nie wierzyć, że te przypadki, które chodzą po ludziach, to nie są takie zwykłe zbiegi okoliczności, tylko dowody na opatrzność Bożą, której trzeba wypatrywać na każdym kroku. Trzeba jej wyglądać, i to sokolim wzrokiem. Wsłuchiwać się w nią z wielką uwagą i w ogromnym skupieniu.

– A gdyby nie Sara...

Chciał zapytać o tyle rzeczy i spraw, ale nie był w stanie dokończyć rozpoczętego zdania.

Jednak mama, jak to zwykle ona, błyskawicznie odczytywała jego myśli.

– Włodek był zdania, żeby ci nigdy nie mówić. Ja podzielałam jego opinię, bo milczenie było wygodne dla nas wszystkich. Może nie tyle wygodne, co bezpieczne. Jednak zawsze miałam w sobie niepokój. Tak jakbym wiedziała, że prawda, chociaż my tego nie chcemy, i tak wyjdzie na jaw. I nie myliłam się, bo prawda jest cierpliwa i silna. Zupełnie jak miłość. Potrafi poczekać na odpowiedni moment. Taki, kiedy da o sobie znać...

Patrzył w oczy mamy i wiedział, że chociaż wszystko wokół jest takie jak zawsze, to nic już nigdy nie będzie takie samo. Przeniósł wzrok na swoje ręce, pod którymi wciąż ukrywał dłonie mamy. Dotykał jej ciała, tego, z którego niestety się nie narodził. Nie chciał teraz myśleć o swojej prawdziwej, to znaczy biologicznej matce. I chociaż wszystko się zmieniło, to oczy mamy nie. W nich nie zaszła żadna zmiana. Były pewnikiem, którego potrzebował teraz najbardziej. Dobrem. To dlatego schylił się. Odkrył dłonie mamy i pocałował ich ciepłą skórę.

– Synku... Co robisz? – zapytała i lekko poruszyła rękoma, tak jakby chciała uchronić je przed kolejnym pocałunkiem.

– Dziękuję, ci mamo... Po prostu ci dziękuję.

– Ależ co też ty wygadujesz?

– Dzięki tobie mam takie dobre życie. Przecież gdyby nie ty, to nie wiadomo, jak by wyglądało...

– Synku... Teraz nie ma co gdybać. To zupełnie niepotrzebne. Cieszmy się z tego, co jest, z tego, co mamy. Że mamy siebie. Że w naszym życiu pojawiła się Sara. Już wiemy, że to nie przypadek. Tak po prostu miało być. Cieszmy się z tego, że będziecie mieli dziecko, że jesteśmy rodziną jak się patrzy. Nie ma nic od tego ważniejszego. Nic a nic. – Wciąż się uśmiechała.

Z wielką przyjemnością odwzajemnił jej uśmiech. To, co było złe, już minęło. Należało do przeszłości. Jeszcze chwilę temu czuł się tak, jakby wpadł w przepaść. Jednak przeżył. Co więcej, nic mu się nie stało. Nie był sam. Jak zwykle mama wyciągała do niego pomocną dłoń. To dzięki tej często niewidzialnej ręce radził sobie z życiowymi trudnościami. Dzięki bezwarunkowej miłości. Teraz też tak było. Wykaraskał się. Był jak nowy. Nie miał żadnych urazów. Czuł tylko radość z tego, że wszystko mogło się źle skończyć, a stało się całkiem inaczej.

– A Beata? – zapytał instynktownie. – Wie?

– Nie, nie wie.

– Powiemy jej?

– Musimy, musimy, synku. Teraz nie możemy już igrać z prawdą. Beatka powinna dowiedzieć się o wszystkim. O Sarze i o tobie. Jesteśmy rodziną. Ty już o wszystkim się dowiedziałeś. Ona też powinna wiedzieć. Żadne tajemnice nie mogą burzyć teraz naszego wewnętrznego spokoju. Ja wiem, jak ciężko jest żyć z sekretem w sercu. Przyszedł czas na to, by mieć odwagę... Chociaż jestem prawie pewna, że w Beatce nie znajdę takiej pokory jak w tobie, synku.

– Może chcesz, żebym to ja jej powiedział? – zaoferował.

Znał Beatę doskonale. Wiedział, że jego siostra, przyrodnia siostra, uwielbiała mieć duży wpływ na wszystko, co jej dotyczyło, a niespodzianek i zaskoczeń nie znosiła i zwykła przeżywać je nie tylko duchem, ale całym ciałem.

– Nie, synku. Ja znam ją lepiej i dłużej. Najlepiej będzie, jeśli to ja jej o wszystkim opowiem. Zresztą ciebie przecież czeka jeszcze jedna taka ważna rozmowa. Sama nie wiem, czy trudna, czy nietrudna, ale na pewno niezwyczajna. A jak już będziesz po niej, to odezwij się, proszę, do mnie. Opowiedz mi, jak dałeś sobie radę, a wtedy zaproszę Sarę do mnie, żebyśmy mogły popatrzeć sobie w oczy trochę inaczej niż do tej pory. I jej Dziadka też poznałabym chętnie. Chciałabym, żeby mi opowiadał i opowiadał o tej, którą pokochał, a która w moim sercu zawsze była i będzie.

Podziwiał mamę za spokój. Za życiową mądrość. Za niespotykaną pokorę. Gdy widział przed sobą jej oczy, wszystko wydawało mu się proste. Swą postawą, nie tylko tą dzisiejszą, ale zawsze dotychczas potrafiła sprawić, że jego życiowe kłopoty stawały się łatwiejsze, rozwiązania były w zasięgu jego możliwości. Co więcej, umiała coś takiego, czego oczywiście nie potrafił nazwać, ale co powodowało, że chciał podejmować wyzwania i udowadniać sobie, że mama, wierząc w niego, nigdy się nie myli. Że zawsze ma rację. Dlatego już teraz miał ochotę iść do Sary. Bardzo chciał ją przytulić. Wzorem własnej mamy pragnął na nią popatrzeć z miłością i wprowadzić w dopiero co poznaną historię. To przydarzyło się nie tylko im, lecz także ich rodzinom. Rozdzieliło ich chyba tylko po to, by na nowo połączyć po latach. Był gotów na wzruszenia prowadzące do płaczu. Na radość ze łzami w oczach i na radość, która ze łzami nie kojarzyła się wcale.

– Idź, synku… Idź… – Te słowa wyrwały go z niezbyt uporządkowanych rozmyślań.

Myślał i wciąż patrzył na mamę. Jej spojrzenie utwierdzało go w przekonaniu, że miłość potrafi stworzyć więzy krwi nawet wówczas, gdy w istocie ich nie ma. Wydawałoby się, że jest to niemożliwe. A jednak…

– No idź… Przecież widzę, że chcesz już iść. Idź. Niczym się nie martw. Wszystko dobrze. Idź. Ja ogarnę się trochę i wyjdę z Nutką, bo jak się nie pojawimy na spacerze, to od razu Kwietniowa będzie się martwić, że któraś z nas zaniemogła.

– To znikam. Pozdrów ode mnie Kwietniową.

– Oczywiście pozdrowię. Ucieszy się bardzo.

– Jeszcze tylko powiedz mi, mamo, jak przez tyle lat znosiłaś to jej gadanie... – Tu zrobił pauzę, by przypomnieć sobie, a zaraz potem zacytować słowa ich wieloletniej sąsiadki: „... jak to możliwe, że dwoje dzieci z tych samych rodziców, a takie różne. Jedno ogień, drugie woda...".

Mama nie przestawała się uśmiechać.

– Ze spokojem, synku... I z milczeniem na ustach. A teraz już idź i mów Sarze, co trzeba, bo dziś... to nie czas na milczenie...

– Nareszcie!

Dwa jej serca trzepotały z radości. Poczuła najpierw zapach, potem dotyk Maksa, a świat znów znormalniał. Co więcej – wypiękniał. Znów chciało jej się żyć i cieszyć z tego, co ma.

– Chyba będę częściej znikał.

Powiedział to takim tonem, jakby nie zdawał sobie sprawy, ile emocji budziły w niej te jego nagłe nieobecności, kiedy nie miała z nim kontaktu.

– Nienawidzę dni, gdy cię nie ma.

Wiedziała, że się z nią droczył, ponieważ przytulał ją w tej chwili tak, jakby nie widzieli się co najmniej od kilku miesięcy. Podobało jej się to przedłużające się powitanie, zwłaszcza że z każdą upływającą sekundą nabierało podniecającego charakteru. Już bardzo dobrze znała dłonie Maksa. Odróżniała zwykły dotyk od tego, który rozpoczynał coś, co mogła przeżywać tylko z ukochanym. Co chciała przeżywać tylko z nim.

Dziś ręce Maksa były jednak trochę inne. Dotykały jej inaczej niż dotychczas. Ta inność bardzo jej się podobała. Była podniecająca i intrygująca.

– Powiedz, że wszystko jest dobrze... Powiedz, proszę... – szeptała mu wprost do ucha, gdy ten oszałamiał jej szyję spragnioną dokładnie takiego traktowania.

– Musimy porozmawiać.

Usłyszała słowa, których zupełnie się nie spodziewała. Zamarła. Maks również. Już się nie dotykali. Wkradła się między nich niepewność. Po prostu wyrażenie „musimy porozmawiać" przenosiło ją do innej rzeczywistości. Do świata sprzed ukochanego, bo teraz dzieliła swe życie na dwa etapy. Na życie przed Maksem i na to, kiedy pewnego zimowego popołudnia wszystko się zmieniło.

Od takich samych słów Robert zaczynał swe panowanie nad jej ciałem i jej psychiką. Nad wszystkim, co było jej, a jemu wydawało się tylko i wyłącznie jego własnością.

– Coś się stało? – spytał.

Był to głos wypełniony niepokojem. Zdała sobie sprawę, że to ona powinna zadać to pytanie w kontekście właśnie usłyszanego a znienawidzonego sformułowania. Patrzyła na Maksa, nie potrafiła się odezwać, ponieważ oprócz jego oczu widziała, a raczej odgrzebała w pamięci złowieszcze spojrzenie wściekłego Roberta, wywołujące u niej zawsze strach, a dziś dodatkowo mdłości. Może tak się działo, bo Maks patrzył na nią trochę inaczej niż zwykle. Dostrzegała wyraźnie, że oczy ukochanego były teraz na uwięzi jego myśli, które z pewnością były powodem jego zmartwień. Chciała się mylić. Niestety wzrok Maksa nie kłamał. Nigdy. I nigdy nie udawał. Już wiedziała, że coś się stało. W dodatku niedobrego. Potwornie się przestraszyła.

– Coś się stało – stwierdziła panicznie.

– Tak.

Maks nie trzymał jej w niepewności ani chwili, a patrzył na nią w taki sposób, że chyba wolałaby przeżyć całe życie w stanie zawieszenia, niż poznać okrutną prawdę.

– Coś strasznego? – zapytała, mając nadzieję, że zaprzeczy.

Nie zrobił tego. Czekała zatem. Odezwał się dopiero po upływie kilku długich chwil.

– Sam nie wiem.

Jego odpowiedź nie uspokoiła jej ani trochę. Zwłaszcza że ukochany był zwykle wszystkiego pewien. Odbierała go jako kogoś, kto zawsze wszystko wiedział, choć nie przywykł do chwalenia się swą wiedzą na różne tematy.

– Powiedz mi...

Prosiła słowami, wzrokiem i dotykiem, chociaż wcale nie była pewna, czy dobrze robi. Zwłaszcza że Maks wpatrywał się w nią i milczał. Zupełnie jakby rozważał w tej chwili jej prośbę. Jak gdyby zastanawiał się, czy mówić jej o swych zmartwieniach. Wciąż czekała. Nie chciała nalegać ani niczego wymuszać, ani tym bardziej przyspieszać jego decyzji ni słów.

– To dotyczy twojej pracy? – zapytała, nie wytrzymując jednak narastającego napięcia.

Zachowała się tak, jakby praca Maksa miała się teraz stać dla nich kołem ratunkowym, ponieważ szósty zmysł podpowiadał jej, że cierpienie w oczach Maksa pojawiło się z powodów osobistych.

– Wyznaczmy datę ślubu – poprosił.

Zaskoczył ją. Spojrzała na obrączkę, z którą nie rozstawała się ani na chwilę. Traktowała ją jak amulet stanowiący podstawę bezpieczeństwa nie jej, tylko Maksa wówczas, gdy nie było go przy niej. Ta pięknie wykonana rzecz była dla niej codziennym dowodem na to, że spotkała ją w życiu dobra miłość. Taka od teraz na zawsze, od której nie chciała się już nigdy uwolnić. Ukochany był teraz najbliższym jej człowiekiem. Chciała, by tak zostało już na zawsze. Mogła wziąć z nim ślub nawet dziś, teraz, zaraz.

– Kiedy tylko chcesz – odpowiedziała, nie odzyskawszy spokoju.

– Nasze rodziny powinny się poznać – stwierdził.

Jego ton sugerował, że im szybciej to nastąpi, tym będzie lepiej. Rozumiała to doskonale.

– Spokojnie. Mamy dla siebie przecież dużo czasu.

– Chodźmy do łóżka – zaproponował takim głosem, jakby akurat właśnie na to mieli mało czasu.

Nie poznawała go. Wszystko, co dziś mówił, sposób, w jaki na nią patrzył, po prostu całokształt był dla niej wysoce podejrzany.

– Chodźmy...

Posłusznie pociągnęła go za sobą do sypialni. Skoro to miało pomóc...

Położyli się obok siebie. W ubraniach. Zwrócili twarzami do siebie. Doskonale znała ten układ. Zwykle ćwiczyła go z Wojtkiem. Skoro dziś zasugerowała taki wybrankowi, oznaczało to, że jego traktowała również jak swego przyjaciela. Położyła się na lewym boku, bo na nim mdłości wydawały jej się mniej dokuczliwe. Maks leżał na prawym i wpatrzony w nią zaczął mówić, wspominając.

– Pamiętasz, jak przyszedłem do ciebie pierwszy raz?

Akurat tej wizyty nie mogła zapomnieć, dlatego skinęła głową.

– Zobaczyłem portret twojej Babci i przeżyłem szok.

– Dlaczego?

Zupełnie nie rozumiała swej reakcji. Nie pojmowała tego, że jej serce w momencie zaczęło trzepotać jak motyl uwięziony za nagrzaną słońcem okienną szybą.

– Ponieważ na tym obrazie jest nie twoja Babcia, tylko moja mama.

Nie mogła myśleć, że się przesłyszała, ponieważ dokładnie wiedział, o czym mówi. Już doszło do niej, że był pewien swych słów.

– Nie rozumiem.

– Wszystko ci wytłumaczę... – obiecał i zaczął mówić.

Słuchała go bardzo uważnie. Wodziła wzrokiem po jego twarzy. Widziała przed sobą skupione oczy i usta powoli poruszające się. Mówił tak, by mogła zrozumieć każde słowo, gdyż wszystko w opowieści Maksa było ważne. Brakowało wyrazów zbędnych i niepotrzebnych. Historia zawierała same konkrety. Im więcej szczegółów poznawała, tym bardziej zyskiwała przekonanie, że każde kolejne zdanie Maksa miało większą wartość.

Była bardzo przejęta tym, o czym mówił. Czuła, że jego policyjne doświadczenie bardzo mu się teraz przydawało, ponieważ podawał jej fakty, całkowicie pomijając związane z nimi emocje. Zdawał jej relację z tego, co wydarzyło się w życiu bliskich im osób, a co miało ogromny wpływ na ich losy. Jednak uczucia, o których nie wspominał, były widoczne w jego oczach. Jak na dłoni. Wyczuwała je również w rękach Maksa, które zaciskały się na jej dłoniach. W ustach, które – gdy mówił – drżały ledwie widocznie. Widziała te mikrodrżenia, ponieważ usta ukochanego też znała już doskonale. Potrafiła zauważyć na nich każdy grymas. Każdą, nawet najmniejszą zmianę.

Surowość przedstawianych informacji przerażała ją, ale starała się zrozumieć, że i tak najprawdopodobniej wybrał najlepszą metodę ich przekazania.

Gdy skończył mówić, wtuliła się w jego szyję. Nie chciała płakać, jednak nie udało jej się zapanować nad rozżaleniem. Była twarda. Potrafiła nie uronić ani jednej łzy nad swym losem. Miała w tym doświadczenie. Życie nauczyło ją tej umiejętności. Teraz jednak opłakiwała historię życia Maksa, wpisaną w życie jej rodziny. Trudno było jej uwierzyć w to, co właśnie usłyszała, ale musiała to zrobić. Pewność głosu ukochanego była największą gwarancją prawdziwości wszystkich jego nieodwracalnych stwierdzeń i niepodlegających żadnej dyskusji faktów. Myślała o Babci, o mamie Maksa...

– Nie płacz... Proszę cię...

– Przecież nie płaczę – kłamała, wylewając łzy na jego szyję.

Nie wiedziała, co powiedzieć. Gdzieś w głębi jej roztrzęsionej duszy błąkało się jedno słowo.

– Przepraszam – wydusiła w końcu, w dodatku chyba głośniej, niż wymagała tego sytuacja.

– Za co? – obruszył się i przytulił ją jeszcze mocniej.

Wtulali się w siebie nawzajem. Ich ciała pasowały do siebie tym lepiej, im były bliżej.

– Gdybym nie pojawiła się w twoim życiu, to...

– Nie mów głupstw! – Natychmiast ją uciszył.

Posłuchała go i nie zamierzała dokończyć rozpoczętego zdania, nawet w myślach.

– Kiedy słuchałem dziś mojej mamy, zrozumiałem, że nasze spotkanie to żaden przypadek. Tak miało być. To wszystko, co się wydarzyło, stało się między innymi po to, żeby dzisiaj wyglądało właśnie tak jak teraz. Spotkaliśmy się nie tylko po to, by się pokochać. Jeszcze po to, aby każde z nas odnalazło siebie na nowo. Nie czujesz tego?

– Czuję, ale nie mogę tego pojąć. Nie potrafię w to uwierzyć. Tak bardzo szkoda mi twojej mamy. Ciebie też mi żal.

I mojej Babci, i nawet Dziadka. Współczuję mu, bo chociaż jeszcze o niczym nie wie, to kiedy się dowie, na pewno będzie jeszcze bardziej tęsknił za swą miłością. On nie pogodził się z jej śmiercią. Wciąż za nią wzdycha. Czasem słyszę jego głos. Zupełnie taki, jakby z nią rozmawiał, i wtedy sama cofam się w czasie, to znaczy udaję, że Dziadkowie są na dole, żartują z siebie nawzajem i przekomarzają się z nieprawdopodobnym wdziękiem.

– Jeśli chcesz, to ja mogę mu o wszystkim powiedzieć – zaoferował się.

Wiedziała, że zrobił to, by oszczędzić jej wzruszeń.

– Nie ma mowy… – stwierdziła. – Może teraz tego nie widać, ale ja dam sobie z tym radę.

– Przecież wiem. Nigdy w to nie wątpiłem. – Z czułością pocałował ją w policzek.

– Jak myślisz… Czy Dziadek wie, że Babcia była adoptowana? – zapytała, już martwiąc się, jak Dziadek przyjmie jej słowa.

– Nie mam pojęcia. – Westchnął Maks i zamknął zmęczone oczy.

Wsłuchiwała się w jego oddech, który stawał się coraz regularniejszy i spokojniejszy.

– Śpimy? – zapytała cichusieńko.

Nie otrzymawszy odpowiedzi, również przymknęła powieki. Zrobiła to, chociaż wiedziała, że nie uda jej się zasnąć. Za dużo się wydarzyło. Dziś i ostatnio. Musiała pomyśleć. Poukładać w sobie emocje. Pogrupować je w taki sposób, aby tylko te pozytywne dopuścić do głosu podczas czekającej ją rozmowy z Dziadkiem. Musiała rozmówić się z nim dziś. Nie miała na co czekać. Życie nauczyło ją, że czasami zwłoka jest niemożliwa. To stwierdzenie miało zastosowanie właśnie dziś.

– Kocham cię – usłyszała cichy szept Maksa.

– Kocham cię – jej głos zamienił się w echo.

I chyba jednak mogła zasnąć…

To był bardzo długi dzień. Jestem wykończona, ale sen nie nawiedził mnie jak zwykle, czyli około dwudziestej drugiej. Nie zrobił tego, ponieważ już jest dwudziesta trzecia, a ja siedzę i piszę, zamiast zmuszać się do zaśnięcia. Ale jak tu spać snem sprawiedliwego albo byle jakim, skoro w głowie aż mi huczy od wszystkiego, czego się dowiedziałam. Nie wierzę, na co się dziś zdobyłam. Maks pojawił się u mnie jak nigdy z samego rana. Kiedy wczoraj wyszedł, to położyłam się do łóżka, żeby odpocząć. Tak mnie rozmowa z nim wycieńczyła, że ani ręką ruszyć, ani nogami powłóczyć nie potrafiłam. Głowa bolała mnie tak, jakby przejechał mi po niej czołg w tę i z powrotem. Popłakałam sobie jeszcze, a dziś do tej pory grają mi w głowie słowa Maksa: „Jestem twoim synem". Przyjął to, o czym mu rano powiedziałam, właśnie tak, jak sobie przez te długie lata milczenia wyobrażałam. Przez tyle lat myślałam, jak to będzie, kiedy mu zdradzę, że im robiłam się starsza, tym moja chęć do opowiedzenia prawdy malała. A tu proszę… Życie potrafi do wszystkiego człowieka zmusić i w jedną sekundę świat do góry nogami przewrócić.

A już Beatka… Ta to mnie zawsze zaskoczyć potrafiła i potrafi. Nie zamierzam ukrywać, że wszystkie te zaskoczenia zwykle były powodem do zmartwień, bo nigdy do końca mojej córki zrozumieć nie potrafiłam, a w szczególności jej życiowych motywacji. Po prostu bywamy całkiem inne. Chociaż jest moim dzieckiem, to nie ma w nas żadnych emocjonalnych podobieństw. Ale dziś pierwszy raz w życiu zachowała się tak, jak tego chciałam.

Czyli wracając do porządku dnia, kiedy tylko wyszedł Maks, musiałam się położyć, żeby czucie w członkach ciała odzyskać. Gdy tylko to zrobiłam, usłyszałam dzwonek do drzwi. Zwlokłam się więc z łóżka, myśląc, że to Kwietniowa nie wyobraża sobie pierwszego dziś spaceru spędzić w samotności. Już przygotowałam minę migrenową, drzwi otworzyłam, patrzę, a tu nie sąsiadka, tylko Beatka na progu stoi i patrzy na mnie tak krzywo, że aż zimny pot na plecach poczułam. No i tak chwilę mierzymy się wzrokiem. Oczywiście to Beatka przerwała to baczne przyglądanie się sobie. Zaczęła od tego, że jest przypadkiem, że spotkanie jakieś niedaleko miała i dlatego wpadła na pomysł, żeby mnie odwiedzić, i widzi, że dobrze zrobiła, bo skoro matka jest od płaczu zapuchnięta zupełnie tak, jakby ktoś umarł, to znaczy, że poważna rozmowa jest niezbędna.

W pierwszej kolejności moja córka podejrzewała u mnie jakąś poważną chorobę albo wielką nieprzyjemność. A wszystko to mówiła z wielką pretensją w głosie, bo lubi sprawy szybko i konkretnie załatwiać. A skoro ona do mnie tak, to pomyślałam sobie, że dosyć już mam cackania się z nią. Przecież nie jest bombą zegarową, tylko moim dzieckiem, a że wybuchowym bardziej niż wspomniany przeze mnie ładunek to już inna bajka. Pomyślałam sobie, skoro rewolucja w rodzinie, to na całego. Proszę! Przecież już nic do stracenia nie miałam. Siostra Józefa też zawsze tłukła nam do głów i pewnie innym siostrom również, że dzieci trzeba identycznie traktować. Wtedy wyrastają na ludzi, którzy umieją do innych tak w życiu się odnosić. Bo wszyscy są równi, a nie lepsi i gorsi. Czyli skoro syn prawdę dziś poznał, nie mogłam jej przecież skąpić córce. Opowiedziałam więc Beatce to, co Maksowi. Jednak zrobiłam to trochę inaczej niż za pierwszym razem i nie było to spowodowane kwestią większej wprawy. Uczyniłam to szybciej i konkretniej. Dlaczego akurat w taki sposób? Sama do końca nie wiem. Może dlatego, że tym razem w moje słowa wsłuchiwała się Beata, u niej zwykle kiepsko z czasem bywa, a w szczególności z tym, który to mnie ma być przeznaczony.

Być może Maksowi relacjonowałam to w jego języku, a jego siostrze w jej. I tu by się wiele zgadzało. Ależ mi ulżyło, jak już to zrobiłam. Ale się ucieszyłam, kiedy poznała prawdę o swoim bracie, ojcu i o mnie przy okazji też. O Sarze również, o jej Babci a mojej małej siostrzyczce. Powiedziałam o tym, ponieważ to, co się w naszym życiu wydarzyło, dotyczy nas wszystkich, i to nie tak, że kogoś bardziej, a kogoś mniej. Wśród krewnych wszyscy jesteśmy równi. Zresztą rodzina to podstawa. Gdy jest normalna, to znaczy dobra, wtedy smuci się razem i weseli też w grupie. Jak tak się dzieje, oznacza to, że składa się tylko z przyjaciół. A przyjaźń w ognisku domowym jest najważniejsza. Tak powinno być zawsze. Kiedy bliscy się przyjaźnią, to o miłość jest dużo łatwiej. Rodzina powinna się kochać, ale jeśli do tego uczucia scalającego ją od wewnątrz dodajemy serdeczności, które to właśnie przyjaznymi śmiem nazywać, bo taka jest moja prywatna definicja, to ludzie po prostu chcą być ze sobą. I wtedy na taką kochającą się i zaprzyjaźnioną familię to nie ma mocnych. Ze wszystkim sobie poradzi. I niestraszne jej żadne niesnaski i tajemnice, bo takie zdarzają się wszędzie. Złe zdarzenia powodujące jeszcze gorsze przeżycia występują wszędzie. I proszę, nam też się przytrafiły. A skoro nie potrafiliśmy się z nimi rozprawić na bieżąco, to znaczy, że miały przedłużony termin przydatności.

Tak też się dzieje. W dodatku nie bez przyczyny. Widocznie zwlekanie też ma jakiś głębszy sens. Czasem to po prostu dorastanie. Na dorastanie potrzeba czasu. Odkładanie spraw na jutro czasem ma większy sens niż pośpiech. I uwierzyć mi w to teraz bardzo trudno, ale patrząc na Beatkę, ten sens natychmiast dojrzałam.

Na początku mowę jej odjęło, a wiedzieć należy, że to się jej często nie zdarza. Ona w życiu nie sięga po słowa do kieszeni. Często ma je szybciej na języku niż w głowie. Zawsze ma coś do powiedzenia, w dodatku w jej mniemaniu dobrego. Nie należy do tych, którym się tak zwane zapominanie języka, za przeproszeniem, w gębie przydarza. A dziś owszem. Siedziała naprzeciwko mnie, tak samo jak wcześniej Maks, i patrzyła na mnie. Ja zaś przygotowywałam się duchowo na to, że za chwilę zacznie się litania wyrzutów, oskarżeń i podniesionych tonów. A tu nic. Cisza. A w chwilę po niej płacz, czyli coś zupełnie do mojej córki niepasującego. Ona się nie rozkleja, bo jest silna. Ze wszystkim sobie daje radę, a płacz jest przecież oznaką słabości i niemocy. Chyba nawet taki, którego nikt nie widzi. A tu proszę... Siedzę i widzę, jak moja żelazna córka łzy roni i nie wstydzi się ich ani trochę, bo jednocześnie w oczy mi patrzy, i to takim spojrzeniem, jakby mnie dziś chciała za wszystkie słowa nie takie jak trzeba przeprosić. Jak gdyby szukała przebaczenia za wszystkie wymagania na wyrost, za trzaskanie drzwiami, za dobrych uczuć, słów i gestów posuchę.

Zatem doczekałam się czegoś, czego nie podejrzewałam. Beatka wstała od stołu. Okrążyła stół powoli, zupełnie jak nie ona, i przytuliła się do mnie, do moich pleców, i zaczęła mówić. Ale takie rzeczy, że aż żal mi było, że jej twarzy nie widziałam. Każde zdanie mojej córki było dowodem na to, iż jednak udało mi się ją wychować na bardzo dobrego człowieka. Co prawda, jest taka, że bardzo umiejętnie to dobro kamufluje w sobie. Taka już jest. Uważa, że taki świat dzisiaj mamy, zresztą często podkreśla, że ona osobiście w takim środowisku się obraca, gdzie dobro często myli się z frajerstwem. To jest akurat jej określenie. I nagle ta, która w życiu nigdy nie chciała być brana za frajerkę, łosia czy niedojdę, odkryła przede mną swoje jakże szerokie spojrzenie na rzeczywistość i to, co się dzieje.

Na początku prawie w każdym zdaniu powtarzało się „przepraszam". To też dla mnie nowość, bo Beatka do tej pory nigdy pierwsza do przyznawania się do błędów nie była. Przepraszała mnie za to, że była niedobra. Że udawała, iż mnie nie słucha, chociaż słuchała. A najbardziej za swe nieprzemyślane stwierdzenia. Za to, że gdy się kłóciła z Maksem, to często w tych kłótniach powtarzała: „Zamknij się, jesteś adoptowany!".

Tak mówiła. To prawda. Pamiętam to doskonale. Te słowa wryły się w moje serce nie tylko z powodu dawniejszych krzyków Beatki. Dziś po prostu wymówiła te słowa, a kiedyś wykrzykiwała je złym i podniesionym głosem do brata, co prawda w nerwach, ale to mnie przede wszystkim raniły. Zresztą chyba z rozmysłem ściągałam je na siebie, bo były nieprzemyślane, ale po części prawdziwe. Za każdym razem, gdy je słyszałam, przyciągałam je tak samo jak nasza Wisła pioruny w czasie burzy, by ludzi ochronić. Gdy moja córka skończyła tę swych win wyliczankę dotyczącą w większej części złej mowy, bo z uczynkami u niej było zawsze dużo lepiej, powiedziałam to, co zwykle. Nie wysilałam się na jakieś nowe teorie, skoro stare uważam za mądre i jak ulał pasujące do sytuacji. Powiedziałam jej, że słowa są jak ludzie. Mają moc. Dlatego należy bardzo uważać, co się mówi. I to wcale nie do kogo, tylko co. Bo złe słowo wyleci od nas i zawsze powróci. Zrobi to, ponieważ nikt nie przyjmie go z otwartymi ramionami. Ludzie nie chłoną złośliwych stwierdzeń. Nie przygarniają ich ludzkie serca. Złe słowa odbijają się od ludzi. Dlaczego to robią? To bardzo proste. Żeby do nas wrócić. Z dobrymi jest całkiem inaczej. Takie człowiek przyjmuje z ogromną ochotą i gdy ma ich w sobie wiele, wtedy zaczyna dzielić się nimi z innymi. Rozdaje je bez żadnych trudności.

Mówiłam o tym Beatce, a ona znów, jak nie ona, ani razu mi nie przerwała. A kiedy zadzwonił jej telefon, to od razu go wyłączyła. I powtórnie doczekałam się radości, bo to ja w końcu okazałam się w tym momencie dla mojej córki najważniejsza. Cóż to za piękne uczucie. Cóż za budująca mnie świadomość – wiedzieć, że w mojej córce bije tak dobre serce.

„Przepraszam, mamo" – raz jeszcze usłyszałam już na do widzenia. Nawet drzwi się za Beatką zamknęły inaczej niż zwykle. Jakoś ciszej... Ale zanim to nastąpiło, zdążyłam powiedzieć jeszcze to, co mi po głowie chodziło, odkąd zaczęła się zachowywać całkiem jak nie ona. Oznajmiłam jej, gdy już jedną nogą za progiem stała, że mnie nie musi za nic przepraszać, ale z Maksem powinna porozmawiać. Niech pokaże mu, jaka jest naprawdę...

Ależ mnie już głowa od myślenia boli. Ale jakoś nie mogę przestać. I na zakończenie tego trudnego, ale jednakowoż wyjątkowo dobrego dnia stwierdzam, że jeśli Beatce wystarczy siły na to, by bratu własnemu pokazać twarz prawdziwą, to on się z tej dekonspiracji ucieszy nawet bardziej niż ja. I to wcale nie dlatego, że jest policjantem, tylko że Beatka okaże mu się z pewnością bliska, bliższa niż do tej pory, bo Maks na pewno szybko dostrzeże, jak bardzo są do siebie podobni, mimo wszystko. Jak brat i siostra...

Ależ ta Nutka chrapie... Normalnie jak człowiek zmęczony życiem, a nie pies. Chyba chce, żebym do niej dołączyła. Jutro przecież też jest dzień. Nastąpi po to, bym nie przechodziła nad tym, co się dziś stało, do porządku dziennego, tylko żebym od nowa cieszyła się, że moje Westerplatte w końcu naprawdę stało się dobrem wspólnym, a takie dobro przecież jest najważniejsze.

Otworzył oczy i od razu natknął się na poważne spojrzenie Sary.

– Ktoś dzwonił do drzwi? – zapytał nieprzytomnym z rozespania głosem.

Sara skinęła głową i pocałowała go w policzek.

– Spodziewasz się kogoś? – ponowił pytanie w sekundę po tym, jak znów usłyszeli odgłos dzwonka.

– Gdy jesteś przy mnie, to nikogo – odpowiedziała i dość szybko wyswobodziła się z jego uścisku. – Dlaczego nie powiedziałeś mi, że ten, który cię postrzelił, zabił Patrycję?

Spojrzał na ukochaną dokładnie w momencie, gdy znów zadzwonił dzwonek. W innych okolicznościach nie zareagowałby na ten dźwięk. Jednak sytuacja zmieniła się w jednej chwili.

– Otworzę – powiedział, chociaż nie był gospodarzem, i wstał z łóżka.

Zapiął rozpięte spodnie. Paskiem się nie przejął i wyszedł.. Spieszył się, gdyż nie chciał, by nieoczekiwany gość zbudził Dziadka, ponieważ było już późno.

– Tak? – odezwał się przez domofon, już przyciskając guzik otwierający furtkę prowadzącą do domu, a jeszcze nie słysząc w słuchawce głosu należącego do przybysza.

Nikt się nie odezwał. Zatem szybko zbiegł ze schodów wiodących do drzwi wejściowych.

– Dobry wieczór, braciszku.

Przed drzwiami zobaczył siostrę i zdębiał. Nie przypuszczał, że jego siostra potrafiła przybrać tak łagodny ton. Nie był do tego ani trochę przyzwyczajony.

– Kto to? – Sara schodziła z góry, ale jeszcze nie dostrzegała przyszłej szwagierki.

– Beata – odpowiedział, zapinając pasek od spodni.

Jedno spojrzenie wystarczyło, by utwierdził się w przekonaniu, że ta wizyta nie była przypadkowa.

– Jak mnie tu znalazłaś? – Taksował wzrokiem twarz siostry.

– Mam swoje sposoby i brata w stołecznej dochodzeniówce – dodała bez cienia złośliwości w głosie.

– Cześć... – odezwała się Sara.

Usłyszał, jak bardzo chciała nadać swojemu głosowi beztroski ton. Niestety z marnym skutkiem.

– Zapraszam – dodała gościnnie i na szczęście już bez udawania.

– Na pewno mogę? – Upewniała się Beata. – Mam wrażenie, że w czymś wam przeszkodziłam.

– Pozory mylą – stwierdziła szybko Sara i spotkali się wzrokiem.

Ucieszył się z tego i z tego, że wiedział, iż jego ukochana przed chwilą odrobinę skłamała.

– Zapraszam do mnie – powtórzyła Sara, wskazując schody do jej mieszkania na górze.

Dostrzegał obawę w oczach matki swego dziecka. Miał nadzieję, że wynikała jedynie z tego, iż chciała, by nie zbudził się na pewno już śpiący Dziadek. Czuł, że kończył się dzień wypełniony wieloma różnymi emocjami. Dla każdego z tu obecnych z pewnością bardzo różnymi. Wiedział, jak bardzo Sara przeżywa wszystko, czego się dowiedziała. Domyślał się również, że gdyby zaszła taka konieczność, to odnalazłaby w sobie siłę, żeby wtajemniczyć we wszystko Dziadka. Jednak mogła i chciała to zrobić dopiero jutro. Dlatego teraz prowadziła nieoczekiwanego gościa na górę bez słów, bardzo delikatnie stąpając po schodach. Ku jego radości jego wiecznie rozgadana, a nawet rozkrzyczana siostra potrafiła dostosować się do zachowania gospodyni i wyjątkowo umiejętnie je naśladować.

– Proszę bardzo. – Sara wskazała Beacie miejsce na kanapie.

Sama obrała kierunek na maleńki aneks kuchenny służący aktualnie jedynie do przygotowywania herbaty, ponieważ prawdziwe gotowanie w tym domu odbywało się w przestronnej kuchni znajdującej się piętro niżej.

Beata rozsiadła się na wygodnej kanapie i rozejrzała się wokół.

– Ale masz tu ładnie – bardzo naturalnie skomplementowała wnętrze.

– Dziękuję. Napijecie się herbaty? – zaproponowała Sara.

– A masz jakąś owocową? – zapytała Beata.

Maks uśmiechnął się, gdyż wiedział, że jego siostra często powtarzała, gdy ktoś proponował jej herbatę, że jest to trunek mamy i Kwietniowej. Dziś jednak była chyba na tyle zaaferowana, iż zupełnie nie liczyło się dla niej to, co znajdzie się w kubkach.

– Owoce leśne?

– Mogą być. Oczywiście.

Patrzył na siostrę. Poczuł się tak, jakby dopiero się poznawali. I nawet chyba trochę tak było, ponieważ życie obsadziło ich nagle w nowych rolach. Bardzo podobnych do poprzednich, a jednak trochę innych. Los zabrał im fragment dotychczasowej tożsamości, ale nie udało mu się, na szczęście, aż nadto namieszać im w uczuciach, ponieważ wciąż umieli uśmiechać się do siebie tak samo jak do tej pory. Co prawda, to on uśmiechnął się pierwszy, ale nie zamierzał się odezwać. Pierwszeństwo oddawał Beacie. Zwykle tak robił, ponieważ to ona w ich rodzinie najczęściej obierała pozycję lidera i przewodnika stada. Jeśli działo się inaczej, była niezadowolona, a jej frustracja mogła przybierać różne postaci. Od fukania po „gniew bogów".

– Ale się narobiło! – skonstatowała, gdy Sara postawiła na niskim a bardzo szerokim stoliku tacę z trzema dużymi kubkami w kolorowe kwiaty i talerzykiem z ciastkami obsypanymi bogato cukrem.

– Może chcielibyście zostać sami?

Popatrzył na Sarę z uśmiechem. Uwielbiał w niej te nieskończone pokłady empatii, które sprawiały, że egoizm był u niej niemożliwy. Miał nadzieję, że zostanie jego przyszłą żoną. Nie od dziś miał świadomość, że dla niej uczucia innych były życiowym priorytetem. Zresztą tak samo jak dla jego mamy. Powoli zaczął zdawać sobie sprawę, że rozpoznaje i odnajduje cechy wspólne mamy i Sary, co nie powinno zaskakiwać. Przecież dwie najbliższe mu kobiety były ze sobą blisko spokrewnione.

– Nie żartuj! – Beata zgromiła Sarę słowami, ale na szczęście nie spojrzeniem, które było nadzwyczaj subtelne. – Przecież to wszystko ciebie też dotyczy – dodała wyjątkowo spokojnie.

– Tak jakby – wtrącił swoje trzy grosze.

– Nawet bardzo jakby! – stwierdziła już swym zwykłym mocnym głosem Beata. – Czyli podsumowując…

– Jesteśmy już na etapie podsumowań? – zdziwił się szczerze.

– A co? Jeszcze ci dziś mało? – zapytała siostra swoim ulubionym tonem, czyli monopolem naznaczonym nieomylnością.

– Tak w sumie to nie – przyznał jej rację.

– To się nie wcinaj, jak starsi mówią! – zgromiła go.

To jedno zdanie wystarczyło, by poczuł się doskonale. Spoglądał na swoją siostrę i czuł, że choć dziś wiele w ich życiu powinno się zmienić, to nic się nie zmieniło. Na szczęście. W sekundzie pojął, że Beata pojawiła się tu, w mieszkaniu Sary, właśnie dlatego, żeby dać nauczkę losowi. Aby, jak to zwykła czynić, tupnąć nogą i powiedzieć, że to, jaki jest jej los, zależy tylko od niej. Wpatrywał się teraz w oczy swej przyrodniej siostry, a siła, jaką dostrzegał, była bardzo budująca, pomocna i dobroczynna.

– Zamieniam się w słuch – zapewnił.

Natomiast Sarę stojącą wciąż obok fotela, na którym siedział, delikatnie pociągnął za rękę i posadził sobie na kolanach. Zrobił to tak, jakby była małą dziewczynką i nie sprawiało mu to wcale trudności, ponieważ przy nim w istocie prezentowała się jak maleństwo.

– Nie mam zamiaru dużo mówić – zaasekurowała się Beata. – Dla mnie to też był bardzo długi dzień…

– Dla wszystkich… – cichutko napomknęła Sara.

– Właśnie! Czyli, reasumując… ty… – zgodnie z zasadami szeroko rozumianej kultury wskazała na niego palcem – wciąż jesteś moim bratem, bo przecież nie inaczej! A ty… – w tym momencie palec Beaty przesunął się nieznacznie w kierunku Sary – jesteś moją jakby kuzynką, ale, dzięki Bogu, nie Maksa.

– Dzięki Bogu – Sara powtórzyła te słowa i odetchnęła, kładąc głowę na jego ramieniu.

Momentalnie wyczuł wielką ulgę, z jaką wykonany został ten prosty i bardzo naturalny ruch. Od razu poczuł też spokój w sobie.

– Czyli możemy sobie żyć tak jak do tej pory – skonstatowała Beata, wodząc wzrokiem między nimi.

– Na to wygląda – stwierdził szybko.

Poczuł radość i wdzięczność. To charakterystyczne dla jego siostry podejście do życia, polegające na upraszczaniu wszystkiego, co skomplikowane, było w tym momencie bezcenne.

– Jestem przekonana, że teraz będziemy żyli lepiej… – Tuż przy uchu usłyszał pełen ulgi szept Sary.

– W towarzystwie nie ma sekretów – Beata natychmiast ją zgromiła.

Oczywiście zbyt głośno, ale za to z uśmiechem.

– Masz rację, przepraszam – zreflektowała się, dodając: – rzeczywiście, towarzystwem jesteśmy niezgorszym.

– Żebyś wiedziała – podchwyciła Beatka. – Ten to jeszcze żaden ewenement – znów wskazała swym wyprostowanym paluchem na niego, po czym powoli skierowała palec na Sarę – ale ty to dopiero rodzinna niewiadoma. Kuzynka i szwagierka w jednym.

– A jeszcze trochę i to będzie matka twojego bratanka. – Wpatrując się w siostrę, z nieukrywaną radością dokonał uzupełnienia charakterystyki ich rodzinnej zawiłości.

– Czy ja zawsze muszę o wszystkim dowiadywać się ostatnia?! – grzmotnęła Beata.

Szybko poderwała się z miejsca i złożyła głośne całusy na ich policzkach, po czym znów opadła na swój fotel.

– Albo bratanicy. – Sara z uśmiechem na twarzy dopełniła formalności.

– I dopiero wtedy zrozumiecie, o co w życiu chodzi! Nawet jeśli to, co się urodzi, będzie spokojne jak moja Zośka!

– Gorzej, jeśli wda się w ciotkę – stwierdził żartobliwie.

– Ty już teraz zacznij się modlić, żeby tak było! Bo wtedy da sobie w życiu radę! – ofuknęła go siostra, a robiąc to, spojrzała na zegarek. – O Boże! To już ta godzina?! – Coraz to bardziej podnosiła głos. – Co to za życie, w którym nie ma czasu na to, żeby się z własnym mężem przespać?! – palnęła po swojemu, po czym też po swojemu wydała dyspozycję: – Pójdziesz jutro do mamy, bo bardzo to wszystko przeżywa, chociaż udaje, że wcale tak nie jest!

– Pójdziemy! – Sara wyręczyła go od odpowiedzi.

A Beata... jak to ona... Jak zwykł to określać Bekhir, „zakręciła młynka w powietrzu", czyli obróciła się wokół własnej osi, pożegnała się ekspresowo: „Lecę, nie odprowadzajcie mnie", i już jej nie było. Herbaty nawet nie spróbowała.

– Jest niesamowita... – podsumowała Sara, gdy wrócił na górę, zamknąwszy drzwi po wyjściu Beaty.

– To prawda, ale życie z nią to wyzwanie – pozwolił sobie na szczerość.

– Ale chyba nie wyobrażasz sobie życia bez niej – stwierdziła pytająco.

– Nie wyobrażam sobie życia bez ciebie – odpowiedział bez wahania.

– Chyba bez nas – poprawiła go, wiodąc wzrokiem po swym ciele w wiadomym kierunku.

– Jasna sprawa!

Stali tak przez chwilę. Złączeni uczuciem i przeznaczeniem.

– Powiedz, że możesz zostać.

– Mogę wszystko – odpowiedział.

– A mogę cię poprosić o coś jeszcze?

– O wszystko! – zaoferował się entuzjastycznie.

– Będziesz przy mnie jutro, kiedy powiem Dziadkowi...

– Masz szczęście – stwierdził zagadkowo.

– Bo...? – Sara oczekiwała rozwikłania zagadki.

– Bo chcę być przy tobie już zawsze... To znaczy przy was... – błyskawicznie skorygował swą odpowiedź i tym razem jego dłoń powędrowała w odpowiednim kierunku.

Dziadek wiedział już wszystko. Przyjął to właśnie tak, jak podejrzewała, czyli ze spokojem i pokorą. Siedzieli w salonie. Wszyscy spoglądali teraz w stronę portretu, który, jak się okazało, obrazował ledwie fragment nad wyraz skomplikowanej życiowej historii.

– Twoja Babcia nie wiedziała, że została adoptowana. Gdyby miała o tym pojęcie, ja też na pewno bym się o tym dowiedział. Ona nie znała prawdy... To wszystko, o czym mi opowiedziałaś, wydaje się niemożliwe. – Dziadek kręcił z niedowierzaniem głową i spoglądał to na płótno, to na nią, to na Maksa.

– Wiem, Dziadku... Wiem... – odezwała się wspierającym tonem. – Ale życie bywa niemożliwe – stwierdziła zupełnie tak, jakby życie było małym, niegrzecznym i trudnym do okiełznania przedszkolnym rozrabiaką.

– To prawda.

W głosie Dziadka skrywały się różne uczucia. Jednak najwięcej było w nim pokory. Takiej zwykłej, człowieczej, którą według niej charakteryzowali się tylko ludzie niezwykli. A Dziadek był niezwykły. Martwiła się o niego, gdy mu dziś o wszystkim opowiadała. Bardzo starała się o łagodny ton i spokojny przebieg tejże opowieści.

Dziadek jak zwykle zachowywał spokój. W tym momencie również. Patrzył jej w oczy i jeszcze chyba chciał coś dodać. Czekała zatem.

– Jak mawiała twoja Babcia, góra z górą się nie zejdzie, a człowiek z człowiekiem zawsze.

– I tak się stało. – Uśmiechnęła się do Dziadka i włożyła swą dłoń w rękę Maksa.

Jej ukochany, choć nie odezwał się ani słowem podczas tej rozmowy, a raczej dość rzeczowego, ale delikatnego monologu, był dla niej największym wsparciem.

– I co teraz? – zapytał Dziadek z uśmiechem, który sprawił, że wszystkie obawy zaczęły opuszczać jej serce.

– Teraz musimy się wszyscy poznać. Byliśmy rodziną, kiedy o tym nie wiedzieliśmy, i teraz też nią jesteśmy. Za jakiś czas też nią będziemy, tylko trochę większą niż teraz – stwierdziła z dumą i radością.

Babcia byłaby z niej dumna, gdyby ją teraz usłyszała. Sara miała nadzieję, że Mama również.

– To kiedy? – zapytał konkretnie Dziadek i patrzył na nią z wyczekiwaniem.

– Za niecały tydzień, Dziadku, przyjadą Tato i Lili, Wojtek też się już zapowiedział. Poproszę, by przyszedł ze swym ukochanym. Przez to wszystko nie zdążyłam ci nawet opowiedzieć o zmianach w jego życiu, bo u nas było ich więcej. – Im dłużej mówiła, tym przybywało jej spokoju. – Zaprosimy rodzinę Maksa. Jego mamę, siostrę z mężem, a ich córeczkę Zosię to obowiązkowo. – Na wspomnienie małej dziewczynki uśmiechnęła się radośnie. – I oczywiście Karolinę, bo wciąż wspomina twoje urodziny sprzed roku.

– Naprawdę? – rozpromienił się.

Też się uradowała, wciąż nie mogąc zapomnieć, jak rok temu na uroczystości Dziadka, którą zwyczajowo świętowali z wielką pompą, Karolina znalazła się przez czysty przypadek, ale to dzięki jej obecności ubiegłoroczny bal należał do niezapomnianych. Śmiechu było co niemiara, ponieważ koleżanka upiła się z tęsknoty za byłym facetem, ale zrobiła to na wesoło i z lekko wstawionym Wojtkiem śpiewali utwory ulubionego zespołu Dziadków, to jest Czerwonych Gitar. Urządzili Dziadkowi taki koncert życzeń, któremu mogli przysłuchiwać się bliżsi i dalsi sąsiedzi. Zabawa odbyła się taka, jakich w ich rodzinie dawno nie było. Śpiewy, hulanki, swawole.

– Skoro uważasz Sarenko, że tak będzie dobrze, to niech tak się stanie. – Zanucił melodię piosenki *Już za rok matura*.

– Tak będzie najlepiej, Dziadku. Zobaczysz... Wojtka jak zwykle mianujemy szefem kuchni. Ja zrobię makosernik według przepisu Babci. Tort zamówimy jak zwykle u pani Paszkowskiej. Niczym się nie martw, poradzimy sobie.

– Moja kochana Sarenko – zaczął poważnie. – Jak ja mam się martwić, skoro widzę, ile w tobie jest radości.

Tym jednym wypowiedzianym zdaniem pożegnał wszystkie jej obawy na temat tego, w jaki sposób jej opowieść dotycząca rodzinnych przeszłości i przyszłości zostanie przez niego przyjęta. Była z niego dumna. Jak zwykle stanął na wysokości zadania. Potrafił to najlepiej na świecie. Dla niego nigdy nie było spraw nie do załatwienia. Zawsze wiedział, co, komu i kiedy powiedzieć. Jak również co i wobec kogo przemilczeć. Co więcej, umiał ją tego nauczyć. I teraz, gdy skupił swój wzrok na Maksie, wiedziała, że może być spokojna, ponieważ był mistrzem taktu. Miała przekonanie, iż jeśli nawet ciężar tej rozmowy przeniesie się choćby na moment na jej ukochanego, to stanie się to, aby w rezultacie z tymże obciążeniem się rozprawić raz na zawsze.

– Cieszę się, że to ty będziesz teraz kimś najważniejszym w życiu mojej Sarenki.

Zaparło jej dech, gdy to usłyszała.

– Mam taką nadzieję – odpowiedział Maks.

– Szkoda tylko, że nie spotkaliśmy się wcześniej. – Błyskawicznie podzieliła się z ważnymi dla niej mężczyznami swą pierwszą myślą.

– Trzeba się cieszyć, że poznaliście się w ogóle – stwierdził radośnie ten, który wzorem swej nieżyjącej już żony potrafił dostrzegać to, co jest, a nie skupiać się na tym, czego nie ma.

– Kto by pomyślał, że taki zły dzień może okazać się najważniejszym w życiu – stwierdził bardzo filozoficznie Maks.

– Młodzi nazywają to fartem – skwitował Dziadek, by po chwili dodać jeszcze: – a moi rówieśnicy nie mają wątpliwości, że to zasługa… – Tu nie skończył, tylko uniósł oczy w kierunku nieba.

– Moja mama też jest tego zdania – zgodził się Maks.

– A teraz może zajmiemy się jedzeniem – zaproponował Dziadek.

Dobrze zrobił, ponieważ ranek minął nie wiadomo kiedy, a na śniadaniowo zastawionym stole wciąż panował nienaganny porządek, z którym jako pierwszy zaczął rozprawiać się on właśnie.

– Już myślałem, że nie zaczniemy – zażartował Maks.

Dołączyła do nich tylko z rozsądku, ponieważ poranny głód wciąż zastępowały poranne mdłości. Smarowała chleb masłem i zerkała to na Dziadka, to na Maksa.

Wodziła dyskretnym spojrzeniem między mężczyznami, którzy jedli z takim apetytem, że na ich widok nawet poczuła się głodna i odważyła się nie uciekać wzrokiem od twarożku ze szczypiorkiem i rzodkiewką. Chyba dobrze zrobiła…

Czuła się bardzo podekscytowana. Wszystko było gotowe. Dziadek oczywiście odświętny. Jak zwykle na początku lipca. Niezależnie od tego, czy lato rozpoczynało się porą deszczową czy upałami, podczas swych urodzin występował w białej koszuli, czarnej muszce i granatowym garniturze. Babcia zawsze żartowała sobie z niego, mówiąc, że Filharmonicy Wiedeńscy wyglądają przy nim jak łachmaniarze. On natomiast przyjmował jej komentarze z przymrużeniem oka. Po prostu był sobą. Jak zwykle, jak każdego innego dnia uśmiechał się delikatnie, mówił mało, a myślał na pewno dużo więcej.

Gdy teraz spoglądała na niego, czuła się wyróżniona i szczęśliwa. To jej przed laty, i to chyba nawet w tajemnicy, powiedział, dziś już dobrze nie pamiętała całej sytuacji, dlaczego stara się w dniu swoich urodzin być bardzo eleganckim człowiekiem. Robił to dla swojej mamy a jej prababci, która uwielbiała patrzeć na wytwornych mężczyzn. Kiedy był małym chłopcem, a ta zauważyła gdzieś wystrojonego dżentelmena, zawsze szeptała mu do ucha: „Widzisz, synku, tego pana w białej koszuli i czarnej muszce…? Mam takie marzenie, żebyś właśnie tak wyglądał, jak dorośniesz…". Dziadek był człowiekiem, który miał ogromny szacunek do marzeń. Zwłaszcza tych cudzych. I teraz, gdy siedział w fotelu, czekając na obiad, kiedy to miał poznać siostrę swej zmarłej żony, na pewno myślał o swojej mamie, o swojej żonie i córce. Kobietach, które były mu wciąż bliskie.

– Wszystko w porządku? – zapytała cicho, nie chcąc przeszkadzać Dziadkowi we wspomnieniach.

– W jak najlepszym, Sarenko kochana – odparł i wpatrzył się w portret dziewczynki blisko spokrewnionej z jego nieżyjącą żoną.

– To idę do kuchni, bo słyszysz, co tam się wyrabia.

– Nawet gdybym był głuchy jak pień, to na pewno bym usłyszał – zażartował.

W związku z tym, że humor jubilatowi dopisywał, to z czystym sumieniem zostawiła go spoglądającego to na obraz, to na włączony telewizor i skierowała się do kuchni.

Wojtek był w swoim żywiole. Doglądał tego, co oczywiście zrobił i przygotował w pojedynkę, nie dając sobie pomóc. Rzecz jasna, sam wszystko zaplanował, kupił i ugotował. W kuchni, podobnie jak w życiu, stawiał na dyktaturę. Reprezentował autokratyczny tryb pracy nie tylko podczas fotografowania. Nie znosił, gdy ktoś mu coś mówił albo choć sugerował. Teraz również był władcą absolutnym i garnków, i wszystkich potraw, które miał zaserwować podczas obiadu.

Stała w progu kuchni i widząc mistrza kulinarnej ceremonii, wolała się nie odzywać. Wojtek pracował jak w amoku.

– Tylko w ręce mi się nie wgapiaj! – zgromił ją, gdy tylko zdał sobie sprawę z jej obecności.

– Wcale się nie wgapiam – obroniła się. – Przyszłam wspierać cię duchowo. Tylko nie mów, że tego nie czujesz.

– To posłuchaj! Polędwice z dorsza w warzywach prawie gotowe. Brokuły i kalafiory w garze do gotowania na parze. Ziemniaczki młode potrzebują też jeszcze trochę czasu. Ugotowałem też trochę dzikiego ryżu, gdyby ktoś reflektował na żarcie już całkiem dietetyczne. A tu… – uniósł pokrywkę szerokiego rondla – tu duszą się polędwiczki w sosie kurkowym, czujesz ten aromat?

– Jasna sprawa, że czuję – odparła. – Jesteś pewien, że nie potrzebujesz żadnej...

Nie zdążyła skończyć, gdyż przyjaciel przerwał jej podniesionym tonem.

– Nie! Lepiej idź do ogrodu i zobacz, czy ten człowiek, który się tam wałęsa, poradził sobie z przygotowaniem stołów!

– Czyżby pierwsza kłótnia kochanków? – zapytała, narażając się na lincz, ponieważ owym człowiekiem był Bekhir.

– Nie wtykaj nosa w nie swoje sprawy! – Wojtek zgromił ją bardzo poważnym spojrzeniem.

Zrobiła zatem trzy kroki za siebie, a dopiero później w tył zwrot i mijając Dziadka wciąż siedzącego w fotelu i zamyślonego, skierowała się do ogrodu. Gdy zobaczyła, co się w nim działo, zamarła. Oniemiała. Nie mogła uwierzyć w to, co widziała...

Kiedy dwa dni temu Bekhir zaoferował swą pomoc w organizacji przyjęcia i kiedy tę propozycję oczywiście z wielką radością przyjęła, nawet przez myśl jej nie przeszło, że pierwsza tak duża rodzinna impreza przybierze formę przyjęcia żywcem wyjętego z filmu o bajecznym życiu Kalifornijczyków.

W ogrodzie pracownicy restauracji rozstawili piękny śnieżnobiały namiot, pod którym stał długi stół nakryty tak jasnym obrusem, że od jego bieli rozbolały ją oczy. Obok stały krzesła ubrane w białe pokrowce, natomiast przy dwóch udrapowanych białym materiałem ścianach namiotu znajdował się bufet, na którym stały błyszczące podgrzewacze na dania gorące wyczarowywane w tej chwili przez Wojtka. Rozstawianiem zastawy zajmowali się Lili i Tato.

– Pomóc wam w czymś?

Zrobiła to *pro forma*, gdyż widziała i wielce cieszyła się z tego, że Tato i jego żona stanowili bardzo zgrany zespół nie tylko podczas wspólnego nakrywania stołu.

– Do widzenia – usłyszała pożegnanie trzech młodzieńców, których twarze znała z restauracji Bekhira.

– Do widzenia.

– Zaraz wracam – przyjaciel szepnął w jej stronę.

Wiedziała, że poszedł odprowadzić swych pracowników do zaparkowanego przed domem dostawczego samochodu, którym to przyjechały wszystkie obserwowane przez nią w tej chwili cuda.

– Piękne te słoneczniki, prawda? – Lili zachwyciła się imponującym bukietem upiększającym stół, gdzie obok na obrusie, w idealnie prostych rzędach, stały szklanki i kieliszki.

Skinęła głową i uśmiechnęła się do swej macochy.

– Już jestem – zgłosił Bekhir.

– No, kochany... – westchnęła z uznaniem. – Muszę ci przyznać, że przeżyłam szok, jak to zobaczyłam. Normalnie Ameryka!

– I tu się mylisz. To wszystko rodzimej produkcji – wyprowadził ją z błędu i roześmiał się szczerze. – A jak tam sytuacja w kuchni? W dalszym ciągu napięta?

– Przecież go znasz – odpowiedziała najbardziej wymijająco, jak tylko potrafiła.

– Niestety coraz lepiej – odparł z przekąsem.

Natychmiast spoważniała.

– Mam się martwić tym „niestety"?

– Niestety... – zaczął, bardzo umiejętnie budując napięcie – ... miłość jest ślepa – dokończył jednoznacznie.

– Uff... – odetchnęła głośno. – Już się bałam, bo nie wiem, czy wiesz, ale... – Tu zamyśliła się przez krótką chwilę, ale powiedziała dokładnie to, co przyszło jej do głowy: – on świata poza tobą nie widzi.

Tym razem to Bekhir spojrzał na nią bardzo poważnie.

– Ale chyba zdajesz sobie sprawę, że ta miłość nie należy do najłatwiejszych. – W jego głosie i spojrzeniu przybywało powagi.

– No wiesz... – zaczęła powoli. – W miłości... W takiej prawdziwej miłości... To chyba w ogóle nie jest za łatwo... Gdyby robiło się za prosto, to nie byłoby o co mocować się z życiem. A to przecież jest świetne, jak w imię uczucia można naprawiać trochę siebie, trochę obiekt swoich westchnień, a przez to nawet trochę cały świat...

Słysząc to, co do niego mówiła, westchnął ciężko.

– Mnie to się dopiero obiekt trafił...

– Nie możesz zapominać, że to artysta. – Wzięła w obronę swego nieco humorzastego przyjaciela. – Jemu się często wydaje, że w życiu da się wszystko i wszystkich ustawić jak te jego modelki. Odpowiednio do obiektywu. Zresztą on przecież nawet światło w pracy ustala. Wojtek lubi ustawiać, nie przeczę. Przyznaję, chce mieć ostatnie zdanie, nawet ostanie słowo w wielu sprawach, ale to dobry człowiek. Jest niezwykle wrażliwy, ma bardzo czułe serce i trzeba przyznać, że jak już zrobi coś według swojego pomysłu, to robi się pięknie. Świat, którym zarządza, jest zawsze urodziwszy od tego, gdzie go nie ma. Przyznaj... – Zamilkła i wyczekująco popatrzyła na Bekhira.

– I co mam ci powiedzieć? – zapytał ten, patrząc na nią wciąż bardzo poważnym wzrokiem.

– Możesz mi przyznać rację albo powiedzieć, że jestem po prostu głupia – zaproponowała szybko.

– Głupia to ty akurat nie jesteś. – W końcu się uśmiechnął.

– Skoro tak uważasz, to wypadałoby, żebyś przyznał mi rację. – Bez oporów wykorzystała moment.

– Zrobię to pod jednym warunkiem... – zaczął tajemniczo.

– Pod jakim? – zapytała z zainteresowaniem.

– Takim, że poradzisz mi, co mam zrobić, żeby opóźniać ten najszybszy na świecie próg wzbudzenia, nerwowego pobudzenia czy jak go tam nazwać. Przecież jemu wystarczy jedno słowo nie takie, jakby chciał usłyszeć, a już ma wystarczający powód, żeby się awanturować, separować, wyprowadzać. Masz jakiś pomysł?

Patrzyła Bekhirowi w oczy i doskonale wiedziała, o czym teraz mówił. Rozpoznawała, do jakich sytuacji nawiązywał, ponieważ Wojtek miał w sobie mnóstwo pierwiastków radioaktywnych, jeśli w ogóle można było użyć takiego chemicznego określenia w odniesieniu do człowieka.

– Humor, żart, komizm – zaproponowała na jednym oddechu.

– Tak myślisz? – zdziwił się i spojrzał na nią z niedowierzaniem.

– Ja nie myślę, ja to wiem – stwierdziła z pewnością w głosie. – Mam to przećwiczone. Jak tylko zaczyna świrować – spojrzała w kierunku kuchennych okien, za którymi aktualnie świrował wdzięczny obiekt ich rozmowy – to ja dobieram się do jego nerwów w taki sposób, żeby to dowcip z nimi wygrał. Musisz wiedzieć, że mój przyjaciel ma poczucie humoru większe od tych jego wszystkich wrzasków, nerwów, od tego rzucania talerzami albo nawet bluzgami.

– No wiem... Wiem... Słyszałem... Wczoraj tak mi dał popalić, że miałem ochotę wyjąć pasek ze spodni i przetrzepać mu skórę jak jakiemuś niegrzecznemu szczeniakowi.

– Pasek to nie na niego. – Roześmiała się, chociaż wiedziała, że rozmówca nie miał powodów do śmiechu. – Jego trzeba obłaskawiać właśnie jak szczeniaka. To podrapać za uszkiem, to powiedzieć, że jest cudowny, jak się wścieka. Osobiście zawsze mu powtarzam, że ta jego adrenalina w wiecznym użyciu i w wiecznej gotowości sprawi, że się nigdy nie zestarzeje i zawsze będzie taki ślicznjutki i gładziutki jak teraz.

Bekhir utkwił w niej przenikliwe spojrzenie. Dostrzegała, że przetwarzał wszystkie dane, których mu w tej chwili dostarczała. Oboje byli tak pochłonięci rozmową, iż nie zauważyli, że Wojtek pojawił się w białym pałacu, pod którego dachem właśnie kończyli wymieniać spostrzeżenia.

– Ładnie to wygląda. Muszę przyznać, że całkiem przyzwoicie – bohater ich wymiany zdań skomentował, oczywiście dość oszczędnie, ogrodową scenerię. – Jak was nie potrzebuję, to przeszkadzacie, a teraz, kiedy szukam rąk do pracy, to zabawiacie się pogaduchami. Myślicie, że z kuchni nie widać tego waszego spiskowania?!

Wojtek atakował w tej chwili ich dwoje, ale dziwnym trafem patrzył w oczy tylko Bekhirowi.

– Powiedział ci ktoś kiedyś, że kiedy się wściekasz, robisz się bardzo podniecający? – zapytał Bekhir.

Odezwał się takim tonem, że mowę odjęło nie tylko jej, ale również Wojtkowi, który rzadko zapominał języka w gębie. Dostrzegła, jak jej przyjaciel cudownie się zapowietrzył. A gdy tylko udało mu się odzyskać oddech, od razu się uśmiechnął, choć jeszcze nie chciał tego zrobić.

– To zapraszam pana podnieconego do kuchni, tam spożytkujemy tę pańską energię. – To mówiąc, Wojtek wziął, a raczej szarpnął dłoń Bekhira i pociągnął go za sobą w kierunku domu.

Obserwowała oddalających się mężczyzn. Tuż przed drzwiami tarasowymi Bekhir odwrócił się i krzyknął w jej kierunku jedno słowo: „działa!”.

– A nie mówiłam?! – odkrzyknęła z radością, a z przekonaniem pomyślała: „Miłość zawsze działa!".

Zaparkował samochód tuż przy krawężniku, tuż za autem Marcina. Zerknął na siedzącą obok mamę. Wyglądała na spokojną. Zawsze tak się prezentowała. Jednak jej dłonie zaciśnięte na ładnie zapakowanym prezencie dla dzisiejszego jubilata zdradzały całkiem umiejętnie maskowane zdenerwowanie.

– Stresujesz się, mamo? – zapytał z troską w głosie.

– Staram się nie... – odpowiedziała i spojrzała mu prosto w oczy.

Sprawdzała go. Badała. Przyglądała mu się bacznym wzrokiem, jakby chciała przekonać się, czy odkąd wiedział o wszystkim, kochał ją inaczej niż dotychczas. Ani trochę nie bał się tych przenikliwych spojrzeń. W jego uczuciach do mamy co prawda wiele się zmieniło. Jednak kochał ją tak bardzo jak do tej pory. A może nawet bardziej... Była kobietą, która uratowała jego dzieciństwo, jego życie. Przecież nie mógł jej nie kochać. Najlepiej i najmocniej, jak potrafił. Kochał obie kobiety, które go ocaliły...

Patrzył na mamę odważnym wzrokiem, takim jak zwykle. Chciał jej jakoś pomóc. Tylko nie miał pojęcia, jak mógłby to zrobić. Nawet nie wiedział, co powiedzieć.

– Jak myślisz, odpakuje? – Spojrzał wymownie na prezent leżący na mamy kolanach.

– Na pewno jest dobrze wychowany i odpakuje – stwierdziła spokojnie i po krótkim zastanowieniu dodała: – i wtedy albo on padnie na zawał, albo ja... O ile mnie nie przydarzy się to wcześniej.

– Jeśli taki jest twój plan, to w tej chwili wrzucam wsteczny – powiedział poważnie.

– A kwiaty? – Zerknęła w stronę tylnego siedzenia, gdzie leżał ogromny bukiet czerwonych róż.

– Wyrzucimy! – Roześmiał się, widząc już przed maską samochodu swą siostrę.

Beata tylko wysiadła z auta, a już ustawiała Marcina, który w jednej dłoni dzierżył wiązankę różowych i białych goździków, w drugiej białe wino, a trzeciej ręki nie posiadał, zatem Zosia trzymała za szyjkę butelki, co wyglądało dość komicznie.

– Byłoby szkoda wyrzucać. – Mama nawiązała do jego pomysłu związanego z bukietem przeznaczonym oczywiście dla Sary. – Nie ma na co czekać. Idziemy. Niech będzie, co ma być. Chcę zobaczyć dom mojej siostry, poznać jej męża, obejrzeć zdjęcia, na których na pewno się uśmiecha... W końcu przecież po cichutku marzyłam o tym przez wiele lat. Od dawna śnią mi się oczy naszej mamy... Pewnie przypominają mi o tym, że mam jeszcze coś do zrobienia na tym świecie. Może to właśnie to...

Był bardzo wzruszony, ale też bardzo szczęśliwy. Już otwierał usta, żeby o tym opowiedzieć. Nie zdążył. Drzwi od strony pasażera już się otwierały.

– A wy w ogóle zamierzacie wysiąść? Czy potrzebujecie specjalnego zaproszenia? – zapytała Beata z pretensją w głosie.

– Już idziemy – odpowiedział.

Wysiadł z samochodu. Gdy znalazł się na chodniku, od razu poczuł w dłoni ciepło rączki Zosi. Przepełniała go duma, że taka piękna mała dama to właśnie z nim chce pójść na przyjęcie. Jego siostrzenica wyglądała jak królewna. Była ubrana w błękitną, dość długą sukienkę, której dół stanowiły tiulowe falbanki w różnych odcieniach niebieskości wirujące na wietrze.

– A kto to dziś tak pięknie wygląda? – komplementował wygląd stojącej obok pociechy.

– Ty, wujku – odpowiedziała Zosia, zadzierając mocno główkę.

Jeszcze nie widział Sary, a już był wniebowzięty. Siostrzenica patrzyła na niego z uznaniem. Nic dziwnego. Chyba pierwszy raz widziała go w pełnej gali. Zwykle oglądała go w tak zwanym cywilu. Dziś nie był co prawda w mundurze, ale gdy wczoraj kupował sobie niebieski garnitur specjalnie na dzisiejszą okazję, oczywiście tuż przed zamknięciem sklepu, to ekspedientki były wściekłe od chwili, kiedy się pojawił, ale tylko do momentu, gdy wyszedł z przymierzalni. Widział podziw w ich oczach, dlatego nie musiał mierzyć kolejnych fasonów. Spojrzenia sprzedawczyń mu wystarczyły. Dziś podobnie patrzyła na niego Zosia.

– Chodziło mi o ciebie. To idziemy, mój elfie?

Zosia nie musiała rewanżować mu się uśmiechem, gdyż miała go na twarzy prawie zawsze. Widocznie odziedziczyła go po tacie, ponieważ Marcin również był zawsze rozbawiony. Nawet wówczas gdy Beata go rugała lub ciosała mu kołki na głowie. Był odporny na awanturnicze praktyki własnej żony i potrafił reagować na nie właśnie tylko i wyłącznie radosnym spokojem.

Gdy tylko weszli, na froncie pojawiła się Karolina, którą znał z widzenia, to znaczy z czasów obserwacji Sary.

– Witam w imieniu gospodarzy – powiedziała – i zapraszam państwa do ogrodu.

Przeszli tam zatem. Gdy mijali dom, widział, że mama szeptała coś do Beaty, a ta sztorcowała rodzicielkę tak, jakby to ona była matką, i to w dodatku bardzo niegrzecznej córki.

– Dzień dobry! – Pierwszy przywitał ich Bekhir.

– Sami znajomi – stwierdziła na jego widok mama.

– No, prawie sami! – sprostowała jej wypowiedź Beata.

– Rzeczywiście prawie. – Bekhir podchwycił jej słowa i spojrzał na Maksa. – Miło mi pana poznać, jest pan łudząco podobny do mojego najlepszego kumpla, tylko że on nie jest taki przystojny i elegancki, ale...

– Daj już spokój – Poklepał ramię Bekhira.

– Boże, jak cudnie, że jesteście...

Sara już też była przy nich. Patrzył na nią i żałował, że nie mogli być teraz sami. Widział jej spojrzenie. Już wiedział, że pragnęła tego samego. Ale nie byli sami. Jeszcze nie, nie teraz.

– Zapraszamy, zapraszamy serdecznie... Zosiu, jak pięknie wyglądasz...

Słuchał głosu Sary i czuł, że była podenerwowana.

– Cześć. – Pocałował policzek witającej się ze wszystkimi ukochanej.

– Dziadku! Dziadku! Choć już do nas... Już są... – Sara jednocześnie nawoływała Dziadka.

Po chwili na tarasie od strony ogrodu zamiast wyczekiwanego przez wszystkich Dziadka pojawił się Wojtek.

– Dziadzio potrzebuje jeszcze chwilkę.

Zauważył, jak Sara spoważniała i bardzo się zaniepokoiła, ale na szczęście dzisiejszy kucharz już rozwiewał jej zmartwienia, dokonując autoprezentacji.

– Ja mam na imię Wojtek. Jestem przyjacielem tego pięknego domu. – Na moment zerknął za siebie. – I marzę o tym, by ktoś przedstawił mi tę piękną księżniczkę. – Tym razem skupił swój wzrok na Zosi.

Dziewczynka nienawykła do tak bezpośredniego traktowania poszukała schronienia za nogawką spodni wujka.

– Nie strasz dzieci – zażartował, po czym spojrzał na mamę. – To jest najlepszy przyjaciel Sary.

Ten był już przy nich i witał się.

– Wojtek.

Szybka prezentacja rozszerzyła się o Beatę i Marcina.

Zosia wolała kryć się za kolanem wujka, gdzie czuła się bezpieczna. Tkwiła za nim nieruchomo, krępując swym zachowaniem możliwość jego ruchów. Dopiero Sarze udało się odkleić małą od jego nogi.

– Jak tu pięknie... – Mama szczerze zachwyciła się ogrodem. Widział też, że nie mogła oderwać wzroku od eleganckiego stołu, przy którym wszyscy mieli za chwilę usiąść. Obserwował ją, a jednocześnie szukał wzrokiem Sary. Gdy udało im się spotkać, co prawda na odległość, uśmiechnęli się do siebie. Chciał przekazać jej tym podziw, ponieważ wyglądała olśniewająco. Miała na sobie jasnoróżową, bardzo prostą i skromną sukienkę, która stanowiła doskonałe tło dla jej urody. Nie zdążył swym spojrzeniem przesłać jej nic poza zachwytem, ponieważ usłyszał jej bardzo poruszony głos.

– I oto witamy szanownego jubilata!

Na te słowa w drzwiach tarasowych na moment zatrzymał się Dziadek. Za to mama ruszyła przed siebie, jakby nie chcąc marnować ani chwili. Nikt nic nie zrobił. Nikt nic nie mówił. Wszystkie dotychczasowe rozmowy ustały. Zapanowała cisza będąca idealnym tłem wydarzającej się właśnie chwili. Dziejącego się spotkania. Starszy pan zrobił dwa kroki przed siebie i to wystarczyło. Więcej nie musiał. Starsza siostra jego nieżyjącej żony już patrzyła mu w oczy. Podali sobie prawe dłonie. Zamienili zdań kilka, których nikt z patrzących na tę scenę nie usłyszał.

Stało się tak, ponieważ wiatr szumiący w konarach dużego czerwonolistnego klonu okazał się najlepszym strażnikiem poznania tych dwojga już bliskich sobie ludzi.

Obserwował wszystko w ogromnym skupieniu. Modlił się w duchu, żeby już było po wszystkim, by nikomu nie zaszkodziły wzruszenie i ogromne przeżycie, których był naocznym świadkiem. Poczuł tuż za sobą ciało Sary. Jej ciepło było najlepszym lekarstwem na zdenerwowanie. Ukochana przytuliła się do jego ramienia, dzięki czemu jego niepokój stał się mniejszy. Całkiem inny. Jednak nie mógł w tej chwili stracić z oczu mamy. Widział, jak podaje prezent Dziadkowi. Jak ten, zupełnie jakby był świadkiem ich rozmowy w samochodzie, od razu go odpakowuje.

Przyglądał się dobrze znanemu matczynemu gestowi unoszenia dłoni do twarzy. Zawsze tak robiła, gdy zaczynała płakać. W ten sposób zakrywała wzruszone usta. Podarunek był już odpakowany. Dziadek wpatrywał się w niego. Bez słów. Dość długo. Jego wzruszenie było widoczne z daleka. Łez z takiej odległości nie dało się zaobserwować, ale delikatne ruchy ramion tak.

Gdy starszy pan uniósł wzrok, Maks usłyszał płacz tuż obok.

– Przytul mnie…

Natychmiast spełnił tę prośbę. Przygarnął Sarę. Zapłakaną, ale nie smutną. Znów dotarł do niego szept.

– Jak to dobrze, że się spotkaliśmy…

– Doskonale – odpowiedział i wzmocnił uścisk.

– Popatrz…

Poczuł, jak ciałem Sary dosłownie szarpnął spazm. Powędrował za jej spojrzeniem. To, co zobaczył, sprawiło, że jej wzruszenie nagle stało się ich wspólnym doznaniem. Jego mama tonęła właśnie w objęciach Dziadka. Znów usłyszał płacz. Tym razem to stojąca nieopodal Beata właśnie się rozklejała. Widział, że naśladując mamę, uniosła prawą dłoń, by przysłonić nią choć trochę swoje poruszenie. Powiódł wzrokiem po zebranych. W sumie nawet nie musiał tego robić, by utwierdzić się w przekonaniu, że wszyscy byli poruszeni. Wojtek jako jedyny mężczyzna nie krył łez. Widział, jak wyciera je w śnieżnobiałą koszulę Bekhira obserwującego wszystko, co się w tej chwili działo, z bardzo poważną miną.

Z czułością pocałował głowę Sary.

– Już dobrze? – zapytał troskliwym i rozkochanym głosem.

Przytaknęła, wciąż nie mogąc zdobyć się na słowa. Czuł, że potrzebowała jeszcze chwili, by zapanować nad roztkliwieniem. Chyba wszyscy skorzystaliby z oddechu, chociaż bohaterowie dzisiejszego spotkania już zmierzali w ich kierunku i, co piękne, oboje z uśmiechem na ustach. Wzruszonym, ale szczerym i bardzo prawdziwym. Pełnym ulgi i zadowolenia. Dziadek to z nim przywitał się w pierwszej kolejności. W związku z tym to na nim spoczął obowiązek przedstawienia reszty rodziny. Wszyscy wciąż byli bardzo wzruszeni. Nawet Beata nic nie mówiła. Dobrze, że był w pobliżu Wojtek, ponieważ w pewnym momencie zaczął całe bractwo popędzać, sensownie argumentując swe zachowanie słowami: „Jak tak dalej pójdzie, to wszystko wystygnie!".

Dopiero gdy usiedli przy stole, zauważył, że przy wazonie ze słonecznikami, w jego mniemaniu dużo piękniejszymi od tych uwiecznionych na słynnym obrazie, Dziadek Sary ustawił zdjęcie. Czarno-biały prezent, który otrzymał od jego mamy.

Zaczęli jeść. Wszystko było oczywiście pyszne, a Wojtek i tak wychodził ze skóry, by zadowolenie gości było wciąż większe. Donosił, proponował, starał się za wszelką cenę być usłużnym. Bekhir prosił go, by usiadł i przestał już asystować przy kociołku z kremem z cukinii, ale na nic zdawały się te prośby, ponieważ samozwańczy szef kuchni miał w sobie coś z Beaty. Wiedział najlepiej, czego potrzebują inni, a jeszcze lepiej, czego brakuje jemu samemu do szczęścia lub choćby przynajmniej jako takiego życiowego zadowolenia.

– Jak dobrze widzieć, że w końcu jesz coś z apetytem – szepnął Maks do siedzącej obok Sary.

– Chyba mi w końcu ulżyło. Bardzo bałam się tego spotkania.

– Ja też.

– Chciałabym pobyć z tobą sam na sam – odezwała się po chwili.

Tymi słowami, a przede wszystkim towarzyszącym im spojrzeniem prowadziła jego wyobraźnię w kierunku, w którym uwielbiał zmierzać – w realnym życiu milion razy bardziej niż w myślach.

– Może spędzisz u mnie noc – zaproponował.

Nie czekając na odpowiedź, włożył rękę pod stół i zrobił coś, co miało sprawić, by ukochana nie miała teraz żadnych problemów z podjęciem decyzji.

– Ja widzę, co ty wyrabiasz, kochany braciszku – usłyszał wredny głosik siedzącej naprzeciwko siostry.

Karmiący Zosię Marcin tylko się uśmiechnął.

– Zazdrosna? – Nie zostawił słów kochanej żony bez komentarza.

– Nie zazdrosna, tylko spostrzegawcza! – odparowała Beata. – Sara, proszę cię, zgódź się, bo jak tak dalej pójdzie, to jeszcze mój brat zwichnie sobie rękę pod tym blatem i wtedy to ty będziesz musiała się zajmować nim, a nie on tobą.

Sara parsknęła śmiechem. Dłoń Maksa znalazła się znów na białym obrusie, a Zosia zaczęła marudzić przy jedzeniu.

– Marcin! Daj jej już spokój! Może skubnie jeszcze coś z drugiego dania…

Maks patrzył na Beatę i jak zwykle podziwiał to, jak nieoceniona była w zarządzaniu pracą innych osób. Cieszył się co chwilę od nowa, że miał taką siostrę. Zerkał też na mamę siedzącą obok zadowolonego jubilata i był szczęśliwy, że to właśnie ona była jego matką. Na Sarę nie musiał spoglądać, żeby wiedzieć, że była jego i tylko jego, ale i tak z lubością utkwił w niej wzrok. Wybranka z miejsca przyłapała go na tym spojrzeniu.

– Spędzę – szepnęła cichutko.

Nie zdążył jej podziękować nawet uśmiechem, ponieważ Beata od razu huknęła.

– Słyszałam!

Niespodziewanie odezwał się Marcin:

– Kochanie, a może jednak zajęłabyś swe piękne usta kremem z cukinii? Jest wyśmienity.

– Dla ciebie wszystko – syknęła i posłuchała rady swego męża, choć posłuszeństwo nie było jej mocną stroną.

– Zosiu, a wiesz, co będzie po drugim daniu? – Sara skrzętnie wykorzystała milczenie przyszłej szwagierki, by zmienić temat.

– Co? – zaciekawiła się mała.

– Będzie prześliczny i oczywiście przepyszny tort truskawkowy.

– Lubię tort – szepnęła Zosia, wciąż jeszcze trochę speszona.

– Wszystkie dzieci lubią tort – zapewnił jubilat do tej pory bacznie obserwujący wszystkich zebranych przy stole gości.

– A Dziadek lubi tort? – zapytała najmłodsza, zgodnie z regułami dziecięcego świata pomijając zbędne konwenanse.

– Zosiu, ten pan nie jest twoim dziadkiem – wyjaśnił Marcin córce.

– To prawda, Zosiu, nie jestem twoim dziadkiem, ale jeśli masz ochotę, możesz tak się do mnie zwracać, a mnie będzie wtedy bardzo miło. Ba! Będę zaszczycony.

– To będę – odpowiedziała z uśmiechem Zosia.

Jej szczere słowa wprawiły wszystkich w jeszcze lepszy nastrój niż do tej pory. Maks dostrzegł spojrzenie Bekhira, który szybciutko uniósł kciuk, by przekazać mu w ten sposób informację, że wszystko jest tak, jak ustalili.

Teraz to on poczuł na udzie dotyk dłoni Sary. Wszystko naprawdę było w najlepszym porządku. Wiedział, że Bekhir, korzystając z nieuwagi tu obecnych, przeniósł ogromny bukiet róż z samochodu do salonu. Tam już teraz czekały na odpowiedni moment. Wymyślił, że będą deserem po deserze. To wtedy miał zamiar przynieść je do ogrodu i zanim wręczy je Sarze, zapytać jej ojca o to, czy zgodzi się oddać mu rękę swej córki. Chciał to zrobić, mimo że na palcu wybranki już od jakiegoś czasu pobłyskiwała zaręczynowa obrączka. Chciał to zrobić, ponieważ tato powiedział mu kiedyś, że gdy prosi się o rękę swej ukochanej, to jest tak, jakby mówiło się do jej ojca: „Będę opiekował się nią już zawsze i będę dla niej bardzo dobry". Chciał zaopiekować się Sarą. Na zawsze.

– Rozumiem, że zupa smakowała wszystkim – stwierdził Wojtek i zaczął zapraszać wszystkich do degustacji drugiego dania.

– A co poleca dziś nasz drogi mistrz kuchni? – zapytała milcząca do tej pory Karolina i wlepiła wzrok w kucharza.

– Polecę ci coś wyjątkowego, jeśli obiecasz, że jak już zjemy to, co dobre… czyli wszystko – dodał z pewnością w głosie – to zaśpiewasz dla nas coś pięknego tak samo jak w zeszłym roku.

– Oczywiście, że tak. – Karolina bezzwłocznie odwzajemniła uśmiech. – Ale tylko z tobą w duecie. Bez ciebie to nie to samo. – Nie czekając na zaproszenie, jako pierwsza podeszła do wypucowanych jak lustra podgrzewaczy, skąd unosiły się smakowite zapachy.

Maks poczuł, jak Sara kładzie głowę na jego ramieniu, i natychmiast pocałował jej pachnące włosy.

– Nawet nie wyobrażasz sobie – szepnęła po chwili – jak bardzo się cieszę, że jest nas tak dużo przy tym stole i wszyscy wydają mi się tacy bliscy...

– Wyobrażam sobie. Tylko martwię się trochę, bo twój Tato przygląda mi się chyba z dużą rezerwą.

– Nie przejmuj się. Po prostu przeżywa. Zrozum... ma złe doświadczenia...

– Wiem, ale obiecam mu dziś, że będziesz ze mną szczęśliwa.

– Nie musisz. On już to wie. – Pocałowała jego ramię tak, że na rękawie marynarki z pewnością został ślad szminki.

– Nie muszę. Chcę! – zadeklarował pewnym głosem.

Wciąż pragnął, by mogli być teraz sam na sam. Chciał tego, chociaż widok jego bliskich i krewnych Sary siedzących przy jednym stole był po prostu bezcenny. To wszystko, co się ostatnio wydarzyło w jego życiu, sprawiło, że już czuł powiększenie rodziny.

Na szczęście wiedza na temat jego przeszłości tak naprawdę niczego nie zmieniła. Nikogo nie stracił. Mama, jakby prześwietlając go wzrokiem, patrzyła na niego poważnie. Znali się doskonale. Wiedział, że czytała w tej chwili w jego myślach. Nie poczuł się jednak jak ktoś przyłapany na gorącym uczynku. Przecież miał w głowie tylko pozytywne przemyślenia. O mamie, ale też o tacie. Wciąż miał o nim dobre zdanie. Wiedział, że może się uważać za syna bardzo uczciwego człowieka.

Dobrego i niezwykle odpowiedzialnego, który popełniał w życiu błędy, ale nie uciekał przed ich konsekwencjami. Potrafił płacić za swe pomyłki.

Od kiedy dowiedział się wszystkiego, dużo rozmyślał o ojcu. Zresztą zawsze o nim myślał. Był nawet na cmentarzu, by się z nim rozmówić. Po męsku, choć tylko w duszy. Nie inaczej. Gdy to zrobił, poczuł ulgę. Teraz też ją poczuł, dlatego uśmiechnął się do mamy. Tylko na to czekała, bo od razu odwzajemniła jego uprzejmość. Było jak zawsze. Nic się między nimi nie zmieniło. Łączyło ich to, co zwykle. Zwyczajna, dobra miłość. Najlepsza, najwartościowsza, ponieważ obecna nie w zdarzających się rzadko życiowych fajerwerkach, tylko w codziennych zwykłych spojrzeniach – czasami krótkich, czasami dłuższych, a czasem całkiem mimowolnych.

Siedzieli na ławce. Tej samej, na której spędzili jedną z pierwszych randek, chociaż wtedy jeszcze chyba nie mieli śmiałości, by tak nazywać swoje spotkania. Dziś mijało pół roku, odkąd zetknął ich los. Pogoda im nie sprzyjała. Na ochraniający ich wielki parasol bezlitośnie walił deszcz. Świat wokół wylewał wielkie łzy. Płakał rzewnie. Na szczęście oni nie mieli żadnych powodów do smutku. Wiedziała to doskonale. Wtulała się w Maksa trzymającego parasol. Uwielbiała to robić. Paradoksalnie czuła się wtedy nie słabą kobietą, której do życia niezbędne jest silne męskie ramię, lecz wprost przeciwnie, miała poczucie kobiecej siły. I to dzięki sobie. I zaufaniu, którym potrafiła obdarzyć siedzącego obok mężczyznę. To właśnie ono dawało jej siłę. Zaufanie w miłości. Najtrwalszy fundament...

– Nie zimno ci? – zapytał, przerywając jej przemyślenia.

– Bez herbaty pewnie by było – odparła, utkwiwszy spojrzenie w papierowym kubku.

On trzymał w swej dłoni identyczny.

– Ale leje... – szepnął.

– Niech pada – szczerze wyraziła swą aprobatę dla praw natury. – Zobacz, jaka pustynia wokół. Ziemia potrzebuje wody. Przecież przez całe lato w ogóle nie padało.

– Rzeczywiście... Nie masz mi za złe, że mój urlop tak się rozmył?

– Chociaż nie spadła nawet kropla deszczu – dokończyła.

– Chociaż – dodał z przekąsem..

– Może nawet dobrze się stało. Ja chyba tego lata nie za bardzo się nadawałam do jakichkolwiek podróży.

– A teraz będziesz się nadawała?

Musiała przyznać, że jego pytanie ją zaskoczyło.

– Czyżby wszyscy przestępcy od początku września zawiesili swą działalność?

– Tak dobrze to nie będzie nigdy. – W mgnieniu oka rozprawił się z jej idealistycznym myśleniem. – Ale za to wszyscy z mojego wydziału już się wyurlopowali, więc pomyślałem, że moglibyśmy gdzieś pojechać, gdybyś oczywiście chciała. Może chociaż na kilka dni...

– Może do Taty… Do Amsterdamu… – głośno myślała.

Chociaż tak naprawdę nie miała ochoty na żadne wojaże. Było jej dobrze tak, jak jest. Nie miała siły na podboje świata, choć już jakiś czas temu przekroczyła magiczną granicę pierwszego trymestru ciąży, po której poranne mdłości miały ustać. Przynajmniej tak obiecywał jej lekarz prowadzący. Niestety nic takiego się nie wydarzyło. Więcej, sytuacja się pogarszała. Mianowicie do dolegliwości porannych dołączyły nudności całodzienne, które w duecie z niemiłosiernym upałem w środku lata męczyły nieziemsko.

– To może Kazimierz…? – zaproponował nienachalnie Maks. – Jest bliżej…

– I byłoby wspomnieniowo…

– Jak nic Cyganka wiedziałaby, czy urodzi nam się córeczka, czy synek. – Położył dłoń na już całkiem wyraźnej krągłości jej ciała.

– Po co nam zapewnienia Cyganki, skoro twoja mama już mi powiedziała, że to dziewczynka. W dodatku bardzo grzeczna, bo wcale nie zabiera mi urody.

– Coś w tym jest. Sam też zauważyłem, że ostatnio nawet przybywa ci uroku.

– Czyżbyś czegoś ode mnie chciał? – Udała podejrzliwe spojrzenie.

– Zawsze i wszędzie – odpowiedział tak bezpośrednio, że o mało nie poparzyła się wciąż bardzo gorącą herbatą.

– Tutaj też?

– Mogłoby być całkiem interesująco. – Spojrzał na nią tak, iż zaczęła podejrzewać, że ich dzisiejsza randka, mająca naśladować tę najpierwszą, po pierwsze, skończy się za wcześnie, a po drugie, całkiem inaczej.

– Normalnie mogłoby być jak na basenie. – Wysunęła swą dłoń na moment spod parasola. – O Boże! – syknęła. – Jaki ten deszcz jest zimny!

Czuła, jak po plecach przeszedł jej nieprzyjemny dreszcz. Z pewnością był następstwem tego, iż otaczająca ich ulewa bardzo szybko ochładzała powietrze. Dlatego usiłowała mocniej wtulić się w ramię ukochanego, choć było to już raczej niemożliwe. W tej samej chwili zadzwonił jego telefon. Była uczulona na ten dźwięk, ponieważ zazwyczaj od niego zaczynała się jej samotność. Zawsze zachowywał się tak samo, rozpoczynając telefoniczną rozmowę. Przybierał poważną i skupioną minę, po czym mówił jedno krótkie i stoicko brzmiące: „tak?". Zawsze wymawiał je spokojnie. Doskonale wiedziała, że ten spokój był mu potrzebny do tego, by podołać wyzwaniom swego zawodu. Maks spotykał ludzi wykazujących się nieludzkimi postawami. Miała świadomość, że to dlatego wracał z pracy nie tylko straszliwie zmęczony, ale nierzadko przeraźliwie milczący. Bała się tego, co robił. Przepełniał ją strach, ale podziwiała go za to, że mimo tego, co widział i przeżywał w akcjach, był bardzo dobrym człowiekiem. Nie tylko dla niej, ale tak w ogóle. Żywiła przekonanie, że bycie dobrym w obliczu zła to jedno z największych ludzkich wyzwań.

Maks już sięgał po telefon.

– Nie odbieraj – poprosiła cicho. – Nie teraz. To miał być nasz dzień... – Chwytała się argumentacji, którą nie znosiła się podpierać.

– Zobaczę tylko kto – odezwał się miękkim głosem i spojrzał na wyświetlacz. – To Korkociąg. Muszę z nim pogadać.

Zobaczyła przepraszające spojrzenie ukochanych oczu. Westchnęła, próbując zagłuszyć to znienawidzone przez siebie: „tak?". Obserwowała otaczające ich strugi deszczu. Wsłuchiwała się w ich donośną perkusję, którą miała tuż nad głową. Czuła na policzku i dłoni, niestety, jak mięśnie Maksa tężeją. Nic nie mówił, tylko słuchał. Ta cisza zakradająca się pod parasol stawała się złowieszcza. Trwała coraz dłużej...

Uniosła głowę i zerknęła na zasępioną twarz Maksa. Zaczęła modlić się w duchu, żeby się w końcu odezwał. Gdy to zrobił, wystraszyła się i nerwowo poruszyła.

– Posłuchaj! – jego ton był ostry i rozkazujący.

Nie znała go takiego. Kategorycznego i całkowicie przekonanego do własnej racji, którą z pewnością miał zamiar teraz wyartykułować. Jednak nie mówił, tylko znów wsłuchiwał się w to, co miał mu do powiedzenia Korkociąg.

– Posłuchaj!!!

Tym razem na pewno usiłował przerwać słowotok swego partnera. Chyba mu się to udało.

– Plan jest taki! – Zaczął bardzo rzeczowo. – Jest dziesiątego września, Zimna ma pełne ręce roboty. Daktyloskopia też.

Jestem pewien, że wywiad wiktymologiczny zrobili bez zarzutu, a mapa mentalna sprawcy też mówi bardzo dużo. Przekonaj Starego, że taki ruch teraz nam tylko wszystko skomplikuje. Trzeba po prostu poczekać. Ja wierzę w Zimną. Na pewno do jutra coś jeszcze znajdzie.

Westchnęła, nie mogąc tego dłużej słuchać, ponieważ wyobraźnia podsuwała jej makabryczne obrazy, choć do końca nie rozumiała wszystkich sformułowań, których Maks używał w tej rozmowie.

– Muszę kończyć. – Jakby czytając jej w myślach, rozłączył się i szybko schował komórkę do kieszeni spodni. – Przepraszam – szepnął i pocałował ją w głowę.

– Nie musisz iść, prawda? – Chciała mieć pewność, że dzisiaj będzie go miała tylko dla siebie.

– Myślę, że po orce w ostatnim tygodniu mam jeszcze przynajmniej dwa dni spokoju. – Spoglądał na nią, a jego wzrok bardzo wyraźnie upraszał o zrozumienie. – Martwię się – odezwał się po dłuższej chwili milczenia.

– Czym?

– Tym, że przyjdzie taki moment w naszym życiu, że znienawidzisz moją pracę, że…

– Kto to jest Zimna? – zapytała, bojąc się, co jeszcze mogłaby usłyszeć.

– Dlaczego pytasz?

– Zbladłeś – stwierdziła.

Zamiast odpowiedzieć, patrzył przed siebie. Milczał.

– Chcesz, żebym była zazdrosna o Zimną? – Czuła nie tylko pismo nosem, ale również napięcie, które się nagle pojawiło.

– To dawne czasy – stwierdził bardzo poważnie.

Tego się nie spodziewała. Pomyślała, że bez sensu uderzyła w stół, bo nożyce odezwały się, choć nie tego chciała.

– Kto to jest Zimna? – powtórzyła.

Nie miała pewności, czy dobrze robi. W tym momencie nie była już do końca pewna, czy rzeczywiście chce dowiedzieć się czegoś więcej na temat tajemniczej osoby.

– To patomorfolożka.

– Byłeś z nią? – zapytała wprost, ponieważ nie miała siły na walkę ze swoimi wszystkimi domysłami.

– Nie potrafiłem z nią być.

– A z Patrycją?

Pytanie, które zadała, zdziwiło ją samą.

– Z Patrycją było inaczej… Nie zdążyłem z nią być… Chyba…

– Kochałeś ją?

Patrzyła przed siebie. Obserwowała deszcz. Była przekonana, że to przez panującą szarugę zadawała tak trudne pytania.

– To ciebie kocham i to ty jesteś dla mnie pierwsza i najważniejsza.

Z nieba spadały coraz większe krople deszczu i choć coraz bardziej hałasowały, i tak doskonale usłyszała każde słowo Maksa. Znów wtuliła się w niego z całej siły.

– Ty też jesteś dla mnie najważniejszy i bardzo żałuję, że nie pierwszy – stwierdziła gorzko.

– Nie myśl tak – poprosił. – Ciesz się z tego, że w ogóle udało nam się spotkać.

– Boże... Jak to dobrze, że tak mówisz... Zwłaszcza że narobiłam w twoim świecie sporego nieporządku... – Odważyła się w końcu nawiązać do prześladujących ją ostatnio przemyśleń.

– Chyba żartujesz? – Obruszył się z miejsca. – Podchodzę do tego w taki sposób, że dzięki tobie moja mama mogła w końcu zrobić porządek ze swoim, a raczej z naszym życiem. Znam ją doskonale i wiem, że przeszłość na pewno ją wciąż prześladowała. Mam nadzieję, że gdy mi o wszystkim powiedziała, to w końcu jej ulżyło. Ona jest bardzo dobrym i otwartym człowiekiem. Tajemnice to nie jej bajka.

– A twoja biologiczna matka... – wyszeptała.

Poczuła do siebie odrazę. Już wiedziała, że powinna zmilczeć słowa, które spowodowały usztywnienie mięśni ukochanego.

– Moja prawdziwa matka mieszka niedaleko stąd. – Obrócił głowę w kierunku widocznych bloków i szybko podał dokładny adres.

– Przepraszam. – Zreflektowała się poniewczasie.

– Nie musisz mnie przepraszać. Pamiętaj, powinnaś mi tylko o wszystkim mówić, bo ja, tak samo jak ta, która mnie wychowała, nie znoszę tajemnic ani owijania w bawełnę. Moja ulubiona taktyka nazywa się „prosto z mostu".

– Na jutro twoja mama zaprosiła nas na obiad – dyskretnie zmieniła temat.

– Przecież wiem. – Spojrzał na nią dość podejrzliwie.

– To powiem ci teraz prosto z mostu, że oczekuję, iż dotrzemy do niej razem i na czas, i żaden telefon nam nie przeszkodzi.

– Tak będzie – obiecał.

Gdy to mówił, nieprzyjemny dreszcz będący następstwem chłodu kolejny raz przeszył jego ciało.

– I pomyśleć, że jeszcze wczoraj modliłam się o zimno i deszcz.

– Niech pada…

Maks obserwował czubki topoli. Uśmiechał się tak szczerze, że miała pewność, iż jego radosna mina odzwierciedlała błogostan duszy. To dlatego ucieszyła się z tego, że jest tak, jak jest. Udało jej się złapać chwilę. Chyba nawet zdołali to zrobić razem. Łapanie momentów z kimś, kogo się kocha, jest dużo przyjemniejsze od tego w pojedynkę.

– Ciocia! Ciocia!

Dziecięcy wrzask drastycznie przerwał rozmyślania miłe dla duszy. Widziała, jak z daleka biegło w ich kierunku dziecko. Małe kalosze rozbryzgiwały rwący potok płynący chodnikiem nie wiadomo dokąd. Czerwona przeciwdeszczowa pelerynka nakrapiana białymi kropkami jak muchomor ledwo nadążała za biegnącym przed siebie bez opamiętania chłopcem. Wystarczyła chwila, by przecinająca deszczowe kurtyny rozkrzyczana postać wpadła w jej objęcia.

Nie mogła uwierzyć. To był Fryderyk. Rude włoski przyklejały mu się do mokrej twarzy, a oczy śmiały się tak, że z miejsca zrobiło jej się cieplej. Chłopiec urósł od ostatniego spotkania, ale poza tym nie zmienił się wcale. Wciąż był bardzo sympatycznym piegowatym zawadiaką o uroku osobistym tak ogromnym, że nie można było się na niego gniewać. A jednak... W chwilę po tym, gdy zobaczyła malca, stanęła przed nią kobieta. Postawna blondynka w bardzo zaawansowanej ciąży. Przemoczona do suchej nitki.

– Bardzo panią przepraszam... O! Dzień dobry, pani Saro. Dopiero teraz poznałam. Synku, nie możesz tak uciekać. Mama nie może teraz za tobą tak szybko biegać!

Matka strofowała chłopca. Jednak robiła to z taką miłością w głosie, że jej ruganie na nic się zdało.

Fryderyk wtulał się w ulubioną przedszkolankę z całej siły, niczego nie robiąc sobie ze słów własnej mamy. W końcu usiadł na jej kolanach, a nóżki w kaloszach odważył się położyć na nogi Maksa. Jednak jego matka kontynuowała reprymendę.

– Przecież wiesz, że nasza Amelka nie lubi, kiedy biegam. – Kobieta spojrzała z czułością na swój ogromny i już mocno obniżony brzuch.

– Może pani usiądzie – zaproponował Maks, gdy tylko udało mu się dojść do głosu.

– Nie, dziękuję bardzo. Proszę spojrzeć, jesteśmy całkowicie przemoczeni. Musimy szybko wracać do domu. A co u pani słychać, pani Saro?

– Dobrze. – Uśmiechnęła się do smyka.

– Ty też masz dzidźkę w brzuchu? – Malec nie odrywał od niej oczu.

– Też. – Pogładziła główkę chłopca obleczoną w kaptur. – Ale twoja siostrzyczka jest od niej na pewno starsza i większa. Moja dzidzia jest jeszcze bardzo mała.

– To też dziewczyna? – zapytał z ciekawością Fryderyk.

– Jeszcze nie wiemy – powiedziała zgodnie z prawdą i spojrzała na ukochanego.

– A kiedy przyjdziesz do przedszkola?

– Kochanie, nie męcz pani pytaniami. Musimy już iść, bo jak nic nabawimy się kataru.

– Obiecuję, że przyjdę w odwiedziny – zaproponowała, czując, że szykuje się trudne pożegnanie.

– Ale kiedy? – Berbeć pytał tonem żądnym natychmiastowej i bardzo konkretnej odpowiedzi.

– Fryderyk! – Przywoływała go do porządku mama.

– Już niedługo – obiecała.

Wiedziała, że dotrzyma słowa, choć nie stęskniła się za dyrektorką, która poznawszy powód jej przedłużającego się zwolnienia lekarskiego, zabiłaby ją wzrokiem, gdyby to było tylko możliwe.

– To świetnie – stwierdziła mama Fryderyka, a jej wzrok wyrażał prośbę o pomoc.

– Ale teraz to my też musimy już iść. – Wpatrzyła się w urokliwe piegi malca. – Bo inaczej nasza dzidźka też dostanie kataru i co wtedy będzie?

– Skaczący brzuch będzie – odpowiedział przedszkolak i sprytnie zeskoczył z jej kolan.

Cel został osiągnięty i przypieczętowany radością mamy Fryderyka.

– Do widzenia pani. – Uśmiechnęła się Sara. – I trzymam kciuki za szczęśliwe rozwiązanie.

– To nie dziękuję, do widzenia państwu.

– Do widzenia – odpowiedzieli razem.

Oboje podążali wzrokiem za oddalającym się chłopcem, który oczywiście za nic miał usilne prośby swej matki i z ogromnym zaangażowaniem chlapał na nią i na siebie.

– Chyba niezłe wyzwanie przed nami – stwierdziła i dała Maksowi delikatnego kuksańca.

– To się okaże.

Jak zwykle spodobało jej się zdroworozsądkowe podejście ukochanego.

– A jesteś w stanie sobie wyobrazić, że ja za jakiś czas też będę taaakaaa…

Słowo „gruba" nie chciało jej przejść przez gardło.

– Obszerna? – dodała po chwili z niepewnością w głosie.

Nie była pewna, czy wyraz, którym się posłużyła, odpowiednio określał jej przyszły stan, a raczej wygląd.

– Wyobrażam sobie – odrzekł. – W dodatku nie widzę powodów do zmartwień. Z tobą jest tak, że im ciebie więcej, tym dla mnie lepiej.

Utkwiła w przyszłym mężu pytające spojrzenie.

– To jasne. Im ciebie więcej, tym więcej do kochania. – Mocno ją przytulił.

I choć było jej zimno, to w sercu poczuła gorąco. Zrozumiała, że dla nich ważny był tylko jeden rozmiar – rozmiar uczucia. Żaden inny. Jak to w miłości… W każdej…

I znów życie, zresztą nie pierwszy już raz, udowodniło mi, że nie ma nic stałego. To był dobry dzień. Do pewnego momentu… Ale o tym za chwilę.

Dziś obudziło mnie słońce. Zdążyło przed Nutką, chociaż nie jest to łatwe. Od razu otworzyłam okna. Te od zachodniej strony. Zrobiłam to, ponieważ zapowiadał się upalny dzionek. I parny, bo wczoraj lało tak, że świata nie było widać. Pomyślałam więc, że będzie dobrze, jak mieszkanie wychłodzę porannym rześkim powietrzem. Stałam więc przed otwartym oknem. Cieszyłam się bardzo przyjemnym chłodem. Nutka wartę przy mnie rozpoczęła. Stała, uderzała moją nogę swoim ogonem i wlepiała we mnie to swoje przez lata wytrenowane spojrzenie proszące o jak najszybszy spacer. Mówiła do mnie ta moja psina swoimi oczami o barwie kasztanów: „proszę, proszę, proszę". Oczywiście nie zareagowałam na te jej usilne prośby od razu. To do mnie trochę niepodobne. A zachowałam się tak dlatego, że z zewnątrz wpadł do mojego domu rozśpiewany głos. Nawet nie wiem, czy zrobił to z góry, czy z dołu, ale to nie jest istotne. Ważne, że go usłyszałam. Śpiewał piosenkę. Lubię ją bardzo. Kwiatek z parapetu zdjęłam. Oparłam się o futrynę i lekceważąc umizgi Nutki, zasłuchałam się. Słuchałam i czułam się tak, jakby ten śpiewak wiedział o mnie wszystko. O mnie i o moim życiu…

Wrzesień jak dywan,
jakich nie bywa
często ostatnio…

Dzień za dniem,
sen za snem,
pełnia i nów,
i słońce znów.
Noce i dni
wciąż nazbyt ładne –
zmierzchy i
świty bezradne.

Idę przez pole,
gdzie dwie topole,
drzewo przy drzewie –
patrzą z wysoka
w przestrzeń jak otchłań…

I chodziła za mną cały dzień.. Nie tylko melodia. Słowa jej towarzyszące również. Poruszały mnie do głębi. Zostały przy mnie nie tylko rano, ale przez cały Boży dzień. Teraz, gdy o tym piszę, też są przy mnie, choć niewypowiadane. Cieszy mnie to, bo lubię mądre i niemęczące towarzystwo.

Serce mi się dziś radowało wiele razy. A teraz kraje mi się na kawałki. To zdolna bestia. Wszystko potrafi...

Radość mnie ogarnia, bo na obiedzie dzieci dziś miałam. Nawet Beatkę, tę, co to czasu nigdy nie ma. A tu proszę. Wtorek, środek dnia, i znów udało jej się do matki przyjechać. W dodatku wnuczkę na jakiś czas mi zostawiła. Odkąd jest z nami Sara, to wydaje mi się, że moja córka trochę złagodniała, ale chyba najlepiej, jak nie będę się zawczasu cieszyła. Co prawda Beatka zjadła w pośpiechu. Już w locie poinformowała mnie, że małą Marcin odbierze po szesnastej. I tyle ją widzieliśmy.

Zosia, gdy ma w pobliżu ciocię Sarę, to jest wniebowzięta. Tak samo jak mój Maks. Ten to na nią wciąż tak patrzy, jakby poznali się dopiero wczoraj. Jak gdyby niedawno się zakochali. Psot tu było dziś bez liku. Malowanki, wycinanki, rysowanki, śpiewanki. Wszystko. Po prostu wszystko. Śpiewy okazały się najlepsze, bo i Maks, i ja też musieliśmy brać w nich udział. Ależ to była zabawa. Takiej jeszcze chyba w moim domu, jak żyję, nie było. Piosenki i punkty zapisywane w tabelce. Przysiady za karę i brawa w nagrodę. Nutka schowała się oczywiście pod stół i zerkała na to wszystko, co się działo, z wielkim dystansem. Chwilami to mi nawet było jej żal, że nie może się z nami bawić, bo gdyby mogła, to do głowy by jej nie przyszło takim obrażonym wzrokiem na nas patrzeć.

Mój zięć, karny mąż, niestety przyjechał po Zosię, tak jak miał. Punkt czwarta do drzwi zadzwonił. Niestety. Nieszczęśliwie nie mógł zostać. Szkoda, bo zjadłby coś ciepłego i miałby okazję wziąć głębszy oddech podczas całodniowej gonitwy. Ale cóż... Praca przecież nie potrafi czekać. To znaczy u młodych. Oni jeszcze nie wiedzą, że praca na nas czeka, a nie przed nami ucieka. Zakochani skorzystali z okazji, dzięki czemu mogli znów spędzać dzień tylko w swoim towarzystwie. Szybko Zosię do tatusia na dół odstawili, prosto do samochodu. Z góry to wszystko obserwowałam i oczywiście poranną piosenkę sobie nuciłam. To właśnie w takt jej melodii odprowadzałam wzrokiem i małą, i młodych.

Maksowi się już jutro urlop kończy, co prawda tylko tygodniowy, ale widać, że odpoczął. Przy Sarze łatwo odetchnąć, bo ma dziewczyna w sobie mnóstwo spokoju. Ależ miło się na nich patrzy, bo choć są ze sobą jedno obok drugiego, to i tak na stęsknionych wyglądają.

Sara pięknie w ciąży wygląda. Służy jej ten stan. Ślub planują, ale dopiero jak maleństwo na świecie zawita. Cieszy mnie to, bo to coraz bliżej i dzieciątko coraz większe. Po obiedzie nawet sprzątać nie musiałam, bo Maks – dobre dziecko – przy zlewie stanął i szybko ślad po brudnych naczyniach zaginął. Jak już wyszli, to ja tylko po dziecięcych zabawach posprzątałam i w końcu Nutka spaceru się doczekała. Za to Kwietniowa się chyba pierwszy raz w życiu z nami nie wybrała. Powiedziała tylko, że od piętnastej siedzi przed telewizorem i nie może się oderwać. Nie wnikałam i nie myśląc wiele, sama poszłam, to znaczy z Nutką poszłyśmy, chociaż zachowanie sąsiadki spokoju mi nie dawało. Do tego stopnia, że obiecałam sobie jeszcze raz wieczorem do niej zajrzeć. Wróciłam do domu. Usiadłam na moment zmęczona gorącem. Telewizor włączyłam, żeby zobaczyć, co tam nowego, choć wiedziałam, że na Teleexpress nie zdążę, bo do siebie kilka minut po osiemnastej weszłam. I dopiero oczy mi się otworzyły. Jedno spojrzenie na ekran wystarczyło, żeby zrozumieć i Kwietniową, i brak ruchu na naszej trasie spacerowej prowadzącej w kierunku topoli. Patrzyłam i oczom nie wierzyłam. Nie mogłam dać wiary, że kiedy u mnie w domu było tyle radości, to w Nowym Jorku samoloty uderzały o wysokie wieże. Te same, których fotografia przyozdabia Maksa sypialnię. Patrzyłam, słuchałam i nie dowierzałam. Nie chciałam wierzyć. Ani oczom, ani uszom. „Wieże runęły... Pełne ludzi... Pentagon płonie... Gdzieś tam na ulicach Palestyny radość...". Takie słowa słyszałam i wciąż nie mieściło mi się to w głowie. Czy to możliwe? Kiedy dowiedziałam się, że następne wiadomości będą o dziewiętnastej trzydzieści, wyłączyłam telewizor, by już na to nie patrzeć. Ale ulgi nie poczułam, skoro uczuć wyłączyć nie mogłam. Siedziałam przed już cichym odbiornikiem i nie wiedziałam, co począć. Chciałam odnaleźć gdzieś spokój, bo bardzo źle się czułam. Chociaż trochę oddechu. Serce mi dygotało. Coś zapierało mi dech. Siostra Józefa podpowiadała mi, że potrzebuję powietrza. Podeszłam więc do okna. Tego samego, przed którym stałam o poranku i z tak wielką radością witałam dzień. Przecież zapowiadało się pięknie. Ciepłem i słońcem. Zacieniony rankiem plac dziecięcych zabaw teraz topił się w słońcu. Dzieci nie było. Jak nigdy o tej porze. Patrzyłam w dół na nieruchome huśtawki i duch chciał ze mnie ulecieć. Życie chciało ze mnie ujść, kiedy myślałam o rozmiarze nieszczęścia wydarzającego się z dala ode mnie, ale dotykającego mnie z całej siły. Zaczęłam nucić. Chyba żeby się uratować. Może to dziwne. Być może nie powinnam nucić, przecież należałoby płakać. Ale z melodii, którą miałam w sobie przez cały dzień, zaczęły na nowo wyłaniać się słowa. Jeszcze rano rozumiałam je całkiem inaczej. A może nie zastanowiłam się nad nimi tyle, ile powinnam. Może one są jak dzieci i trzeba poświęcać im wiele uwagi. Gdy stałam tak, miałam je w duszy, gdzieś bardzo głęboko, i zaczęłam je właśnie tak dogłębnie i mocno rozumieć. Tak przejmująco, że poczułam ból w sercu. Ale nie przeraził mnie jakoś nad wyraz. Wiedziałam, że sobie z nim poradzę, bo to nie była moja boleść. Należała do tych, którzy teraz byliby w stanie oddać wszystko, by cofnąć czas, by ten dzień mógł rozpocząć się jeszcze raz.

Przecież tam, na drugiej półkuli, byli tacy, co żyli jak moja Beatka i wychodząc z domu, przez pośpiech albo przez roztargnienie, albo – nie daj Boże – przez zły nastrój nie pożegnali się. Tych szkoda mi dziś najbardziej, bo czasu nie da się cofnąć. Już tak będzie. Zostali rozdzieleni. Na zawsze. Bez słowa na dowidzenia. Nie na darmo siostra Józefa mówiła: „Nawet gdy odchodzisz na krótko albo wyjeżdżasz na moment, to pożegnaj się, przytul i poproś Pana Boga o to, by pozwolił ci wrócić do ludzi, których opuszczasz".

Nawet nie wiem, jak długo stałam przed oknem i patrzyłam na plac zabaw, który świecił pustką. I chociaż nie chciałam tak myśleć, to i tak myśli rządziły moją wolą. Zastanawiałam się, ile takich placów zabaw zostało w Ameryce, nie wbiegną nań te dzieci co zwykle, bo akurat dzisiejszego ranka były albo w wysokich wieżach, albo w samolotach, które zamiast lecieć swą trasą, zmieniły ją, by zabijać niewinne osoby. Dlaczego musiało się tak stać? W imię czego? Co to za świat? Co za ludzie? Nie potrafię tego zrozumieć. Nie zrozumiem nigdy. Zresztą radość na ulicach Palestyny też do mnie nie przemówiła. Nie wierzę! Nie wierzę, że matki tych, którzy ważyli się porwać samoloty, żeby zabić siebie i innych, mają powód do radości. Nigdy w to nie uwierzę, bo też jestem matką…

I jeszcze ta piosenka zaczynająca się od słowa „wrzesień". Czy to przypadek? Jakby była o tym, co czują teraz wszyscy czekający na powrót tych, którzy już nie wrócą. Niezależnie od tego, czy się pożegnali, czy nie.

Płakałam, wiedząc, że życie – choć dla niektórych się zatrzymało – to nadal dla innych będzie trwało. Wszystkich, którzy zostali dziś osieroceni, będą spotykały następne i dni, i sny, jak w piosence. Samotne zmierzchy i takie same świty. Dni będą im się często wydawały za piękne. Nie będą potrafili zrozumieć, dlaczego są takie ładne, skoro spotkało ich coś tak przeraźliwego i strasznego.

Chociaż nogi odmawiały mi posłuszeństwa, to wciąż stałam. Nuciłam i czułam się straszliwie bezradna w związku z tym, co się wydarzyło. Wymyśliłam coś niemożliwego. Pragnęłam przytulić wszystkich, którzy gdzieś tam, bardzo daleko ode mnie, płakali i rozpaczali. Chciałam to zrobić, chociaż wiedziałam, że to największa niemożliwość, jaka mi w życiu przyszła do głowy, jaką kiedykolwiek wymyśliłam.

I jeszcze te topole. I w piosence, i w moim świecie. To pewnie przez te drzewa z wersów utworu pomyślałam o tych, obok których przyszło mi żyć. Włodek odszedł ode mnie. Dwa razy. Pierwszy raz mu na to pozwoliłam. Za drugim razem nie miałam nic do gadania. Przeżyłam te oba odejścia. Gdy opuścił mnie drugi raz, zrozumiałam, że Maks jest dowodem na to, że mój mąż to mnie kochał najbardziej. Chociaż trudno, naprawdę trudno w to uwierzyć, to ja w to daję wiarę. Dziś wierzę…

Moi rodzice. Oni też odeszli. I siostra, która nawet nie wiedziała o tym, że jestem. A byłam tak blisko. Cóż…

Ale moja Mama – ona jest przy mnie. Nie odeszła. Przynajmniej nie całkowicie. Często czuję jej obecność. Jak w piosence jest „sen za snem", tak w moim życiu, czasami we śnie, a czasem, gdy tylko zamknę oczy, to widzę przed sobą oczy mojej Mamy. Oczy Sary są do nich bardzo podobne, ale nie identyczne. Nacieszyć się nie mogę, że to pamiętam. To spojrzenie jest przy mnie i za to dziękuję Bogu najbardziej.

Oczy Mamy są cząstką mnie. Maleńką. Są okruchem w mojej pamięci. I jak okruch chleba wystarczy – jeden, mały, ledwie widoczny – by przypomnieć sobie smak chleba, rumianego, dobrze wypieczonego bochenka, tak ten okruszek w moich wspomnieniach sprawia, że mam przy sobie Matkę. Ona jest przy mnie i tylko ja to rozumiem i czuję. Zawsze wiedziałam, że ten okruch pamięci to mój pokarm, którym niezmiennie będę się karmiła przez całe życie. Pożywienie, które jednego dnia się kończy, a gdy następnego otwieram oczy, to cudownym Boskim zrządzeniem znów jest. Daje mi siłę, by żyć, i to najlepiej, jak się tylko da.

Teraz, gdy wyobraziłam sobie bezmiar cierpienia, który dzieje się gdzieś tam tak daleko ode mnie, zrozumiałam coś jeszcze. Pojęłam, że ten okruch, który przechowuję w swej pamięci, jest nie tylko niekończącym się pokarmem dla mojej osieroconej duszy. Wspomnienie oczu mojej Mamy jest jakąś niematerią, która jednak stała się materią. To spojrzenie, tak dokładnie przeze mnie zapamiętane, stało się dla mnie też motywacją. To dzięki niemu umiem budować nadzieję. Każdego ranka. Już w chwilę po tym, jak otwieram oczy. To prawda, że jedna iskra wystarczy, by wywołać pożar i zniszczyć wszystko wokół. Ale jeden dobry okruch pamięci wystarczy, by wiele zachować, by karmić się nim przez całe życie. Zrozumiałam, że to moja jedyna nieskończoność. I właśnie o takie okruchy będę prosiła Boga dla tych wszystkich, którym ten dzień wydaje się końcem świata. Rozumiem ich. To znaczy staram się zrozumieć ich najlepiej, jak potrafię. Pejzaż wielkiego miasta się zmienił. Całkowicie. Ogromnie. Nie do poznania. Nie ma w nim już dwóch wysokich, patrzących w niebo wież. Jednak w porównaniu ze zmianami w życiu osób dziś płaczących to nic. Mała rzecz. Nieporównywalna z tą, która rozgrywa się teraz w ludzkich sercach. Tysiące opłakują dziś, teraz, swój prywatny Pejzaż bez... Bez syna, córki, wnuczki... Pewnie długo by wymieniać...

To dlatego nie mogłam przestać płakać. Nucić też nie potrafiłam zaprzestać. To było dziś moją modlitwą. Za tych, co odeszli, i za tych, co zostali. To było moje połączenie z bólem innych. Stałam i obserwowałam ciemniejące niebo. Nutka posapywała u moich stóp. Czułam się silna i bezradna zarazem. Widocznie tak można. Silna dlatego, że ociepliłam swe serce dla Włodka. I to bardzo. Tego zawsze chciałam. Bezradna poczułam się, bo zrozumiałam, iż kiedyś – jak w piosence – ten pejzaż, który znam, stanie się pejzażem beze mnie.

Chciałabym jednak jeszcze trochę się porozglądać. Jeszcze chwilę uczestniczyć w świecie. Jeszcze przez jakiś czas mieć tu swoje miejsce. Wciąż rozgrzewać swe serce dla Włodka, bo dla innych ono nigdy nie stygnie. Cieszyć się widokiem dzieci i wnuczek. Czuję, że Sara urodzi kolejną mądrą kobietę w naszej rodzinie. Chcę jeszcze nacieszyć się widokiem oczu mojej Mamy. Gdy będzie czas radości, to pragnę się cieszyć, kiedy smutku, to smucić, a kiedy współczucia, to współczuć…

Bardzo Cię o to proszę, Panie Boże… Bardzo…

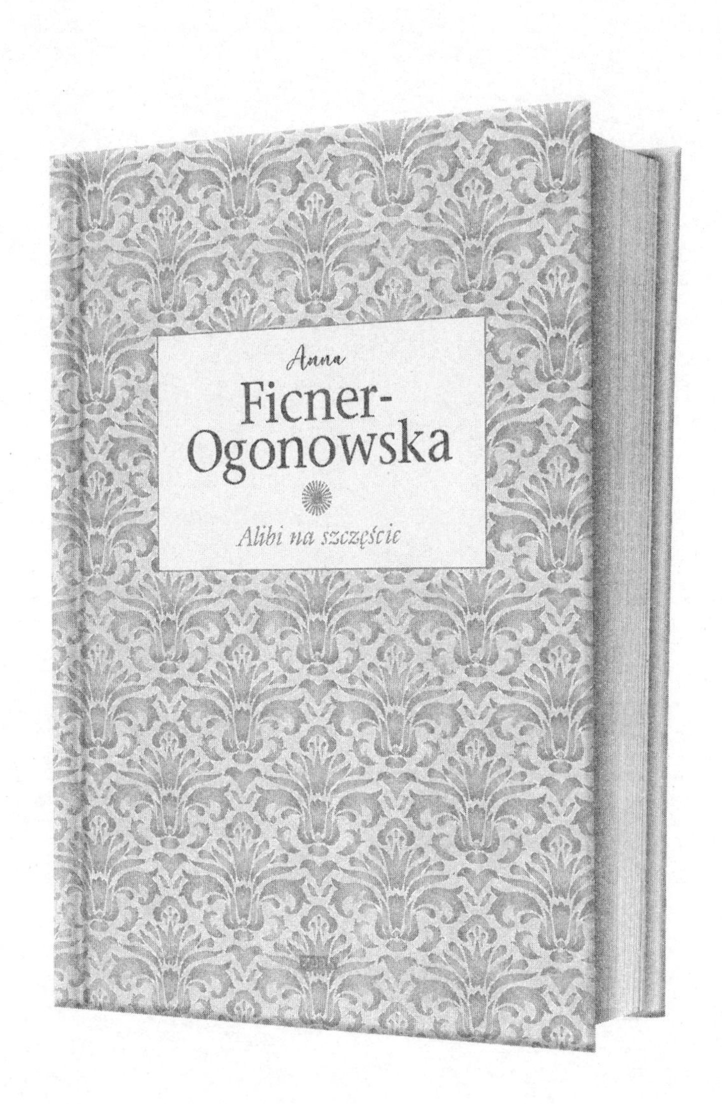
Anna
Ficner-
Ogonowska
Alibi na szczęście

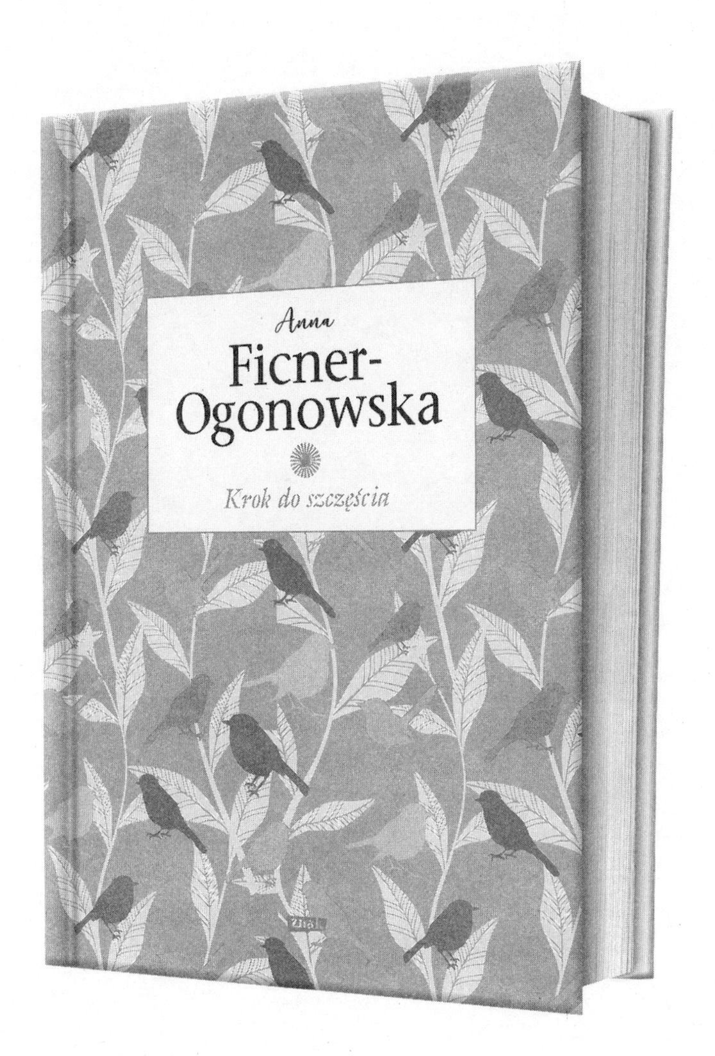
Anna
Ficner-
Ogonowska
Krok do szczęścia

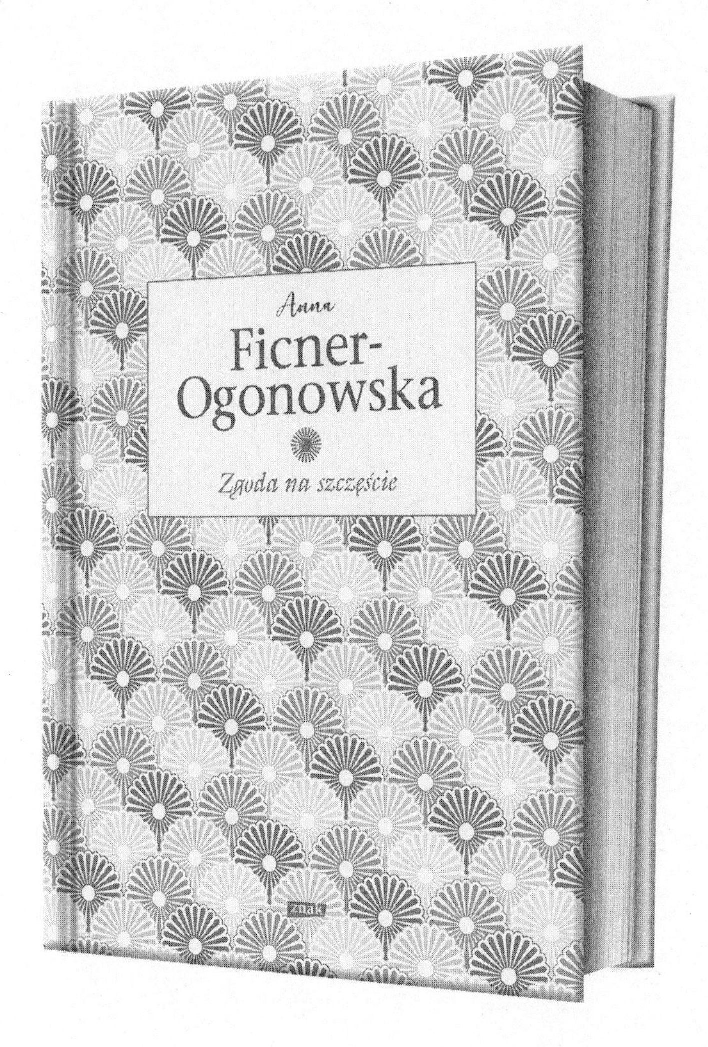
Anna
Ficner-
Ogonowska
Zgoda na szczęście
znak

Autorka bestsellerowego
Alibi na szczęście
Anna Ficner-Ogonowska
Czas pokaże
Wzruszająca
i mądra powieść o tym,
że wszystko w życiu ma
swój sens i zawsze jest czas
na miłość. Polecam!
Agnieszka
Więdłocha
znak

OKRUCH
ANNA
FICNER-OGONOWSKA
OKRUCH
ANNA
FICNER-OGONOWSKA